Nicola Abbagnano

# IL *NUOVO* PROTAGONISTI E TESTI DELLA FILOSOFIA

*a cura di Giovanni Fornero*

## volume 1B

## dall'ellenismo alla scolastica

Percorsi antologici a cura di Roberto Cortese

**paravia**

978 88 395 10112 B

*Coordinamento redazionale e redazione:* Elisa Bruno
*Progetto grafico:* Elio Vigna Design, Torino
*Coordinamento grafico:* Cinzia Marchetti
*Ricerca iconografica:* Chiara Simonetti
*Copertina:* ap ADVERTISING, Torino
*Impaginazione elettronica:* Essegi, Torino
*Controllo qualità:* Andrea Mensio
*Segreteria di redazione:* Enza Menel

*In copertina:*
Tony Hutchings, *Row of basalt stones*, Laura Ronchi/Getty images

Sono in tutto o in buona parte di **Giovanni Fornero** i capp. 1, 4 e 5 dell'unità 5. Sono in tutto o in buona parte di **Nicola Abbagnano** il par. 6 del cap. 2 e il cap. 3 dell'unità 5; il cap. 1 dell'unità 6; i parr. 1, 2, 3, 8 e 9 del cap. 1 e i parr. 1 e 3 del cap. 3 dell'unità 7. Sono di **Nicola Abbagnano** e **Giovanni Fornero** il cap. 2 dell'unità 5; il cap. 2 dell'unità 6; i parr. 4, 5, 6 e 7 del cap. 1, il cap. 2 e il par. 2 del cap. 3 dell'unità 7.
Le presentazioni della vita e delle opere dei filosofi sono quasi tutte di **Nicola Abbagnano**. I riepiloghi visivi e i glossari sono di **Giovanni Fornero**.
I percorsi antologici sono di **Roberto Cortese**.
Le sezioni di verifica sulle unità e gli esercizi sui testi sono di **Margherita Gagliasso**.

Stampato per conto della casa editrice presso
La Tipografica Varese S.p.A., Varese, Italia

Ristampa                                    Anno

    7  8  9  10  11  12  13  14        09  10  11  12  13  14  15  16

# PRESENTAZIONE

**Il nuovo** *Protagonisti e testi della filosofia* è la nuova edizione del corso di filosofia a tutt'oggi più affermato nella scuola italiana ed è stato realizzato con l'intento di **rinnovare un progetto editoriale** fondato sugli ideali che ormai da oltre vent'anni contraddistinguono le opere di Abbagnano e Fornero: la **chiarezza espositiva**, il **rigore della documentazione**, l'**aggiornamento disciplinare** e il **pluralismo delle idee**.

Gli elementi di novità che caratterizzano questa edizione sono i seguenti:

▶ i **contenuti** manualistici sono stati **raggruppati in unità** – articolate al loro interno in capitoli – contraddistinte da una pagina-occhiello iniziale che funge da sommario ragionato. Tale suddivisione permette una migliore comprensione della scansione diacronica e/o tematica della disciplina, fornendo nel contempo una chiave di lettura interpretativa all'interno delle diverse epoche;

▶ la **sezione antologica** è stata **totalmente rinnovata**. Collocata alla fine di ciascuna unità, l'antologia è organizzata in percorsi incentrati su nuclei concettuali significativi nell'ambito del pensiero di un autore o di una determinata corrente filosofica. Questo consente al docente di operare le selezioni che ritiene più opportune, dato che ciascun percorso è in sé autonomo e conchiuso.
In apertura della sezione antologica si segnala la presenza di un testo-chiave, esemplificativo ed esemplare del pensiero di un certo autore dal punto di vista contenutistico e stilistico-espressivo. Chiude la sezione un testo scelto per rappresentare il genere filosofico predominante nell'ambito di un pensatore o di una corrente filosofica, così da poter delineare una sorta di rassegna dei "generi filosofici" attraverso i tre volumi del corso;

▶ sono state introdotte delle **verifiche di unità**, contenenti esercizi di varia tipologia (prevalentemente a risposta singola, ma anche tabelle e definizioni da completare, quesiti a scelta multipla, vero/falso...) mirati a favorire il ripasso attraverso l'evidenziazione dei temi e dei concetti principali, nonché ad abituare gradualmente alla produzione scritta e all'argomentazione;

▶ a conclusione dei percorsi antologici si propone inoltre una serie di **esercizi sui testi**, finalizzati all'acquisizione delle competenze di analisi, comprensione, sintesi e riflessione sul testo filosofico anche in funzione dell'esame di Stato;

▶ si è operata una **selezione degli argomenti** contenuti nel volume dedicato alla **filosofia contemporanea**, al fine di evitare eccessivi specialismi, nonché in ragione dei programmi effettivamente svolti nell'ultimo anno scolastico.

Gennaio 2006 *L'Editore*

# INDICE GENERALE

UNITÀ 6
LA PATRISTICA E AGOSTINO

U N I T À **7**
## LA SCOLASTICA: DALLE ORIGINI ALLA DISSOLUZIONE

CAPITOLO **1**
## La scolastica e i rapporti tra fede e ragione

# INDICE DEI TESTI PER AUTORE

# LE FILOSOFIE ELLENISTICHE E IL NEOPLATONISMO

UNITÀ 5

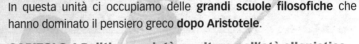

In questa unità ci occupiamo delle **grandi scuole filosofiche** che hanno dominato il pensiero greco **dopo Aristotele**.

### CAPITOLO 1 Politica, società e cultura nell'età ellenistica

Nel primo capitolo, dopo aver esaminato le caratteristiche salienti della **nuova situazione storico-culturale**, mostriamo come, accanto ai tradizionali interrogativi di natura gnoseologica e logica e di natura ontologica e cosmologica, i filosofi di quest'età privilegino i **problemi di carattere etico-esistenziale**, ovvero questioni del tipo: "che cos'è la felicità", "quali sono le vie per raggiungerla?", "come ci si deve comportare di fronte ai mali della vita e all'incombere della morte?".

### CAPITOLO 2 Lo stoicismo

Nel secondo capitolo evidenziamo come l'**imperturbabilità** del saggio stoico, che predica l'indifferenza nei confronti delle passioni («**apatia**») ed eleva la ragione a unica guida dell'agire, presupponga un'**idea provvidenzialistica e ottimistica del cosmo**, inteso come organismo perfetto governato dal *lógos*.

### CAPITOLO 3 L'epicureismo

Nel terzo capitolo sottolineiamo come tutto il pensiero di Epicuro, a cominciare dal suo **materialismo meccanicistico**, sia finalizzato a evitare il dolore del corpo («**aponia**») e il turbamento dello spirito («**atarassia**»).

### CAPITOLO 4 Lo scetticismo

Nel quarto capitolo riscontriamo come la via scettica per la **serenità dell'animo** venga individuata attraverso quell'originale atteggiamento filosofico che è la sospensione di ogni giudizio razionale intorno alle cose («*epoché*»).

### CAPITOLO 5 Il neoplatonismo

Nel quinto capitolo studiamo il passaggio della riflessione filosofica dalla fase etica alla **fase religiosa** e mostriamo come l'ultimo grande pensatore pagano, Plotino, cerchi la via della salvezza nel **ricongiungimento con Dio**, inteso come fonte metafisica originaria dalla quale tutto gradualmente «emana» e a cui tutto gradualmente ritorna, mediante un ciclo cosmico che trova nell'**estasi** il proprio supremo compimento.

CAPITOLO

# 1

# Politica, società e cultura nell'età ellenistica

## ✗1. Politica e società

**I regni ellenistici**

Per "età ellenistica" si intende il **periodo che segue la morte di Alessandro Magno** (323 a.C.) e la sua unificazione del mondo antico nel segno della cultura greca. Con la scomparsa improvvisa del conquistatore, il suo immenso impero, in seguito a una serie di lotte intestine, finisce per essere diviso in tre grandi regni: la **Macedonia**, l'**Egitto** e l'**Asia**. Oltre a questi, si formano alcuni Stati minori a **Pergamo** e a **Rodi**. Tutti questi regni presentano strutture economico-sociali simili e forme di vita e di pensiero analoghe. Perciò si può dire che in questi anni prende avvio una civiltà "universalistica", caratterizzata dall'ellenizzazione dei paesi conquistati e dalla simbiosi della cultura greca con quella orientale. L'influsso dell'Oriente, in particolare, si estende oltre i confini dell'impero di Alessandro, giungendo fino all'India, che a sua volta lo trasmette alla Cina.

**La nuova situazione politica dell'Ellade e il tramonto dell'età classica**

Il trionfo di questo nuovo mondo storico-politico coincide con la frantumazione delle forme istituzionali dell'Ellade e con la **crisi delle *póleis***. La Grecia delle città-Stato cambia volto. Inglobata in un'organizzazione politica multinazionale, l'Ellade, pur essendo in possesso di una limitata autonomia giuridico-formale, perde sostanzialmente la propria libertà e vede la fine dell'antica democrazia assembleare. La nuova realtà politica è ormai costituita da una serie di **monarchie assolute e orientaleggianti**. Così, da un lato troviamo sovrani potenti e avvolti da un'aureola di semi-divinità, i quali, nelle loro corti sfarzose, sono circondati da uno stuolo di burocrati e di funzionari che fanno girare alla meno peggio la macchina statale, mentre dall'altro lato abbiamo una massa di governati asserviti al potere e separati da esso. **Al "cittadino"** dell'età classica **subentra il "suddito"** dell'età ellenistica.

Spezzato il centro del mondo antico e passato il dominio alla periferia, **sorgono nuovi nuclei di vita sociale**. Tipico il caso di Alessandria, che da povero villaggio di pescatori si trasforma, nel corso di mezzo secolo, in una splendida città cosmopolita e nel più vivace centro commerciale e culturale dell'ellenismo. Mentre gloriose città greche si spopolano, **rifioriscono i centri dell'Asia Minore** (Pergamo, Antiochia e Rodi), che diventano importanti metropoli e fiorenti empori. Il mondo propriamente "ellenico" è ormai tramontato e al suo posto è sorto, con nuovi contrassegni, il mondo "ellenistico".

Anche sul piano della struttura economico-sociale si hanno rimarchevoli novità. L'aprirsi dei mercati a Oriente contribuisce innanzitutto all'ingigantirsi del fenomeno della **schiavitù**, tanto che le grandi città dell'epoca offrono lo spettacolo di enormi masse di schiavi di tutte le razze e le nazionalità. Di conseguenza il processo produttivo viene più che mai a poggiare sulla manodopera servile.

La concorrenza degli schiavi e dei nuovi mercati, congiunta alla rapacità delle monarchie ellenistiche, determina, soprattutto in Grecia, un processo di **decadenza politica** e di **impoverimento economico** di quei ceti di liberi lavoratori – contadini, artigiani, commercianti al minuto, piccoli esportatori e importatori – che nell'epoca classica avevano rappresentato il nerbo del **ceto medio** e su cui era basata la democrazia ateniese. Una relativa eccezione a questo stato di cose è costituita da quei gruppi sociali che, producendo beni atti a soddisfare il raffinato tenore di vita delle corti e delle aristocrazie, oppure lavorando per lo Stato in opere pubbliche, divengono ben presto i **"nuovi ricchi"** della società ellenistica: **grandi mercanti, appaltatori, speculatori** ecc. Pur accumulando talora fortune notevoli, questi ceti non godono dei privilegi sociali di cui è beneficiaria la tradizionale **aristocrazia terriera**, la quale, nonostante la diminuita potenza politica, rimane la classe più forte della società. Intanto il prezzo della vita sale vertiginosamente, tracciando un solco sempre più profondo tra la ricchezza e il lusso dei ceti privilegiati e la povertà delle masse, generando quell'**esasperata stratificazione e "separazione" tra i vari ceti** che è un'altra caratteristica della società di questo periodo.

Un simile quadro socio-politico, accompagnato dagli inevitabili fenomeni della corruzione e del malcostume pubblico, genera una tendenziale frattura tra l'individuo e la collettività, che si concretizza in un senso di **"estraniazione" dai temi della politica e della vita pubblica** in generale. Soprattutto in Grecia, lo sradicamento dalla *pólis* e il tramonto della città come punto di riferimento dei valori producono il disinteresse del suddito nei confronti della dimensione comunitaria dell'esistenza.

*Le caratteristiche economico-sociali dell'ellenismo*

*La frattura tra individuo e società*

# 2. La cultura e la scienza

## La Biblioteca e il Museo di Alessandria d'Egitto

Il nuovo assetto sociale tende ovviamente a produrre una cultura a propria immagine e somiglianza. Nel nuovo ambiente storico, caratterizzato dalla scissione tra individuo e società, l'intellettuale sembra trovare davanti a sé due strade maestre: o ripiegarsi sul

*Le tendenze della nuova cultura*

proprio animo e sui temi etico-esistenziali (via seguita perlopiù dai filosofi greci), oppure dedicarsi a una serie di ricerche specializzate (via seguita perlopiù dai dotti alessandrini). In questo periodo si assiste dunque a un grande **sviluppo delle discipline particolari**, favorito dalla politica culturale dei sovrani, che, per ragioni di prestigio e di dominio, amano atteggiarsi a mecenati del sapere. Questo permette ovviamente una notevole larghezza di mezzi economici, grazie alla quale si può procedere a una **riorganizzazione globale degli studi** che non ha precedenti nel mondo antico.

**Un nuovo centro culturale**
L'esempio più significativo di tale processo è costituito da **Alessandria d'Egitto**, che sotto la sfarzosa dinastia dei Tolomei assurge a **centro culturale di prim'ordine**. Ciò avviene soprattutto per opera del ministro Demetrio Falereo, che, ateniese di nascita e allievo di Teofrasto, invita ad Alessandria, quale educatore dell'erede al trono, l'allora caposcuola dei peripatetici Stratone di Lampsaco. Questi accetta, recando con sé parte del materiale e della biblioteca del Liceo.

**La Biblioteca**
Per fare di Alessandria il centro gravitazionale dei migliori intelletti dell'epoca, soprattutto scienziati, tecnici e letterati, Demetrio concepisce un progetto ambizioso, che nelle sue intenzioni rappresenta qualcosa di unico nella storia: quello di riunire in un grande istituto per la cultura – sul modello dell'Accademia e del Liceo, ma di maggiori dimensioni – tutto il materiale bibliografico reperibile in Grecia e in Asia. Nasce in tal modo la **Biblioteca di Alessandria**, che, con i suoi settecentomila volumi-papiro, rappresenta **la più grandiosa raccolta di libri del mondo antico**. Nello sforzo di raccogliere e ordinare la quasi totalità degli scritti più importanti esistenti, i bibliotecari trasformano il vasto materiale a loro disposizione in una collezione di libri aventi ognuno un titolo e un autore, per cui, com'è stato rilevato, la Biblioteca di Alessandria d'Egitto segna la nascita del libro nella forma in cui lo conosciamo e concepiamo ancor oggi.

**Il Museo**
Inoltre, per dare la possibilità agli scienziati affluiti nella metropoli di dedicarsi proficuamente agli studi, sorge, contiguo alla Biblioteca, una sorta di centro di ricerca che rimarrà noto come "**Museo**" (letteralmente "tempio delle muse" e, quindi, "tempio del sapere"): esso contiene un **osservatorio astronomico**, un **giardino zoologico**, un **orto botanico** e alcune **sale anatomiche** (in cui si praticano tra l'altro, con una certa libertà, la dissezione dei cadaveri e la vivisezione dei criminali e degli animali).

Sulla falsariga del modello alessandrino sorgeranno poi altri centri di studio a Pergamo, ad Antiochia e a Pella, ma nessuno raggiungerà la fama di quello egiziano, che vedrà secoli di splendori, prima di venire completamente distrutto, nel 642 d.C., a opera degli ancora rozzi guerrieri dell'Islam.

## ✗ Il divorzio tra la scienza e la filosofia

**La specializzazione del sapere**
Gli scienziati-professori della Biblioteca e del Museo di Alessandria sono stipendiati dallo Stato e possono quindi attendere con tranquillità alle loro investigazioni. Questo determina una grande fioritura delle discipline particolari: dalla matematica alla geografia, dall'astronomia alla biologia, dalla medicina alla storiografia, dalla botanica alla filologia. Tutto ciò si accompagna a una forma di divisione del lavoro e di professionalismo che mette capo al cosiddetto fenomeno della "specializzazione", cioè alla **divisione del sapere in una molteplicità di branche** coltivate con competenza da una serie di specialisti dei relativi campi di indagine.

Così, le singole discipline non solo vanno organizzandosi in forma autonoma, prive di concreti rapporti reciproci, ma considerate nel loro insieme sembrano avere ormai perduto ogni relazione con la filosofia. Mentre nell'età classica della cultura greca i grandi filosofi (vedi Platone e Aristotele) trattavano con perizia anche di matematica, fisica e scienze naturali, e lo scienziato era sempre anche un filosofo, **nell'età ellenistica i filosofi trascurano le indagini scientifiche** e restringono i loro interessi alle interpretazioni generali dell'universo, della conoscenza e della morale. E, reciprocamente, **gli scienziati manifestano la propensione a occuparsi di problemi specifici**, al di fuori di ogni connessione con il discorso filosofico. Tale divorzio culturale trova riscontro anche nella dislocazione geografica della cultura, che fa capo a due centri: **Atene**, antica sede di studi filosofici, e **Alessandria**, nuovo centro di ricerche scientifiche o, comunque, specialistiche.

*La separazione tra filosofia e scienza*

Dobbiamo tuttavia notare come il fatto che la scienza ellenistica sia nettamente distinta dalla filosofia non significhi che essa sia del tutto priva di uno sfondo filosofico: infatti, se sul piano dei contenuti si mantiene lontana da tematiche filosofiche, dal punto di vista delle **strutture logico-concettuali e metodologiche** essa rappresenta senza dubbio il punto di arrivo della lunga tradizione che aveva portato dai filosofi ionici fino ad Aristotele. La distinzione tra realtà e apparenza, tra scienza e opinione; l'universalità del concetto; il processo di astrazione; le indagini sulla logica; le riflessioni filosofiche sulla natura del numero, sullo spazio e sul tempo, sull'infinito: tutti questi aspetti costituiscono i presupposti della fioritura scientifica dell'età ellenistica. In altri termini, perché le strutture logico-concettuali elaborate dalla filosofia potessero esplicare interamente le loro potenzialità, era necessario che trovassero applicazione negli specifici campi di indagine, abbandonando la loro *genericità* per assumere invece l'*universalità* richiesta dalle scienze.

*Lo "sfondo filosofico" della scienza*

Ovviamente un simile circoscriversi degli interessi portò con sé la **perdita di quella visione globale e unitaria dell'uomo e del mondo** che aveva costituito il tratto distintivo della cultura classica. Il mondo della scienza nell'età ellenistica fu dunque un mondo decisamente più angusto di quello dell'età classica, avendone perduto la ricchezza e la complessa problematicità.

*La perdita di una prospettiva unitaria*

## La separazione tra la scienza e la tecnica

La fioritura scientifica dell'ellenismo porta con sé anche un altro grosso limite, consistente nella tendenza a sviluppare unicamente l'aspetto teorico della scienza, disprezzandone invece il momento tecnico-applicativo. Infatti nell'alessandrinismo esiste un paradossale divario tra l'**abbondanza delle cognizioni teoriche** e la **povertà delle applicazioni pratiche** di queste. E poiché nel campo della meccanica, ad esempio, il pensiero scientifico ellenistico è giunto a individuare i principali presupposti teorici che stanno ancor oggi alla base della tecnica moderna, sorge spontanea la domanda: perché, data la notevole massa di cognizioni, non si è sviluppata nel mondo antico quella cosiddetta "civiltà delle macchine", che si affermerà solo a partire dal XVIII secolo? Perché la scienza alessandrina si è limitata a costruire giocattoli e congegni oziosi, o, al massimo, macchine da guerra?

*Il primato degli aspetti teorici della scienza alessandrina*

Questo interessante problema è stato affrontato e discusso dagli studiosi, che, attribuendo le cause del fenomeno a una serie di condizionamenti sociali, psicologici e culturali, sono giunti alle seguenti ipotesi di soluzione.

Sul **piano socio-economico** si deve probabilmente far riferimento alla struttura schiavistica del mondo dell'epoca, il quale, disponendo di **abbondante manodopera servile**, non era stimolato a inventare congegni atti a evitare fatiche o a risolvere problemi lavorativi e produttivi. Celebre, a questo proposito, la distinzione di Marco Terenzio Varrone, il quale, parlando degli strumenti con cui si lavora la terra, li divide in tre categorie: strumenti parlanti (gli schiavi), strumenti semiparlanti (i buoi) e strumenti muti (gli utensili), manifestando eloquentemente come lo schiavo rappresentasse per gli uomini liberi del tempo una sorta di "macchina umana" che rendeva inutile ogni altro macchinario. Tanto più che la minoranza sociale a cui appartengono anche gli scienziati è lontana, essendo sufficientemente agiata, dall'idea di un possibile aumento del benessere, conseguibile attraverso le macchine.

Non meno importanti sono le **ragioni di tipo psicologico-sociale**, prima tra tutte la **scarsa considerazione per il lavoro manuale** e per tutto ciò che riguarda le attività produttive volte all'utile, considerate proprie di uomini "inferiori".

Più decisiva ancora è forse la **motivazione di tipo filosofico-culturale**, risiedente nel fatto che gli scienziati alessandrini, pur essendo teoricamente giunti alle soglie della macchina, in fondo sono ancora prigionieri della "mentalità" della vecchia filosofia, la quale (vedi soprattutto Aristotele) aveva difeso il concetto della **superiorità dell'atteggiamento contemplativo-conoscitivo** di fronte al mondo, a svantaggio dell'atteggiamento pratico-attivo. L'idea del filosofo inglese Francesco Bacone (Francis Bacon, XVI-XVII secolo), secondo cui «sapere è potere» e, dunque, secondo cui lo studio della realtà dev'essere finalizzato al dominio di questa a discapito dell'uomo, risulta estranea al genio greco.

## La separazione tra la scienza e la società

Un altro limite della cultura scientifica alessandrina è il suo essere separata rispetto alla società. Infatti **il sapere**, che germoglia nelle tranquille sale del Museo e della Biblioteca sotto la protezione del potente re d'Egitto, **tende a estraniarsi completamente rispetto alla vita sociale e politica.** Il dotto cessa di parlare alla città e al popolo, per rivolgersi solo a cerchie ristrette di altri intellettuali o di aristocratici colti. Il suo stesso ambiente professionale è molto limitato, poiché il suo impegno si riduce alla ricerca pura, all'insegnamento e al dialogo tra specialisti. L'unica possibilità di rapporto sociale concreto è costituita per lo scienziato alessandrino dai legami intrattenuti con il re e la corte: i medici del Museo non curano malati se non della famiglia reale, e i fisici si limitano a speculare in astratto, oppure a costruire giocattoli per i nobili e macchine da guerra per i sovrani.

I filologi si rinchiudono in **ricerche super-specialistiche**, che trasformano lo studio della lingua in qualcosa di incomprensibile per i non addetti ai lavori. E i poeti, che nell'età classica amavano mantenere un rapporto con il grosso pubblico, si trasformano in dotti che scrivono per altri dotti, ornando le loro composizioni di preziosità stilistiche e mitologiche, e riempiendo i loro versi di peregrine notizie scientifiche. La stessa Biblioteca, potenziale fattore di diffusione della cultura, diviene in realtà un tempio chiuso, di cui gli studiosi del Museo sono le vestali, cioè, fuor di metafora, gli unici fruitori. Anzi, il rapporto "privato" con lo scritto e con il libro diviene qualcosa che facilita ancor di più la **dimensione individualistica della vita e della personalità dell'intellettuale alessandrino.**

# 3. La filosofia

## X Il "bisogno" di filosofia

Il fatto che la cultura ellenistica sbocci soprattutto ad Alessandria o in altri centri dell'Asia non pregiudica, come abbiamo precedentemente accennato, la persistente importanza della Grecia. In primo luogo, infatti, l'**ellenismo** rappresenta per definizione la **diffusione** e lo **sviluppo della cultura greca nel mondo**, testimoniati dall'uso del greco come lingua universale, sia del potere politico, sia del sapere. In secondo luogo, **Atene** rimane la **roccaforte geografica della filosofia.**

Ma di quale filosofia? Ovviamente di una filosofia che rispecchia le esigenze dei tempi. Nel clima di generale insicurezza e di "fuga nel privato" che caratterizza quest'età di sconvolgimenti politici, sociali e culturali, al pensiero filosofico si chiedono sostanzialmente due cose: da un lato **una visione unitaria e complessiva del mondo**; dall'altro **una specie di "supplemento d'animo"**, ossia una parola di saggezza e di serenità, capace di indirizzare la vita quotidiana degli individui. La crisi delle precedenti concezioni del mondo, la divisione del sapere in una serie di scienze particolari e il crollo dei valori tradizionali implicano infatti, in certi strati della società e della cultura, l'esigenza di una **visione globale delle cose che**, dando una risposta agli interrogativi ultimi della mente, **permetta all'uomo di orientarsi con maggiore sicurezza nelle faccende della vita.** Così, alla tendenza specialistica delle scienze si contrappone lo sguardo generale della filosofia (già Platone aveva sentenziato che solo chi è in grado di scorgere "l'intero" è filosofo).

Una visione del mondo volta alla vita: ecco il bisogno di fondo di un'epoca che domanda al pensiero filosofico uno sguardo sull'universo capace di guidare la condotta e di condurre alla quiete dell'animo. Perciò non si può parlare, come ha fatto tutto un filone storiografico, di una diminuita importanza della metafisica, ma semplicemente di una sua finalizzazione all'etica e al discorso sull'uomo. Gli **interrogativi dominanti** di questo momento storico, che la filosofia registra e stimola al tempo stesso, sono infatti quelli **esistenziali**, riguardanti il destino individuale: la felicità, il dolore, il piacere, la morte, la virtù, l'imperturbabilità ecc.

Si assiste così a una tendenziale **"spoliticizzazione" del discorso filosofico**: il progetto platonico di mettere il sapere al servizio di una riforma della società è ormai tramontato e nella politica si scorge soltanto il regno della violenza e del caso.

Perduta la fiducia in una razionalizzazione della vita sociale, al filosofo greco rimane solo il desiderio di venire incontro alle inquietudini dell'individuo, dandogli un po' di requie e aiutandolo a **guarire dai mali della vita.** Non a caso, i filosofi ellenistici, per esemplificare meglio il senso della loro missione tra gli uomini, ricorrono sovente al linguaggio medico e farmacistico. Il rapporto tra la filosofia e il suo pubblico viene assimilato alla

*Uno "sguardo" unitario, capace di orientare la vita*

*Dalla politica all'esistenza*

*La filosofia come "terapia" esistenziale*

relazione tra il terapeuta e il paziente: la vita, con le sue immancabili delusioni, è la malattia; il filosofo, con le sue dottrine, è il medico. Farmacista delle angosce, chirurgo delle false opinioni, erborista delle intossicazioni del vivere sociale, il filosofo viene in tal modo ad assolvere un compito "consolatorio" analogo a quello assolto dalla religione, poiché si propone di **condurre gli uomini alla salvezza personale**, liberandoli dalle convenzioni e dalla falsità del vivere insieme (cinici), dalle stolte credenze (stoici), dalle superstizioni e dai timori della mente di fronte alle cose (epicurei), dalle boriose dottrine dei dogmatici (scettici).

La **filosofia come terapia mentale ed esistenziale, come via alla serenità**: ecco l'obiettivo principale delle grandi scuole dell'ellenismo. Descrivendo questa concezione della filosofia come tipica di una «scuola di difesa», Bertrand Russell cita C.F. Angus: «il timore prese il posto della speranza; lo scopo della vita era piuttosto quello di sfuggire alla sfortuna, che non quello di raggiungere un bene positivo […]. La filosofia non è più il pilastro di fuoco che fa da segnale ai pochi intrepidi ricercatori della verità: è piuttosto un'ambulanza, che viene nella scia della lotta per l'esistenza e raccoglie i deboli e i feriti»[1].

## Filosofia e "scuole"

**Dogmatismo e settarismo**

La scissione della filosofia dalla vita politica e dalle scienze non si accompagna solo a una tendenziale evasione dai problemi del vissuto sociale, ma anche a una spiccata disposizione al dogmatismo e al settarismo. Le varie "scuole" di questo periodo si riducono spesso a conventicole di iniziati, a vere e proprie sette chiuse, caratterizzate al loro interno da una **scarsa attitudine alla discussione** e da un vero e proprio **culto dei "capi-scuola"**, e da limitati contatti con l'esterno, ridotti perlopiù a ingenerose polemiche con le scuole avversarie.

**Orientalismo e cosmopolitismo**

Altri due tratti caratteristici della filosofia di questo periodo sono il tendenziale orientalismo e l'esplicito cosmopolitismo. L'ellenizzazione dell'Oriente mostra infatti, come altra faccia della stessa medaglia, una certa **orientalizzazione della mentalità ellenica**, destinata a radicalizzarsi ulteriormente nell'ultima fase della filosofia greca. La ricerca di una "via della salvezza" per l'individuo e la rassegnazione di fronte all'esistenza sono per il momento gli esempi più vistosi di tale mentalità "orientale", che più tardi saranno rappresentati dall'interesse per l'astrologia, per la religione e per le scienze occulte. All'individualismo apolitico delle filosofie ellenistiche corrisponde invece l'aspirazione a un'unità cosmopolitica tra i popoli, capace di andare oltre le barriere tra le nazioni: sull'ideale carta d'identità del filosofo ellenistico si vuole dunque scritto, come già affermava Democrito, «cittadino del mondo».

**Le grandi scuole ellenistiche**

La filosofia del periodo ellenistico, a parte le propaggini della scuola cinica, di cui si è già detto, è fondamentalmente costituita da **tre grandi indirizzi**:

▶ lo **stoicismo**, che prende il nome dal Portico (in greco *Stoá*) dipinto in cui era situata ad Atene la scuola fondata da Zenone di Cizio;

▶ l'**epicureismo**, che è la dottrina della scuola fondata ad Atene da Epicuro;

▶ lo **scetticismo**, che non costituisce una scuola in senso stretto, ma un indirizzo seguito da scuole filosofiche diverse.

---

1 B. Russell, *Storia della filosofia occidentale*, cit., p. 325.

L'obiettivo perseguito da questi tre indirizzi filosofici è identico: garantire la tranquillità dello spirito, in quanto il fine dell'uomo è la felicità, e quest'ultima consiste nell'assenza di turbamento e nell'eliminazione delle passioni. Per questo tutti e tre gli indirizzi pongono l'**ideale del saggio** nell'**indifferenza rispetto ai motivi propriamente umani della vita**.

*L'ideale della tranquillità dello spirito*

# ✗ **4.** L'eclettismo

La concordanza dei tre grandi indirizzi di pensiero del periodo ellenistico in campo pratico portò con il tempo alla ricerca di un terreno di incontro, sul quale fosse possibile smussare l'antagonismo delle rispettive posizioni teoriche, conciliandole e fondendole in una concezione unitaria. Tale tendenza è costituita dall'"**eclettismo**" (dal verbo greco *ek-légo*, "scelgo").

L'instaurarsi di questo nuovo indirizzo di pensiero venne favorito dalle condizioni storiche. Dopo la conquista della Macedonia da parte dei Romani (168 a.C.), la **Grecia** era di fatto diventata una **provincia dell'Impero romano**. Roma cominciò ad accogliere e a coltivare la filosofia greca, che divenne un elemento indispensabile della cultura romana, e dal canto suo la filosofia greca venne gradualmente adattandosi alla mentalità latina. Essendo quest'ultima poco adatta a dar rilievo a divergenze teoriche che non dessero adito anche a una differente impostazione pratica, fu proprio in essa che il tentativo di "scegliere" nelle dottrine delle varie scuole quegli elementi che si prestavano a essere conciliati e fusi in un unico corpo trovò l'appoggio più valido.

*L'incontro della cultura greca con quella romana*

E poiché la scelta di questi elementi presupponeva un criterio, si giunse ad assumere come tale l'**accordo comune degli uomini** (*consensus gentium*) su certe verità fondamentali, ammesse come sussistenti indipendentemente da e prima di ogni umana ricerca.

*Il* consensus gentium *come criterio di scelta*

L'indirizzo eclettico comparve per la prima volta nella scuola stoica, dominò a lungo nell'Accademia e fu accolto anche dalla scuola peripatetica. Solo gli epicurei si mantennero estranei all'eclettismo, rimanendo fedeli alla dottrina del maestro.

# **5.** Il declino di Alessandria e del pensiero scientifico

L'estendersi della conquista romana fin sull'altra sponda del Mediterraneo portò gradualmente anche alla decadenza della cultura scientifica, di cui l'Egitto, e Alessandria in particolare con la sua Biblioteca e il suo Museo, erano i maggiori centri di sviluppo e di ricerca. La fioritura del pensiero scientifico si colloca entro un intervallo di tempo relativamente ristretto, che va dal 300 al 145 a.C., anno in cui il Museo fu danneggiato a causa della guerra civile e in cui una grave rottura tra il re d'Egitto e gli intellettuali greci costrinse questi ultimi ad abbandonare Alessandria. A partire da questa data cominciò un lento e inarrestabile processo di decadenza, che si accompagnò ai vari cataclismi politici. Nel 48-47 a.C.,

*Il tramonto di Alessandria*

durante la campagna di Cesare in Egitto, la Biblioteca venne incendiata, con l'irrecuperabile perdita di moltissimi volumi. Nel 30 a.C. Ottaviano conquistò l'Egitto, inglobandolo nell'Impero romano. L'importanza di Alessandria venne diminuendo sempre più e i suoi intellettuali, ormai decadenti epigoni, si limitarono a ruminare la cultura del passato. Le uniche eccezioni, che rappresentano anche il "canto del cigno" della scienza antica, si hanno nel II secolo d.C. con le voci di Tolomeo per l'astronomia e di Galeno per la medicina.

# 6. L'indirizzo religioso dell'ultima filosofia greca

**Motivi religiosi e orientali**

L'accentuazione della tendenza religiosa nello stoicismo romano è il segno di un orientamento che in questo periodo si fa dominante: quello di raccogliere e cucire insieme gli elementi religiosi impliciti nel pensiero greco e di connetterli con la sapienza orientale, in modo da mostrare la fondamentale concordanza del primo con la seconda. Si assiste così a un'**interpretazione religiosa delle dottrine greche** e ad un **tentativo di conciliare queste dottrine con le credenze orientali**.

È in questo clima che prese forma la tradizione secondo cui l'intera filosofia dei Greci aveva le proprie origini in Oriente, ovvero nella "culla" della sapienza religiosa.

**Gli scritti**

Nel I secolo a.C. cominciarono a comparire alcuni scritti di falsa attribuzione, volti a combattere il cristianesimo e a difendere il paganesimo e le religioni orientali: i *Detti aurei*, i *Simboli* e le *Lettere*, attribuiti a Pitagora, e uno scritto *Sulla natura del tutto*, attribuito al lucano Ocello. Alla fine del I secolo d.C. comparvero invece gli scritti attribuiti a Ermete Trismegisto, che tendevano a riportare la filosofia greca alla religione egiziana.

Nello stesso periodo Apollonio di Tiana scrisse una *Vita di Pitagora*, nella quale la figura del fondatore del pitagorismo veniva presentata romanzescamente, come quella di un profeta, di un mago e di un operatore di miracoli. Lo stesso Apollonio si credette o fu creduto tale, e come tale fu descritto da Filostrato, al principio del III secolo d.C., nella *Vita di Apollonio*.

**Numenio di Apamea**

Tra i numerosi pensatori pitagorici di questo periodo si distinse in Siria **Numenio di Apamea**, vissuto nella seconda metà del I secolo d.C. e autore di un grandissimo numero di opere di ogni argomento. Egli era convinto che la filosofia greca derivasse dalla sapienza orientale e chiamava Platone un «Mosè atticizzante».

La scuola di Platone diventò la sede preferita di questo indirizzo di pensiero, che utilizzava insieme dottrine filosofiche e scientifiche, miti, pregiudizi e credenze religiose orientali. **Plutarco di Cheronea**, nato nel 45 d.C. e autore di un vasto numero di opere su svariati argomenti, ne è il più significativo rappresentante.

---

## Indicazioni bibliografiche

**OPERE SULL'ELLENISMO IN GENERALE**
■ P. Wendland, *La cultura ellenistico-romana nei suoi rapporti con giudaismo e cristianesimo*, Paideia, Brescia 1986 ■ P.O. Kristel-ler, *Filosofi greci dell'età ellenistica*, Scuola Normale Superiore, Pisa 1991 ■ M. Isnardi Parente, *Filosofia e scienza nel pensiero ellenistico*, Morano, Napoli 1992 ■ L. Canfo-ra, *Ellenismo*, Laterza, Roma-Bari 1995 ■ G. Masi, *Lo spiritualismo ellenistico*, CLUEB, Bologna 1995 ■ A.A. Long, *La filosofia ellenistica*, Il Mulino, Bologna 1997.

CAPITOLO

**2**

# Lo stoicismo

## ✗1. La scuola stoica

Il **fondatore della scuola stoica** fu **Zenone di Cizio** (Cipro), di cui si conoscono con verosimiglianza l'anno della nascita, 336-335 a.C., e l'anno della morte, 264-263 a.C. Giunto ad Atene a 22 anni circa, Zenone si entusiasmò per il pensiero socratico attraverso la lettura dei *Memorabili* di Senofonte e dell'*Apologia* di Platone e credette di aver trovato un Socrate redivivo nel cinico Cratete, di cui si fece scolaro. Fu in seguito anche allievo di Stilpone e di Teodoro Crono. Intorno al 300 a.C. fondò una scuola propria nel "Portico dipinto" (*Stoá poikíle*), da cui i suoi scolari presero il nome di "stoici". Morì di morte volontaria, come parecchi altri tra i maestri che gli succedettero. Dei suoi numerosi scritti (*Repubblica, Sulla vita secondo natura, Sulla natura dell'uomo, Sulle passioni* ecc.) ci restano solo frammenti.

Vita
e scritti
di Zenone
di Cizio

I primi allievi di Zenone furono **Aristone di Chio**, **Erillo di Cartagine**, **Perseo di Cizio** e **Cleante di Asso** (nella Troade), che gli succedette nella direzione della scuola. Nato nel 304-303 a.C. e morto suicida nel 223-222, quest'ultimo fu uomo di pochi bisogni e di volontà ferrea, ma poco adatto alla speculazione, per cui pare che il suo contributo all'elaborazione del pensiero stoico sia stato minimo.

I maestri
della scuola

A Cleante successe **Crisippo di Soli** o di Tarso (in Cilicia), nato nel 281-278 a.C. e morto nel 208-205. Considerato come il secondo fondatore dello stoicismo, di lui si diceva: «se non ci fosse stato Crisippo, non ci sarebbe stata la *Stoá*». Crisippo fu di una prodigiosa fecondità letteraria, e fu anche un dialettico e uno stilista di prim'ordine.

Seguirono a Crisippo due suoi scolari, prima **Zenone di Tarso**, poi **Diogene di Seleucia**, detto "il Babilonese". Nel 156-155 a.C. quest'ultimo si recò a Roma con un'ambasceria di cui facevano parte anche l'accademico Carneade e il peripatetico Critolao. La delegazione suscitò molto interesse tra la gioventù di Roma, ma ebbe la disapprovazione di Catone, il quale temeva che l'interesse filosofico distraesse i giovani romani dalla vita militare.

A Diogene seguì **Antipatro di Tarso**.

**Gli scritti degli "stoici"**

La produzione letteraria di tutti questi filosofi, che dovette essere immensa, è andata perduta e di essa ci sono rimasti solo frammenti. Questi non sempre sono riferiti a un singolo autore, ma spesso in generale agli "stoici", sicché è molto difficile distinguere nella massa di notizie che ci sono pervenute la parte che spetta a ciascuno dei pensatori sopra nominati. Si deve esporre perciò la dottrina stoica nel suo insieme, menzionando, quando è possibile, le differenze o le divergenze tra i vari autori.

**Stoicismo e dottrina cinica**

Come abbiamo anticipato, il fondatore dello stoicismo, Zenone, ebbe come maestro e come modello di vita il cinico Cratete. Ciò spiega l'orientamento generale dello stoicismo, il quale si presenta come **continuazione e completamento della dottrina cinica**. Come i cinici, gli stoici cercano non già la scienza, ma la felicità per mezzo della virtù. A differenza dei cinici, però, ritengono che **per raggiungere felicità e virtù** sia **necessaria la scienza**. Non manca tra gli stoici chi, come Aristone, si collega più strettamente al cinismo, dichiarando inutile la logica e superiore alla possibilità umana la fisica, abbandonandosi a un totale disprezzo per la scienza. Di convinzione contraria è Erillo, il quale pone il sommo bene e il fine ultimo della vita nella conoscenza, ricollegandosi all'ideale aristotelico.

**La filosofia come esercizio di virtù**

Lo stesso fondatore della scuola, Zenone, ritiene indispensabile la scienza per la condotta della vita e, pur non riconoscendo a essa un valore autonomo, la include tra le condizioni fondamentali della virtù. La scienza stessa gli appare come virtù e le divisioni della virtù sono per lui divisioni della scienza. Questa è indubbiamente la dottrina prevalente nello stoicismo: «La filosofia – dice Seneca – è **esercizio di virtù** (*studium virtutis*), ma **per mezzo della virtù stessa**; giacché non può esserci né virtù senza esercizio, né esercizio di virtù senza virtù» (*Epistole*, 89).

Il concetto di filosofia viene così a coincidere con quello di virtù: il suo fine è raggiungere la sapienza, cioè la «scienza delle cose umane e divine», ma l'unica via per arrivare a questo traguardo è per l'appunto costituita dall'esercizio della virtù.

**Le divisioni della filosofia**

Ora, le virtù più generali sono tre: la naturale, la morale e la razionale; di conseguenza anche la filosofia si divide in tre parti: la **fisica**, l'**etica** e la **logica**. Diversa è l'importanza accordata di volta in volta a ciascuna di queste tre parti, e diverso è l'ordine in cui vengono insegnate dai vari maestri della *Stoá*. Zenone e Crisippo, ad esempio, cominciavano dalla logica, passavano alla fisica e all'antropologia e terminavano con l'etica, tracciando un percorso che cercheremo di seguire anche noi.

# 2. La logica

## Il criterio della verità e la teoria del significato

**Retorica e dialettica**

Con il termine "logica", adoperato per la prima volta da Zenone, gli stoici intendono la dottrina che ha per oggetto i *lógoi*, cioè i "discorsi". In quanto scienza dei discorsi "continui" (cioè delle orazioni), la logica è **retorica**; in quanto scienza dei discorsi "divisi" tra domande e risposte, la logica è **dialettica**. Più precisamente, la dialettica è definita come «la scienza di ciò che è vero e di ciò che è falso e di ciò che non è né vero né falso». Con l'espressione «ciò che non è né vero né falso» gli stoici probabilmente intendevano sia i sofismi, o paradossi, sulla cui verità o falsità non si può decidere, sia i ragionamenti, considerati però dal punto di vista della loro correttezza formale.

La dialettica si divide a sua volta in due parti, a seconda che tratti delle *parole* oppure delle *cose* che le parole significano: quella che tratta delle parole è la **grammatica**, quella che ha per oggetto le nozioni significate è la **logica in senso proprio**, che quindi ha per oggetto le rappresentazioni, le proposizioni, i ragionamenti e i sofismi. In sostanza, la logica degli stoici si divide in due grandi sezioni: una, paragonabile alla canonica degli epicurei (v. par. "La canonica", p. 432), che si occupa del **problema della conoscenza e dei concetti**; l'altra, paragonabile alla logica di Aristotele, che si occupa dei **meccanismi e** delle **forme del ragionamento**.

*Grammatica e logica*

Gli stoici si preoccupano in primo luogo di trovare il **criterio della verità**, giacché solo mediante quest'ultimo il pensiero può servire come guida per l'azione. Essi individuano tale criterio nella «rappresentazione catalettica», o concettuale, che intendono o come l'atto dell'intelletto che afferra o comprende l'oggetto, o come l'azione dell'oggetto che imprime la rappresentazione sull'intelletto. Il primo significato è illustrato da Zenone mediante un paragone con le mani: una mano aperta e con le dita tese è simile alla **rappresentazione** pura e semplice; una mano contratta, che afferra qualcosa, è immagine dell'**assenso**; una mano stretta a pugno richiama la **rappresentazione catalettica**; infine, le due mani strette l'una sull'altra con forza sono simili alla **scienza**, la quale ci dà il vero e completo possesso dell'oggetto. →**T2**

*La rappresentazione catalettica*

L'atto (libero) con cui si assente a una rappresentazione, oppure se ne dissente, oppure si rinuncia ad assentire, è il **giudizio**: in virtù del giudizio l'uomo afferma, o nega, o sospende provvisoriamente, un'affermazione o una negazione.

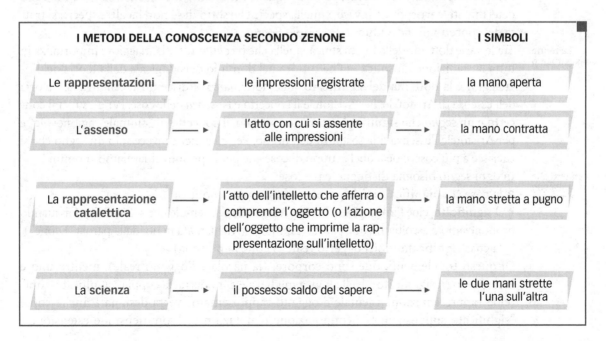

| I METODI DELLA CONOSCENZA SECONDO ZENONE | | I SIMBOLI |
|---|---|---|
| Le **rappresentazioni** | le impressioni registrate | la mano aperta |
| L'**assenso** | l'atto con cui si assente alle impressioni | la mano contratta |
| La **rappresentazione catalettica** | l'atto dell'intelletto che afferra o comprende l'oggetto (o l'azione dell'oggetto che imprime la rappresentazione sull'intelletto) | la mano stretta a pugno |
| La **scienza** | il possesso saldo del sapere | le due mani strette l'una sull'altra |

**L'anima come tabula rasa**

Gli stoici ritengono che **tutta la conoscenza umana derivi dai sensi** e paragonano l'anima a una pagina bianca (*tabula rasa*) sulla quale vengono a registrarsi le rappresentazioni sensibili. Queste sono impronte, o segni, delle cose secondo Cleante, modificazioni dell'anima secondo Crisippo: in ogni caso sono ritenute passivamente prodotte o dagli oggetti esterni, o dagli stati d'animo (ad esempio dalla virtù o dalla malvagità).

**La teoria del concetto**

Per l'accumularsi delle rappresentazioni sensibili, si forma, con un procedimento naturale, la «**prolessi**», o **anticipazione**, ossia il **concetto**, inteso come una conoscenza universale ramificata in una serie di nozioni comuni (*communes notitiae*) partecipate da tutti gli individui. Altre conoscenze universali si formano artificialmente, in virtù dell'istruzione e del ragionamento, e costituiscono la scienza. I concetti, sia naturali sia artificiali, non hanno tuttavia alcuna realtà. La realtà è sempre individuale e l'universale esiste, secondo gli stoici, soltanto nell'anima. →**T1**

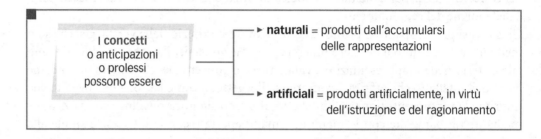

I concetti
o anticipazioni
o prolessi
possono essere

▶ **naturali** = prodotti dall'accumularsi delle rappresentazioni

▶ **artificiali** = prodotti artificialmente, in virtù dell'istruzione e del ragionamento

**I principali concetti**

I concetti più generali, quelli che Aristotele chiamava "categorie", sono dagli stoici ridotti a quattro: il **soggetto**, o sostanza; la **qualità**; il **modo d'essere**, la **relazione**.

Il concetto più esteso, che essi chiamavano «genere sommo», è il concetto dell'**essere**, che abbraccia tutto, perché ogni cosa, in qualche modo, è. Alcuni stoici, volendo trovare un concetto ancora più esteso di quello di essere, ricorsero al «qualcosa» (*aliquid*), che può comprendere anche le cose incorporee, o quelle inesistenti. Il concetto meno esteso e più determinato corrisponde invece a quella specie che sotto di sé non ha altre specie: si tratta del concetto di **individuo** (ad esempio Socrate).

**La teoria del significato**

Tra le varie dottrine della logica stoica, quella che ha avuto forse la maggiore importanza in tutta la tradizione filosofica (e l'ha tuttora nel dominio della logica e della teoria del linguaggio) è la **dottrina del significato**. Tale dottrina costituisce un'alternativa alla teoria dell'essenza di Aristotele. Per Aristotele il concetto è l'*essenza* delle cose. Per gli stoici **il concetto è un *segno* che significa le cose**. Ad esempio, il concetto di "animale ragionevole" è per Aristotele l'essenza o la sostanza dell'uomo. Per gli stoici è invece solo un segno che si riferisce a più cose, cioè a quel gruppo di cose che per l'appunto chiamiamo "uomini".

**Gli elementi che costituiscono un segno**

In ogni segno bisogna distinguere tre cose:
▶ la **cosa che significa**, cioè la **parola** (ad esempio "Dione");
▶ il **significato**, cioè l'immagine o la **rappresentazione mentale** che si forma in noi quando pronunciamo o ascoltiamo una parola (l'immagine richiamata in noi dalla parola "Dione");
▶ la **cosa significata**, cioè l'**oggetto reale** (Dione in persona).

Di questi tre elementi, due sono corporei (la parola e l'oggetto reale), mentre uno è incorporeo (il significato). Nella logica medievale e moderna la coppia "significato-cosa" (cioè rappresentazione mentale e oggetto rappresentato) verrà designata anche come "significato-supposizione", "connotazione-denotazione"; "comprensione-estensione";

"senso-significato" ecc. Con tutte queste coppie di termini si intendono tuttavia sempre le stesse cose: da un lato il concetto o la rappresentazione dell'oggetto; dall'altro l'oggetto reale (ad esempio, da un lato la rappresentazione dell'uomo come animale ragionevole; dall'altro l'oggetto cui questa rappresentazione corrisponde, cioè un uomo reale).

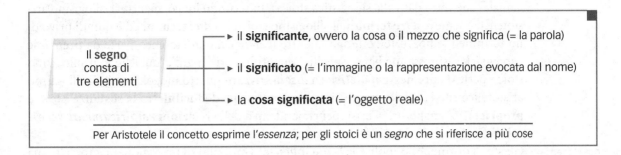

Per Aristotele il concetto esprime l'*essenza*; per gli stoici è un *segno* che si riferisce a più cose

## La teoria dei ragionamenti anapodittici

Un'altra sezione tipica della logica stoica, su cui è venuta soffermandosi sempre di più l'attenzione degli studiosi odierni, è quella dei cosiddetti "**ragionamenti anapodittici**". Secondo gli stoici **un significato è "compiuto" se può essere espresso in una frase**: ad esempio, la frase "Socrate scrive" ha un significato compiuto, mentre la parola "scrive" non ce l'ha, perché lascia senza risposta la domanda "chi?". Un significato compiuto si identifica dunque con un "**enunciato**" (*axíoma*), ossia con una proposizione linguistica di senso compiuto che può essere vera o falsa.

*L'enunciato*

Più proposizioni concatenate compongono un ragionamento. Per gli stoici il ragionamento per eccellenza non è il sillogismo dimostrativo di Aristotele, ma il ragionamento anapodittico (non-dimostrativo), ovvero un tipo di ragionamento (cui sono riportabili tutti gli altri tipi di ragionamento) nel quale risulta **immediatamente evidente non solo la premessa, ma anche la conclusione**.

*Il ragionamento anapodittico e le sue cinque figure*

Gli stoici (Crisippo) enumeravano **cinque figure** (*trópoi*) **di base** di ragionamenti anapodittici, che esprimevano con gli esempi seguenti:

1. Se è giorno c'è luce. Ma è giorno. Dunque c'è luce;
2. Se è giorno c'è luce. Ma non c'è luce. Dunque non è giorno;
3. Non può essere insieme giorno e notte. Ma è giorno. Dunque non è notte;
4. O è giorno o è notte. Ma è giorno. Dunque non è notte;
5. O è giorno o è notte. Ma non è notte. Dunque è giorno.

Questi esempi concreti venivano generalizzati nel modo seguente (cfr. S. Empirico, *Adversus logicos*, II, 223 ss.):

1. Se è il primo, è il secondo. Ma è il primo. Dunque è il secondo.
2. Se è il primo, è il secondo. Ma non è il secondo. Dunque neppure il primo.
3. Non è possibile che siano insieme il primo e il secondo. Ma è il primo. Non è dunque il secondo.
4. O è il primo o è il secondo. Ma è il primo. Dunque non è il secondo.
5. O è il primo o è il secondo. Ma non è il secondo. Dunque è il primo.

**Il sillogismo aristotelico e quello stoico**

L'originalità e l'importanza della teoria stoica dei ragionamenti anapodittici, che per lungo tempo sono apparsi solo come giochi verbali o come tautologie dialettiche, risultano evidenti soprattutto se messe a confronto con la dottrina aristotelica del sillogismo. Innanzitutto, mentre il sillogismo di Aristotele si fonda sui **concetti** (i «termini»), il ragionamento anapodittico fa leva sulle **proposizioni** (da cui il nome di "logica proposizionale" che verrà dato alla sillogistica stoica). In secondo luogo, mentre il sillogismo aristotelico è sempre a *tre* **termini**, il sillogismo stoico è a *due* **termini** ed è quindi privo di un termine medio. In terzo luogo, mentre il sillogismo aristotelico parte da **premesse** *categoriche* espresse mediante specifici quantificatori ("ogni", "qualche"), il sillogismo stoico parte da **premesse** *ipotetiche o disgiuntive*. In quarto luogo, mentre il sillogismo aristotelico rinvia a delle **connessioni** *razionalmente* **deducibili tra la sostanza e le sue proprietà**, gli anapodittici crisippei rimandano a delle **relazioni** *empiricamente* **verificabili tra due o più fatti**.

**Concludenza e verità**

Gli stoici distinguono inoltre la "**concludenza**" (formale) di un ragionamento dalla sua "**verità**" (materiale). Infatti, mentre la concludenza presuppone soltanto un rapporto formalmente corretto tra le premesse e la conclusione, la verità comporta anche una precisa corrispondenza a determinate situazioni di fatto. Ad esempio, il ragionamento "se è notte, ci sono le tenebre; ma è notte, dunque ci sono le tenebre", pur essendo *concludente* in ogni caso, è *vero* se è notte, mentre è *falso* se è giorno.

Ovviamente agli stoici, conformemente all'impostazione realistica della loro gnoseologia e all'indirizzo metafisico del loro pensiero, premeva la verità dei ragionamenti, e non soltanto la loro concludenza. Tant'è vero che Crisippo «aveva l'occhio costantemente volto alla realtà di fatto e alla rispondenza delle singole proposizioni con questa, assai più che non alla pura concatenazione logica fra i membri del sillogismo stesso»[1]. Tuttavia, proprio perché la concludenza di un ragionamento costituisce, secondo gli stoici, una proprietà indipendente dalla sua verità, non c'è affatto da stupirsi se essi si siano concentrati anche sui meccanismi logici in quanto tali (cioè a prescindere dal problema della loro verità o meno), raggiungendo in tale ambito notevoli livelli di elaborazione e di formalizzazione, su cui gli studiosi odierni di logica hanno richiamato l'attenzione.

**La dimostrazione**

I ragionamenti anapodittici (come dice la parola) non dimostrano nulla: semplicemente esprimono ciò che si vede, o che appare evidente. **La dimostrazione** invece, secondo gli stoici, mette in luce qualcosa che prima era oscuro: essa **si serve di un indizio per risalire alla causa** che lo ha prodotto, come ad esempio nel caso di "se questa donna ha latte nelle mammelle, ha partorito; ma questa donna ha latte nelle mammelle; dunque ha partorito".

È al ragionamento dimostrativo che gli stoici affidano la loro dottrina: ad esempio dimostrando l'esistenza dell'anima o dell'anima del mondo (che è Dio) a partire da fatti che sono immediatamente dati ai sensi, secondo il procedimento per indizi che abbiamo chiarito.

---

1 M. Isnardi Parente, "Introduzione" a *Stoici antichi*, UTET, Torino 1989, vol. I, p. 49.

# Paradossi, antinomie e sofismi: il "dilemma del coccodrillo"

Stando alle testimonianze[1], sembra che gli stoici, tra le altre forme di ragionamento, ponessero anche quell'insieme di **discorsi insolubili** (o ritenuti tali) che vanno sotto il nome di paradossi, antinomie, dilemmi, sofismi, aporie ecc.

I più famosi tra questi ragionamenti, ampiamente diffusi nel mondo antico, erano quelli di origine megarica (tradizionalmente attribuiti a Eubulide). Celebri, tra tutti, quelli del *Mentitore*, o del *Bugiardo*: Epimenide cretese proclamava che tutti i cretesi erano bugiardi. Ma allora: diceva il vero o diceva il falso, Epimenide? Infatti, se diceva il vero mentiva, in quanto cretese, asserendo che tutti i cretesi erano bugiardi; quindi diceva il falso. Se diceva il falso, non mentiva, come cretese, quindi diceva il vero. Da ciò l'insolubile paradosso: se Epimenide diceva il vero mentiva, se mentiva diceva il vero.

Altrettanto noti – e presentati in molteplici versioni – quelli del *Sorite* (quanti grani di frumento occorrono per formare un *sóros*, cioè un mucchio? Poiché un solo chicco non costituisce un mucchio, si aggiungano allora altri chicchi, uno alla volta. Chi potrà dire con precisione a partire da quale chicco cominci il mucchio? Oppure: se dall'ipotetico mucchio già costituito si toglie un chicco dopo l'altro, quand'è che non si avrà più il mucchio?); del *Calvo* (posto che la perdita di un solo capello non rende un uomo calvo, se un individuo inizia a perdere un capello dopo l'altro, a quale punto preciso potrà essere definito "affetto da calvizie"? In ogni caso, non si arriverà forse al risultato paradossale che la differenza tra chi è affetto da calvizie e chi non lo è risiede in un solo capello?); del *Velato* (– Conosci l'uomo che si avvicina con il volto coperto da un velo? – No – Se si scopre il volto, lo conosci? – Sì – Dunque conosci e non conosci la stessa persona)[2]; del *Cornuto* (ciò che non hai perduto, lo hai: ma non hai perduto le corna, dunque le hai).

A questi ragionamenti – che gli stoici, a differenza di Aristotele, ritenevano logicamente possibili – ne vennero aggiunti parecchi altri. Sembra ad esempio che Crisippo, secondo la testimonianza di Diogene Laerzio, si dilettasse con paradossi del tipo: "Chi rivela i misteri ai non iniziati è un empio; ma il gran sacerdote rivela i misteri ai non iniziati; quindi è un empio"; "Ciò che non è nella città, non è neppure nella casa; ma non vi è un pozzo nella città; quindi non vi è neppure nella casa"; "Se uno è a Megara, non è ad Atene; ma c'è un uomo a Megara; quindi non c'è un uomo ad Atene" e così via.

Più elaborato e sottile è il cosiddetto **"dilemma del coccodrillo"** (anche questo presentato in più versioni e largamente diffuso tra gli stoici). Un coccodrillo, rubato un bimbo, promise alla madre di renderglielo, a patto che essa avesse indovinato la sua intenzione o meno di restituirglielo. Avendo la madre risposto che il coccodrillo non l'avrebbe restituito, il predone cadde in un terribile dilemma. Infatti, non restituendolo, avrebbe reso vera la risposta della madre, e quindi avrebbe dovuto, in base al patto, procedere alla consegna del bimbo. Viceversa, restituendolo, avrebbe reso falsa la risposta della madre e quindi, in base al patto, non avrebbe dovuto consegnare il bambino. In ambedue i casi, il coccodrillo si sarebbe trovato in uno stato di paralizzante contraddizione con se stesso.

*I paradossi più noti*

*I paradossi di Crisippo*

*Il dilemma del coccodrillo*

---

1 Cfr. Diogene Laerzio, *Vite dei filosofi*, VII, 82-83 (in *Stoici antichi*, cit., p. 726).

2 Semplice variazione del *Velato* è l'*Elettra* (pur sapen-

do che Oreste è suo fratello, Elettra non lo riconosce come tale quando lo ha dinanzi e quindi sa e non sa, nello stesso tempo, che Oreste è suo fratello).

**L'importanza storica delle antinomie**

Come si può notare, alcuni di questi ragionamenti sono palesi **sofismi** (ad esempio quello del *Velato*, o del *Cornuto*). Altri, invece (ad esempio quello del *Mentitore*), rappresentano delle **autentiche antinomie della ragione**. Tant'è vero che sono stati considerati per secoli come appartenenti alla categoria degli "insolubili". Ma in entrambi i casi essi (come già i paradossi zenoniani) hanno esercitato una benefica influenza sulla storia del pensiero umano, poiché, obbligando gli studiosi a escogitare degli appositi schemi di soluzione, hanno finito per contribuire al progresso delle ricerche logiche. Ciò è avvenuto soprattutto nel XX secolo, in cui è stata proprio la riflessione sulle antinomie a stimolare alcuni tra i maggiori sommovimenti della logica e della matematica contemporanee.

**Russell e la soluzione del *Mentitore***

In virtù di tali sommovimenti – al centro dei quali si colloca la figura del già citato filosofo e matematico Bertrand Russell – molti paradossi tradizionali hanno trovato uno schema di soluzione.

Si consideri ad esempio il paradosso di Epimenide. I logici moderni lo esprimono in una forma più semplice, e cioè con la sola parola "Mento". Ora, se con questa parola si intende dire "*Tutto* ciò che dico è falso", senza alcuna limitazione, quindi comprendendo nel *tutto* anche la stessa frase "mento", ecco comparire l'antinomia, perché se io mento la frase è vera, perciò mento, e se non mento, quando dico di mentire, mento. Ma se con la stessa frase si intende dire "Tutto ciò che dico è falso, tranne l'affermazione che sto ora facendo", escludendo dalla cerchia delle mie menzogne l'affermazione "mento", si ha una frase di significato normale e non contraddittorio.

In altri termini, la regola per eludere le antinomie logiche consiste nel **limitare la portata di certe affermazioni universali, escludendo la possibilità che esse si riferiscano anche a se stesse**. "Io mento" è una frase che non genera alcuna contraddizione, se si riferisce a tutte le frasi che io ho pronunciato o pronuncerò, tranne che a "io mento".

# 3. La fisica

Il concetto fondamentale della fisica stoica è quello di un **ordine immutabile, razionale, perfetto e necessario** che governa e sorregge infallibilmente tutte le cose, facendo sì che esse siano e si conservino quelle che sono. Quest'ordine è identificato dagli stoici con Dio stesso: sicché la loro dottrina è, come vedremo, un rigoroso panteismo.

**I due principi**

Alle quattro cause aristoteliche (materia, forma, causa efficiente e causa finale) gli stoici sostituiscono due principi: il **principio attivo** e il **principio passivo**, che sono entrambi materiali e inseparabili l'uno dall'altro. Il principio passivo è la **sostanza spoglia di qualità, cioè la materia**; il principio attivo è la **ragione, cioè Dio**, che agendo sulla materia produce gli esseri singoli. La materia infatti è inerte e, sebbene pronta a tutto, se ne starebbe oziosa se nessuno la muovesse. La ragione divina forma la materia, la volge ovunque voglia e ne produce le determinazioni. In altri termini: la sostanza da cui ogni cosa nasce è la materia, il principio passivo; la forza da cui ogni cosa è fatta è Dio, la causa, il principio attivo. →**T3**

La distinzione tra principio attivo e principio passivo non coincide, secondo gli stoici, con la distinzione tra l'incorporeo e il corporeo. Infatti entrambi i principi – sia la causa, sia la materia – sono corpo e nient'altro che corpo, giacché **solo il corpo esiste**. Questo rigoroso materialismo è sostenuto dagli stoici sulla base della definizione dell'essere data da Platone nel *Sofista*: **esiste ciò che agisce o subisce un'azione**. E poiché solo il corpo può agire o subire un'azione, solo il corpo esiste. È dunque corpo l'anima, come principio d'azione. È corpo la voce, che opera e agisce sull'anima. È corpo, infine, il bene, come sono corpi le emozioni e i vizi. Dice Seneca a questo proposito: «Il bene opera perché giova e ciò che opera è un corpo. Il bene stimola l'anima in un certo modo, la plasma e la tiene in freno, azioni che sono proprie di un corpo. I beni del corpo sono corpi; dunque anche quelli dell'anima, che anch'essa è un corpo» (*Epistole*, 106).

**La corporeità dell'essere**

Gli stoici ammettono soltanto quattro specie di cose incorporee: il significato, il vuoto, il luogo e il tempo. Tra le cose incorporee, come si vede, non c'è Dio, in quanto **anche Dio, ragione cosmica e causa di tutto, è corpo**: più precisamente è **fuoco**. Non però il fuoco di cui si serve l'uomo, che distrugge ogni cosa: si tratta piuttosto di un **soffio** (*pnéuma*) **caldo e vitale** che tutto conserva, alimenta, accresce e sostiene. Ma questo soffio o spirito vitale, questo fuoco animatore è esso stesso corporeo. Gli stoici lo chiamano «**ragione seminale del mondo**», perché contiene in sé le ragioni seminali secondo le quali tutte le cose si generano.

**Il fuoco**

Come le parti di un essere vivente nascono tutte dal seme, così **ogni parte dell'universo nasce dal proprio seme razionale**, o dalla propria ragione seminale. Queste ragioni seminali sono spesso mescolate l'una con l'altra, ma sviluppandosi si separano e danno luogo a esseri diversi; tutte le cose nascono dunque da un'unità e sono raccolte in unità. Tuttavia la distinzione tra le varie cose è perfetta: non ci sono nel mondo due cose identiche, neppure due fili d'erba.

**Le ragioni seminali**

La vita del mondo ha un suo ciclo. Quando, dopo un lungo periodo di tempo («**grande anno**»), gli astri tornano allo stesso segno e nella stessa posizione in cui erano al principio, si ha una «**conflagrazione**», che comporta la distruzione di tutti gli esseri; a quel punto si forma nuovamente lo stesso ordine cosmico, e nuovamente tornano a verificarsi gli avvenimenti accaduti nel ciclo precedente, senza alcuna modificazione («palingenesi» e «apocatastasi»: v. "Glossario"): vi è di nuovo Socrate, di nuovo Platone e di nuovo ogni uomo con gli stessi amici, gli stessi concittadini, le stesse credenze, le stesse speranze, le stesse illusioni.

**I cicli cosmici**

Questo ciclo si ripete eternamente. Tale infatti è il destino, la **legge necessaria che regge le cose**. Il destino è l'**ordine del mondo** e la concatenazione necessaria che tale ordine pone tra tutti gli esseri e, quindi, tra il passato e l'avvenire del mondo. Ogni fatto segue a un altro fatto, dal quale è necessariamente determinato come dalla propria causa, e ad ogni fatto ne segue un altro che esso determina in quanto sua causa. Questa catena non si può spezzare, perché con essa si spezzerebbe l'ordine razionale del mondo.

**Destino e provvidenza: la perfezione del mondo**

Se quest'ordine, dal punto di vista delle cose che esso concatena, è "destino", dal punto di vista di Dio, che ne è l'autore e il garante infallibile, è "provvidenza", che ogni cosa regge e conduce al suo fine perfetto. Pertanto, secondo gli stoici, **destino, provvidenza e ragione si identificano tra loro e con Dio**, considerato come la natura intrinseca, presente e operante in tutte le cose.

E se il mondo, nel suo ordine necessario, si identifica con la ragione divina, esso non può essere che perfetto. Gli stoici, infatti, non negano l'esistenza del **male nel mondo**, ma ritengono che esso sia **necessario per l'esistenza del bene**. I beni sono contrari ai mali – diceva Crisippo nel suo libro *Sulla provvidenza* –: bisogna dunque che gli uni siano sostenuti dagli altri, perché senza un contrario non ci sarebbe neppure l'altro contrario. **➔T4**

**Panteismo, politeismo e divinazione**

Come abbiamo anticipato in apertura di paragrafo, la dottrina stoica è una forma di **rigoroso panteismo**, in quanto identifica Dio con il cosmo, cioè con l'ordine necessario del mondo. Nello stesso tempo, essa è una **giustificazione del politeismo tradizionale**, poiché considera gli dei della tradizione come altrettanti aspetti dell'azione ordinatrice divina. Coerentemente con la loro concezione del mondo come retto da una legge necessaria, gli stoici ammettono inoltre la "**mantica**", ovvero l'arte di prevedere il futuro mediante l'interpretazione dell'ordine necessario delle cose. Ma solo il filosofo può essere divinatore del futuro, perché solo il filosofo conosce l'ordine necessario del mondo.

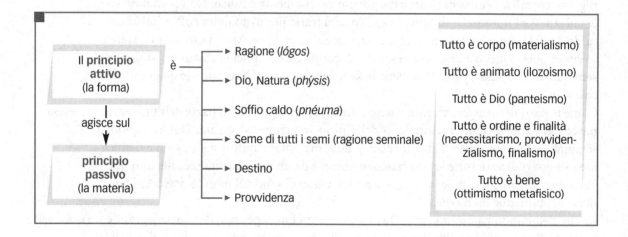

# **4.** L'antropologia

**L'anima come soffio vivificante**

Per quanto riguarda la concezione stoica dell'uomo, si è già detto che **l'anima rientra nel novero delle cose corporee**, in base al principio che è corpo ciò che agisce e alla constatazione che l'anima agisce. Crisippo si serviva della stessa definizione platonica della morte come «separazione dell'anima dal corpo» per confermare l'idea della corporeità dell'anima: «L'incorporeo non potrebbe né separarsi dal corpo né unirsi con esso; ma l'anima s'unisce al corpo e se ne separa; dunque l'anima è corpo» (Nemesio, *Sulla natura degli uomini*, 2, 81). L'anima umana è una parte dell'«Anima del mondo», cioè di Dio: anch'essa è **fuoco**, o **soffio vivificante**, e **sopravvive alla morte nel seno dell'Anima del mondo**.

**Le parti dell'anima**

Le parti dell'anima sono quattro:

▶ il principio direttivo, o egemonico, che è la **ragione**;
▶ i cinque **sensi**;
▶ il **seme**, o principio spermatico;
▶ il **linguaggio**.

Il principio egemonico genera e controlla le altre parti dell'anima, protendendosi in esse «come i tentacoli di un polipo». Sicché, oltre a produrre le rappresentazioni e l'assenso, esso determina anche i sensi e l'istinto. Secondo alcune testimonianze, gli stoici avrebbero posto il principio egemonico nella testa, paragonata a ciò che il sole costituisce per il cosmo; secondo altre, l'avrebbero invece posto nel cuore, o nel soffio intorno al cuore.

La teoria della libertà

Gli stoici condividono il concetto, già difeso da Platone e da Aristotele, secondo cui la **libertà** consiste nell'**essere «causa di sé»**, cioè dei propri atti o movimenti. Essi utilizzano anzi il termine *autopraghía*, che si può tradurre con "autodeterminazione", per indicare la libertà e dicono che solo il sapiente è libero, perché egli solo si determina da sé. Tuttavia la libertà del sapiente non consiste in altro se non nel suo **conformarsi all'ordine del mondo**, cioè al destino. Sicché per la prima volta, con gli stoici, si affaccia la dottrina che identifica la libertà con la necessità, trasferendo la libertà dalla parte al tutto, cioè dall'uomo al principio che opera e agisce nell'uomo.

Tra i maestri della *Stoá* non mancò tuttavia chi volle riconoscere all'iniziativa del sapiente un certo margine di libertà nei confronti dello stesso ordine cosmico: Crisippo, ad esempio, distinse tra le **cause perfette**, o fondamentali, e le **cause concomitanti**, o prossime. Le prime agiscono con necessità assoluta; le seconde possono subire la nostra influenza, e anche quando non la subiscono rimane in nostro potere assecondarle o no. Con un'immagine: così come chi dà una spinta a un cilindro gli imprime il movimento, ma non gli dà la capacità di ruotare, allo stesso modo gli oggetti esterni imprimono sulla nostra anima la loro "impronta", ma il fatto di dare o meno il nostro assenso a tale rappresentazione rimane in nostro potere. La volontà e l'indole di ciascuno possono dunque influire, entro questi limiti e in conformità con l'ordine del tutto, sulla scelta delle nostre azioni.

# ✗ 5. L'etica

## Natura, ragione e dovere

Istinto e ragione

Alla base dell'etica stoica vi è l'idea secondo cui ogni essere tende ad attuare o conservare se stesso in armonia con l'ordine perfetto del mondo (*oikéiosis*: v. "Glossario"). Ciò avviene attraverso due forze ugualmente infallibili: l'**istinto** e la **ragione**. L'istinto guida infallibilmente l'animale a conservarsi, a nutrirsi, a riprodursi e in generale a prendersi cura di sé ai fini della propria sopravvivenza. La ragione è invece la forza infallibile che garantisce l'accordo dell'uomo con se stesso e con la natura in generale.

Vivere «secondo natura»

L'etica degli stoici è sostanzialmente una teoria dell'uso pratico della ragione, cioè dell'**utilizzo della ragione allo scopo di stabilire un accordo tra l'uomo e la natura**. Zenone affermava che il fine dell'uomo è l'accordo con se stesso, cioè il vivere «secondo una ragione unica e armonica». All'accordo con se stesso Cleante aggiunse l'accordo con la natura e perciò definì il fine dell'uomo come «la vita conforme a natura». E Crisippo espresse la stessa cosa dicendo: «vivere in modo conforme all'esperienza degli avvenimenti naturali». Ma pare che già Zenone avesse adottato la formula del «**vivere secondo natura**» (Diogene Laerzio, *Vite*, VII, 87). E questa è indubbiamente la massima fondamentale dell'etica stoica. →**T5**

**Il concetto stoico di "natura"**

Per "natura", Cleante intendeva la natura universale, mentre Crisippo intendeva non soltanto la natura universale, ma anche quella umana, che è parte della natura universale. Per tutti gli stoici la natura è l'**ordine razionale, perfetto e necessario**: il destino, o Dio stesso; onde Cleante così pregava: «Conducetemi, o Giove, e tu Destino, ovunque da voi son destinato e vi servirò senza esitazione: giacché anche se non volessi, vi dovrei seguire ugualmente da stolto».

**Il "dovere" per la prima volta a fondamento dell'etica**

Ora, l'**azione** che si prospetta **conforme all'ordine razionale** costituisce il "dovere": l'etica stoica è quindi fondamentalmente un'**etica del dovere** e la nozione del dovere come conformità o convenienza dell'azione umana all'ordine razionale diventa per la prima volta, con gli stoici, la nozione fondamentale dell'etica. Né l'etica platonica né l'etica aristotelica avevano fatto riferimento all'ordine razionale del tutto, avendo piuttosto assunto a loro fondamento la prima la nozione di giustizia, la seconda quella di felicità. La nozione di dovere non sorgeva nel loro ambito e dominava su di essa la nozione di "virtù" come via per realizzare la giustizia o la felicità.

> Gli stoici chiamano dovere ciò la cui scelta può essere razionalmente giustificata. […] Delle azioni compiute per istinto alcune sono doverose, altre contrarie al dovere, altre né doverose né contrarie al dovere. Doverose sono quelle che la ragione consiglia di compiere, come onorare i genitori, i fratelli, la patria e andar d'accordo con gli amici. Contro il dovere sono quelle che la ragione consiglia di non fare. […] Né doverose né contrarie al dovere sono quelle che la ragione né consiglia né vieta, come sollevare una pagliuzza, tenere una penna ecc.
>
> (Diogene Laerzio, *Vite*, VII, 107-109)

**Tipi di dovere**

Come ci riferisce Cicerone, gli stoici distinguevano il **dovere «retto»**, che è perfetto e assoluto e che non può trovarsi in altri che nel sapiente, e i **doveri «intermedi»**, i quali sono comuni a tutti e molte volte sono realizzati con il solo aiuto di un'indole buona e di una certa istruzione.

**La concezione del suicidio**

La prevalenza della nozione del dovere conduce gli stoici a una delle dottrine tipiche della loro etica: la **giustificabilità del suicidio**. Quando infatti le condizioni contrarie all'adempimento del dovere prevalgono su quelle ad esso favorevoli, il sapiente è tenuto ad abbandonare la vita, anche se è al colmo della felicità. Sappiamo che molti dei maestri della *Stoá* seguirono questo precetto, che in realtà è una conseguenza della nozione stoica del dovere.

## Il bene e la virtù

**Il bene non è il dovere, ma la virtù**

Nell'etica stoica è fondamentale distinguere la nozione del dovere da quella del bene. Quest'ultimo compare quando la scelta indicata dal dovere viene ripetuta e consolidata, mantenendo sempre la propria conformità alla natura, fino a diventare una **disposizione uniforme e costante**, cioè una **virtù**. La virtù è veramente l'unico bene. Ma essa è soltanto del sapiente, cioè di chi è capace del dovere retto, e si identifica con la sapienza stessa, perché il suo esercizio non è possibile senza la conoscenza dell'ordine cosmico, al quale il sapiente si adegua.

La virtù può avere nomi diversi, a seconda dei domini cui è riferita (la **saggezza** verte sui compiti dell'uomo, la **temperanza** sugli impulsi, la **fortezza** sugli ostacoli, la **giustizia** sulla distribuzione dei beni), ma in realtà essa è una sola e la possiede "tutta" solo chi sa intendere e compiere il dovere, cioè solo il sapiente.

Tra la virtù e il vizio, pertanto, **non c'è via di mezzo**. Come un pezzo di legno o è diritto o è curvo, senza possibilità intermedie, così l'uomo o è giusto o è ingiusto, e non può essere giusto o ingiusto solo parzialmente. Infatti chi possiede la retta ragione, cioè il saggio, fa tutto bene e virtuosamente, mentre chi è privo della retta ragione, cioè lo stolto, fa tutto male e in modo vizioso. E poiché il contrario della ragione è la pazzia, **l'uomo che non è saggio è pazzo**.

Si può certo progredire verso la sapienza. Ma così come chi è sommerso nell'acqua, anche se è poco al di sotto della superficie, non può respirare affatto, proprio come se fosse nell'acqua profonda, allo stesso modo chi è avanzato verso la virtù, ma non è virtuoso, non è meno in miseria di colui che è più lontano da essa.

Il principio secondo cui la virtù è il solo bene in senso assoluto, in quanto costituisce la realizzazione nell'uomo dell'ordine razionale del mondo, porta gli stoici a formulare un'altra dottrina tipica della loro etica: quella delle «cose indifferenti». Se la virtù è il solo bene, si devono propriamente dire "beni" solo la sapienza, la saggezza, la giustizia ecc., e "mali" i loro contrari; quindi **le cose che non costituiscono virtù** (come la vita, la salute, il piacere, la bellezza, la ricchezza, la gloria ecc.) **e tutti i loro contrari** non si possono dire né "beni" né "mali": esse sono pertanto indifferenti.

Tra le cose indifferenti, poi, alcune sono degne di essere preferite, o scelte (come appunto la vita, la salute, la bellezza, la ricchezza ecc.), mentre altre no (come appunto i loro contrari). Esistono quindi, oltre ai beni (le virtù), altre **cose che non sono beni, ma che** tuttavia **sono** anch'esse **degne di essere scelte**.

Per indicare l'insieme dei beni e di tali cose, gli stoici adoperano la parola "valore". Il valore, per gli stoici, è dunque «**ogni contributo ad una vita conforme a ragione**» (Diogene Laerzio, *Vite*, VII, 105) o, in generale, «**ciò che è degno di scelta**» (Cicerone, *Sui fini*, III, 6, 20). Con questa nozione di valore fa il suo ingresso nell'etica un concetto che si rivelerà di grande importanza nella storia di questa disciplina. →**T6**

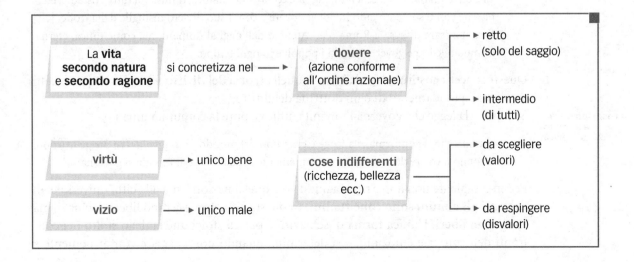

## Le emozioni e l'apatia

**La teoria delle emozioni**

Fa parte integrante dell'etica stoica la **negazione totale del valore dell'emozione**. Infatti l'emozione (*páthos*) non ha alcuna funzione nell'economia generale del cosmo, che ha provveduto in modo perfetto alla conservazione e al bene degli esseri viventi dando agli animali l'istinto e all'uomo la ragione.

Le emozioni non sono provocate da forze o da situazioni naturali: sono opinioni, o giudizi, dettate da leggerezza, ovvero fenomeni di stoltezza e di ignoranza consistenti nel «**giudicare di sapere ciò che non si sa**» (Cicerone, *Tusculanae*, IV, 26).

**Le emozioni fondamentali**

Gli stoici distinguono quattro emozioni fondamentali, alle quali riducono tutte le altre. Due hanno origine da beni presunti: la **brama** dei beni futuri e la **letizia** per i beni presenti; due da mali presunti: il **timore** dei mali futuri e l'**afflizione** per i mali presenti.

**L'assenza di emozioni nel sapiente**

A tre di queste emozioni, e precisamente alla brama, alla letizia e al timore, gli stoici fanno corrispondere tre stati normali propri del sapiente, cioè rispettivamente la **volontà**, la **gioia** e la **precauzione**, che sono stati di calma e di equilibrio razionale. Nessuno stato normale corrisponde invece nel sapiente a ciò che è l'afflizione nello stolto: per il sapiente, infatti, non esistono mali di cui ci si debba dolere, dato che egli conosce la perfezione dell'universo. Le emozioni sono quindi considerate dagli stoici come vere e proprie "malattie", che colpiscono lo stolto, ma da cui il sapiente è immune. La condizione del sapiente è pertanto l'«**apatia**», ovvero l'indifferenza a ogni emozione.

## La legge naturale e il cosmopolitismo

**La legge naturale che governa tutti gli uomini**

L'ordine razionale del mondo, così come dirige la vita di ogni singolo uomo, analogamente dirige quella della comunità umana. Ciò che si chiama "**giustizia**" è l'azione, in questa comunità, della stessa ragione divina. La legge che si ispira alla ragione divina è la "**legge naturale**" della comunità umana: una legge superiore a quelle riconosciute dai diversi popoli della terra, perfetta e, quindi, non suscettibile di correzioni o miglioramenti. In una pagina divenuta famosa, Cicerone così esprime il concetto di questa legge:

> Vi è certo una vera legge, la retta ragione conforme a natura, diffusa fra tutti, costante, eterna, che con il suo comando invita al dovere e con il suo divieto distoglie dalla frode. [...] Essa non sarà diversa a Roma o ad Atene o dall'oggi al domani, ma come unica, eterna, immutabile legge governerà tutti i popoli e in ogni tempo.

Questi concetti costituiscono la base di quella **teoria del diritto naturale** che per molti secoli sarà a fondamento di ogni dottrina del diritto.

**Il cosmopolitismo e il rifiuto della schiavitù**

Se unica è la legge che governa l'umanità, unica è pure la comunità umana.

> L'uomo che si conforma alla legge è cittadino del mondo (*kosmopolítes*) e dirige le azioni secondo il volere della natura, conformemente al quale tutto il mondo si governa.

Perciò il sapiente non appartiene a questa o a quella nazione, ma alla città universale, in cui **tutti gli uomini sono concittadini**. In questa città non esistono liberi e schiavi, ma **tutti sono liberi**. L'unica forma di schiavitù è per gli stoici quella dello stolto nei confronti delle proprie emozioni, e si determina quando non si agisce conformemente a quella legge che è la stessa natura del mondo. La schiavitù imposta dall'uomo sull'uomo non è invece che malvagità. →**T7**

# 6. Lo stoicismo nella storia

Delle tre grandi scuole post-aristoteliche (stoicismo, epicureismo, scetticismo), quella stoica è stata di gran lunga, dal punto di vista storico, la più ricca di influenze. Lo stoicismo, infatti, fu decisivo già a partire dall'ultimo periodo della filosofia greca (quando le correnti neoplatoniche fecero proprie molte delle sue dottrine fondamentali) e, in seguito, nella patristica, nella scolastica araba e latina, e nel Rinascimento. L'azione del pensiero stoico continuò poi nel seno stesso della filosofia moderna e contemporanea, sia pure in maniera indiretta o sotto forma di dottrine che il senso comune, la sapienza popolare e la tradizione filosofica accettarono (e accettano tuttora), talvolta senza curarsi di porle in discussione.

**L'importanza storica dello stoicismo**

Innanzitutto, sull'ideale del **sapiente stoico** si è modellata la **figura tradizionale del filosofo**: austero, inaccessibile alle passioni, interamente dedito alla speculazione e indifferente a tutte le preoccupazioni e le cure che costituiscono la vita quotidiana dell'uomo.

**La figura del filosofo**

Sul piano metafisico, gli stoici hanno lasciato in eredità soprattutto l'**ottimismo cosmico** e il concetto della **necessità dell'essere**, con le nozioni di destino e di provvidenza che vi sono collegate.

**La metafisica e la cosmologia**

Le dottrine del **ciclo cosmico**, o dell'eterno ritorno, e di **Dio come Anima del mondo** hanno costituito un costante punto di riferimento per le concezioni cosmologiche successive. In particolare, esse sono servite da fondamento per tutte le elaborazioni teologiche che si sono avute dal platonismo in avanti, e sono valse come criterio interpretativo dello stesso aristotelismo.

Sul piano logico, la definizione della logica come dialettica, la teoria del significato, della proposizione e del ragionamento immediato hanno dominato lo sviluppo della **logica** negli ultimi secoli del Medioevo, costituendo una sorta di "seconda parte" della logica stessa (aggiunta a quella di derivazione aristotelica) e contribuendo all'integrazione o all'interpretazione delle stesse teorie logiche di Aristotele.

**La logica**

Sul piano etico, l'analisi delle **emozioni** e la loro condanna, e i concetti dell'autosufficienza e della **libertà del sapiente** sono rimasti e rimangono tra le più tipiche formulazioni della morale tradizionale. Alla **nozione di dovere** (assente nell'epoca classica) si è rifatta una tradizione secolare che ha trovato la sua più tipica espressione nel kantismo. Anche la **nozione di valore** si è rivelata fecondissima nelle discussioni etiche e rappresenta tutt'oggi una delle nozioni-chiave della filosofia. Per non parlare dell'**identificazione della libertà con la necessità**, che è divenuta un modello concettuale presente nei filosofi più disparati.

**La morale**

Il **cosmopolitismo** e la teoria del **diritto naturale**, infine, sono altri due contributi basilari, tant'è vero che la sistemazione del diritto romano e, nel Medioevo, del diritto canonico fu realizzata in base al concetto del diritto naturale come norma divina o razionale per la condotta degli uomini; e ancor oggi molte scuole giuridiche e morali si rifanno allo stesso principio.

**Il diritto naturale**

# 7. La filosofia a Roma

## Cicerone e l'eclettismo

La filosofia greca giunge a Roma soprattutto attraverso l'interpretazione eclettica (v. par. "L'eclettismo", p. 407), specchio delle mutate condizioni geo-politiche del bacino del Mediterraneo.

**L'esposizione ciceroniana del pensiero greco**

Il maggior rappresentante dell'indirizzo eclettico romano è **Marco Tullio Cicerone** (106-43 a.C.), che deve la sua importanza non tanto all'originalità del suo pensiero, quanto alla capacità di **esporre in forma chiara e brillante le dottrine dei filosofi greci** a lui contemporanei o precedenti. Cicerone stesso riconosce il proprio debito nei confronti delle fonti greche e in una lettera *Ad Attico*, a proposito dei propri scritti, dice:

> mi costano poca fatica, perché di mio ci metto solo le parole, che non mi mancano.

(*Ad Attico*, XII, 52, 3)

**Le opere**

Delle principali opere filosofiche di Cicerone ricordiamo: *Sulla Repubblica* e *Sulle leggi*; l'*Ortensio*, andato perduto; gli *Accademici*; *Sui fini*; le *Tusculanae disputationes*; *Sulla natura degli dei*; *Sui doveri*.

**I capisaldi teorici**

Cicerone ammette quale criterio della verità il **consenso comune dei filosofi** e spiega tale consenso con la presenza in tutti gli uomini di **nozioni innate**, simili alle anticipazioni dello stoicismo.

In fisica, egli **rigetta la concezione meccanica** degli epicurei: che il mondo possa essersi formato in virtù di forze cieche gli sembra altrettanto impossibile quanto ottenere, ad esempio, gli *Annali* di Ennio buttando a terra a casaccio un gran numero di lettere alfabetiche. Ma quanto a risolvere in modo positivo i problemi della fisica, Cicerone lo ritiene impossibile e così si ferma su questo punto a un atteggiamento scettico.

In campo etico, il filosofo afferma il valore della **virtù per se stessa**, ma oscilla tra la dottrina stoica e quella accademico-peripatetica. Egli sostiene l'**esistenza di Dio** e la **libertà e immortalità dell'anima**, ma evita di affrontare i problemi metafisici che sono inerenti a tali affermazioni.

Affine alla posizione di Cicerone è quella del grande erudito suo amico, Marco Terenzio Varrone (116-27 a.C.).

## Lo stoicismo romano

A Roma la filosofia stoica, pur obbedendo all'indirizzo eclettico generale dell'epoca (per il quale, lo ricordiamo, le divergenze teoriche passano in seconda linea di fronte all'accordo fondamentale delle conclusioni pratiche, cui la ricerca filosofica viene interamente subordinata), mostra già in modo evidente un carattere che la fase ulteriore della speculazione accentuerà: la **prevalenza dell'interesse religioso**.

**Il valore dell'introspezione**

Questa prevalenza è a sua volta fondata sulla centralità accordata dagli stoici romani al tema dell'**interiorità spirituale**. La concezione stoica del saggio come individuo autosufficiente e che ricava da sé la verità è infatti il presupposto del valore che lo stoicismo comincia a riconoscere a ciò che oggi chiamiamo "**introspezione**", o "**coscienza**". Per giungere a Dio e conformarsi alla sua legge, il saggio stoico non ha bisogno di guardare fuori di sé: deve solo guardare in se stesso. Questo **ritorno dell'uomo a se stesso**, oltre a essere uno dei temi preferiti dagli stoici romani, diventerà centrale e dominante nel neoplatonismo.

Gli stoici romani di maggiore spicco

Non si tratta tuttavia di un argomento che offra lo spunto a nuove formulazioni concettuali. Dei numerosi stoici dell'età imperiale di cui conosciamo il nome e qualche notizia, nessuno presenta infatti una particolare originalità di pensiero, e soltanto quattro di essi, **Seneca**, **Musonio**, **Epitteto** e **Marco Aurelio**, ci appaiono dotati di una propria personalità filosofica.

**Seneca.** Lucio Anneo Seneca, nato a Cordova, in Spagna, probabilmente nel 4 d.C., fu maestro e, per lungo tempo, consigliere di Nerone, per ordine del quale morì nel 65 d.C. Dei suoi scritti ci sono rimasti sette libri di *Questioni naturali* e numerosi trattati di carattere religioso e morale (*Dialoghi, Sulla provvidenza, Sulla costanza del savio, Sull'ira, Sulla consolazione a Marcia, Sulla vita beata, Sulla brevità della vita, Sulla consolazione a Polibio, Sulla consolazione alla madre Elvia, Sui benefici, Sulla clemenza*). Egli è autore, inoltre, di venti libri di *Lettere a Lucilio*, che costituiscono una miniera di notizie sullo stoicismo e sull'epicureismo.

Vita e scritti

Seneca insiste sul **carattere pratico della filosofia**: «la filosofia – egli dice – insegna a fare, non a dire» (*Epistole*, 20, 2). Il **saggio** è per lui l'«**educatore del genere umano**» (*Epistole*, 89, 13). Perciò egli trascura la logica e si occupa della fisica, ma solo da un punto di vista morale e religioso, in quanto **l'ignoranza dei fenomeni fisici è la causa fondamentale dei timori dell'uomo**. In un certo senso, poi, per Seneca la fisica è superiore alla stessa etica, perché mentre questa ha a che fare con l'uomo, quella ha a che fare con **la divinità**, che **si rivela nei cieli e**, in generale, **nel mondo**, insegnando all'uomo a riconoscere la propria piccolezza.

L'interesse per la fisica

In ogni caso, né la fisica né la metafisica di Seneca contengono nulla di originale rispetto alle dottrine comuni dello stoicismo. Per ciò che riguarda il **concetto di anima**, egli si ispira invece alla **dottrina platonica**. Dopo aver distinto una parte **razionale** e una parte **irrazionale** dell'anima, in quest'ultima Seneca individua ancora una parte **irascibile e ambiziosa**, consistente nelle passioni, e una parte **umile e languida**, dedita al piacere. Come si vede, tale divisione corrisponde alla distinzione platonica tra anima razionale, irascibile e appetitiva.

La concezione platonica dell'anima

A Platone Seneca si ispira anche nel considerare il rapporto tra anima e corpo: **il corpo è prigione e tomba per l'anima**, e per quest'ultima il giorno della morte è veramente il giorno della nascita eterna (*Epistole*, 102, 26).

Prendendo le distanze dal rigorismo stoico (che poneva un abisso tra il saggio che segue la ragione e lo stolto che non la segue), Seneca è convinto che ci sia sempre un certo scarto tra ciò che l'uomo *deve essere* e ciò che di fatto *è*, e che l'**oscillazione tra il bene e il male** sia **propria di tutti gli uomini**: perciò è portato a considerare con maggiore indulgenza le imperfezioni e le cadute degli individui.

Il superamento del rigorismo stoico

La sua massima morale fondamentale è la **parentela universale tra gli uomini**:

La fratellanza di tutti gli uomini

> Tutto quello che vedi, che contiene il divino e l'umano, è tutt'uno: noi siamo tutti membra di un gran corpo. La natura ci generò parenti dandoci una stessa origine e uno stesso fine. Essa c'ispirò l'amore reciproco e ci fece socievoli.
>
> (*Epistole*, 95, 51)

**Dio nell'intimo dell'uomo**

Inoltre, Seneca afferma energicamente che **Dio** si trova **nell'interiorità dell'uomo**:

> Non dobbiamo innalzare le mani al cielo, né pregare il guardiano del tempio che ci permetta di avvicinarci agli orecchi della statua del Dio, quasi che così potessimo più facilmente essere ascoltati: la divinità ti sta vicino, è con te, è dentro di te. *(Epistole, 41)*

La dottrina di Seneca è dunque uno stoicismo eclettico e a sfondo religioso. Alcuni aspetti di questa dottrina, come il concetto della **divinità**, o l'idea della fraternità e dell'**amore tra gli uomini**, o la tesi della **vita dopo la morte**, sono così vicini al cristianesimo che hanno fatto nascere la leggenda dei rapporti di Seneca con Paolo di Tarso. Tale leggenda portò perfino a falsificare un carteggio (che in realtà non è mai giunto fino a noi) tra il filosofo e l'apostolo. Benché tra essi non ci sia certamente mai stato alcun rapporto, tuttavia non c'è dubbio che la dottrina di Seneca, speculativamente poco notevole, sia mossa da un'aspirazione religiosa che le dà un carattere originale. →**T8**

**Epitteto.** Nato verso il 50 d.C., Epitteto era schiavo di Epafrodito, liberto di Nerone. Liberato a sua volta, visse in Roma fino al 92-93 d.C., quando l'editto di Domiziano bandì dalla città tutti i filosofi. Fondò allora a Nicopoli, in Epiro, una scuola della quale, tra gli altri, fece parte Flavio Arriano, che raccolse le sue lezioni. Degli otto libri di *Diatribe* o *Dissertazioni* in cui Arriano raccolse tali lezioni, ne restano quattro. Ci resta inoltre un *Manuale*, che è una specie di breve catechismo morale.

**Il carattere religioso del pensiero di Epitteto**

L'intenzione di Epitteto è quella di ritornare alla dottrina originale dello stoicismo, e specialmente a quella di Crisippo. Ma il suo pensiero conserva lo stesso carattere di quella di Seneca, ovvero il predominio della **religiosità**.

Dio è il padre degli uomini. Egli è dentro di noi e dentro l'anima nostra: perciò l'uomo non è mai solo. La vita è un dono di Dio ed è un dovere obbedire al precetto divino. Queste e simili espressioni, che (sebbene non si distacchino molto da espressioni analoghe di altri stoici) sottolineano con forza la dipendenza dell'uomo da Dio, hanno fatto nascere anche per Epitteto l'opinione che egli fosse cristiano, tanto che in età bizantina il *Manuale* è stato commentato e parafrasato a uso cristiano.

**Differenze rispetto al cristianesimo**

In realtà, la differenza fondamentale tra il moralismo religioso di Epitteto e di Seneca e il cristianesimo sta nel fatto che per il primo **l'uomo può giungere alla virtù attraverso il solo esercizio della ragione**, mediante una ricerca autonoma, mentre per il cristianesimo la via del bene è additata all'uomo da Dio stesso.

**La concezione della libertà**

Secondo Epitteto la virtù è libertà, e l'uomo può esser libero solo svincolando il proprio atteggiamento interiore da ogni dipendenza nei confronti delle cose esterne. Tutto ciò che non è in suo potere (il corpo, gli averi, la reputazione e, in generale, tutte le cose che non sono atti del suo spirito) non deve commuoverlo né dominarlo. Egli deve piuttosto fondare la propria libertà su ciò che può controllare, ovvero sui moti spirituali: l'opinione, il sentimento, il desiderio, l'avversione. Su queste cose egli può agire, modificandole e dominandole in modo da rendersi libero. Epitteto riassume pertanto l'etica stoica con il motto «**Sopporta e astieniti**»: bisogna astenersi dall'avversare ciò che non è in nostro potere, cioè opinioni, sentimenti e desideri contro natura, o irrazionali.

**Marco Aurelio.** Con Marco Aurelio lo stoicismo sale al trono imperiale di Roma. Nato nel 121 d.C. da nobile famiglia, Marco Aurelio fu adottato dall'imperatore Antonino e gli successe nel 161. Morì nel 180, durante una campagna militare. Ci ha lasciato uno scritto composto di aforismi diversi, intitolato *Colloqui con se stesso*, o *Ricordi*, in 12 libri. Come Seneca, egli si distacca qua e là dalla dottrina tradizionale degli stoici, soprattutto per ciò che riguarda la concezione dell'anima. Egli distingue infatti l'intelletto (*noús*) dall'anima (*psyché*), e sostiene che l'uomo è composto di tre principi: il **corpo**, l'**anima**, che è il principio motore del corpo, e l'**intelligenza**.

Così come tutti gli elementi dell'organismo umano sono parti dei corrispondenti elementi dell'universo, così l'intelletto umano è parte di quello del mondo. Il demone che Zeus ha dato a ciascuno come guida non è dunque altro che l'**intelligenza** e questa **è un «brano» di Zeus stesso** (*Ricordi*, V, 27). Delle funzioni psichiche, le percezioni appartengono al corpo, gli impulsi all'anima, i pensieri all'intelletto.

Come Seneca ed Epitteto, Marco Aurelio ritiene che la filosofia si fondi sul **ritiro dell'anima in se stessa**, ovvero sull'introspezione, o meditazione interiore (IV, 3). Egli dice:

> Guarda dentro di te: dentro di te è la fonte del bene sempre capace di zampillare, se sempre saprai scavare in te stesso.
>
> (*Ricordi*, VII, 59)

Il filosofo fa proprie le tesi stoiche dell'ordine divino del mondo e della provvidenza che lo governa, ma afferma anche, per suo conto, la **parentela degli uomini con Dio**. Il demone individuale, come parte dell'intelletto universale e quindi di Zeus, è il fondamento di questa convinzione religiosa. Per la loro parentela comune, **gli uomini si devono amare l'un l'altro.**

> È proprio dell'uomo amare anche chi lo percuote. Devi aver presente che tutti gli uomini ti sono parenti, che essi peccano solo per ignoranza e involontariamente, che la morte incombe su tutti e, specialmente, che nessuno ti può danneggiare perché nessuno può intaccare la tua ragione.
>
> (*Ricordi*, VII, 22)

L'uomo è parte del flusso incessante delle cose.

> La realtà è come un fiume che scorre perennemente, le forze mutano, le cause si trasformano vicendevolmente, e nulla rimane immobile.
>
> (*Ricordi*, IX, 28)

Qual è il destino dell'anima in questo flusso? Marco Aurelio dipinge a colori smaglianti la condizione dell'anima che con la morte si è liberata dal corpo, anch'egli facendo propria l'antica credenza del **corpo come prigione e tomba dell'anima**. Ma per lui il problema se questa liberazione sia l'inizio di una nuova vita o la fine di ogni sensibilità passa in seconda linea. Può darsi che l'anima, riassorbendosi nel tutto, si tramuti in altri esseri. In ciò Marco Aurelio, rispetto al platonizzante Seneca, è più fedele alla dottrina originaria dello stoicismo. →**T9**

*[margin notes]*
L'imperatore filosofo

I tre principi dell'uomo

La meditazione interiore

Gli uomini devono amarsi come parenti

Il "flusso" incessante delle cose e il destino dell'anima

# GR GLOSSARIO E RIEPILOGO
## Lo stoicismo

## La logica

■ **Dialettica** Per "dialettica" gli stoici intesero la scienza del discutere rettamente, mediante discorsi consistenti di domande e risposte. In particolare, essi la definirono come «la scienza di ciò che è vero e di ciò che è falso e di ciò che non è né vero né falso», dove con l'espressione "ciò che non è né vero né falso" intendevano probabilmente sia i ragionamenti considerati dal punto di vista della semplice concludenza formale, sia i sofismi, o paradossi, sulla cui verità o falsità non si può decidere.

■ **Rappresentazione catalettica** Con l'espressione "rappresentazione catalettica" (dal gr. *katálepsis*, dal verbo *katalambánein*, "prendere") gli stoici indicano quel tipo di rappresentazione che, per il suo carattere evidente o autoevidente, è tale da costituire il primo fondamentale criterio di verità. Essi la interpretano o come l'atto dell'intelletto che "afferra" e "comprende" l'oggetto, o come l'azione dell'oggetto che imprime la propria immagine sull'intelletto. Secondo la testimonianza di Sesto Empirico, gli stoici posteriori pongono il criterio della verità non nella semplice rappresentazione catalettica, ma nella rappresentazione catalettica «che non abbia nulla contro di sé», poiché ritengono possibile che alcune rappresentazioni catalettiche non siano degne di fede a causa di determinate circostanze (ad es. della malattia del soggetto che le riceve). In conclusione, solo quando assume i caratteri di un'*evidenza non contraddetta*, tale da sollecitare l'assenso (il quale però rimane libero) dell'individuo, una rappresentazione può essere considerata, a tutti gli effetti, "catalettica".

■ **Prolessi** Con il termine "prolessi" (in gr. *prólepsis*, "anticipazione") gli stoici intendono i concetti generali (uomo, cavallo ecc.) che si formano nella nostra mente in seguito all'accumularsi delle rappresentazioni e che fungono da schemi anticipatori delle esperienze future. Dalle prolessi si formano, mediante un processo naturale, le "nozioni comuni" a tutti gli individui.

■ **Significato** Gli stoici sono stati i fondatori della teoria del "significato" (*lektón*), intendendo con questo termine un'entità incorporea e astratta, distinta sia dalla parola che lo evoca (la quale può avere significati diversi), sia dall'oggetto cui essa rimanda (che è sempre qualcosa di corporeo e di concreto), e che pure funge da termine di collegamento tra questi. Di conseguenza, secondo il cosiddetto "triangolo semantico" degli stoici, in ogni segno bisogna distinguere tre cose: 1. il *significante*, cioè il nome o la voce tramite cui avviene la significazione (ad es. "Dione"); 2. *il significato*, cioè l'immagine o la rappresentazione mentale che si forma in noi quando pronunciamo o ascoltiamo una parola (l'immagine di Dione che tale nome evoca nella nostra mente); 3. la *cosa significata*, ossia l'oggetto reale (Dione in carne e ossa).

■ **Ragionamenti anapodittici** Per ragionamenti "anapodittici" (dal gr. *anapódeiktos*, "non dimostrabile") gli stoici intendono quei ragionamenti non-dimostrativi che hanno premesse e conclusioni evidenti. Crisippo li divideva in cinque figure (v. par. "La teoria dei ragionamenti anapodittici", p. 413).

## La fisica

■ **Panteismo** Gli stoici professavano una forma di "panteismo" fondato sull'identificazione tra Dio (v.) e l'ordine dell'universo.

■ **Dio** Secondo gli stoici, Dio coincide con il principio attivo del mondo, ovvero con quel *lógos*, o ragione, o forma, che, agendo sulla materia (principio passivo), produce gli esseri singoli. In particolare, Dio viene identificato con il fuoco cosmico, ovvero con quel soffio (*pnéuma*) caldo che rappresenta il seme o la forma del Tutto, anzi il seme o la forma che contiene in sé i semi e le forme (le ragioni seminali) delle varie cose.

■ **Cicli cosmici** Gli stoici sono gli esponenti più radicali della cosiddetta "visione ciclica del mondo". Rifacendosi ai primi filosofi – i quali pensavano che l'universo conoscesse, di tanto in tanto, dei cataclismi periodici, dopo i quali la vita ripartiva da zero –, gli stoici arrivano infatti a sostenere che la storia complessiva del cosmo è destinata a ripetersi sempre identica (fin nei minimi particolari) infinite volte e per tutta l'eternità.

■ **Conflagrazione, palingenesi, apocatastasi** La "conflagrazione" è la combustione ciclica del cosmo (*expýrosis*); la "palingenesi" e l'"apocatastasi" sono invece la sua rinascita in forme sempre nuove.

■ **Destino** Secondo gli stoici il "destino" (*heimarméne*) si identifica con l'ordine necessario del mondo e con la concatenazione causale che lega gli esseri tra loro. E poiché tale ordine procede da Dio, o meglio coincide panteisticamente con Dio, il destino non è un'entità malefica o cieca, ma una struttura benefica e razionale, che fa tutt'uno con la provvidenza. Infatti, secondo l'ottimismo metafisico della *Stoá*, «tutto avviene secondo una necessità *fisica* che coincide con una necessità *assiologica*: secondo una necessità, cioè, che fa accadere precisamente quanto è bene che accada» (S. Moravia e F. Trabattoni).

■ **Finalismo** La concezione "finalistica" del mondo e la convinzione aristotelica secondo cui la natura non crea nulla senza uno scopo si traducono, presso gli stoici, nella tesi per la quale tutto ciò che esiste è stato prodotto per l'uomo, compreso ciò che a prima vista può sembrare negativo (secondo Crisippo, ad es., le bestie feroci esistono affinché l'uomo possa esercitare la propria forza, i denti velenosi delle serpi affinché impari a procurarsi i medicamenti, i topi affinché si abitui a stare attento, le cimici affinché non dorma troppo e così via). Come ha notato Max Pohlenz, questo antropocentrismo estremo e questa forma popolare di teologia – che saranno accolti con favore da tutto un filone della cultura cristiana – costituiscono qualcosa di «originariamente estraneo» al pensiero greco, che ha preso piede soltanto con gli stoici e con i loro seguaci e imitatori. Nemici implacabili del finalismo e del provvidenzialismo stoico sono gli scettici.

## L'etica

■ *Oikéiosis* Secondo gli stoici, ogni essere vivente tende a conservare e a realizzare sé medesimo in armonia con l'ordine del mondo. Questa tendenza viene indicata con il termine *oikéiosis* (lett. "adattamento", "appropriazione"), che richiama appunto lo sforzo compiuto da ogni individuo per "conciliare" se stesso con la propria essenza, nell'ambito del sistema complessivo (e strutturalmente perfetto) del Tutto.

■ **Vivere secondo natura** La massima fondamentale dell'etica stoica è «vivere secondo natura», dove per "na-

tura" si intendono sia la natura universale, sia quella umana, che è parte di quella universale. E poiché la natura, in tutte le sue accezioni, è ordine e razionalità (cioè *lógos*), la massima stoica equivale a «vivere secondo ragione».

■ **Dovere** Gli stoici introdussero nell'etica la nozione di "dovere" (*kathékon*), intendendo con tale concetto un'azione conforme alla ragione e, quindi, alla natura.

■ **Virtù** Per "virtù" gli stoici intendono una disposizione costante ad agire in modo conforme alla ragione e al dovere. Nella dottrina stoica, la virtù rappresenta l'unico vero bene e si oppone diametralmente, senza mezzi termini, al vizio.

■ **Indifferenti** Gli stoici chiamarono "indifferenti" (*adiaphorá*) tutte quelle realtà che non contribuiscono alla virtù (unico bene) o al vizio (unico male), ossia la stragrande maggioranza delle cose a cui gli uomini danno importanza (vita, salute, piacere, bellezza, ricchezza ecc.). Tuttavia, mitigando il loro originario rigorismo etico in direzione di un più equilibrato apprezzamento dei beni mondani, essi finirono per ammettere che, nel dominio delle cose moralmente indifferenti, alcune sono degne di essere umanamente preferite, o scelte, come appunto la vita, la salute ecc.; altre no, come la morte, la malattia ecc.

■ **Valore** Per "valore" si intende, in generale, ciò che dev'essere oggetto di preferenza o di scelta. Fin dall'antichità la parola fu usata per indicare l'utilità o il prezzo dei beni materiali e la dignità o il merito delle persone. L'utilizzo filosofico del termine, tuttavia, cominciò soltanto quando il suo significato venne generalizzato, a indicare *qualsiasi* oggetto di preferenza o di scelta. Ciò accadde appunto con gli stoici, i quali introdussero il termine nel dominio dell'etica e chiamarono "valori" gli oggetti delle scelte morali.

■ **Cosmopolitismo** Per "cosmopolitismo" si intende la dottrina che, negando l'importanza delle divisioni politiche, vede nell'uomo, o almeno nel sapiente, un "cittadino del mondo". Oltre che da Democrito e dai cinici, il cosmopolitismo fu difeso dagli stoici: «consideriamo tutti gli uomini – diceva Zenone – connazionali e concittadini».

## Indicazioni bibliografiche

### TESTI DEGLI STOICI
■ M. Isnardi Parente (a cura di), *Stoici antichi*, UTET, Torino 1989 ■ R. Mondolfo, D. Pesce (a cura di), *Il pensiero stoico ed epicureo*, La Nuova Italia, Firenze 1989².

### OPERE SUGLI STOICI
■ A.M. Ioppolo, *Opinione e scienza. Il dibattito tra stoici e accademici nel III secolo e nel II secolo a.C.*, Bibliopolis, Napoli 1986 ■ G. Cambiano, *I testi filosofici*, in AA.VV., *Lo spazio letterario di Roma antica*, Salerno,

Roma 1989, vol. 1, pp. 241-276 ■ G. Mazzoli, *La prosa filosofica, scientifica, epistolare*, in F. Montanari (a cura di), *La prosa latina*, NIS, Roma 1991, pp. 145-227 ■ M. Isnardi Parente, "Introduzione" a *Lo stoicismo ellenistico*, Laterza, Roma-Bari 1995².

CAPITOLO

# 3

# L'epicureismo

## ✕ 1. Epicuro: vita e scritti

**La vita** Epicuro, figlio di Neocle, nacque nel 341 a.C. a Samo, dove passò la giovinezza. Cominciò a occuparsi di filosofia a 14 anni. A Samo ascoltò le lezioni del platonico Pànfilo e poi del democriteo Nausìfone. Da lui fu probabilmente iniziato alla dottrina di Democrito, del quale, per qualche tempo, si ritenne discepolo; solo in seguito affermò la completa indipendenza del proprio pensiero rispetto a quello del suo ispiratore, che più tardi credette di poter designare con il nome contraffatto di "Lerocrito" (chiacchierone). A 18 anni Epicuro si recò ad Atene. Non è dimostrato che abbia frequentato le lezioni di Aristotele e di Senocrate, che era a quel tempo a capo dell'Accademia. Cominciò la sua attività di maestro a 32 anni, dapprima a Mitilene e a Lampsaco, e dopo alcuni anni ad Atene (307-306 a.C.), dove rimase fino alla morte (271-270 a.C.).

**L'autorità di Epicuro** La scuola epicurea aveva sede nel giardino del filosofo, sicché i suoi seguaci si chiamarono "filosofi del giardino". L'autorità di Epicuro sui suoi discepoli era grandissima. Come le altre scuole, l'epicureismo formava un'associazione di carattere religioso, ma la divinità alla quale questa associazione era dedicata fu il fondatore stesso della scuola. «Le grandi anime epicuree – dice Seneca (*Epistole*, 6) – non le fece la dottrina, ma l'assidua compagnia di Epicuro». Sia durante la vita, sia dopo la morte di lui, gli scolari e gli amici gli tributarono **onori quasi divini** e cercarono di **modellare la loro condotta sul suo esempio**. «Compòrtati sempre come se Epicuro ti vedesse» era il precetto fondamentale della scuola.

**Gli scritti** Epicuro fu autore di numerosi scritti, circa 300. A noi restano però soltanto tre lettere, conservateci da Diogene Laerzio (libro X): la prima, *A Erodoto*, è una breve esposizione di fisica; la seconda, *A Meneceo*, è di contenuto etico; la terza, *A Pitocle*, di attribuzione dubbia, tratta di questioni meteorologiche. Diogene Laerzio ci ha inoltre conservato le *Massime capitali* e il *Testamento*, mentre in un manoscritto vaticano è stata trovata una raccolta di *Sentenze* e nei papiri ercolanesi sono stati rinvenuti alcuni frammenti dell'opera *Sulla natura*.

# 2. La scuola epicurea

Il più notevole degli immediati discepoli di Epicuro fu Metrodoro di Lampsaco, i cui scritti furono in massima parte di contenuto polemico. Ma **i seguaci e gli amici di Epicuro furono numerosissimi**, e tra essi non mancarono le donne, come Temistia, o come l'etera Leontina, che scrisse contro Teofrasto. Anch'esse potevano infatti partecipare alla scuola, giacché questa era fondata sulla solidarietà e sull'amicizia dei suoi membri. Inoltre, le amicizie epicuree furono famose in tutto il mondo antico per la loro nobiltà.

*Una scuola aperta anche alle donne*

Tuttavia, **nessuno dei discepoli di Epicuro apportò un contributo originale alla dottrina del maestro**. Questi esigeva dai suoi seguaci la stretta osservanza dei suoi insegnamenti e a tale osservanza la scuola epicurea si mantenne fedele per tutta la sua durata (che fu lunghissima, fino al IV secolo d.C.). Vanno ricordati perciò, tra i numerosi discepoli, solo quelli attraverso i quali ci sono giunte ulteriori notizie intorno alla dottrina epicurea.

Di **Filodemo**, vissuto al tempo di Cicerone, i papiri ercolanesi ci hanno restituito alcuni frammenti che trattano numerosi problemi dal punto di vista epicureo, e che presentano la polemica che si svolgeva in quel tempo all'interno della stessa scuola di Epicuro e tra questa e le altre scuole.

*I principali discepoli di Epicuro: Filodemo*

**Tito Lucrezio Caro** ci ha lasciato nel suo *De rerum natura* (Sulla natura) non solo un'opera di grande valore poetico, ma anche un'esposizione fedele dell'epicureismo. Poco si sa della vita di Lucrezio. Egli nacque probabilmente nel 96 a.C. e morì nel 55 a.C. La notizia, tramandataci da scrittori cristiani, che egli sia stato pazzo e che abbia scritto il proprio poema nei brevi intervalli di lucidità, può essere un'invenzione dovuta all'esigenza polemica di screditare il massimo rappresentante latino dell'ateismo epicureo, e in ogni caso è resa poco verosimile dalla causa che viene addotta della follia del poeta: un filtro amoroso.

*Lucrezio*

I sei libri dell'opera di Lucrezio (che è incompiuta) si dividono in tre parti, dedicate rispettivamente alla **metafisica**, all'**antropologia** e alla **cosmologia**, ognuna delle quali comprende due libri. Nel primo e nel secondo libro si tratta dei principi di tutta la realtà, della materia, dello spazio e della costituzione dei corpi sensibili. Nel terzo e nel quarto libro si tratta dell'uomo. Nel quinto e nel sesto dell'universo e dei più importanti fenomeni fisici. L'opera fu edita da Cicerone, che dovette un po' riordinarla, dopo la morte di Lucrezio.

*Il De rerum natura*

Lucrezio vede in Epicuro colui che ha **liberato gli uomini dal timore del soprannaturale e della morte**. Questo compito gli appare così grande e importante che egli non esita a esaltare il filosofo come una divinità e a riconoscerlo come il fondatore della vera sapienza.

*la dottrina epicurea e' eudonistica*

# 3. La filosofia come quadrifarmaco

**Il valore strumentale della filosofia**

Epicuro vede nella **filosofia** la via per raggiungere la **felicità**, intesa come **liberazione dalle passioni**. Il valore della filosofia è dunque puramente strumentale, in quanto il suo fine è la felicità. Mediante la filosofia l'uomo si libera da ogni desiderio irrequieto e molesto, oltre che dalle opinioni irragionevoli e vane e dai turbamenti che ne derivano. La ricerca scientifica diretta a investigare le cause del mondo naturale non ha un fine diverso: «Se non fossimo turbati dal pensiero delle cose celesti e della morte e dal non conoscere i limiti dei dolori e dei desideri, non avremmo bisogno della scienza della natura» (*Massime capitali*, 11).

**Le quattro "medicine" della filosofia**

Il ruolo della filosofia consiste pertanto nel fornire all'uomo un «**quadruplice farmaco**», capace di:

▶ liberare gli uomini dal **timore degli dei**, dimostrando che questi ultimi, per la loro natura beata, non si occupano delle faccende umane;

▶ liberare gli uomini dal **timore della morte**, dimostrando che essa non è nulla per l'uomo: «quando ci siamo noi la morte non c'è, quando c'è la morte non ci siamo noi» (*Lettera a Meneceo*, 125);

▶ dimostrare l'**accessibilità** del limite **del piacere**, cioè la facile raggiungibilità del piacere stesso; (*dimostrare che il piacere (o felicità) è facilmente raggiungibile*)

▶ dimostrare la **lontananza** del limite **del male**, cioè la brevità e la provvisorietà del dolore.

In tal modo la dottrina epicurea manifesta chiaramente la tendenza dell'intera filosofia post-aristotelica a finalizzare la ricerca speculativa a un obiettivo pratico.

---

**IL QUADRIFARMACO**

| mali | | terapie |
|------|---|---------|
| Paura degli dei e dell'aldilà | ⟶ | Gli dei non si occupano degli uomini |
| Paura della morte | ⟶ | Quando ci siamo non c'è, quando c'è non ci siamo |
| Mancanza del piacere (della felicità) | ⟶ | Il piacere (la felicità) è facilmente raggiungibile |
| Dolore fisico | ⟶ | Se acuto è provvisorio o porta alla morte, se lieve è sopportabile |

«Se non fossimo turbati dal pensiero delle cose celesti e dalla morte e dal non conoscere i limiti dei dolori e dei desideri, non avremmo bisogno della scienza della natura.»

---

# 4. La canonica

Epicuro distingue tre parti della filosofia: la **canonica**, la **fisica** e l'**etica**. Ma la canonica è concepita in rapporto così stretto con la fisica che si può dire che le parti della filosofia sono per l'epicureismo soltanto due: la fisica e l'etica. E, in ogni caso, in tutto il dominio della conoscenza il fine che bisogna aver presente è per Epicuro l'evidenza: «**la base fondamentale di tutto è l'evidenza**».

Epicuro chiama «**canonica**» la logica, o la teoria della conoscenza, in quanto la considera diretta essenzialmente a fornire il **criterio della verità**, ossia il «**canone**», o la regola, **capace di orientare l'uomo verso la felicità.**

Il «canone» della verità

Il criterio della verità è costituito per Epicuro dalle sensazioni, dalle anticipazioni e dalle emozioni.

La sensazione è prodotta nell'uomo dal **flusso degli atomi** che si staccano dalla superficie delle cose (secondo la teoria di Democrito). Questo flusso produce **immagini** (*éidola*) che sono in tutto simili alle cose da cui sono prodotte. Da queste immagini derivano le sensazioni, e dalle sensazioni derivano le **rappresentazioni fantastiche**, che risultano dalla combinazione di due o più immagini diverse (ad esempio, la rappresentazione del centauro deriva dall'unione dell'immagine dell'uomo con quella del cavallo). **→T10**

Le sensazioni

Dalle **sensazioni ripetute e conservate nella memoria** derivano anche le **rappresentazioni generiche**, o i **concetti**, che Epicuro (come gli stoici) chiama «**anticipazioni**». I concetti servono infatti ad "anticipare" le sensazioni future: ad esempio, se qualcuno ci dice "sta arrivando un uomo", nella nostra mente si forma subito, sulla base dell'esperienza passata, uno schema che serve ad anticipare l'esperienza futura (l'arrivo di un uomo in carne e ossa).

Le anticipazioni

Ora, **la sensazione è sempre vera ed evidente.** Infatti non può essere confutata da una sensazione omogenea, che la conferma, né da una sensazione diversa, che, provenendo da un altro oggetto, non può contraddirla. La sensazione è dunque il criterio fondamentale della verità. Ma poiché anche i concetti, o le anticipazioni, derivano dalle sensazioni, anch'essi sono veri e costituiscono insieme alla sensazione il criterio della verità.

Il terzo criterio di verità è rappresentato per Epicuro dall'**emozione**, cioè dal piacere o dal dolore, che costituiscono la norma per la condotta pratica della vita e che perciò si collocano fuori del campo della logica.

Le emozioni

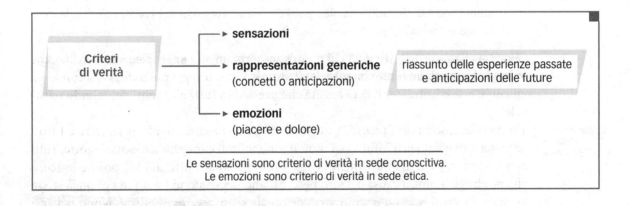

Criteri di verità
→ sensazioni
→ **rappresentazioni generiche** (concetti o anticipazioni) — riassunto delle esperienze passate e anticipazioni delle future
→ **emozioni** (piacere e dolore)

Le sensazioni sono criterio di verità in sede conoscitiva.
Le emozioni sono criterio di verità in sede etica.

L'errore, che non può sussistere nelle sensazioni e nei concetti, può sussistere invece nell'**opinione**, la quale è vera se è confermata dalla testimonianza dei sensi, o almeno se non viene contraddetta da tale testimonianza, mentre è falsa nel caso contrario. **→T11**

L'opinione

Attenendosi ai fenomeni, quali ci sono manifestati dalle sensazioni, **si può con il ragionamento estendere la conoscenza** anche a cose che alla sensazione restano nascoste; ma la regola fondamentale del ragionamento rimane quella che prescrive il più stretto accordo possibile con i fenomeni percepiti.

Il ragionamento

# 5. La fisica

**La prospettiva materialistica e quella meccanicistica**

La fisica di Epicuro ha lo scopo di escludere dalla spiegazione del mondo qualunque causa soprannaturale e di liberare così gli uomini dal timore di essere alla mercé di forze sconosciute e di misteriosi interventi. Per raggiungere questo traguardo, la fisica dev'essere **materialistica**, cioè escludere la presenza nel mondo di "anime" o di principi spirituali, e **meccanicistica**, cioè avvalersi nelle proprie spiegazioni unicamente del movimento dei corpi, evitando qualsiasi finalismo. Poiché la fisica di Democrito rispondeva a queste due condizioni, Epicuro la adattò e la fece sua con alcune modificazioni (v. "Glossario").

Come gli stoici, Epicuro afferma che **tutto ciò che esiste è corpo**, perché solo il corpo può agire o subire un'azione. Di **incorporeo**, egli non ammette che il **vuoto**; tuttavia il vuoto non agisce né patisce alcunché, ma solo permette ai corpi di muoversi attraverso se stesso.

**Gli atomi e il vuoto**

Se tutto ciò che agisce o subisce un'azione è corpo, ogni nascita o morte non è che aggregazione o disgregazione di corpi. Epicuro perciò ammette con Democrito che nulla viene dal nulla e che **ogni corpo è composto di corpuscoli indivisibili (atomi) che si muovono nel vuoto**. Nel vuoto infinito, gli atomi si muovono eternamente, urtandosi e combinandosi tra loro. Le loro forme sono diverse, ma il loro numero, per quanto indeterminabile, non è infinito. →**T12**

**La critica al provvidenzialismo stoico e l'argomento del male**

Il movimento degli atomi non obbedisce ad alcun disegno provvidenziale, ad alcun ordine finalistico: gli epicurei escludono esplicitamente la provvidenza stoica e la critica a tale provvidenza costituisce uno dei temi preferiti della loro polemica. Contro l'azione della divinità nel mondo, essi argomentano prendendo spunto dall'esistenza del male.

> La divinità o vuol togliere i mali e non può, o può e non vuole, o non vuole né può, o vuole e può. Se vuole e non può, è impotente, e la divinità non può esserlo. Se può e non vuole è invidiosa, e la divinità non può esserlo. Se non vuole e non può, è invidiosa e impotente, quindi non è la divinità. Se vuole e può (che è la sola cosa che le è conforme), donde viene l'esistenza dei mali e perché non li toglie?
>
> (frammento 374)[1]

Eliminata l'azione della divinità dal mondo, non rimangono, per spiegarne l'ordine, che le **leggi che regolano il movimento degli atomi**. A queste leggi nulla sfugge, secondo gli epicurei: esse costituiscono la **necessità che presiede a tutti gli eventi del mondo naturale**.

**La deviazione casuale degli atomi**

Un mondo è, secondo Epicuro, «un pezzo di cielo che comprende astri, terre e tutti i fenomeni, ritagliato nell'infinito». I mondi sono infiniti e soggetti a nascita e morte. Tutti si formano in virtù del movimento degli atomi nel vuoto infinito. Ma poiché Epicuro ritiene che gli atomi, a causa del loro peso, cadano nel vuoto in linea retta e con la stessa velocità, Epicuro spiega l'urto in virtù del quale si aggregano e si dispongono nei vari mondi ammettendo una loro **deviazione (clinàmen) casuale rispetto alla traiettoria rettilinea**. Questa deviazione degli atomi è l'unico evento naturale non sottoposto a necessità. Essa, come dice Lucrezio, «spezza le leggi del fato». →**T13**

---

1 Secondo alcuni studiosi, il ragionamento di Epicuro, al di là della forma paradossale in cui è espresso, conterrebbe un concetto profondo, tale da esaurire tutte le possibilità dialettiche del problema del male e da distruggere in anticipo ogni "scappatoia" teologica.

In questo mondo, dal quale ha eliminato ogni traccia di potenza divina, Epicuro ammette tuttavia l'**esistenza degli dei**. E l'ammette in virtù del suo stesso empirismo: poiché gli uomini hanno l'immagine della divinità, questa, come ogni altra immagine, non può essere stata prodotta in loro se non da flussi di atomi emanati dalle divinità stesse.

Gli dei hanno **forma umana**, che è la più perfetta e, quindi, la sola degna di esseri razionali. Essi intrattengono gli uni cogli altri un'**amicizia** analoga a quella umana e **abitano gli spazi vuoti tra mondo e mondo**. Ma non si curano né del mondo, né degli uomini. Ogni cura di questo genere sarebbe contraria alla loro perfetta beatitudine, giacché imporrebbe loro un obbligo, mentre essi non hanno obblighi, ma vivono liberi e beati. Il motivo per cui l'uomo saggio li onora non è pertanto il timore, ma l'ammirazione per la loro eccellenza.

**L'anima e la morte**

L'anima, secondo Epicuro, è composta di **particelle corporee** che sono diffuse in tutto il corpo come un soffio caldo. Tali particelle sono più sottili e rotonde delle altre, e quindi più mobili. Con la morte gli atomi dell'anima si separano e ogni possibilità di sensazione cessa: **la morte è «privazione di sensazioni»**. Perciò è stolto temerla. →**T14**

> Il più terribile dei mali, la morte, non è nulla per noi perché quando ci siamo noi non c'è la morte, quando c'è la morte noi non ci siamo.
>
> (*Lettera a Meneceo*, 125)

# 6. L'etica

## La felicità, il piacere e i bisogni

**Il piacere**

L'etica epicurea è in generale volta alla ricerca della felicità, la quale consiste nel piacere: «**il piacere è il principio e il fine della vita beata**», dice Epicuro (Diogene Laerzio, *Vite*, X, 149). Il piacere è infatti il criterio della scelta e dell'avversione: si tende al piacere, si sfugge il dolore. Esso è pure il criterio mediante il quale valutiamo ogni bene.

**La felicità come assenza di turbamento**

Vi sono due specie di piaceri: il **piacere stabile**, che consiste nella privazione del dolore, e il **piacere in movimento**, che consiste nella gioia e nella letizia. La felicità consiste soltanto nel piacere stabile, o negativo, cioè «nel non soffrire e nel non agitarsi»: per questo è definita come «**atarassia**» (assenza di turbamento) e come «**aponia**» (assenza di dolore). Il significato di questi due termini oscilla tra quello della temporanea liberazione dal dolore e quello dell'assoluta mancanza di esso. In polemica con quanti affermavano la positività del piacere, Epicuro dice dunque esplicitamente che «il culmine del piacere è la pura e semplice distruzione del dolore».

**I bisogni e il calcolo dei piaceri**

Questo carattere negativo del piacere impone la scelta e la limitazione dei bisogni. Epicuro distingue tra bisogni *naturali* e bisogni *vani*: tra i primi, alcuni sono *necessari* (ad esempio il bisogno di cibo), altri *non necessari* (ad esempio il bisogno di mangiare molto). **Solo i bisogni naturali e necessari devono essere appagati**, mentre gli altri vanno abbandonati e rimossi.

porta all'insoddisfazione

L'epicureismo spinge quindi non all'abbandono al piacere, ma al **calcolo** e alla **misura dei piaceri**. Bisogna infatti rinunciare a quei piaceri da cui deriva un dolore maggiore e sopportare anche a lungo i dolori da cui deriva un piacere maggiore. →**T15**

Ad ogni desiderio bisogna porre la domanda: che cosa avverrà, se esso viene appagato? Che cosa avverrà se non viene appagato? Soltanto l'accorto calcolo dei piaceri può far sì che l'uomo basti a se stesso e non divenga schiavo dei bisogni e della preoccupazione per l'indomani. Ma questo calcolo può esser dovuto solo alla saggezza. La saggezza è anche più preziosa della filosofia, perché da essa nascono tutte le altre virtù e senza di essa la vita non ha né dolcezza, né bellezza, né giustizia.

(*Lettera a Meneceo*, 132)

**La saggezza**   Le virtù, e specialmente la **saggezza**, che è la prima e fondamentale di esse, appaiono così a Epicuro come la condizione necessaria della felicità. Alla saggezza si devono infatti il calcolo dei piaceri, la scelta e la limitazione dei bisogni e, quindi, il raggiungimento dell'atarassia e dell'aponia.

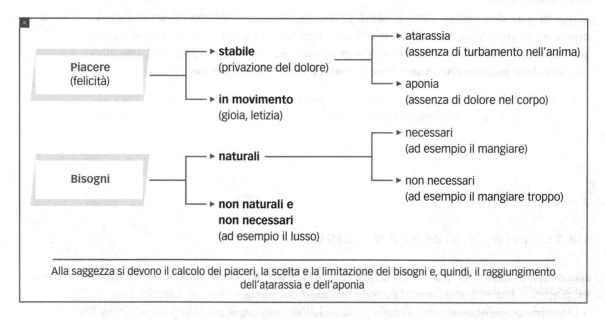

Alla saggezza si devono il calcolo dei piaceri, la scelta e la limitazione dei bisogni e, quindi, il raggiungimento dell'atarassia e dell'aponia

**Il bene come piacere sensibile**   In un passo famoso dello scritto *Sul fine*, Epicuro afferma esplicitamente il carattere sensibile di tutti i piaceri:

Per mio conto, io non so concepire che cosa è il bene, se prescindo dai piaceri del gusto, dai piaceri d'amore, dai piaceri dell'udito, da quelli che derivano dalle belle immagini percepite dagli occhi e in generale da tutti i piaceri che gli uomini hanno dai sensi. Non è vero che solo la gioia della mente è un bene; giacché la mente si rallegra nella speranza dei piaceri sensibili, nel cui godimento la natura umana può liberarsi dal dolore.

È chiaro dunque che **il bene è ristretto** da Epicuro **all'ambito del piacere sensibile** – al quale appartengono anche il piacere che si ricava dalla musica («i piaceri dei suoni») e quello che deriva dalla contemplazione della bellezza («piaceri delle belle immagini») – e che lo stesso **piacere spirituale** è ricondotto alla **speranza del piacere sensibile**.

*[annotazione a margine: VIA X LIBERARSI DAL DOLORE]*

Forse l'impostazione polemica del frammento sopra riportato (probabilmente diretto contro il *Protrettico* di Aristotele, che platonicamente esaltava la superiorità del piacere spirituale) induce Epicuro ad accentuare in queste righe la sua tesi della sensibilità del piacere; ma è comunque chiaro che essa deriva necessariamente dalla sua dottrina generale, che fa della sensazione il canone fondamentale della vita dell'uomo.

Si noti che la teoria secondo cui il vero bene non è il piacere "violento", ma quello "stabile" dell'aponia e dell'atarassia, non contraddice la tesi della sensibilità del piacere, perché l'aponia è «il non soffrire nel corpo» e l'atarassia è «il non essere turbati nell'anima» dalla preoccupazione del bisogno corporeo.

## L'esaltazione dell'amicizia e il rifiuto della politica

La dottrina di Epicuro non può essere confusa con un volgare edonismo, ovvero con una dottrina che identifichi il bene direttamente con il piacere (dal gr. *edoné*, "piacere").
Un tale carattere edonistico sarebbe contraddetto da quel **culto dell'amicizia** che è caratteristico della dottrina e della condotta pratica degli epicurei. Afferma infatti Epicuro: «Di tutte le cose che la saggezza ci offre per la felicità della vita, la più grande è di gran lunga l'acquisto dell'amicizia» (*Massime capitali*, 27). **L'amicizia** nasce dall'utile, ma essa **è un bene per sé**. L'amico, infatti, non è né chi cerca sempre l'utile, né chi non lo congiunge mai all'amicizia, giacché il primo considera l'amicizia come un traffico di vantaggi, mentre il secondo distrugge quella fiduciosa speranza di aiuto che necessariamente fa parte dell'amicizia.

*Il culto dell'amicizia*

Il carattere edonistico della dottrina epicurea sarebbe contraddetto anche dall'**esaltazione della saggezza**, **indipendentemente dall'utile** che essa può comportare. Sarebbe certo meglio, secondo Epicuro, che la saggezza fosse resa anche prospera dalla fortuna; ma è sempre preferibile una saggezza sfortunata a una dissennatezza fortunata.
Coerentemente con questo convincimento – e nonostante quello secondo cui la giustizia è soltanto una convenzione che gli uomini hanno stretto fra loro per la comune utilità, cioè per evitare di arrecarsi reciprocamente danno –, è **ben difficile che il saggio si lasci andare a commettere ingiustizia**, anche se è sicuro che il suo atto rimarrà nascosto e che perciò non avrà per lui conseguenze negative. Epicuro afferma infatti: «Chi ha raggiunto il fine dell'uomo, anche se nessuno è presente, sarà ugualmente onesto».

*L'esaltazione della saggezza e della giustizia*

L'atteggiamento dell'epicureo verso gli uomini in generale è definito dalla massima: «È non solo più bello ma anche più piacevole fare il bene anziché riceverlo» (frammento 544). In questa massima il **piacere** assurge addirittura **a fondamento e a giustificazione della solidarietà tra tutti gli uomini**. Infatti Diogene Laerzio ci testimonia l'amore di Epicuro per i genitori, la sua fedeltà agli amici, il suo senso di solidarietà umana.

*La solidarietà tra gli uomini*

Quanto alla vita politica, Epicuro riconosce i vantaggi che essa procura agli uomini, vincolandoli a leggi che impediscono loro di nuocersi a vicenda. Ma consiglia al saggio di rimanere estraneo alla vita politica. Il suo precetto è: «vivi nascosto» (frammento 551). **L'ambizione politica** non può infatti che essere **fonte di turbamento** e, quindi, ostacolo al raggiungimento dell'atarassia.

*«Vivi nascosto»*

# 7. L'epicureismo nella storia

Le fortune e le sfortune dell'epicureismo coincidono in gran parte con quelle dell'atomismo, delle quali si è già parlato nella sezione su Democrito. Qui vogliamo aggiungere che l'epicureismo è stato aspramente combattuto dal pensiero cristiano medievale, e non

*L'avversione del pensiero cristiano*

solo per il suo **materialismo** metafisico, negatore di Dio e dell'immortalità, ma anche per la tesi etica secondo cui il movente e il fine della condotta umana risiedono nel **piacere**, fisico e psichico.

**La riabilitazione** La riabilitazione di Epicuro comincia solo con gli **umanisti del Rinascimento italiano**. Cosma Raimondi, Francesco Filelfo e Lorenzo Valla, ad esempio, cercando di correggere l'immagine tradizionalmente negativa del filosofo, considerano Epicuro come maestro di umana saggezza, per avere insegnato agli uomini a praticare la virtù come scelta, o come calcolo razionale dei piaceri.

Nel XVII secolo **Gassendi** ritiene Epicuro conciliabile con il cristianesimo e lo esalta come pietra miliare di ogni visione scientifica dell'universo e della natura umana. Chiare influenze epicuree si trovano anche, nel Seicento, nei **libertini** e in **Hobbes**. Ma soprattutto, dal Settecento in poi, l'epicureismo si è presentato spesso come una delle alternative teoriche fondamentali per l'interpretazione e la fondazione della vita etica, ispirando in particolare l'**utilitarismo**, cioè quella corrente di filosofia morale secondo cui lo scopo dell'azione è l'utilità privata e pubblica degli uomini.

## GR GLOSSARIO E RIEPILOGO
## L'epicureismo

### La canonica

■ **Quadrifarmaco** Con il termine "quadrifarmaco" (che propriamente significa "medicina composta di quattro elementi") vengono indicate le quattro massime fondamentali in cui si articola la concezione epicurea della filosofia come "medicina dell'anima". La formulazione più concisa del quadrifarmaco è quella tramandataci dall'epicureo Filodemo di Gadara: «Il dio non incute timore, né turbamento la morte, il bene è facilmente ottenibile, il male facilmente sopportabile» (*Pap. Herc.*, 1005, col. IV, 10-14 Sbord).

■ **Canonica** Epicuro chiama "canonica" la logica, o la teoria della conoscenza, in quanto la considera diretta essenzialmente a fornire il *criterio* della verità, ossia il *canone* (la regola) capace di indirizzare l'uomo verso la felicità.

■ **Anticipazioni** Per "anticipazioni", o "prolessi", Epicuro, analogamente agli stoici (v. la voce " prolessi", p. 428), intende i concetti generali, ossia quegli schemi della nostra mente che fungono da riassunto mnemonico delle esperienze passate e da anticipazione di quelle future.

■ **Evidenza** Con il termine "evidenza" (in gr. *enárgheia*) gli epicurei e gli stoici (v. la voce "rappresentazione catalettica", p. 428) indicano la presenza o la manifestazione incontrovertibile delle cose alla mente. In particolare, gli epicurei identificano l'evidenza con l'azione stessa degli oggetti sugli organi di senso (Diog. L., *Vite*, X, 52).

### La fisica

■ **Rapporto tra fisica epicurea e fisica democritea** La fisica di Epicuro, che è sostanzialmente un'ontologia o una metafisica, è una forma di *atomismo*, di *materialismo* e di *meccanicismo* che si basa su di una ripresa del modello democriteo. Le differenze tra la fisica di Epicuro e quella di Democrito sono tuttavia parecchie. In primo luogo, Epicuro ritiene che gli atomi, pur essendo fisicamente o ontologicamente indivisibili, siano logicamente o mentalmente divisibili in frammenti, o "parti", di grandezza inferiore: i cosiddetti "minimi", i quali, a loro volta, non risultano più divisibili nemmeno dal punto di vista teorico. In secondo luogo, mentre Democrito aveva distinto gli atomi secondo «figura», «ordine» e «posizione», Epicuro li distingue per «figura», «peso» e «grandezza». L'introduzione del peso segna una spaccatura netta nei confronti di Democrito. Infatti, mentre per quest'ultimo gli atomi avevano come proprietà strutturale il movimento, il quale rappresentava un dato originario della materia, che non aveva dunque bisogno di essere "dedotto", Epicuro per spiegare il moto ricorre invece al peso, il quale fa sì che gli atomi "cadano" nel vuoto in linea retta e tutti con la stessa velocità. Da ciò la formulazione di un'idea completamente assente in Democrito: quella del *clinàmen* (v.).

■ *Clinàmen* La teoria del *clinàmen* (termine lat. con cui Lucrezio tradusse il vocabolo gr. *parénklisis*, "deviazione", "declinazione") venne escogitata da Epicuro per rendere possibile l'urto degli atomi. Infatti, se gli atomi cadono perpendicolarmente nel vuoto alla stessa velocità, ci si può chiedere perché essi non seguano sempre traiettorie tra loro parallele, senza mai incontrarsi. Per risolvere la difficoltà Epicuro parla di una "declinazione", o deviazione, casuale e spontanea degli atomi rispetto alla loro traiettoria, grazie a cui avviene l'incontro, e perciò l'interazione, tra gli stessi. Tale dottrina non fu elaborata solo per ragioni fisiche, ma anche (e forse soprattutto) per ragioni etiche. Una fisica come quella dell'atomismo poteva infatti condurre al determinismo e, quindi, alla negazione di ogni forma di libertà. Invece l'ipotesi della casualità degli incontri atomici finiva per reintrodurre nella realtà un elemento di indeterminazione e di spontaneità conciliabile (almeno a prima vista) con l'agire libero e spontaneo dell'uomo. Che tale fosse l'intenzione di Epicuro lo si rileva da un noto passo della *Lettera a Meneceo*: «Era meglio [...] credere ai miti sugli dei piuttosto che essere schiavi del destino dei fisici: quelli infatti suggerivano la speranza di placare gli dei per mezzo degli onori, questo invece ha implacabile necessità». Altrettanto esplicito un brano di Lucrezio: «se i primi elementi, con la loro declinazione, non producessero un movimento tale da rompere le leggi del fato, sì da impedire che la concatenazione delle cause vada all'infinito, donde deriverebbe questa libera facoltà di sottrarsi al fato che vediamo propria degli esseri animati per tutta la terra, per via della quale possiamo andare ovunque la volontà ci guidi?» (*De rerum natura*, II, 255 ss.).

## L'etica

■ **Piacere** Secondo Epicuro la felicità consiste nel piacere, il quale rappresenta il criterio di ogni scelta e di ogni valutazione. L'epicureismo distingue due tipi di piaceri: il piacere *stabile*, o *catastematico*, che consiste «nel non soffrire e nel non agitarsi», e il piacere *in movimento*, o *cinetico*, che consiste nella gioia e nella letizia.

■ **Aponia e atarassia** Con il termine "aponia" Epicuro indica il piacere stabile in riferimento al corpo, ovvero l'assenza di dolore fisico; con il termine "atarassia" il piacere stabile in riferimento allo spirito, ovvero l'assenza di turbamento dell'anima.

■ **Concezione negativa della felicità** Epicuro ha una concezione "negativa" della felicità, in quanto ritiene che essa risieda soltanto nella «distruzione del dolore», ovvero nel piacere stabile.

■ **Teoria dei bisogni** Sulla base della sua visione negativa del piacere, Epicuro distingue vari tipi di bisogni: 1. i *bisogni naturali e necessari* sono quelli legati alle improrogabili richieste della carne, ovvero quelli che se non vengono soddisfatti conducono alla morte (ad es. la fame, la sete, il sonno ecc.); 2. i *bisogni naturali e non necessari* sono quelli che costituiscono una variante superflua dei bisogni naturali (ad es. il mangiare troppo, il bere troppo ecc.). Epicuro tende a porre in questa categoria anche gli eccessi amorosi e sessuali, circa i quali la matura saggezza di Metrodoro sentenzia: «I piaceri amorosi non hanno mai giovato, c'è da esser grati se non portano danno»; 3. i *bisogni non naturali e non necessari* sono i bisogni "vani", cioè quelli legati a desideri artificiali, come la gloria, la potenza, gli onori ecc.

■ **Razionalismo morale** Il pensiero di Epicuro non è una forma di edonismo, bensì di "razionalismo morale", in quanto non predica l'abbandono smodato ai godimenti, ma il «calcolo» intelligente dei piaceri, che non è fatto solo di misura e di equilibrio, ma anche di raffinata rinuncia.

■ **«Vivi nascosto»** Il noto comandamento di Epicuro «vivi nascosto» deriva dalle premesse del suo sistema. Infatti, pur credendo fermamente nell'amicizia, il filosofo disdegna la politica e i suoi affanni, ritenendo che i beni supremi dell'uomo non risiedano negli (illusori) fasti del potere, ma nella serenità dell'animo: «La corona dell'atarassia è incomparabilmente superiore alle corone dei grandi imperi».

## *Indicazioni bibliografiche*

#### OPERE DI EPICURO

■ G. Arrighetti (a cura di), *Opere*, Einaudi, Torino 1974[2] ■ M. Isnardi Parente (a cura di), *Opere*, UTET, Torino 1983[2] ■ C. Diano (a cura di), *Scritti morali*, Rizzoli, Milano 1987 ■ E. Brignone (a cura di), *Opere, frammenti, testimonianze sulla sua vita*, Laterza, Roma-Bari 1994[4].

#### OPERE SU EPICURO

■ P. Boyancé, *Lucrezio e l'epicureismo*, Paideia, Brescia 1985[2] ■ M.L. Silvestre, *Democrito ed Epicuro. Il senso di una polemica*, Loffredo, Napoli 1985 ■ M. Capasso, *Comunità senza rivolte. Quattro saggi sull'epicureismo*, Bibliopolis, Napoli 1987 ■ D. Pesce, *Saggio su Epicuro*, Paideia, Brescia 1988 ■ S. Maso (a cura di), *L'"Etica" di Epicuro e il problema del piacere nella filosofia antica*, Paravia, Torino 1990 ■ M. Gigante, *Cinismo ed epicureismo*, Bibliopolis, Napoli 1992 ■ G. Giannantoni, M. Gigante (a cura di), *Epicureismo greco e romano. Atti del Congresso internazionale (Napoli, 19-26 maggio 1993)*, Bibliopolis, Napoli 1996, 3 voll. ■ J. Brun, *Epicuro*, Xenia, Milano 1996 ■ J. Fallot, *Il piacere e la morte nella filosofia di Epicuro*, Einaudi, Torino 1997 ■ D. Pesce, *Introduzione a Epicuro*, Laterza, Roma-Bari 1998 ■ H. Jones, *La traduzione epicurea. Atomismo e materialismo dall'antichità all'età moderna*, ECIG, Genova 1999.

CAPITOLO

# 4 Lo scetticismo

## ✗ 1. Caratteri generali

**La tesi fondamentale**

Tra le molte dottrine e possibilità di filosofare elaborate dai Greci ve n'è anche una, a suo modo originale, che va sotto il nome di "scetticismo".

Contrariamente alle altre filosofie, impegnate nella ricerca del vero e nella costruzione di un determinato sistema "metafisico" dell'universo, lo scetticismo dichiara che **l'uomo non può accedere alla verità ultima delle cose** e che la più alta forma di intelligenza e di saggezza consiste proprio nel riconoscere questo fatto, peraltro inequivocabilmente dimostrato, secondo gli scettici, dalla molteplicità delle filosofie e delle teologie in lotta tra loro.

**Il legame con le filosofie precedenti**

La critica contemporanea ha sottolineato il legame di Pirrone, il fondatore dello scetticismo, con alcuni saggi dell'India, i cosiddetti "**gimnosofisti**", che giravano seminudi e incuranti di quanto accadeva loro intorno, insegnando la vanità delle cose e l'imperturbabilità del sapiente di fronte al mondo. Tuttavia, la rivelazione di questo influsso "orientale" non deve far passare in secondo piano né la connessione ideale degli scettici con i **sofisti** (nonostante il giudizio negativo di Pirrone su Protagora), né il loro legame con gli **aspetti scetticheggianti del socratismo** e delle scuole socratiche minori.

**La fallacia di tutti i sistemi filosofici**

Come già i maestri della sofistica, e ancor più di loro, gli scettici appaiono colpiti dalla varietà sconcertante delle "visioni del mondo" presenti tra gli uomini. Di fronte a una serie di sistemi in reciproca opposizione, eppure convinti di possedere l'autentica chiave di spiegazione dell'universo, da cui far dipendere la felicità e la serenità dell'animo (si pensi allo stoicismo e all'epicureismo), gli scettici traggono la conclusione che l'unico modo per raggiungere la tranquillità della mente è un'indagine volta a riconoscere come

**ugualmente fallaci** (o incapaci di stringere la verità) **tutte le dottrine**. Da qui il nome di "scetticismo", che deriva da *sképsis*, "indagine", "ricerca", "dubbio". Infatti, secondo gli scettici, la quiete dello spirito non si raggiunge accettando una qualche dottrina metafisica, ma rifiutando ogni dottrina.

Parte integrante del mondo ellenistico e della sua concezione della filosofia come terapia mentale ed esistenziale, lo scetticismo, analogamente alle altre scuole, subordina l'indagine speculativa a un fine pratico: l'ottenimento della **pace interiore**, che si può raggiungere solo a partire dalla critica consapevolezza delle «vane ciance» dei dogmatici. Per questo lo scetticismo si dedica prevalentemente alla distruzione delle altre dottrine filosofiche, specialmente di quelle a esso contemporanee: lo stoicismo e l'epicureismo.

> Il fine della pace interiore

## ✗2. Interpretazione tradizionale e nuovi punti di vista

Per opera di una lunga tradizione filosofica e storiografica, lo scetticismo (che tra l'altro ci è noto attraverso fonti quasi esclusivamente indirette) ha subito, in un certo senso, un processo di "banalizzazione", in quanto è stato tendenzialmente interpretato come una **dottrina che mette in discussione la verità di tutto ciò che esiste** e che di conseguenza **nega la validità di qualunque criterio di condotta**. Tipica, in questo senso, è la descrizione aneddotica di Pirrone, presentato come un uomo che, non credendo in alcunché, andava in giro senza guardare e senza evitare nulla, affrontando così carri, precipizi, cani ecc. Le stesse "confutazioni" classiche dello scetticismo – da quella di Agostino a quella di Hegel, a quella di Gentile – sono consistite nel dimostrare, ad esempio, che non è lecito dire che tutto è dubbio, perché chi sostiene ciò, per affermarlo, deve indubitabilmente esistere; o nel dimostrare che lo scetticismo si autocontraddice nel suo stesso assunto di base, perché, dopo aver detto che tutto è falso, presenta se stesso come vero; oppure nel mostrare come gli scettici lascino gli uomini senza criteri pratici di scelta.

> La "banalizzazione" dello scetticismo

In realtà[1], **gli scettici non negano**, propriamente, la *verità* **dei fenomeni, ma le** *teorie* **su di essi**, cioè la pretesa filosofica di spiegarne la natura profonda: «Noi ci opponiamo esclusivamente – essi dicono – all'indagine relativa alle cose non evidenti che soggiacciono ai fenomeni» (Diogene Laerzio, *Vite*, IX, 105). Tant'è che, ad esempio, Pirrone sostiene di ammettere la validità dei fenomeni perché appaiono e Timone proclama che «sempre vige il fenomeno, ovunque si manifesti». In altre parole, presso gli scettici, non è tanto il "che" dei fenomeni, cioè il fatto della loro presenza a essere in discussione, bensì il loro "come", ossia la conoscibilità del loro genuino modo di essere. Ad esempio, che esistano il giorno e la notte, il sole e gli astri è certo; quale sia la causa ultima dell'universo è invece oscuro. Che esistano gli uomini e le loro menti è un fatto ovvio, ma che cosa siano veramente gli uomini o la loro mente è un enigma.

> Il "che" e il "come" dei fenomeni

---

1 Cfr. ad esempio C. Sini, *Storia della filosofia*, Morano, Napoli 1973, pp. 233-237.

Ammettiamo di riconoscere il giorno e il fatto che noi viviamo, oltre ai molti fenomeni della vita quotidiana. Ma per quel che riguarda le salde e sicure affermazioni dei dogmatici, che essi sostengono di avere definitivamente comprese, noi sospendiamo il giudizio, perché per noi rimangono oscure e incerte, e ci limitiamo a conoscere solo ciò che noi proviamo o sentiamo. Ammettiamo di vedere e riconosciamo di avere questo determinato pensiero, ma come vediamo o come pensiamo noi non sappiamo affatto [...].

(Diogene Laerzio, *Vite*, IX, 103)

**Lo scetticismo come ipotesi "aperta"**

Inoltre, lo scetticismo greco, nelle sue forme più raffinate, non presenta se stesso come un *dogma*, ma come un'*ipotesi*, che deve essere anch'essa continuamente confermata tramite un'indagine "aperta":

per quel che riguarda la nostra sentenza "Nulla io definisco" e simili, esse non hanno per noi valore dogmatico [...] quando diciamo di non definire nulla, neppure questo noi definiamo.

(*ibidem*, 103-104)

**La vita pratica**

Anche per quel che concerne la vita pratica, non sembra vero che lo scettico lasci l'uomo totalmente privo di criteri e renda quindi impossibile l'esistenza quotidiana, come si è tradizionalmente ripetuto, in quanto lo scettico greco, anziché fuggire dal mondo, in genere continua, nella vita di tutti i giorni, a fare ciò che fanno tutti gli altri: o per **convenzione e utilità** (Pirrone e Sesto Empirico), oppure perché lo ritiene più **ragionevole e probabile** (Arcesilao e Carneade).

Tutto ciò mostra forse come il discorso sullo scetticismo, al di là delle sclerosi interpretative, sia tuttora aperto e suscettibile di nuovi approfondimenti.

# 3. Pirrone e Timone

**Le tre scuole scettiche**

Lo scetticismo non fu, in Grecia, una scuola a sé (come lo stoicismo e l'epicureismo), ma l'indirizzo seguito da tre scuole distinte:

▶ la **scuola di Pirrone** di Elide, al tempo di Alessandro Magno;

▶ la **media e nuova Accademia**;

▶ gli **scettici posteriori**, a cominciare da Enesidemo, che sostengono un ritorno al pirronismo.

**Vita e scritti di Pirrone**

Pirrone, nato a Elide, nel Peloponneso, intorno al 365 a.C., poté forse, nella sua città, venire a conoscenza della dialettica della scuola eleo-megarica, che per molti aspetti costituì un antecedente dello scetticismo. Partecipò alla campagna di Alessandro Magno in Oriente, in occasione della quale venne a contatto con la saggezza indiana. Fondò in patria una scuola che dopo la sua morte ebbe breve durata. Visse in semplicità e morì vecchissimo, verso il 270 a.C.

Tra i suoi autori prediletti vi era Omero, di cui amava ripetere i versi che alludono alla **precarietà della vita umana** e alla **vanità della parola**: «Quale delle foglie la stirpe, tale anche quella degli uomini»; «Volubile è dei mortali la lingua; son molti i discorsi».

Non scrisse nulla: le sue dottrine ci sono note attraverso l'esposizione che ne fece Diogene Laerzio e attraverso i frammenti dei *Sílloi* (versi scherzosi) con i quali il suo scolaro Timone di Fliunte (320-230 a.C. circa) ne espose e difese la dottrina.

Secondo Pirrone, non ci sono cose vere o false, belle o brutte, buone o cattive per natura e assolutamente, ma soltanto per convenzione e relativamente. In altri termini, **sono le abitudini degli uomini**, i loro costumi e le loro decisioni **a rendere buona o cattiva, vera o falsa, una cosa**. Al di fuori di tali credenze e convenzioni, sempre mutevoli, non sono possibili alcun giudizio né alcuna valutazione, giacché la realtà in sé, per l'uomo, risulta inafferrabile. In questa prospettiva, l'unico atteggiamento legittimo, come diranno più tardi altri scettici, rimane la **sospensione (*epoché*) di ogni giudizio**.

**La sospensione del giudizio**

Secondo Pirrone solo lo scetticismo riesce a procurare l'atarassia, cioè l'**imperturbabile serenità della mente**. Infatti il sapiente, messosi il cuore in pace avendo compreso che al mondo non esiste la verità con la lettera maiuscola (poiché, come abbiamo detto, sulla natura profonda delle cose non si può dire nulla con certezza), guarda con superiorità e con un po' di compassione gli eserciti rivali dei metafisici, che continuano a battersi, con «guerre di parole», circa questioni su cui non è possibile decidere.

**L'atarassia**

Questo raffinato distacco intellettuale dalle verità e dai dogmi dei più non impedisce che lo scettico pirroniano, nella pratica, viva come tutti gli altri, facendo più o meno le stesse cose: attendere alle proprie faccende, riposarsi, svagarsi ecc. Egli, sostanzialmente, possiede però in più la lucida consapevolezza, conquistata con «l'indagine», del fatto che né la vita né le cose possiedono un significato assoluto riconoscibile dalla ragione. Questa **coesistenza tra criticità scettica e normale conduzione della vita quotidiana** è pienamente confermata dalle notizie biografiche e dagli aneddoti, che ci dipingono un Pirrone il quale, oltre a fare il filosofo, aiuta la sorella nelle faccende domestiche e va al mercato a vendere «uccelletti e porcellini» (Diogene Laerzio, cit., 66).

**Una consapevolezza che non impedisce la vita pratica**

Timone di Fliunte, allievo di Pirrone, afferma che l'uomo, per essere felice, dovrebbe conoscere tre cose: 1. quale sia la natura delle cose; 2. quale atteggiamento si debba assumere rispetto a esse; 3. quali conseguenze risultino da questo atteggiamento. Ma è impossibile conoscere queste tre cose. Pertanto l'unico atteggiamento possibile è quello di **non pronunciarsi riguardo ad alcunché** («afasia»).

**Timone**

# 4. La media e la nuova Accademia

L'indirizzo scettico, dopo la fine della scuola di Pirrone, fu ripreso dai filosofi dell'Accademia platonica. Questi trovavano un appiglio allo scetticismo nella dottrina stessa di Platone, il quale aveva sempre negato che il mondo sensibile, per il suo carattere mutevole e vario, potesse essere oggetto di scienza, ritenendo che la scienza, cioè la conoscenza assolutamente vera, potesse avere per oggetto soltanto il mondo dell'essere. Ma il mondo dell'essere, o delle idee, ormai non interessava più i filosofi di questo periodo, che chiedevano alla filosofia di farsi strumento dei fini pratici della vita. Rimaneva così valida per essi soltanto la parte negativa dell'insegnamento platonico: l'**impossibilità di una conoscenza certa delle cose di questo mondo**.

**Scetticismo e dottrina platonica**

# Arcesilao

**L'impossibilità di qualunque conoscenza**

L'indirizzo scettico dell'Accademia fu iniziato da **Arcesilao di Pitane** (315/314-241/240 a.C.), che successe a Cratete nella direzione della scuola. Arcesilao non scrisse nulla, per cui conosciamo le sue dottrine solo da fonti indirette. Secondo una testimonianza di Cicerone, egli non espose alcuna opinione sua propria, ma si limitò a criticare le opinioni degli altri. Se Socrate aveva sostenuto che nulla l'uomo può sapere, se non di non sapere alcunché, Arcesilao si spinse ancora oltre, affermando che **non si può affermare con sicurezza neppure la propria ignoranza**. A ogni tesi egli contrapponeva la tesi opposta, mostrando che nessuna delle due aveva valore di verità e concludendone quindi l'impossibilità di decidersi per l'una o per l'altra. In tal modo egli difendeva la sospensione (*epoché*) dell'assenso già sostenuta da Pirrone.

**La ragionevolezza come criterio di scelta**

Analogamente, egli pensava che l'uomo, nell'azione, non può farsi guidare da una conoscenza assoluta: può soltanto agire in base a un motivo più o meno fondato e ragionevole. Così Arcesilao riteneva che **il criterio di ciò che si deve scegliere o evitare è il buon senso, o la ragionevolezza** (*eulogía*), che sta alla base della saggezza (Sesto Empirico, *Adversus mathematicos*, VII, 153 ss.).

I successori di Arcesilao seguirono lo stesso suo indirizzo, ma di essi si conosce ben poco.

# Carneade

Infine salì a capo della scuola **Carneade di Cirene** (214/212-129/128 a.C.), fondatore della terza o nuova Accademia. Egli fu uomo notevole per eloquenza e dottrina. Nel 156-155 a.C. giunse in ambasceria a Roma insieme con lo stoico Diogene e con il peripatetico Critolao. Non lasciò scritti e le sue dottrine furono raccolte dagli scolari.

**I Romani e la giustizia**

Durante il soggiorno a Roma, il filosofo tenne un giorno un magnifico discorso in lode della giustizia, dimostrando che essa è la base di tutta la vita civile. Ma un altro giorno tenne un altro discorso, anche più convincente del primo, dimostrando che la giustizia è diversa a seconda dei tempi e dei popoli, e che è spesso in contrasto con la saggezza. A conferma della propria tesi, egli portò l'esempio del popolo romano, che s'era impadronito di tutto il mondo e che, se avesse voluto essere giusto, avrebbe dovuto restituire agli altri popoli i loro possessi e tornarsene a casa in miseria. Ma in tal caso sarebbe stato stolto: ciò dimostrava, per il filosofo, l'inconciliabilità di giustizia e saggezza.

**La critica dello stoicismo**

Carneade orientò molta parte della propria attività alla critica della dottrina stoica, e in particolare di Crisippo. Egli negava che la **rappresentazione catalettica** fosse un criterio sufficiente di verità e negava il valore degli argomenti con i quali gli stoici dimostravano l'esistenza di una **provvidenza** divina nel mondo.

**Verità e credibilità: la rappresentazione persuasiva**

Carneade, tuttavia, non si fermava a sostenere la necessità della sospensione dell'assenso. Riteneva infatti che, se non è possibile individuare un criterio di verità, è possibile però indicare un **criterio di credibilità**, ovvero una regola che consente di **scegliere certe opinioni come più plausibili** di certe altre. Questo criterio, puramente soggettivo e quindi tale da non garantire affatto la corrispondenza della rappresentazione al suo oggetto, fu da lui chiamato «**rappresentazione persuasiva**», o probabile. Se una rappresentazione persuasiva non è contraddetta da altre rappresentazioni dello stesso genere, essa ha un grado maggiore di probabilità: così i medici, ad esempio, diagnosticano una malattia a partire da una serie di sintomi concordanti. Inoltre, una rappresentazione persuasiva non contraddetta da altre ed esaminata in ogni sua parte costituisce il grado più alto di verosimiglianza cui l'uomo possa giungere (Sesto Empirico, *Adversus mathematicos*, VII, 162 ss.).

A Carneade successero nella direzione della scuola varie figure minori, che ne continuarono la dottrina, finché l'indirizzo dell'Accademia cambiò nuovamente con Filone di Larissa, fondatore della cosiddetta "quarta" Accademia.

# 5. Gli ultimi scettici

Quando l'indirizzo scettico fu abbandonato dall'Accademia, venne ripreso da altri pensatori che si ispirarono direttamente al fondatore dello scetticismo, Pirrone. Questi pensatori fiorirono dal I secolo a.C. al II d.C. e non costituirono una scuola. I principali di essi furono Enesidemo, Agrippa e Sesto Empirico.

## Enesidemo

**Enesidemo di Cnosso** insegnò in Alessandria e scrisse otto libri di *Discorsi pirroniani*, che sono andati perduti. Probabilmente iniziò la sua attività dopo la morte di Cicerone (43 a.C.), il quale infatti non lo ricorda nelle sue opere, affermando anzi che il pirronismo è ormai spento.

*Vita e scritti*

Enesidemo enumera **dieci modi, o tropi** (in greco *trópoi*), **per giungere alla sospensione del giudizio**. Si tratta in realtà di dieci argomenti per togliere alla conoscenza umana valore assoluto e considerarla come puramente relativa. Essi consistono nel riconoscere che le conoscenze variano:

*I dieci «tropi»*

1. a seconda dei diversi animali;
2. a seconda dei diversi uomini;
3. per la loro diversità reciproca;
4. per le circostanze in cui si acquistano;
5. per gli intervalli di tempo o di luogo in cui ricorrono;
6. per le varie mescolanze in cui si trovano;
7. per la quantità e la composizione degli oggetti che le producono;
8. per la variabilità delle relazioni delle cose tra loro e con il soggetto giudicante;
9. per la diversa frequenza di incontri tra il soggetto giudicante e l'oggetto;
10. per l'educazione, i costumi, le leggi e le credenze umane.

Tutti questi elementi determinano l'enorme varietà delle conoscenze e fanno apparire lo stesso oggetto diverso da uomo a uomo e da momento a momento. È dunque impossibile giudicare e decidere se l'una o l'altra delle opinioni sia vera. **L'unico atteggiamento legittimo è l'***epoché***, la sospensione dell'assenso.

## Agrippa

Ad Agrippa, di cui non si sa nulla, Sesto Empirico attribuisce **altri cinque modi per giungere alla sospensione dell'assenso**, modi di natura dialettica, cioè polemica:
1. il modo della discordanza, che consiste nel mostrare il dissidio che c'è tra le opinioni dei filosofi;
2. il modo detto "all'infinito", per il quale ogni dimostrazione parte da principi che vanno a loro volta dimostrati e che presuppongono altri principi, e così via di seguito;
3. il modo della relazione, per il quale conosciamo l'oggetto non in sé, ma solo in rapporto a noi;
4. il modo dell'ipotesi, per il quale si vede che ogni dimostrazione si fonda su principi che non si dimostrano, ma si ammettono per convenzione;
5. il circolo vizioso, o "diallele", per il quale si assume come dimostrato proprio ciò che si deve dimostrare, il che chiarisce che la dimostrazione è impossibile.

Enesidemo, Agrippa e altri scettici, ai quali Sesto Empirico si riferisce genericamente, si fermano dunque tutti alla sospensione dell'assenso, secondo l'insegnamento di Pirrone.

## Sesto Empirico

**Vita e scritti**

La fonte delle notizie sullo scetticismo antico è l'opera di Sesto, che, come medico, ebbe il soprannome di "Empirico" e che svolse la propria attività tra il 180 e il 214 d.C. Di lui possediamo tre scritti. Gli *Schizzi pirroniani* (o *Ipotiposi pirroniane*), in tre libri, costituiscono un compendio di filosofia scettica. Gli altri due sono tradizionalmente compresi sotto il titolo improprio di *Contro i matematici*. Ora, il *máthema* è per i Greci l'insegnamento nel suo significato oggettivo, la scienza in quanto oggetto dell'insegnamento; "matematici" sono quindi i cultori delle scienze, cioè della grammatica, della retorica e delle scienze del quadrivio (come furono dette nel Medioevo), che Platone nella *Repubblica* poneva come propedeutiche alla dialettica: geometria, aritmetica, astronomia e musica. Contro queste scienze sono dunque diretti i libri I-VI dell'opera. I libri VII-XI sono diretti invece contro i filosofi dogmatici.

**I bersagli polemici**

Gli scritti di Sesto Empirico sono importanti non solo perché rappresentano la *summa* di tutto lo scetticismo antico, ma anche perché sono fonti preziose per la conoscenza delle stesse dottrine che combattono. I bersagli più famosi delle confutazioni di Sesto sono i seguenti: la deduzione e l'induzione, il concetto di causa, la teologia stoica.

**La critica della deduzione e dell'induzione**

La **deduzione**, secondo Sesto Empirico, è sempre un **circolo vizioso** (diallele). Quando si dice: "ogni uomo è animale, Socrate è uomo, dunque Socrate è animale", non si potrebbe porre la premessa "ogni uomo è animale" se già non si ritenesse dimostrata la conclusione, ovvero il fatto che Socrate, in quanto uomo, è animale. Perciò, mentre si ha la pretesa di dimostrare la conclusione derivandola da un principio universale, in realtà la si presuppone come già dimostrata.

L'**induzione** non ha maggiore validità. Infatti, se si fonda soltanto sull'esame di alcuni casi, **non è sicura**, poiché i casi non esaminati potrebbero sempre smentirla; e se si pretende che sia fondata su tutti i casi particolari, **il suo compito è impossibile**, perché i casi che si dovrebbero osservare sono infiniti (*Schizzi pirroniani*, II, 193, 204).

Si dice che la causa produce l'effetto; dunque essa dovrebbe precedere l'effetto e sussistere prima di esso. Ma se sussiste prima di produrre l'effetto, è **causa prima di esser causa**. D'altronde la causa non può evidentemente seguire l'effetto, né essere a esso contemporanea, perché l'effetto non può nascere se non da qualcosa di anteriormente sussistente.

La critica del concetto di causa

Sesto ha insistito lungamente sulle contraddizioni implicite nel concetto stoico della divinità. Secondo gli stoici tutto ciò che esiste è **corporeo**; dunque anche Dio. Ma un corpo o è *composto* ed è soggetto a dissolvimento, e quindi è mortale, o è *semplice* e allora è acqua o aria o terra o fuoco. Dio dunque dovrebbe essere o mortale o un elemento inanimato, il che è assurdo. Inoltre, **se Dio vivesse**, sentirebbe, e se sentisse, **proverebbe piacere e dolore**; ma dolore significa turbamento e se Dio fosse capace di turbamento, allora sarebbe mortale. Altre difficoltà derivano dall'attribuire tutte le perfezioni a Dio. Se Dio ha tutte le virtù, ha anche il **coraggio**; ma il coraggio è la scienza delle cose temibili e non temibili: dunque ci sarebbe qualcosa di temibile per Dio, il che è assurdo.

La critica della teologia stoica

Di tutti questi argomenti Sesto Empirico si serviva per convalidare l'atteggiamento scettico della sospensione del giudizio. Per quel che riguarda la vita pratica, egli riteneva che lo scettico dovesse seguire i fenomeni, rispettando i dettami di quattro "guide" fondamentali: le indicazioni che la natura dà all'uomo attraverso i sensi; i bisogni del corpo; la tradizione delle leggi e dei costumi; le regole delle arti. Con queste regole gli ultimi scettici cercarono di differenziarsi dal criterio, suggerito dalla media Accademia, dell'azione motivata o ragionevole. Secondo Sesto **il vero scettico** non ammette neppure di sapere che non è possibile saper nulla, ma **si limita alla pura ricerca**, cioè a un'indagine "aperta" per principio.

La sospensione del giudizio e la pura ricerca

# 6. Lo scetticismo nella storia

Pur essendo sempre stato riconosciuto come uno degli atteggiamenti possibili di fronte alla vita e come una delle grandi alternative filosofiche del pensiero umano, lo scetticismo greco **non ha avuto molta fortuna** nella storia della cultura occidentale. Anzi, spesso, come si è detto, è stato banalizzato e ridotto a pseudo-filosofia.

Ciò non toglie che anche lo scetticismo abbia avuto i suoi ammiratori: **Montaigne**, **Hume** e **Schulze**, per citare qualche nome, i quali pur cercando di mitigarne le affermazioni più radicali e paradossali, e di renderla più «praticabile», si richiamarono esplicitamente alla lezione scettica.

Al di là della sua limitata fortuna, lo scetticismo, nella storia del pensiero, ha soprattutto agito: 1. come **pungolo della ricerca filosofica** e come **monito contro ogni dogmatismo** immemore del carattere problematico delle costruzioni concettuali umane; 2. come **scetticismo metafisico**, cioè come radicale messa in discussione di ogni discorso che si proponga di andare oltre i fenomeni dell'esperienza. E in tutti e due i casi l'eredità scettica, soprattutto nel pensiero moderno e contemporaneo, è stata e continua a essere oggettivamente notevole.

Alcuni aspetti sempre vivi

# GR GLOSSARIO E RIEPILOGO
## Lo scetticismo

■ **Scetticismo/dogmatismo** Con il termine "scetticismo" (dal gr. *sképsis*, "indagine", "ricerca", "dubbio") si indica un atteggiamento di pensiero che, nelle sue multiformi espressioni teoriche e storiche, eleva il dubbio a metodo e sistema, ritenendo che non si dia una conoscenza certa e incontrovertibile delle cose, soprattutto a proposito delle realtà "oscure" di cui parlano i cosmologi e i teologi. Lo scetticismo si oppone programmaticamente al "dogmatismo" (dal gr. *dógma*, "opinione ferma", "principio indiscutibile") di quei filosofi che pretendono di pronunciarsi con verità intorno alle varie questioni. Lo scetticismo greco non nega la datità esistenziale delle cose, ma la validità delle teorie circa il "come" e il "perché" dei fenomeni. Pur presentando posizioni diverse e talora in polemica tra loro, gli scettici greci risultano accomunati dalla tesi dell'inesistenza di un criterio assoluto di verità e di comportamento.

■ *Epoché* L'*epoché* (che in gr. significa "sospensione", "fermata", da *epécho*, "trattengo") è l'atteggiamento tipico dello scetticismo greco, il quale, partendo dal fatto che a ogni tesi si può opporre una tesi contraria e di uguale valore, arriva a proporre una "ragionevole" sospensione del giudizio e una prudente afasia riguardo alle cose "oscure". Questo procedimento, già presente in Pirrone, viene ulteriormente messo a punto da Arcesilao e dagli scettici successivi, che estendono l'*epoché* anche al principio del "sapere-di-non-sapere", rendendola in tal modo universale (*epoché perí pánton*). L'*epoché* non implica tuttavia, almeno nelle forme più raffinate di tale corrente filosofica (v. la posizione di Sesto e del filone empirico e medico dello scetticismo), una forma di dogmatismo alla rovescia, ma assume il valore di un'ipotesi che deve continuamente essere confermata da un'indagine "aperta" in linea di fatto e di principio. Detto altrimenti, l'*epoché* scettica non intende affatto rappresentare una mortifera "fermata" della ricerca: «secondo lo scettico antico non è per nulla esatto ritenere che l'*epoché* sia la fine di ogni ricerca. La sospensione dell'assenso e del giudizio, infatti, è come un'àncora levata, che mette in movimento la nave staccandola dall'immobilità della certezza. È, invece, il dogmatismo la morte della ricerca, giacché esso, pascendosi dell'illusione di avere ormai tutto risolto, non si sente più disposto a riprendere la faticosa via dell'indagine» (A. Russo). In altri termini, «rinviando la sua resa finale, l'eroe scettico-empirico, per così dire, provava e riprovava, non si limitava all'ispezione diretta (*autopsía*),

ma procedeva per tentativi sperimentali (*paratéresis*), epochizzava, ma non desisteva dall'indagine (*zétema*)» (*id.*).

■ **Probabilismo** Per "probabilismo" si intende lo scetticismo "moderato" della nuova Accademia, proteso a evitare gli opposti estremismi del dogmatismo da una parte e dello scetticismo totale dall'altra. Infatti, pur negando l'esistenza di un criterio assoluto di verità, tale forma di scetticismo ammette l'esistenza di criteri o di enunciati di relativa credibilità, sufficienti a dirigere la condotta della vita. Ad esempio, per Arcesilao la decisione era possibile in base a una prudente ricognizione di ciò che fosse più o meno «plausibile» o «ragionevole» (*éulogon*), mentre Carneade riteneva che il saggio dovesse far proprio il criterio del «probabile» o del «credibile» (*pithanón*).

■ **Tropi** I *trópoi* (dal gr. *trópos*, "modo") sono le vie o i motivi di dubbio adoperati dagli scettici contro i dogmatici, allo scopo di arrivare all'*epoché*. Tali modi di sospensione del giudizio (*trópoi tes epochés*) erano variamente elencati dagli scettici. I tropi più antichi, attribuiti a Enesidemo, erano dieci (v. par. "Enesidemo", p. 445). Quelli più recenti, attribuiti ad Agrippa, erano cinque (v. par. "Agrippa", p. 446). Sesto Empirico enunciò altri due tropi, tendenti a dimostrare che non si può comprendere una cosa né in base a se stessa, né in base a un'altra cosa.

■ **Diallele** Con il termine "diallele" (dal gr. *diállelos lógos*, "ragionamento reciproco") gli scettici indicarono uno dei modi di sospensione del giudizio, e precisamente quel procedimento equivoco per cui le conoscenze si provano circolarmente le une con le altre, in modo tale da assumere per dimostrato proprio ciò che si dovrebbe dimostrare (circolo vizioso). Sesto Empirico attribuisce questo tropo agli «scettici più recenti», cioè ad Agrippa e ai suoi seguaci. A sua volta, egli afferma che ogni sillogismo è un diallele, perché in esso la premessa maggiore, ad esempio «tutti gli uomini sono mortali», presuppone accertata la conclusione «Socrate è mortale» (*Sch. pirr.*, II, 195 ss.).

■ **Seguire i fenomeni** Ben lontani dall'annullare ogni criterio di condotta, gli scettici, nella vita pratica, si proponevano di seguire i fenomeni e la comune consuetudine (*synétheia*). Sesto Empirico, ad esempio, eleggeva a

criterio dell'azione quattro guide fondamentali: le indi-
cazioni che la natura dà attraverso i sensi, i bisogni del corpo, la tradizione delle leggi e dei costumi e le regole delle arti.

## Indicazioni bibliografiche

### OPERE DI SCETTICI

■ A Russo (a cura di), *Scettici antichi*, UTET, Torino 1978 ■ G. Giannantoni (a cura di), *Lo scetticismo antico*, Bibliopolis, Napoli 1982, 2 voll. ■ F. Decleva Caizzi (a cura di), *Pirrone. Testimonianze*, Bibliopolis, Napoli 1981 ■ Sesto Empirico, *Contro i matematici* (a cura di A. Russo), Laterza, Roma-Bari 1972 ■ Sesto Empirico, *Contro i logici* (a cura di A. Russo), Laterza, Roma-Bari 1975 ■ Sesto Empirico, *Schizzi pirroniani* (a cura di A. Russo), Laterza, Roma-Bari 1988 ■ Sesto Empirico, *Contro i fisici. Contro i pluralisti* (a cura di A. Russo), Laterza, Roma-Bari 1990 ■ Sesto Empirico, *Contro gli etici* (a cura di E. Spinelli), Bibliopolis, Napoli 1995.

### OPERE SULLO SCETTICISMO

■ M. Dal Pra, *Lo scetticismo greco*, Laterza, Roma-Bari 1989 ■ J. Barnes, *Aspetti dello scetticismo antico*, La Città del Sole, Napoli 1996 ■ A. Musgrave, *Senso comune, scienza e scetticismo. Un'introduzione storica alla teoria della conoscenza*, Cortina, Milano 1997 ■ F. D'Agostini, *Disavventure della verità*, Einaudi, Torino 2002 ■ R.H. Hopkin, A. Stroll, *Il dovere del dubbio. Filosofia scettica per tutti*, Il Saggiatore, Milano 2002.

CAPITOLO

**5**

# Il neoplatonismo

# 1. La filosofia greco-giudaica. Filone

Come la filosofia greca tende ad avvicinarsi alla sapienza orientale, così in questo periodo **la sapienza orientale si avvicina alla filosofia greca** e cerca di assimilarne i concetti.

**Gli Esseni**  Un tentativo di assimilazione di questo genere è quello compiuto in Palestina nel I secolo d.C. dalla setta degli Esseni, di cui ci parlano alcuni scrittori antichi. Gli Esseni interpretavano allegoricamente il **Vecchio Testamento** secondo **concetti greci**: essi credevano nella preesistenza e nell'immortalità dell'anima, e ammettevano divinità intermedie tra Dio e il mondo e la possibilità di profetizzare il futuro, che era in generale ammessa da tutti i filosofi di questo periodo, sulle orme degli stoici.

I cosiddetti "rotoli del Mar Morto", recentemente scoperti, hanno permesso di conoscere meglio le dottrine degli Esseni e di scorgere in esse una serie di affinità non superficiali con la dottrina cristiana. Naturalmente si trattava di una setta, cioè di un'associazione filosofico-religiosa, riservata a gruppi ristretti di adepti. Il cristianesimo si presentò invece fin dall'inizio come una religione universale.

**Filone di Alessandria**  La conciliazione tra le credenze giudaiche e il pensiero greco fu l'obiettivo a cui mirò l'attività filosofica di **Filone di Alessandria**. Nato tra il 30 e il 20 a.C., nel 40 d.C. fu a Roma come ambasciatore dei giudei alessandrini presso l'imperatore Caligola. Abbiamo di lui numerosissimi scritti, i principali dei quali costituiscono un commentario al Vecchio Testamento.

I punti fondamentali della sua filosofia sono i seguenti:

▶ la **trascendenza assoluta di Dio** rispetto a tutto ciò che l'uomo conosce;

▶ la dottrina del *Lógos* **come intermediario tra Dio e l'uomo**;

▶ il **ritorno dell'uomo a Dio**, fino all'unione con Lui nell'estasi.

In particolare, la dottrina del *Lógos*, che ricorre già nel libro della *Sapienza* dell'Antico Testamento (composto probabilmente nel I secolo a.C.), è utilizzata da Filone per realizzare la mediazione tra Dio e il mondo. Il *Lógos* è il modello della creazione, la sede di quelle idee platoniche in conformità delle quali Dio ordina e plasma la materia da cui il mondo risulta costituito. Dalla materia scaturiscono tutte le imperfezioni del mondo.

*Lógos e creazione del mondo*

Filone addita all'uomo il **fine mistico dell'unione totale con Dio**, realizzato in uno stato eccezionale di grazia: l'**estasi**, ovvero l'uscita dell'uomo fuori da sé e il suo smarrirsi nella vita divina.

**Il ritorno a Dio**

# 2. Plotino e il neoplatonismo

Il neoplatonismo è l'**ultima manifestazione del platonismo nel mondo antico**. Esso riassume e porta a formulazione sistematica e (con Proclo) addirittura scolastica le tendenze e gli indirizzi che si erano manifestati nella filosofia greca e alessandrina dell'ultimo periodo. **Elementi pitagorici, aristotelici, stoici** vengono nel platonismo fusi in una vasta sintesi che influenzerà potentemente tutto il corso del pensiero cristiano e medievale e, attraverso di esso, anche quello del pensiero moderno. Il neoplatonismo è così la manifestazione più cospicua dell'orientamento religioso che prevale nella filosofia dell'età alessandrina.

**Caratteristiche generali del neoplatonismo**

Fondatore del neoplatonismo è **Ammonio Sacca**, vissuto tra il 175 e il 242 d.C. senza lasciare alcuno scritto. Egli era bracciante (donde il soprannome di "Sacca"); in seguito insegnò in Alessandria la filosofia platonica.

**Sacca, Origene e Longino**

Tra i suoi scolari si annoverano **Origene**, che non è da confondere con l'Origene cristiano, e **Cassio Longino** (213-273 d.C. circa), retore e filosofo, sotto il cui nome ci è giunto lo scritto *Sul sublime*, che però non è suo.

La figura maggiore del neoplatonismo è **Plotino**. Nato a Licopoli, in Egitto, nel 203-204 d.C., partecipò alla spedizione dell'imperatore Gordiano contro i Persiani per conoscere le dottrine dei Persiani e degli Indiani; al ritorno si stabilì a Roma, dove la sua scuola ebbe tra gli ascoltatori numerosi senatori romani. L'imperatore Gallieno e sua moglie Salonina furono tra i suoi ammiratori. Morì in Campania a 66 anni, nel 269-270 d.C.

**Plotino**

Il suo scolaro **Porfirio di Tiro** (nato nel 232-233 e morto al principio del IV secolo) pubblicò gli scritti del maestro ordinandoli in sei *Enneadi*, ossia libri composti di nove parti ciascuno. Porfirio è anche autore di numerose opere originali. Tra queste sono particolarmente importanti una *Vita di Plotino*, una *Vita di Pitagora* e l'*Introduzione alle Categorie di Aristotele*, che è un commentario in forma di dialogo allo scritto aristotelico. L'interesse fondamentale di Porfirio è pratico-religioso. Egli trae dalla dottrina di Plotino motivi per difendere la religione pagana.

**Porfirio**

## Dai molti all'Uno

Sebbene Plotino presenti il proprio pensiero come un semplice sviluppo del platonismo («non sono certo nuove queste mie teorie, sono state enunciate già in antico»), il suo sistema costituisce in realtà una filosofia nuova e profondamente originale, in cui si compenetrano, come si è già accennato, alcuni dei motivi più tipici della riflessione greca sull'essere: da Parmenide a Eraclito, dai pitagorici a Platone, da Aristotele agli stoici.

**L'unità come condizione della molteplicità**

Pur prendendo le mosse dalla molteplicità delle cose, Plotino pone immediatamente, come loro condizione, l'unità. Infatti, argomenta il filosofo, **la molteplicità sarebbe impensabile senza l'unità**. Perfino il due presuppone l'uno. Anzi, ogni cosa è ciò che è solo in quanto costituisce, in qualche modo, un'unità (sia per numero, sia per costituzione), al punto che, tolta l'unità, è tolto lo stesso ente:

> Tutti gli enti sono enti in virtù dell'Uno [...] non si ha esercito se esso non sa presentarsi uno, né si ha coro né greggia, se non sono "uno" [...] niente casa o nave se non hanno unità, dal momento che la casa è una unità, e così pure la nave, tanto che se perdono l'unità, la casa non sarà più casa e la nave non sarà più nave [...] la salute stessa si ha solo allora che il corpo sia coordinato in unità; e si ha bellezza quando le parti siano tenute insieme dalla virtù dell'uno [...].
>
> (*Enneadi*, VI, 9, 1)

Ovviamente, continua Plotino, gli esseri minori hanno meno unità, mentre gli esseri maggiori ne hanno di più («meno essere, meno unità, e viceversa»), finché, di grado in grado, si giunge all'**Uno assoluto**, ovvero, come scrive spesso Plotino, a quell'Uno primo (o Uno in sé, Uno totale ecc.) da cui tutto deriva e grazie a cui i molti sono. In conclusione, se **la radice dell'essere è l'unità, la radice del mondo è l'Uno**. →**T16**

## Dall'Uno ai molti

**La "diversità" e l'infinitezza dell'Uno**

Plotino afferma che l'Uno, in quanto principio dei molti, è **radicalmente "diverso"** da tutto ciò di cui è principio. In altri termini, «Primo di tutte le cose che sono, esso non può "essere" allo stesso modo delle cose che sono» (M. Isnardi Parente).

Innanzitutto, l'Uno è **infinito** (*ápeiron*). Superando ogni riserva mentale circa il concetto di infinito (che aveva tradizionalmente caratterizzato la cultura greca), Plotino giunge al concetto metafisico dell'infinito come «**illimitatezza della potenza**», precisando appunto, in antitesi rispetto a ogni visione angustamente matematica, che l'Uno

> occorre concepirlo infinito non perché sia interminabile vuoi in grandezza vuoi in numero, ma per il fatto che la sua potenza non è circoscritta.
>
> (*Enneadi*, VI, 9, 6)

**La trascendenza dell'Uno**

In quanto infinito, l'Uno è **privo di forma** (*ámorphos*) **e di figura** (*anéideos*). E siccome dove non c'è forma neppure c'è essere o essenza, l'Uno è «**al di là dell'essere**» e «**al di là della sostanza**». Per gli stessi motivi, l'essere è **al di fuori di ogni determinazione quantitativa e spazio-temporale**. In sintesi, in quanto infinito, l'Uno non può venir definito mediante attributi finiti.

> Mi spiego: appunto poiché l'essenza dell'Uno è la generatrice di tutte le cose, essa non è nessuna di quelle cose: essa non è pertanto "qualcosa", né è qualità, né quantità, né Spirito, né Anima; non è neppure "in movimento", né, d'altronde, "in quiete"; non è "in uno spazio"; non è "in un tempo" [...] è invece l'Ideale solitario, tutto chiuso in se stesso o, meglio, l'Informe che esiste prima di ogni ideale, prima del moto, prima della quiete [...].
>
> (*Enneadi*, VI, 9, 6)

In virtù di questa sua natura trans-finita, l'Uno risulta inesauribile e, ben lungi dal configurarsi come argomento di discorso e oggetto di scienza, appare come l'"**assolutamente Altro**", di cui, a rigore, **si può dire soltanto ciò che non è**. In tal modo, Plotino dà inizio a quella che in seguito sarà chiamata "teologia negativa" (v. "Glossario"). **→T17**

Tuttavia, ispirandosi a Platone, Plotino parla dell'Uno anche in termini di **Bene**, sottolineando il fatto che esso è tale soprattutto **in relazione al mondo**, il quale non può fare a meno di rapportarvisi come a un supremo oggetto di desiderio (*Enneadi*, VI, 7, 25). L'Uno, inoltre, può anche essere detto **Causa**, senza dimenticare che

> l'espressione vale solo per noi uomini, in quanto noi possediamo qualcosa di Lui, mentre Egli in realtà persevera in se stesso.
>
> (*Enneadi*, VI, 9, 3)

Ma se Dio è l'"assolutamente Altro" rispetto al mondo, che sfugge a ogni presa conoscitiva (al punto che Plotino rischia di contraddirsi tutte le volte che ne parla o pretende di fornirne una qualche determinazione positiva), com'è possibile filosofare sull'Uno e sui suoi rapporti con il mondo? Plotino, che vuole salvare al tempo stesso la trascendenza ineffabile dell'Uno e la possibilità di spiegare il mondo tramite l'Uno, ricorre a un linguaggio allusivo e metaforico[1], mediante il quale cerca di dare risposta ai due interrogativi di fondo che scaturiscono dalla sua filosofia:

▶ *perché* dall'Uno derivano i molti?
▶ *come* avviene tale derivazione?

Circa il primo interrogativo, Plotino afferma che l'Uno, nella sua perfezione, non ha certo bisogno del mondo: «chi è principio non può aver bisogno di ciò che gli tien dietro; il principio del Tutto non ha affatto bisogno di questo Tutto». Ma allora, perché l'Uno non rimane unico? Plotino risolve la questione proponendo l'immagine figurata di una «**sovrabbondanza**» (*hyperpléres*) **d'essere** che non può fare a meno di «traboccare» e di «generare». Questo non significa che l'Uno "voglia" liberamente il mondo. L'Uno di Plotino è sì Libertà (o Volontà che si "auto-vuole"), ma una Libertà che, ponendo se stessa, pone *necessariamente* il mondo, il quale, quindi, non è una realtà intenzionalmente voluta, ma un prodotto che scaturisce *inevitabilmente* dall'essere "ridondante" dell'Uno.

Al secondo interrogativo, Plotino risponde con i concetti-metafora di *perílampsis* («**irradiazione**») e di *apórroia* («**emanazione**», o, come alcuni preferiscono, «processione»[2], ma tutti i termini sono ugualmente inadeguati). Tali concetti vengono espressi dal filosofo con una serie di immagini famose. La più celebre è certamente quella in cui il procedere del reale da un principio supremo è identificato con l'**irradiarsi della luce** da una fonte luminosa centrale. Altrettanto note sono le immagini del **fuoco** che emana calore, della **sostanza odorosa** che emana profumo, della **neve** che produce il gelo, della **sorgente** da cui zampillano le acque e discendono i fiumi, del **vivente** che, raggiunta la maturità del suo essere, genera un altro individuo, dell'**albero** che si forma dalle radici, dei **cerchi concentrici** che si originano da un punto centrale ecc.

---

1 Si noti però che un tale linguaggio non elimina, ma sposta soltanto la contraddizione. Sostenere che Plotino, quando riferisce all'Uno caratterizzazioni positive, in realtà non si contraddice perché usa un linguaggio analogico significa infatti occultare il fatto che l'utilizzo dell'analogia, in Plotino, non risulta affatto giustificato.

2 Il termine "processione" (*próodos*) è di Proclo.

Tradurre queste metafore in concetti filosofici non è facile. In generale, possiamo dire che l'emanazione plotiniana si configura come un processo per cui **dall'Uno derivano necessariamente i molti**, attraverso una serie di gradi d'essere sempre meno perfetti mano a mano che ci si allontana dal Principio iniziale (v. "Glossario"). Tale vicenda ha le caratteristiche di un processo ideale e non cronologico. Infatti, come il calore procede dal fuoco, ma non è posteriore a esso, così l'emanato, pur procedendo dal principio, non è posteriore a esso. In altri termini, la cosiddetta "emanazione" (in mancanza di convincenti alternative useremo il termine tradizionale) non si compie nel tempo, ma è eterna.

**L'originalità dell'emanatismo plotiniano...**

In virtù delle sue caratteristiche, l'emanazionismo, o emanatismo, plotiniano si differenzia nettamente sia dallo schema dualistico (ovvero dalla concezione di Dio come causa ordinante), sia dallo schema creazionistico (ovvero dalla concezione di Dio come causa creante), sia dallo schema panteistico (ovvero dalla concezione di Dio come causa immanente). Vediamo in che senso.

**... rispetto al dualismo, al creazionismo...**

Secondo il modello dualistico di Platone e di Aristotele, il mondo non deriva da Dio, ma esiste di per sé e Dio si limita semplicemente a dargli ordine e forma. Invece, secondo l'emanazionismo, **il mondo esiste solo come effetto**, o risultato, **della processione divina**. Secondo il modello creazionistico, Dio crea liberamente e consapevolmente il mondo. Invece, per l'emanazionismo, il mondo, come sappiamo, non esiste per un atto d'amore dell'essere supremo (amare l'inferiore, o semplicemente occuparsene, per il greco Plotino sarebbe stato «indegno» per il superiore!), bensì come **conseguenza necessaria** della sua sovrabbondanza d'essere. Inoltre, a differenza di quanto accade nella cristiana *creatio ex nihilo* (creazione dal nulla), l'emanato non è tratto dal nulla e non ha propriamente un "inizio", ma "defluisce" eternamente dalla Causa emanante.

**... e al panteismo**

Secondo il panteismo classico (v. gli stoici), Dio è dentro il mondo e si identifica con il Principio fisico dell'universo. Invece, secondo l'emanatismo, **Dio esiste al di sopra del mondo e in modo non corporeo**. Tant'è vero che Plotino può venir considerato come «il fondatore della prima vera e propria forma di metafisica trascendentistica» della storia (M. Isnardi Parente) e come il teorico dell'infinito «nella dimensione dell'immateriale» (G. Reale).

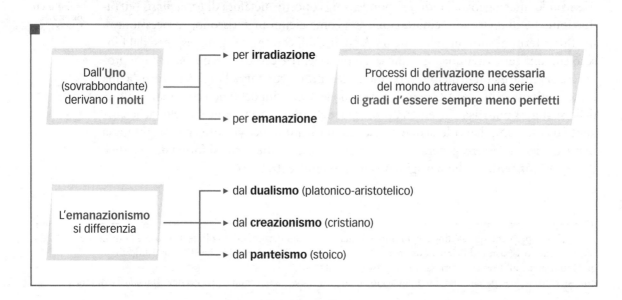

Dall'**Uno** (sovrabbondante) derivano **i molti**
- per **irradiazione**
- per **emanazione**

Processi di **derivazione necessaria** del mondo attraverso una serie di **gradi d'essere sempre meno perfetti**

L'**emanazionismo** si differenzia
- dal **dualismo** (platonico-aristotelico)
- dal **creazionismo** (cristiano)
- dal **panteismo** (stoico)

## Le ipostasi e la materia

Il processo di emanazione del mondo dall'Uno si concretizza, secondo Plotino, in una serie di «ipostasi», cioè di **realtà sostanziali per sé sussistenti**.

La prima ipostasi è l'**Uno stesso**, concepito come *pánton dýnamis*, ovvero come realtà che «è in potenza le cose che da Lui si irraggiano».

La seconda ipostasi è l'**Intelletto**, che sorge da una contemplazione dell'Uno, ma che rispetto all'assoluta semplicità di quest'ultimo implica già uno sdoppiamento tra soggetto pensante e oggetto pensato. Ma che cosa pensa l'Intelletto? Plotino, rifacendosi alla concezione aristotelica di Dio, risponde che esso **pensa tutti gli infiniti pensieri pensabili**, ossia quei **modelli eterni delle cose** che sono le idee platoniche. In tal modo, se l'Uno è la potenza di tutte le cose, l'Intelletto è l'esplicazione, in un cosmo ideale, di tutte le forme dell'essere (tanto che Plotino chiama l'Intelletto anche con il nome di Essere).

*L'Intelletto*

La terza ipostasi è l'**Anima**. Quest'ultima da un lato guarda all'Intelletto, da cui riceve la "luce" delle essenze archetipe, e con ciò pensa; dall'altro lato guarda a ciò che viene dopo di sé e lo ordina tramite le idee, considerate non solo come modelli o archetipi (Platone), ma anche come forme plasmatrici (Aristotele) e forze vivificanti (stoici). Così, l'Anima ha una **parte superiore**, che è **rivolta all'Intelletto**, e una **parte inferiore** che è **rivolta al corpo** che da essa emana. Unendosi a quest'ultimo, diviene **Anima del mondo** e **Provvidenza** (sia pure in un senso diverso da quello cristiano: v. "Glossario").

*L'Anima*

Come si può notare, ogni ipostasi "nasce" da un atto di contemplazione rivolto all'ipostasi precedente e costituisce l'esplicazione o la realizzazione, a un livello ontologico inferiore, di qualche sua caratteristica, o potenza. Ad esempio, l'Intelletto nasce dalla contemplazione dell'Uno e si configura come l'esplicazione, in forma ideale, di tutto l'essere. Analogamente, l'Anima nasce dalla contemplazione dell'Intelletto e rappresenta la realizzazione, nel mondo corporeo, delle idee. In altre parole, come scrive Plotino, l'Intelletto è verbo e atto dell'Uno, mentre l'Anima è verbo e atto dell'Intelletto. Il loro rapporto è simboleggiato dalla luce, dal sole e dalla luna. L'Uno è la luce, l'Intelletto il sole, l'Anima la luna (che trae la luce dal sole). →**T18**

*I rapporti tra le ipostasi*

L'Uno, l'Intelletto e l'Anima universale costituiscono il mondo intelligibile. Il mondo corporeo, che deriva dall'Anima, implica anche, per la sua formazione, un altro principio. Questo principio è la **materia**, che Plotino concepisce negativamente, ossia come **privazione del positivo**. La materia si trova all'estremità inferiore della scala alla cui sommità c'è Dio. Essa è l'oscurità che comincia là dove termina la luce. Come tale, la materia è **non-essere e male**, dove con questi termini si intende non l'opposto dell'essere e del bene, ma la loro assenza o privazione (per i problemi critici connessi al concetto di materia e a quello correlativo di male, v. "Glossario").

*La materia e il male*

Le anime singole sono parti, o meglio "immagini", o riflessi, dell'Anima del mondo. Quest'ultima penetra e vivifica la materia, ma rimane in se stessa unica e indivisibile. Essa produce l'unità e la simpatia di tutte le cose, giacché queste, avendo un'unica anima, si richiamano vicendevolmente come le membra di uno stesso animale. Dominato com'è dall'**Anima universale**, il mondo – ripete ottimisticamente Plotino con gli stoici – ha un **ordine e** una **bellezza perfetti**. Per scoprire quest'ordine bisogna guardare al Tutto, nel quale trova il proprio posto e la propria funzione ogni singola parte, anche quella apparentemente imperfetta o cattiva.

*L'armonia del mondo*

**Il tempo** Per quanto concerne **la temporalità**, Plotino (che ha presente la definizione platonica del tempo come «immagine mobile dell'eternità») afferma che essa **nasce dall'attività dell'Anima del mondo**, la quale, distribuendosi nella materia, pone in una successione di prima e di poi ciò che nell'eterno (ossia nel mondo delle idee) è tutto insieme e simultaneo.

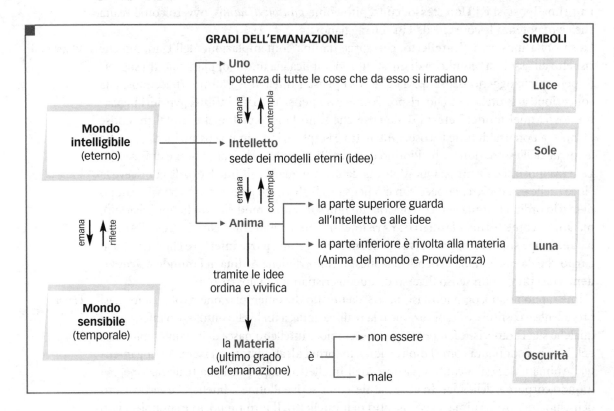

## Il "ritorno" all'Uno

**Il desiderio di ciò che si è perduto** Iniziato con la discesa dell'Uno nei molti, il circolo cosmico termina con il ritorno (*epistrophé*) dei molti all'Uno. La saldatura dei due semicerchi del reale avviene attraverso quel punto nodale del Tutto che è l'uomo, il quale, simile a un pellegrino tormentato dal **sentimento di quanto è andato perduto**, ha il **desiderio di ritornare alla «casa del Padre»**, ovvero alla condizione in cui sussiste l'anima prima della sua "caduta" nei "lacci" del corpo.

**La duplice colpa dell'anima** Tale caduta, pur derivando dalla necessità dell'emanazione cosmica, risulta aggravata da una duplice colpa dell'anima. La prima consiste nel suo **desiderio di "appartenere" e di legarsi all'individualità corporea**, tramite un distacco dal mondo intelligibile. La seconda consiste nel fatto che «l'anima, una volta entrata nel corpo, si prende **eccessiva cura del corpo** stesso, con le conseguenze che ne derivano, ossia con il mettersi al servizio delle cose esteriori e quindi con il dimenticare se stessa» (G. Reale).

**La vita come esilio** Collocate tra l'Uno e la materia, le anime, se da un lato sono attirate dal gorgo dell'inautenticità corporea, dall'altro non possono fare a meno di avvertire il richiamo dell'«Essere donde nacquero» (*Enneadi*, IV, 8, 4). Tanto che la "**nostalgia**" si configura come la **cifra metafisica di tutto il plotinismo**, il quale si riferisce alla vita come a una sorta di esilio che trova nell'*Odissea* omerica la propria rappresentazione metaforica. Con prosa vibrante e religiosamente ispirata, Plotino scrive:

> Francamente il vivere quaggiù e tra le cose della terra non è che "crollo" ed "esilio" e "perdita d'ali" […] la vita vera è solo lassù; poiché la vita dell'oggi, ch'è vita senza Dio, è solo un'orma di vita che va imitando la vita suprema […] siccome ella è, sì, qualcosa di diverso dal Dio, ma da Lui deriva, l'anima è innamorata di Lui, necessariamente […].
>
> (*Enneadi*, VI, 9, 9)

Secondo Plotino, il ritorno all'Uno è un itinerario che l'uomo può iniziare e percorrere solo mediante il ritorno a se stesso e l'abbandono delle cose esteriori: «*áphele pánta*», "togli via ogni cosa", esorta il filosofo. Da ciò l'appello plotiniano alla coscienza, intesa come **raccoglimento e auto-auscultazione interiore**. *(Il viaggio in se stessi)*

La prima tappa del ritorno all'Uno è la **liberazione**, tramite le «virtù civili» (corrispondenti alle virtù cardinali di Platone), **da ogni rapporto di dipendenza nei confronti del corpo**. Con l'**intelligenza** e la **sapienza** l'anima si abitua a operare da sola, senza l'aiuto dei sensi; con la **temperanza** si libera dalle passioni; con il **coraggio** non teme di separarsi dal corpo; con la **giustizia** fa sì che comandi soltanto la ragione, o l'intelletto. *(Le «virtù civili»)*

Tuttavia, le virtù costituiscono soltanto una condizione propedeutica, o preparatoria, dell'ascesa verso Dio: le vere e proprie vie del "ritorno" risiedono nell'arte, nell'amore e nella filosofia.

L'arte è la **contemplazione della bellezza**, la quale, essendo forma emergente dalla materia, si configura, platonicamente, come il tralucere dell'idea, ossia come lo **splendore dell'intelligibile nel sensibile** (*Enneadi*, V, 8, 1). Nella **musica**, in particolare, l'uomo, procedendo oltre i suoni sensibili, cerca di cogliere il rapporto e la misura a essi sottostanti, per sollevarsi all'armonia intelligibile. *(L'arte)*

Analogamente, nell'amore l'uomo si solleva gradualmente (secondo il processo già descritto da Platone nel *Fedro*) **dalla contemplazione della bellezza corporea a quella incorporea**, la quale è immagine o riflesso del Bene. → **T19** *(L'amore)*

Infine, attraverso la filosofia, o «dialettica», l'uomo procede **verso la fonte stessa della bellezza**, ossia **verso l'Uno in sé**. *(La filosofia)*

All'Uno, tuttavia, egli non può arrivare tramite l'intelligenza, poiché questa è condizionata dal dualismo tra soggetto pensante e oggetto pensato, mentre Dio è assoluta unità, che sfugge, come sappiamo, a ogni presa conoscitiva. All'Uno-Dio l'uomo può giungere solo tramite l'estasi, ossia per mezzo di un **amoroso contatto** (*prosbolé*) e di una **sovrarazionale immedesimazione con l'Ineffabile**, ottenuta mediante un'«uscita da sé» e dai limiti del finito. *(L'estasi)*

> Ed ecco la vita degli dèi e degli uomini divini e beati: separazione dalle restanti cose di quaggiù, vita cui non aggrada più cosa terrena, fuga di solo a solo [*phyghé mónou pros mónon*].
>
> (*Enneadi*, VI, 9, 11)

Con queste parole si chiudono le *Enneadi*. → **T20**

Si noti come l'estasi, che a detta dello stesso Plotino costituisce un avvenimento eccezionale nella vita di un uomo, **non** implichi una **fuga** claustrale dal mondo e **dalle cure della vita ordinaria**. Inoltre, pur presentando alcune affinità con la religiosità orientale e con la mistica del *Mahabarata* e delle *Upanishad*, l'estasi plotiniana è il **punto di arrivo** *(Le caratteristiche dell'estasi plotiniana)*

**di un pensiero razionalista di stampo tipicamente greco**: «L'estasi plotiniana è la visione intellettuale di Platone rivissuta con lo spirito dell'uomo e del filosofo di età tardo-imperiale, in cui il senso del divino si è acuito, la religiosità si è impregnata di nuovo misticismo, la concezione dell'infinito e del trascendente ha assunto una dimensione fortemente dilatata» (M. Isnardi Parente). Infine, la religiosità di Plotino, a differenza di quella cristiana, non **fa affidamento** su aiuti "dall'alto" e su "intermediari" tra uomo e Dio, ma soltanto **sull'uomo** stesso.

## Plotino e il neoplatonismo nella storia

**Ragioni dell'importanza del neoplatonismo**

Nella storia della filosofia il neoplatonismo riveste una grande importanza, in primo luogo perché rappresenta la **forma in cui è stato conosciuto e interpretato per secoli Platone**. Tant'è vero che per lungo tempo (almeno fino all'Ottocento) platonismo e neoplatonismo sono sembrati sostanzialmente la stessa cosa.

In secondo luogo, il neoplatonismo è **una delle filosofie più profondamente religiose della tradizione occidentale**, alla quale si sono rifatte tutte le successive metafisiche dell'Assoluto. In terzo luogo, il neoplatonismo **ha permeato di sé le filosofie più disparate**: forti motivi plotiniani si trovano ad esempio nella patristica (Agostino), nel pensiero medievale (Scoto Eriugena, mistica, scolastica), nel platonismo rinascimentale, in Spinoza, Fichte, Schelling, Schopenhauer, Bergson ecc.

**I più diffusi motivi plotiniani**

In particolare, il **doppio principio della derivazione delle cose da Dio e del loro ritorno a Dio** rimarrà lo schema fondamentale di tutti i successivi sistemi di tipo religioso e lo si ritroverà anche, in forma immanentistica, nell'idealismo moderno, da Hegel a Gentile. La **concezione gerarchica e piramidale della realtà** costituirà la *forma mentis* stessa del pensiero medievale e sarà presente nelle filosofie più diverse. La visione di **Dio come "assolutamente Altro"** rispetto al mondo sarà il punto di partenza di tutte le teologie negative. L'ottimismo metafisico e la concezione del **male come privazione del bene** offriranno spunti alla soluzione cristiana del problema del male nel mondo. La **concezione dell'arte e dell'amore come tramite tra il mondo sensibile e Dio** ispirerà tutta una tradizione non solo filosofica, ma anche letteraria.

# 3. La scuola di Atene

L'ultima fase del neoplatonismo è dedicata prevalentemente al **commento delle opere di Platone e di Aristotele**.

**Plutarco e Siriano**

Al principio del V secolo d.C., capo della scuola ateniese è **Plutarco di Atene**, figlio di Nestorio, che muore molto vecchio (401-402) e che commenta Platone e Aristotele. La speculazione metafisica viene invece coltivata da **Siriano** (il maestro di Proclo), il quale si rifà specialmente a Platone, che ritiene superiore allo stesso Aristotele e che intende conciliare con i pitagorici e con i neoplatonici.

Proclo è il maggior rappresentante dell'indirizzo ateniese. Nato a Costantinopoli nel 410 e educato in Licia, a 20 anni si reca ad Atene, dove rimane fino alla morte, avvenuta nel 485. Le sue opere più importanti sono i *Commentari* al *Timeo*, alla *Repubblica*, al *Parmenide*, all'*Alcibiade I* e al *Cratilo*, e due scritti sistematici, l'*Istituzione teologica* e la *Teologia platonica*.

**Proclo dà alla filosofia neoplatonica la sua forma definitiva.** A lui succedono infatti numerosi pensatori che seguono le sue orme, ma che non offrono alcun contributo originale alla sua dottrina.

All'ultima generazione di neoplatonici appartiene **Simplicio**, i cui commenti a molti scritti aristotelici, oltre a rappresentare una notevole opera di pensiero, hanno per noi la massima importanza come fonti di tutta la riflessione antica.

Nell'anno **529** Giustiniano vietò l'insegnamento della filosofia ad Atene e confiscò l'ingente patrimonio della scuola platonica. Damascio, che ne era il capo, con altri sei compagni, tra cui Simplicio, si rifugiò in Persia; ma di lì tornarono presto disillusi. Il pensiero platonico oramai non sussisteva più come tradizione indipendente: esso era stato assorbito e assimilato dal pensiero cristiano.

*Proclo*

*Simplicio*

*La chiusura della scuola*

# 4. La dottrina di Proclo

Il punto fondamentale della filosofia di Proclo è l'illustrazione di quel **principio triadico** che è proprio del neoplatonismo.

Ogni processo si compie per via di una somiglianza delle cose che procedono con ciò da cui procedono. Un essere che ne produce un altro rimane in se stesso immutato, ma la cosa prodotta necessariamente gli somiglia. Ora il prodotto, in quanto ha qualche cosa di identico al producente, resta in esso; in quanto ha qualche cosa di diverso, procede da esso. Ma essendo simile è in qualche modo identico e diverso, dunque rimane e procede insieme, e non fa alcuna delle due cose senza l'altra.

Ora, ogni essere che procede da una cosa ritorna, per sua natura, verso di essa. Vi ritorna in quanto non può fare a meno di aspirare alla propria causa, che per esso è il bene, e ogni essere desidera il bene. Questo ritorno, o conversione, si compie per la somiglianza di chi ritorna con ciò a cui ritorna.

Proclo distingue dunque nel processo di emanazione di ogni essere tre momenti:

▶ il **permanere** (*moné*) immutabile della causa in se stessa;

▶ il **procedere** (*próodos*) dalla causa dell'essere derivato, che per la sua somiglianza con essa le rimane attaccato e insieme se ne allontana;

▶ il **ritorno**, o conversione, (*epistrophé*) dell'essere derivato alla sua causa originaria.

In tal modo il processo dell'emanazione, che Plotino aveva illustrato in termini metaforici con l'esempio della luce e dell'odore, viene giustificato da Proclo con il rapporto dialettico tra la causa e la cosa prodotta, rapporto per cui esse nello stesso tempo si connettono, si separano e si ricongiungono in un **processo circolare**, nel quale il principio e la fine coincidono.

*Il principio triadico del neoplatonismo*

*I tre momenti del processo di emanazione*

**Le fasi dell'emanazione secondo Proclo**

Il punto di partenza dell'intero processo è l'**Uno**, Causa prima e Bene assoluto, che Proclo, come Plotino, ritiene inconoscibile e inesprimibile. Dall'Uno procede una molteplicità di Unità, o «**Enadi**», che sono anch'esse Beni supremi e Divinità e che fanno da intermediarie tra l'Uno originario e il mondo dell'Intelletto. L'**Intelletto**, che è la terza fase dell'emanazione, è diviso da Proclo in tre momenti: l'**intelligibile** (l'oggetto dell'Intelletto), che è l'essere; l'**intelligibile-intellettuale**, che è la vita; l'**intellettuale** (l'Intelletto come soggetto), che è l'Intelletto. L'essere e la vita vengono a loro volta divisi in vari momenti, a ognuno dei quali Proclo fa corrispondere una divinità della religione popolare. Il quarto momento dell'emanazione è l'**Anima**, divisa in tre specie: la **divina**, la **demoniaca** e l'**umana**; le prime due vengono ancora suddivise e identificate con divinità o esseri della religione popolare.

**L'armonia del mondo**

Il mondo è organizzato e governato dall'Anima divina. Il male non deriva dalla divinità, ma dall'imperfezione dei gradi medi e bassi della scala del mondo e dalla loro deficiente accettazione del bene divino. La materia, infatti, non può essere la causa "positiva" del male, perché essa è stata creata da Dio come necessaria per il mondo.

**Il ricongiungimento dell'anima con l'Uno**

Oltre alle facoltà distinte nell'anima da Platone e da Aristotele, Proclo ammette in essa una facoltà superiore a tutte, l'**Uno nell'anima**, che **corrisponde all'Uno nel mondo** ed è la **facoltà adatta a conoscerlo**. Il processo dell'elevazione morale e intellettuale dell'anima culmina nel congiungimento estatico con l'Uno. I gradi ultimi di questo processo di elevazione sono l'**amore**, la **verità** e la **fede**. L'amore porta l'uomo fino alla visione della bellezza divina; la verità fino alla sapienza divina e alla conoscenza perfetta della realtà. Ma solo la fede lo porta, al di là della conoscenza e di ogni divenire, al **riposo e al mistico congiungimento con ciò che è inconoscibile e inesprimibile**.

---

# GR GLOSSARIO E RIEPILOGO
## Il neoplatonismo

■ **Uno** Con il termine "Uno" («Uno primo», «Uno in sé», «Uno totale», «Uno reale») Plotino indica la fonte da cui derivano i molti, ossia tutto ciò che esiste. Secondo Plotino l'Uno è radicalmente "diverso" da ciò di cui è principio. Innanzitutto, esso è infinito (v.). In quanto tale, è privo di forma e di figura e risulta "al di là" dell'essere e della sostanza e, in generale, di ogni determinazione finita.

■ **Infinità dell'Uno** Plotino distingue l'infinità del numero, che è "inesauribilità", da quella dell'Uno, che è invece "illimitatezza di potenza", pervenendo a un concetto teologico di infinito che, preparato da Filone, rappresenta una novità nel pensiero greco, soprattutto se si pensa che l'Uno plotiniano non è un principio fisico, ma un'entità metafisica e metacorporea: «Già Platone aveva posto l'Uno al vertice del mondo ideale, ma l'aveva concepito come limitato e limitante. Plotino concepisce invece l'"Uno" come infinito. Solo i fisici avevano parlato di un principio infinito, ma lo avevano concepito in dimensione fisica. Plotino scopre l'infinito nella dimensione dell'immateriale e lo caratterizza come illimitata potenza produttrice» (G. Reale).

■ **Teologia negativa** Con l'espressione "teologia negativa" (che è successiva a Plotino, ma che si applica bene al suo pensiero) si indica la teoria secondo la quale ogni discorso su Dio può essere fatto solo per via negativa (*Deus melius scitur nesciendo*), ossia affermando non ciò che Egli è, ma ciò che Egli *non* è (ovvero le realtà finite del mondo).

▶

■ **Emanazione** Per "emanazione", o "irradiazione", o "processione", si intende il processo meta-temporale tramite cui dall'Uno scaturiscono necessariamente i molti, attraverso una serie di gradi d'essere ontologicamente sempre meno perfetti mano a mano che ci si allontana dal principio iniziale. In virtù di queste caratteristiche, l'idea di emanazione (che Plotino presenta in modo più metaforico-allusivo che concettuale-filosofico) manifesta una propria originalità nei confronti delle teorie dualistiche, creazionistiche e panteistiche (v. par. "Dall'Uno ai molti", p. 452).

■ **Ipostasi** Per "ipostasi" (in gr. *hypóstasis*, "sostanza", da *hypó*, "sotto", e *stásis*, "stare") si intendono le tre realtà sostanziali divine che formano il mondo intelligibile: l'Uno (v.), l'Intelletto (v.) e l'Anima (v.). Ogni ipostasi deriva da quella precedente mediante un atto di contemplazione e rappresenta l'esplicazione, a un livello ontologico inferiore, di qualche sua caratteristica o potenza.

■ **Intelletto** L'Intelletto (o lo Spirito, come qualcuno traduce) è la seconda ipostasi. Esso nasce da un atto di contemplazione dell'Uno, ma, rispetto all'assoluta semplicità dell'Uno, sottintende già uno sdoppiamento tra soggetto pensante e oggetto pensato. L'attività propria dell'Intelletto è il pensare, mentre l'oggetto del suo pensiero è tutto il pensabile, ossia il mondo platonico delle idee. Per cui, se l'Uno è la potenza delle cose, l'Intelletto è l'esplicazione, su di un piano ideale, di tutte le forme primordiali dell'essere.

■ **Anima** L'Anima è la terza ipostasi. Da un lato l'Anima guarda all'Intelletto e alle idee, e, tramite queste, all'Uno. Dall'altro lato guarda al corpo che da essa emana, plasmandolo e ordinandolo mediante le idee (intese non solo come modelli delle cose, ma anche come forze dinamiche e vivificatrici). Da questo punto di vista l'Anima si configura come Anima del mondo e come Provvidenza (v.). In virtù di queste sue caratteristiche essa risponde all'esigenza di una mediazione tra intelligibile e sensibile, e rappresenta il principio da cui, attraverso un processo d'individuazione (in parte "necessario" e in parte "colposo") derivano le anime particolari.

■ **Provvidenza** Con la nozione di "Provvidenza" Plotino non indica un'azione divina consapevole e intenzionale, «bensì solo l'ordine che, automaticamente, si stabilisce ai livelli inferiori, per il fatto stesso che essi riproducono a loro modo l'unità dei livelli superiori e ne sono l'immagine, in forma sempre più dispersa» (V. Mathieu).

■ **Materia** La materia per Plotino non è una realtà sostanziale, ma una "x" indeterminata e indefinita che rappresenta il limite estremo dell'emanazione cosmica. Come tale, la materia è l'oscurità che comincia là dove termina la luce dell'intelligibile, cioè la negatività pura che si trova agli antipodi dell'Uno. Infatti, se quest'ultimo è ineffabile per eccesso di potenza, la materia risulta impredicabile per difetto di determinazioni. Per questi suoi caratteri, la materia è "non essere", dove con questo termine si intende non l'opposto dell'essere, ma la sua assenza o privazione. La concezione plotiniana della materia, comunque, è ben lungi dall'essere univoca e priva di aporie. Innanzitutto, accanto alla materia sensibile, Plotino pone anche una materia "intelligibile", che funge da sostrato delle varie ipostasi. In secondo luogo, egli sembra oscillare tra una visione della materia come *privazione* di forma e di essere e una visione della materia come *opposizione* originaria alla forma, cioè come entità avente una propria specifica consistenza (in questo secondo caso, Plotino finirebbe per approdare, al di là del monismo, a un nuovo tipo di dualismo).

■ **Male** Plotino tende a riportare il male alla materia (*Enn.*, I, 8, 5), che, essendo privazione di essere, risulta nel contempo privazione di bene. Tuttavia, come dall'Uno-Bene possa scaturire, a un certo punto, il male, è qualcosa che la metafisica teologica di Plotino non riesce a spiegare in maniera convincente: «A che cosa è imputabile la presenza del male nell'universo, Plotino non sa né può dirlo. La sua teologia si arresta a questo punto là dove si arrestano tutte le teologie fondate su una prospettiva rigorosamente monistica: il male che non è principio e che non può derivare dal supremo principio, ch'è nella sua essenza Bene, resta in realtà senza spiegazione causale, oscuro nella sua origine» (M. Isnardi Parente).

■ **Ritorno all'Uno** Le vie del ritorno all'Uno sono le tappe che l'uomo, intraprendendo alla rovescia il cammino dell'emanazione, deve percorrere per ricongiungersi nuovamente con l'Assoluto. Tali vie trovano la loro condizione preliminare nelle virtù civili, o etiche (tramite le quali l'anima si libera dalla dipendenza nei confronti dei sensi e del corpo), e si concretizzano da un lato nell'arte e nell'amore (che dalla bellezza sensibile si elevano a quella intelligibile) e dall'altro nella filosofia, o dialettica (che studia l'intelligibile). Tuttavia, poiché all'Uno non si può arrivare tramite la pura conoscenza intellettuale, che risulta condizionata dal dualismo tra soggetto pensante e oggetto pensato, occorre un passo ulteriore, rappresentato dall'estasi (v.).

■ **Estasi** Con il termine "estasi" (in gr. *ék-stasis*, "stare fuori da") Plotino indica la tappa suprema del ritorno al-

▶

l'Uno: essa si identifica con l'"uscita" dell'uomo da sé, in direzione di una sovrarazionale immedesimazione dell'anima con Dio.

■ **Misticismo** La filosofia, in Plotino, mette capo al "misticismo" (dal gr. *mýstikós*, "mistico", "degli iniziati", da *mýstes*, "iniziato"), ossia all'ideale di un contatto immediato o diretto con Dio. Ovviamente, tale misticismo non rappresenta la negazione della ricerca razionale, ma il suo consapevole culmine.

## *Indicazioni bibliografiche*

**OPERE SUL NEOPLATONISMO**
■ R. Mondolfo, D. Pesce (a cura di), *Il pensiero neoplatonico*, La Nuova Italia, Firenze 1970 ■ W. Beierwaltes, *Pensare l'uno*, Vita e Pensiero, Milano 1992[2] ■ W. Beierwaltes, *Agostino e il neoplatonismo cristiano*, Vita e Pensiero, Milano 1995 ■ G. Dal Masso, *La verità in effetti*, Jaca Book, Milano 1996.

**OPERE DI PLOTINO**
■ V. Cilento (a cura di), *Enneadi*, Bibliopolis, Napoli 1986 ■ G. Faggin (a cura di), *Enneadi*, Rusconi, Milano 1992 ■ M. Casaglia, C. Guidelli, A. Linguiti, F. Moriani (a cura di), *Enneadi*, UTET, Torino 1997.

**OPERE SU PLOTINO**
■ A. Magris, *Invito al pensiero di Plotino*, Mursia, Milano 1986 ■ W. Beierwaltes, *Platonismo e idealismo*, Il Mulino, Bologna 1987 ■ V. Mathieu, *Perché leggere Plotino*, Rusconi, Milano 1992 ■ W. Beierwaltes, *Plotino*, Vita e Pensiero, Milano 1993[2] ■ G. Faggin, *Plotino*, Asram Vidya, Roma 1993 ■ P. Prini, *Plotino e la fondazione dell'umanesimo interiore*, Vita e Pensiero, Milano 1993[4] ■ V. Verra, *Dialettica e filosofia in Plotino*, Vita e Pensiero, Milano 1993[3] ■ M. Isnardi Parente, *Introduzione a Plotino*, Laterza, Roma-Bari 1994[3] ■ W. Beierwaltes, *Autoconoscenza ed esperienza dell'unità. Plotino, Enneade. Libro V, 3*, Vita e Pensiero, Milano 1995 ■ W. Beierwaltes, *Eternità e tempo. Plotino, Enneade. Libro III, 7*, Vita e Pensiero, Milano 1995 ■ M.L. Gatti, *Plotino e la metafisica della contemplazione*, Vita e Pensiero, Milano 1996[2] ■ M. Andolfo, *L'ipostasi della "Psyche" in Plotino*, Vita e Pensiero, Milano 1996 ■ P. Hadot, *Plotino o la semplicità dello sguardo*, Einaudi, Torino 1999.

# VERIFICA

## UNITÀ 5 Le filosofie ellenistiche e il neoplatonismo

## Politica, società e cultura nell'età ellenistica (Capitolo 1)

**1** Che cosa si intende per "età ellenistica"?

**2** Quali sono le tendenze della nuova cultura ellenistica?

**3** Perché Alessandria d'Egitto può essere considerata un esempio significativo della nuova situazione politico-socio-culturale?

**4** La civiltà ellenistica si caratterizza per la separazione della scienza da alcuni ambiti ai quali fino ad allora era stata generalmente associata. Completa la tabella riportata in basso mettendo in evidenza le motivazioni principali di questo fenomeno.

**5** Alla luce di quanto appreso riguardo all'età ellenistica, indica se le seguenti affermazioni sono vere o false.

a) La Grecia perde il suo ruolo di culla della cultura e, soprattutto, della filosofia ⬚V ⬚F

b) Diminuisce l'importanza della metafisica ⬚V ⬚F

c) Viene potenziata la ricerca sull'etica e sull'uomo ⬚V ⬚F

d) Gli interrogativi esistenziali diventano dominanti ⬚V ⬚F

e) Permane l'interesse per la politica ⬚V ⬚F

f) La filosofia risponde alle inquietudini dell'uomo ⬚V ⬚F

g) La filosofia è considerata terapia mentale ed esistenziale ⬚V ⬚F

h) L'obiettivo delle scuole ellenistiche è quello di fornire le capacità per affrontare la nuova situazione politica e diventare abili dirigenti ⬚V ⬚F

**6** Spiega in che cosa consistono le seguenti tendenze delle scuole filosofiche ellenistiche:

a) orientalismo: ...................................................................
..........................................................................................

b) cosmopolitismo: ...........................................................
..........................................................................................

**7** Tre sono gli indirizzi fondamentali della filosofia del periodo ellenistico: quali?

**8** Che cosa si intende per "eclettismo"?

**9** Qual è l'orientamento dell'ultima filosofia greca?

| SEPARAZIONE TRA... | MOTIVAZIONI |
|---|---|
| Scienza e filosofia | ......................................................................<br>...................................................................... |
| Scienza e tecnica | Sul piano socio-economico:<br>......................................................................<br>......................................................................<br>Sul piano filosofico-culturale:<br>......................................................................<br>......................................................................<br>...................................................................... |
| Scienza e società | ......................................................................<br>...................................................................... |

◀ TABELLA ES. 4

## Lo stoicismo (Capitolo 2)

**10** Per lo stoicismo la filosofia è "esercizio di virtù" e ha come scopo il raggiungimento della sapienza. A ogni virtù gli stoici fanno corrispondere una parte della filosofia. Visualizza questa ripartizione completando la tabella riportata in basso.

**11** Il termine "logica" è adoperato per la prima volta dagli stoici: quale particolare dottrina essi intendono indicare con tale espressione?

**12** Quale origine ha, per gli stoici, la conoscenza umana?

**13** Che cos'è l'«anticipazione»?

**14** Per gli stoici il concetto è un «segno» all'interno del quale bisogna distinguere tre elementi: quali?

**15** Che cos'è il «ragionamento anapodittico»? Dopo averne dato la definizione, forniscine un esempio e indica in che cosa si distingue dal sillogismo aristotelico.

**16** In che senso gli stoici distinguono la «concludenza» di un ragionamento dalla sua «verità»?

**17** Qual è il concetto fondamentale che sostiene il rigoroso panteismo degli stoici?

**18** Alle quattro cause aristoteliche, gli stoici sostituiscono due principi: quali?

**19** Tra le affermazioni riportate di seguito, scegli quelle che nell'ottica della filosofia stoica risultano corrette. (3 risposte esatte)
- [a] la dottrina stoica è una forma di materialismo
- [b] l'anima è una sostanza incorporea
- [c] l'anima è principio d'azione del corpo
- [d] tra le sostanze incorporee troviamo il significato, il vuoto, il luogo, il tempo
- [e] tra le sostanze incorporee è compreso Dio

**20** Secondo gli stoici il mondo ha un suo ciclo: completa la schematizzazione grafica a fondo pagina e illustrala scrivendo un breve testo.

**21** Perché l'etica stoica viene definita come un'"etica del dovere"?

**22** L'espressione "sopportare stoicamente" è ormai entrata nell'uso popolare. Spiega:
a) che cosa significa dal punto di vista filosofico;
b) quali sono le ragioni del suo "successo".

**23** Secondo Cicerone, in che cosa consiste il criterio di verità?

**24** Nella tabella riportata nella pagina a fianco sono leggibili, in ordine sparso, alcune affermazioni di Seneca, Epitteto e Marco Aurelio: per ognuna di esse, indica a quale dei tre autori appartiene.

TABELLA ▶
ES. 10

| VIRTÙ | PARTE DELLA FILOSOFIA |
|---|---|
| naturale | ................................................................... |
| ................................................................... | etica |
| ................................................................... | ................................................................... |

FIGURA ▶
ES. 20

 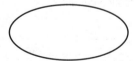 

............................................ ............................................ ............................................

# L'epicureismo (Capitolo 3)

**25** Indica se, secondo le convinzioni filosofiche epicuree, le seguenti affermazioni sono vere o false.

a) La filosofia è la via per la verità ☐V ☐F

b) Il valore della filosofia è essenzialmente speculativo ☐V ☐F

c) Il fine della filosofia è la prudenza ☐V ☐F

d) La filosofia è mezzo di liberazione da ogni desiderio ☐V ☐F

e) La scienza ha lo stesso fine della filosofia ☐V ☐F

**26** Leggi il brano riportato di seguito e poi rispondi alle domande.

> Se non fossimo turbati dal pensiero delle cose celesti e della morte e dal non conoscere i limiti dei dolori e dei desideri, non avremmo bisogno della scienza della natura. (*Massime capitali*, 11)

a) Quali sono i pensieri che turbano l'uomo?

b) Che cosa può aiutare l'uomo a superare le sue paure?

c) In che senso la filosofia è un farmaco?

d) Come aiuta la filosofia a superare i turbamenti che affliggono gli uomini?

**27** Qual è l'oggetto della «canonica» epicurea?

**28** Elenca i tre elementi che per Epicuro costituiscono il criterio della verità e spiega in che cosa consistono.

**29** La fisica epicurea è:

a) *materialistica*, in quanto .......................................

b) *meccanicistica*, in quanto .......................................

**30** Epicuro afferma che "tutto è corpo": come giustifica tale asserzione?

**31** In base a quali caratteristiche possono essere descritti gli atomi?

**32** Che cos'è l'anima per Epicuro?

**33** Definisci i seguenti termini:

a) *aponia*: .................................................

b) *atarassia*: .................................................

**34** Che cosa rappresenta il piacere per Epicuro?

**35** Riassumi la teoria dei bisogni completando lo schema seguente.

bisogni
naturali ..............
.............. ..............

**36** Alla luce di quanto appreso riguardo all'etica epicurea, scegli quali tra le seguenti affermazioni risultano corrette. (4 risposte esatte)

a) la dottrina epicurea esalta l'amicizia

b) l'amicizia nasce dall'utile

c) l'amicizia non è un bene per sé

d) è bene ciò che è sempre accompagnato dalla fortuna

e) per il saggio è meglio fare il bene che riceverlo

f) regolarsi sempre su ciò che è utile è da saggi e produce benessere

g) è bene che il saggio si dedichi alla politica

h) è cosa buona che la vita degli uomini sia regolata dalle leggi

| AFFERMAZIONE | AUTORE |
|---|---|
| La filosofia insegna a fare, non a dire. | .......................................... |
| Guarda dentro di te: dentro di te è la fonte del bene. | .......................................... |
| La divinità ti sta vicino, è con te, è dentro di te. | .......................................... |
| Essa (la natura) c'ispirò l'amore reciproco e ci fece socievoli. | .......................................... |
| Il corpo è prigione e tomba dell'anima. | .......................................... |
| Sopporta e astieniti. | .......................................... |
| La realtà è come un fiume che scorre perennemente. | .......................................... |
| Il saggio è l'educatore del genere umano. | .......................................... |

◀ TABELLA ES. 24

## Lo scetticismo (Capitolo 4)

**37** In che cosa consiste l'originalità dello scetticismo rispetto alle altre scuole filosofiche dell'ellenismo?

**38** Secondo la filosofia scettica, come si può raggiungere la quiete dello spirito?

**39** In riferimento al pensiero di Pirrone, indica se le seguenti affermazioni sono vere o false.

a) Il buono, il bello, il vero e i loro contrari sono tali relativamente e per convenzione ☐V ☐F

b) Prima di agire occorre valutare e giudicare ogni cosa ☐V ☐F

c) La realtà è conoscibile ☐V ☐F

**40** Che cosa si intende con il termine *epoché*?

**41** La media Accademia prende le mosse dal platonismo: da quale insegnamento in particolare?

**42** Nell'opera *Contro i matematici* Sesto Empirico confuta le principali dottrine degli antichi filosofi. Completa la tabella riportata di seguito indicando i punti salienti di tali confutazioni.

| critica della deduzione e dell'induzione |
|---|
| ............................................................................. |
| ............................................................................. |

| critica del concetto di causa |
|---|
| ............................................................................. |
| ............................................................................. |

| critica della teologia stoica |
|---|
| ............................................................................. |
| ............................................................................. |

## Il neoplatonismo (Capitolo 5)

**43** Il neoplatonismo costituisce un momento di sintesi tra vari elementi di dottrine filosofiche precedenti: quali?

**44** Quale rapporto intercorre, secondo Plotino, tra l'unità e la molteplicità?

**45** Quali sono gli attributi dell'Uno secondo Plotino?

**46** Che cosa si intende per "teologia negativa"?

**47** Completa la tabella riportata a fondo pagina indicando i tratti per i quali l'emanazionismo plotiniano si differenzia rispetto alle prospettive teologiche indicate.

**48** Che cosa sono le ipostasi e come si rapportano l'una con l'altra?

**49** In riferimento alla teoria plotiniana, completa lo schema riportato nella pagina a fianco.

**50** Che cosa pensa l'Intelletto plotiniano?

**51** Che rapporti sussistono tra l'Anima del mondo e le singole anime?

TABELLA ▶
ES. 47

| DUALISMO (PLATONE E ARISTOTELE) | EMANAZIONISMO |
|---|---|
| Il mondo non deriva da Dio, ma esiste di per sé e Dio si limita a dargli ordine e forma. | ........................................ ........................................ |
| **CREAZIONISMO (CRISTIANESIMO)** | **EMANAZIONISMO** |
| Dio crea il mondo liberamente e consapevolmente. | ........................................ ........................................ |
| **PANTEISMO (STOICISMO)** | **EMANAZIONISMO** |
| Dio è dentro il mondo e si identifica con il Principio fisico dell'universo. | ........................................ ........................................ |

**52** Quale di questi termini ti sembra il più appropriato per definire il motivo che spinge l'anima a ritornare all'Uno?

- a) nostalgia
- b) rimpianto
- c) mancanza
- d) desiderio

**53** Nel processo di emanazione Proclo distingue tre momenti:

a) il .......................... immutabile della causa in se stessa

b) il ........................................... da essa dell'essere derivato

c) il ........................ o la ........................ dell'essere derivato alla causa da cui ha avuto origine.

◄ SCHEMA ES. 49

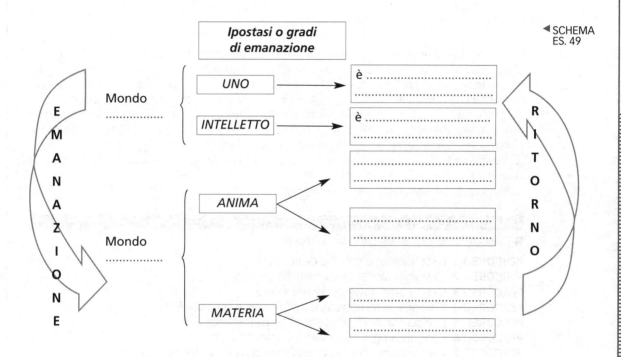

**Ipostasi o gradi di emanazione**

EMANAZIONE

Mondo ................

UNO → è ............................................... ...............................................

INTELLETTO → è ............................................... ...............................................

Mondo ................

ANIMA

MATERIA

RITORNO

## RIFLETTI E CONFRONTA

**Trattazione sintetica di argomenti (15-20 righe per ogni risposta)**

■ Delinea le caratteristiche principali della civiltà ellenistica tenendo conto come traccia di lavoro dei seguenti fattori: civiltà universalistica; nuova situazione politica; differenza tra suddito e cittadino; nuovi indirizzi economici.

■ Traccia un "identikit" dell'uomo saggio e felice proposto dalle filosofie ellenistiche, considerando in particolare i seguenti concetti: bene; virtù; realizzazione di sé; scelte; valore; vizio; emozioni.

■ È invalso nell'uso popolare l'epiteto di "epicureo" per indicare chi sa godersi la vita perseguendo tutti i piaceri possibili. Mostra quanto sia fuorviante un'interpretazione del genere e cerca di spiegare perché si sia formata.

■ Il rapporto tra Dio e l'uomo è giudicato in modo antitetico da Epicuro e da Plotino. Rileva quali sono i cardini maggiori di queste due concezioni, anche in riferimento alla loro collocazione storico-culturale, e formula un tuo personale giudizio sulle risoluzioni adottate dalle due scuole.

#  ERCORSI ANTOLOGICI

## UNITÀ 5 Le filosofie ellenistiche e il neoplatonismo

In questa sezione antologica sono raggruppati alcuni testi che consentono di cogliere i capisaldi della filosofia ellenistica. Il percorso prende avvio dallo stoicismo – di cui vengono presentate la dottrina logica, quella fisica e quella morale, nonché l'elaborazione propostane dai pensatori romani dell'età imperiale –, per poi snodarsi attraverso l'esposizione delle principali tesi di Epicuro – anch'esse declinate nei tre ambiti della conoscenza, della concezione del mondo e dell'etica –. Infine viene presentata la riflessione di Plotino, il quale riprende l'impostazione platonica ponendo l'accento sull'unità perfetta dalla quale tutto deriva e sottolineando come la sola via di salvezza per l'uomo consista in un percorso di ascesa verso la dimensione divina da cui ha tratto origine.

Ecco quindi i contenuti della sezione antologica:

## INCONTRO CON...

### ■ Epicuro: la centralità della riflessione morale

**Da cittadini a sudditi** Gli avvenimenti che seguono la campagna militare di Alessandro contro l'Impero persiano e che danno origine a quel periodo storico e culturale chiamato "ellenismo" segnano un profondo sconvolgimento nella vita del cittadino greco, il quale vede tramontare l'organizzazione politica che aveva accompagnato la sua quotidianità: la *pólis*. Egli si trova così privato della possibilità di un'autonoma iniziativa politica e trasformato in suddito, con la possibilità di svolgere un'attività pubblica solo come esecutore di direttive provenienti dai ristretti ambiti della corte.

**La nuova centralità dell'etica** In una tale situazione è la dimensione privata dell'esistenza ad assumere un'importanza sempre maggiore e a suscitare una serie di interrogativi ai quali la riflessione delle grandi scuole filosofiche di questo periodo cerca di dare una risposta. L'arditezza della filosofia greca, che si era impegnata a indagare i problemi del cosmo e dell'essere umano, a ricercare i fondamenti della conoscenza, a proporre visioni del mondo sempre nuove, acquista ora una modulazione differente, che ha il proprio punto focale nella riflessione etica.

**Filosofia e salute dell'anima** La convinzione che la ricerca razionale debba avere come punto di approdo la serenità dell'animo accomuna le principali correnti di pensiero dell'età ellenistica (stoicismo, epicureismo e scetticismo): essa si conferma nella filosofia romana ed è al centro della riflessione neoplatonica di Plotino, il quale ancora nel III secolo d.C. indaga la complessa articolazione della realtà, allo scopo di indicare all'uomo il modo di purificarsi, liberandosi dagli affanni terreni, in vista del proprio ricongiungimento con il principio unitario dal quale tutto deriva. L'affermazione di Epicuro secondo cui «vano è il discorso di quel filosofo dal quale nessuna passione umana è curata» (*Massime*, 221 Usener) può essere assunta come emblematica di questo nuovo orientamento filosofico, che non tralascia affatto l'indagine sulla fisica o sulla dottrina della conoscenza, ma la orienta verso la saggezza pratica, nella convinzione che la filosofia debba prendersi cura della "salute" dell'anima: «come infatti non deriva alcuna utilità da una medicina se non cura le malattie dei corpi, così nemmeno dalla filosofia se non scaccia le passioni dell'anima» (*ibidem*).

**La *Lettera a Meneceo*** Il passo che segue è tratto dalla *Lettera a Meneceo* di Epicuro, uno scritto volto a individuare quei valori che devono guidare l'agire dell'uomo e che soli permettono l'acquisizione di un comportamento virtuoso. Si tratta di una sorta di "programma" filosofico diretto a tutti coloro che sono interessati al tema della propria formazione spirituale: dopo un'esortazione alla filosofia («né il giovane indugi a filosofare, né il vecchio di filosofare sia stanco»), Epicuro prosegue con l'indicazione di quei principi teorici che sono in grado di vincere i più comuni pregiudizi umani sulla natura, sugli dei e sull'esistenza umana, per giungere a proporre un ideale di vita felice caratterizzato dalla tranquillità dell'animo e dall'autosufficienza tipica del saggio. La lettera si conclude con un richiamo alla ragione, che sola consente all'uomo, che pure vive tra cose mortali, per loro natura incerte e provvisorie, di condurre un'esistenza "divina", cioè priva di preoccupazioni.

**La prudenza** Della *Lettera a Meneceo* viene proposta la parte finale, nella quale si dà una definizione della prudenza come principio ispiratore di ogni agire virtuoso. Proprio in forza della sua funzionalità pratica, la prudenza viene proclamata «anche più apprezzabile della filosofia», e in queste parole di Epicuro si può cogliere in tutta la sua forza il nuovo accento che la filosofia viene ad assumere nell'età ellenistica.

---

Poiché non banchetti e feste continue, né il godersi fanciulli e donne, né pesci e tutto quanto offre una lauta mensa dà vita felice, ma saggio calcolo che indaghi le cause di ogni atto di scelta e di rifiuto, che scacci le false opinioni dalle quali nasce quel grande turbamento che prende le anime. ▼A

**La vera felicità**

Di tutte queste cose il principio e il massimo bene è la prudenza; per questo anche più apprezzabile della filosofia è la prudenza, dalla quale provengono tutte le altre virtù, che insegna come non vi può essere vita felice senza che essa sia saggia e bella e giusta, né saggia, bella e giusta senza che sia felice. Le virtù sono infatti connaturate alla vita felice, e questa è inseparabile da esse. ▼B

**Il ruolo della ragione nella scelta dei piaceri: la prudenza**

---

# CHIAVI DI LETTURA

►A Consapevole di come l'importanza che la sua dottrina accorda al piacere possa portare a un travisamento di essa in chiave edonistica, Epicuro sottolinea che non può definirsi "saggia" una vita dedita ai piaceri mondani, essendo piuttosto necessario valutare con attenzione e di volta in volta la natura dei vari piaceri da perseguire.

►B La «prudenza» viene esaltata in quanto, tra tutte le virtù, essa è la più elevata, in grado di guidare in modo razionale l'uomo nel calcolo dei piaceri e di condurlo così a quella tranquillità dell'animo che sola rende la vita pienamente felice. Epicuro giunge ad affermare la preminenza della prudenza sulla ragione, ma questo non implica in alcun modo una svalutazione della ragione stessa, perché senza di essa non è possibile conseguire una vita felice, cioè «saggia e bella e giusta».

**La ricerca interiore per una vita "divina"**

Poiché chi stimi tu migliore di colui che riguardo agli dèi ha opinioni reverenti, e nei confronti della morte è assolutamente intrepido, ed è consapevole di che cosa è il bene secondo natura, ed ha salda conoscenza che il limite dei beni è facilmente raggiungibile e agevole a procacciarsi, il limite estremo dei mali invece o è breve nel tempo o lieve nelle pene? [...] ▼C Tutte queste cose e ciò che ad esse è congenere medita giorno e notte in te stesso, e con chi a te è simile, e mai, sia desto che nel sonno, avrai turbamento, ma vivrai invece come un dio fra gli uomini. Poiché non è in niente simile a un mortale un uomo che viva fra beni immortali. ▼D

(Epicuro, *Lettera a Meneceo*, 132-133 e 135, trad. it. di G. Arrighetti, in *Opere*, Einaudi, Torino 1970, pp. 65-66)

▶C Fare della ragione la guida della propria quotidianità vuol dire scegliere non la mera *sopravvivenza* su una sorta di zattera di salvataggio, ma la *vita* nel suo significato più autentico: il conseguimento della felicità, infatti, è strettamente connesso alla capacità dell'individuo di rispondere alle domande intorno agli dei, alla morte e alla natura del bene e del male.

▶D La meditazione in se stessi e il confronto con i propri simili costituiscono il momento centrale della proposta etica epicurea: il fine della riflessione filosofica non è più quello di migliorare la vita nella *pólis*, ma quello di far nascere piccole comunità di saggi, luoghi privilegiati in cui il vivere in comune permetta di raggiungere la felicità. Quest'ultima consiste nella tranquillità dell'animo, cioè in quell'assenza di turbamento che gli epicurei indicano con il termine "atarassia" e che sola consente all'uomo di raggiungere una condizione "divina", facendo propri quei beni che non possono essergli sottratti dalle mutevoli condizioni della vita e accedendo a quei piaceri naturali che sono sempre alla portata della sua esperienza.

## PERCORSO 1

> « *Zenone, mostrando la mano aperta con le dita tese, diceva: «la rappresentazione è così». Poi, contraendo un poco le dita: «l'assenso è così». Stretta poi la mano a pugno, diceva: «questa è la comprensione».* »
>
> (Zenone, *Logica*)

### ■ Lo stoicismo: la dottrina della conoscenza

Il pensiero elaborato dalla scuola stoica, che si sviluppò con grande vigore dalla fine del IV secolo a.C. fino al III secolo dell'età cristiana, non presenta le caratteristiche di una dottrina immutabile, data una volta per tutte. Nel Portico di Zenone, infatti, fu sempre incoraggiata la discussione, anche sulle tesi del maestro, e questo questo rese possibile, pur in un contesto caratterizzato da una comune ispirazione, un continuo impegno di ripensamento e approfondimento. Così, se da un lato è abbastanza agevole distinguere il pensiero dell'antica *Stoá* (rintracciabile negli scritti di Zenone, Cleante e Crisippo) da quello del neostoicismo romano, dall'altro non è altrettanto facile ricostruire con precisione la filosofia del solo Zenone, perché di lui ci restano pochissimi testi e perché coloro che ci tramandano le dottrine stoiche, siano essi semplici dossografi o originali interpreti, riportano il pensiero della scuola senza distinguere tra i vari autori. Essi, inoltre, fanno perlopiù riferimento alle innumerevoli opere di Crisippo, che, scritte con una raffinata abilità compositiva, oscurarono tutta la produzione dei suoi predecessori.

Per questo motivo l'esposizione dei testi della scuola stoica in questa sezione antologica, che segue la tripartizione della filosofia in logica, fisica ed etica, non distingue in modo preciso l'apporto dato da ciascuno dei differenti pensatori, ma mira a fornire un quadro di insieme delle tesi proposte. Per la scelta dei brani si è fatto prevalente riferimento all'opera in due volumi intitolata *Stoici antichi* e curata da Margherita Isnardi Parente, che rappresenta la più completa fonte di informazioni in lingua italiana sullo stoicismo.

Questo primo percorso è dedicato alla logica, o dottrina della conoscenza, che per lo stoicismo ha il compito di individuare il criterio di verità a partire dal quale è possibile fondare anche la riflessione morale. Secondo la testimonianza di Diogene Laerzio, gli stoici paragonavano la filosofia a un essere vivente e facevano corrispondere la logica «alle ossa e ai nervi», ovvero a ciò che sostiene e collega l'intero organismo. Il punto di partenza dell'intero processo conoscitivo, come si legge nel primo dei testi presentati, è dato dalla sensazione, intesa come impressione esercitata dagli oggetti esterni sui nostri sensi. L'attenzione ai dati materiali della conoscenza non porta a mettere in secondo piano il ruolo della ragione, la quale, come emerge dal secondo dei brani proposti, ha il compito di dare o meno il proprio assenso a quanto presentato dai sensi e di vagliare le circostanze che possono alterare la percezione sensibile.

### T 1　LA CONOSCENZA TRAE ORIGINE DALLA SENSIBILITÀ

La teoria della conoscenza elaborata dallo stoicismo ha un impianto di tipo empiristico, in quanto è fondata sulle «sensazioni», che lasciano sui nostri organi di senso un'impressione analoga a quella lasciata dalla scrittura su una pergamena o da un sigillo su una tavoletta di cera. L'impressione che gli oggetti producono viene poi trasmessa all'anima, nella quale si genera la «rappresentazione», ovvero una sorta di immagine che permane anche quando gli oggetti non sollecitano più direttamente, o attualmente, gli organi di senso, dando così origine al «ricordo». A partire da questa operazione iniziale si sviluppa tutto il successivo processo cognitivo: sul ricordo di esperienze passate si fonda, infatti, la nostra capacità di affrontare l'esperienza futura; inoltre, è proprio a partire dal ricordo che si costruiscono i «concetti», che gli stoici intendono come «anticipazioni» delle cose, ovvero come le immagini di queste richiamate in anticipo nella nostra mente.

Ricorrendo a questo meccanismo gli stoici spiegano dunque come si formino in noi tutta una serie di «nozioni comuni» (i concetti, appunto, o gli "universali") e di schemi logici, che rendono possibile l'elaborazione di ragionamenti sempre più complessi: si tratta di abilità che l'uomo acquista con il tempo e che lo caratterizzano come "essere ragionevole", differenziandolo dagli animali, che, pur avendo le sensazioni, non riescono a elaborarle razionalmente.

**Sensazione ed esperienza**

Dicono gli stoici che alla nascita dell'essere umano la parte direttiva della sua anima è come una pergamena ben disposta ad essere impressa dalla scrittura, e in essa viene segnata di volta in volta ogni nozione [...]. La prima forma di tale scrittura è la sensazione [...]. ▼A

Una volta che si è avvertita una cosa sensibilmente, per esempio di colore bianco, finita che sia la presenza dell'oggetto, se ne ha il ricordo; quando sopravvengono più ricordi dello stesso genere, si ha l'esperienza; questa è infatti una moltitudine di esperienze simili [...]. ▼B

Delle nozioni alcune sopravvengono spontaneamente e naturalmente, nei modi anzidetti, ma altre si formano per via di insegnamento e speciale cura; queste si chiamano solo nozioni, mentre quelle son dette anche anticipazioni [...]. ▼C

**La capacità di ragionare**

Quella capacità di ragionare in virtù della quale siamo detti per l'appunto esseri ragionevoli, dicono che si forma in noi in base alle anticipazioni e giunge a perfezione intorno all'età di sette anni. ▼D

Il pensiero è un'immagine razionale propria dell'essere vivente ragionevole; l'immagine, quando incide nell'anima razionale, assume il nome di pensiero, nome che desume dall'intelletto [...]. Perciò le immagini che si formano negli animali irragionevoli non sono veramente altro che immagini, quelle che si formano in noi o negli dèi sono immagini quanto a genere, pensieri quanto a specie, così come i denari e gli stateri[1] sono denari e stateri conside-

1 Antiche monete greche.

# CHIAVI DI LETTURA

▶A La ragione, o mente, è definita come la «parte direttiva dell'anima» – quest'ultima, infatti, per gli stoici «presenta otto parti: la principale o ragione, i cinque sensi, l'organo della voce e quello della generazione» (Stobeo, *Eclogae*, I, 33) – ed è paragonata a una pergamena sulla quale (al momento della nascita) non si trova impresso alcunché, in quanto tutta la nostra conoscenza deriva dall'esperienza: in altre parole, non esistono in noi nozioni "innate", quali, invece, erano ad esempio le idee platoniche.

▶B La centralità data alla sensazione è strettamente collegata alla concezione che gli stoici hanno della realtà, che considerano costituita da enti corporei e individuali: la conoscenza è quindi sempre rivolta a realtà particolari e i concetti universali hanno valore solo in quanto "funzioni" del discorso. L'affermazione che l'esperienza nasce dal «ricordo» o, meglio, da più ricordi,

o da una moltitudine di esperienze simili, porta con sé un'idea dinamica della conoscenza, che si costituisce e si rafforza a partire dall'accumularsi dei dati e che è soggetta a una continua verifica empirica.

▶C La distinzione tra «anticipazioni», che derivano dall'esperienza, e un particolare tipo di «nozioni», che si formano attraverso l'insegnamento, serve a sottolineare come la conoscenza abbia un aspetto anche attivo, in quanto richiede lo sforzo di collegare tra loro i dati dell'esperienza tramite un apparato logico-concettuale.

▶D La capacità di svolgere ragionamenti logici, che aumenta con l'età, compare secondo gli stoici intorno ai sette anni: non siamo dunque lontani dai dati dell'attuale psicologia, che colloca la "nascita" della logica formale intorno ai 10-11 anni.

rati di per sé, ma possono chiamarsi "nolo" se si diano come compenso per il servizio marittimo. ▼E

(Cleante, *Libri logici*, testimonianza di Aezio, *Placita*, IV, 11, 1-4, in *Stoici antichi*, a cura di M. Isnardi Parente, UTET, Torino 1989, vol. 2, p. 700)

▶E È proprio la capacità di elaborare logicamente i dati delle sensazioni ciò che distingue l'uomo dagli animali, i quali, pur dotati di un apparato sensoriale ricettivo analogo a quello umano, non sono però in grado di sviluppare un discorso razionale. Il paragone finale con le monete (il cui valore dipende dal modo in cui queste vengono utilizzate) evidenzia l'importanza dell'operazione di "astrazione", per così dire, con cui gli uomini trasformano le immagini in pensieri (che, essendo «immagini razionali», sono un particolare tipo di immagini, utilizzabili per il ragionamento), acquisendo in tal modo gli strumenti per allargare il loro campo di azione e per rendere la loro esperienza molto più significativa.

## T2    IL CRITERIO DI VERITÀ: LA RAPPRESENTAZIONE CATALETTICA

Se è vero che riguardo alle sensazioni e alle rappresentazioni l'uomo è "passivo", in quanto non è in suo potere il sottrarsi a esse, è anche vero che gli stoici riconoscono al soggetto un importante momento di "attività", che riguarda l'assenso dato o rifiutato alla rappresentazione stessa. Siamo infatti liberi di prendere posizione di fronte alle immagini che si formano in noi, esprimendo un giudizio su quanto registrato dai nostri organi di senso: è questo il momento della «rappresentazione catalettica», cioè di quella rappresentazione che "afferra" saldamente l'oggetto, in quanto un attento esame delle circostanze che possono alterare l'esattezza della percezione ha fugato ogni dubbio. Un bastone parzialmente immerso nell'acqua, ad esempio, ci appare spezzato; ma tale rappresentazione non otterrà il nostro assenso, a meno che attraverso un'indagine empirica (ad esempio estraendo il bastone dall'acqua) non si verifichi che il bastone è effettivamente spezzato. Solo dopo questa verifica accorderemo il nostro pieno assenso all'immagine che si è formata in noi; in caso diverso, indagheremo sul modo in cui la rifrazione dei raggi luminosi attraverso l'acqua è capace di alterare la nostra percezione degli oggetti immersi in essa. Per questo motivo, secondo la testimonianza del pensatore latino Cicerone, Zenone ritiene che soltanto il sapiente, cioè colui che è capace di vagliare con cura tutte le circostanze nelle quali avviene la sensazione, può essere autenticamente «padrone» della scienza.

**Rappresentazione e credibilità**

Non a tutti i tipi di rappresentazione accordava credibilità Zenone, ma solo a quelle rappresentazioni che in certo modo forniscono un'attestazione di veridicità dell'oggetto rappresentato. ▼A

L'oggetto della visione, essendo percepito di per sé, lo definiva un «comprensibile» [...]; quando la conoscenza dell'oggetto era stata provata e accettata, la chiamava «comprensione», simile all'atto di afferrare qualcosa con le mani; da questa similitudine infatti aveva tratto il

## CHIAVI DI LETTURA

▶A La definizione del criterio della verità è uno dei punti centrali della logica stoica, a proposito del quale sorgono posizioni differenti all'interno della scuola, volte a chiarire la natura dell'assenso che la nostra mente dà alle rappresentazioni e le circostanze che possono modificare la nostra percezione esatta degli oggetti. Secondo Zenone, come si è già detto, la rappresentazione veritativa non implica solo un "sentire", cioè un momento di passività da parte della nostra mente, ma anche un "assentire", in quanto la nostra ragione è libera di prendere posizione di fronte ai dati che colpiscono gli organi di senso.

nome, giacché nessuno prima di lui aveva usato in questo senso tale parola; e in realtà egli, per esporre teorie nuove, si serviva di moltissime parole nuove. ▼B

**Sensazione, comprensione, scienza e opinione**

Ciò che era percepito dai sensi, lo chiamava sensazione; se fosse stato percepito in maniera tale da non poter essere confutato dal ragionamento, lo chiamava scienza, e non-scienza nel caso contrario; in questo rientra l'opinione, che è una forma di conoscenza debole, mista di falsità e di ignoranza [...]. Fra la scienza e la non-scienza poneva la pura e semplice comprensione, quella di cui ho parlato, e non l'annoverava né fra le cose buone né fra le cattive; diceva però che ad essa sola bisogna prestar fede. Quanto al dare fiducia ai sensi, traeva questa convinzione dal fatto che, come ho detto sopra, la comprensione ha appunto per base la conoscenza sensibile [...]. ▼C

**L'esempio della mano**

Zenone questa stessa cosa la rappresentava con gesti. Mostrando all'interlocutore in faccia la mano aperta con le dita tese, diceva: «la rappresentazione è così». Poi, contraendo un poco le dita: «l'assenso è così». Stretta poi la mano a pugno, diceva: «questa è la comprensione» e proprio da questo paragone fu indotto a dare a questa un nome che prima non esisteva, *katálepsis*. ▼D

Accostata poi alla destra la sinistra, e con questa afferrato fortemente e compresso ad arte il pugno chiuso, diceva che quella era la scienza, e che era cosa tale che nessuno, fuorché il sapiente, poteva rendersene padrone. ▼E

(Zenone, *Logica*, testimonianza di Cicerone, *Accademici secondi*, 11, 41-42 e *Accademici primi*, 47, 144, in *Stoici antichi*, cit., vol. 1, pp. 149 e 151-152)

▶B La «comprensione» si ha quando si riconosce l'evidenza oggettiva del dato che proviene dall'esterno, il quale dunque è come "afferrato" (com-*preso*) dalla nostra mente. Si ricordi che per gli stoici la rappresentazione produce una modificazione materiale nella nostra anima e un'immagine che è anch'essa materiale.

▶C A partire dalla comprensione si forma la «scienza», la quale, grazie alla forza dei dati su cui poggia e delle connessioni logiche che istituisce, è un discorso che non può essere confutato. Diverso è il caso dell'opinione, che, potendo essere ancora confermata o smentita, contiene in sé verità ed errore.

▶D L'esempio della mano, che assume posizioni diverse a seconda dei differenti momenti del processo conosci-tivo che intende simboleggiare, mostra la costante attenzione degli stoici a tradurre in immagini concrete i punti centrali della loro filosofia, coerentemente con la stessa impostazione della loro dottrina della conoscenza, che si sviluppa a partire da qualcosa di materiale e specifico: la sensazione. Il termine *katálepsis* significa letteralmente "presa" (dal verbo *katalambáno*, "prendo", "afferro") e secondo Cicerone viene usato per la prima volta da Zenone per indicare la "comprensione", ovvero una "presa concettuale".

▶E La conoscenza scientifica è definita dagli stoici anche come una forma di «comprensione sicura che non può essere rovesciata da argomentazioni di sorta» (Stobeo, *Eclogae*, II): essa è ciò che contraddistingue il sapiente, colui che utilizza rettamente la ragione, o il *lógos*, che è in lui.

## PERCORSO 2

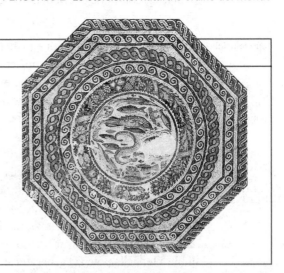

" *È cosmo un complesso organico di cielo e terra, e, nell'ambito di questi, un complesso organico di uomini, dei, e cose generate in virtù di essi.* "
(Zenone)

# ■ Lo stoicismo: natura e ordine del mondo

La fisica stoica presenta, al pari della logica, una serie di elementi che la distinguono nettamente dalla tradizione precedente. Essa si caratterizza, infatti, per una marcata impronta materialistica e monistica che, da un lato, la contrappone sia al dualismo platonico sia all'impostazione aristotelica (fondata sulla chiara distinzione tra forma e materia) e che, dall'altro, la collega ad alcune tematiche del pensiero presofistico (non è un caso che Zenone faccia esplicito riferimento al «fuoco artefice» di cui aveva parlato Eraclito) e alla tradizione della scuola medica, che definiva il corpo come organismo unitario.

Secondo gli stoici, come si può leggere nel primo dei passi proposti, tutta la realtà poggia su due principi che sono tra loro distinguibili, ma al tempo stesso strettamente congiunti e inseparabili, e che danno origine a un universo inteso come un unico grande organismo in cui tutte le parti si armonizzano ed entrano in corrispondenza tra loro e con il Tutto.

Quale conseguenza del ritenere Dio, in quanto principio attivo, inseparabile dalla materia e la materia, a sua volta, necessariamente vivificata dalla forma, deriva l'immagine di Dio come ciò che è in tutto e che coincide con il Tutto, e che quindi si presenta – come emerge dal secondo passo proposto – quale ordine immutabile e razionale che governa tutte le cose. La fisica stoica viene così a specificarsi come un rigoroso panteismo, che reca con sé sia una visione finalistica della natura, sia una concezione provvidenziale degli eventi che via via si succedono in essa, in quanto considerati come il frutto di una ragione che tutto vivifica e orienta. A tale proposito, si legge in una testimonianza di Cicerone che Zenone riteneva la natura «dotata di consiglio e preveggente procuratrice di ogni tipo di utilità e opportunità» (*De natura deorum*, II, 22, 57-58).

## **T 3**     I PRINCIPI DEL MONDO

La testimonianza di Diogene Laerzio mostra come lo stoicismo intenda ricomporre, tramite l'affermazione dell'esistenza di un principio attivo e di un principio passivo del mondo, quella frattura nella concezione del tutto che si era verificata con le filosofie di Platone e di Aristotele, i quali, volendo distinguere tra una realtà eterna e immutabile e il divenire delle cose di cui facciamo esperienza, avevano finito per separare la realtà intelligibile (le idee o il motore immobile) dalla materia.

I due principi proposti dagli stoici sono invece inseparabili, il che equivale a dire che Dio, principio attivo ed eterno, non potrebbe essere perfetto se la materia, principio passivo e radice delle cose, esistesse indipendente-

mente da Lui. Di qui l'affermazione che «una sola cosa è la divinità», che significa che Dio è l'unità inseparabile del principio attivo e di quello passivo, in quanto non c'è attività senza una materia che riceva la sua azione e non c'è materia senza una forma che la determini. Dio è definito dagli stoici come «Anima del mondo», «ragione seminale», *lógos* che si manifesta in semi generativi che sono strutturalmente immanenti alla materia e che le danno vita ed energia. Il cosmo stoico si presenta quindi come la manifestazione di Dio, come un complesso organico in cui non vi è distinzione tra «uomini, dei e cose generate in virtù di essi», il che dà origine a una compiuta e consapevole prospettiva panteistica.

**I due principi**

**1** Intendi: ai pensatori stoici, alcuni dei quali verranno nominati più avanti.

Sembra loro[1] che vi siano due principi del tutto, il principio attivo e quello passivo. Quello passivo è la sostanza senza proprietà, la materia, e quello attivo è la ragione che si trova in essa, la divinità; quest'ultima, che è eterna, scorrendo per la materia foggia tutte le realtà. Sostengono questa dottrina Zenone di Cizio nel *Della sostanza*, Cleante nel *Degli atomi*, Crisippo nella *Fisica*, verso la fine del libro I, Archedemo nel *Degli elementi*, Posidonio nel libro II della *Trattazione fisica*. ▼**A**

Dicono che sono diversi fra loro principi ed elementi: i principi sono ingenerati e indistruttibili, gli elementi si distruggono nella conflagrazione [...]. ▼**B**

**La natura della divinità**

Dicono che una sola cosa è la divinità, il destino, Zeus; anche se viene indicato con molti altri appellativi. ▼**C** Originariamente raccolto in sé, egli ha fatto poi volgere tutta la realtà di aria in acqua; e come nella generazione si effonde il seme, così anche questo, essendo la ragione seminale dell'universo, resta insito con tale facoltà creativa nell'umidità, rendendo la materia simile a lui nella potenza generativa in vista della formazione delle cose; in seguito genera poi i quattro elementi, fuoco, acqua, aria, terra. [...]. ▼**D**

**Il cosmo**

Dicono che "cosmo" si intende in tre modi: come la divinità stessa, che ha la stessa qualità specifica della sostanza universale; è infatti indistruttibile e ingenerato, artigiano dell'ordine del mondo, portato a risolvere totalmente in sé la sua sostanza stessa in determinate fasi e poi a generarla nuovamente da se stesso; tuttavia come cosmo può essere anche inteso l'ordinamento proprio degli astri, e in terzo luogo l'insieme che risulta dall'uno e dall'altro. ▼**E**

**2** Filosofo greco rappresentante del medio stoicismo, vissuto tra il II e il I secolo a.C.

È cosmo ciò che ha le proprietà specifiche della sostanza universale, o, come dice Posidonio[2] negli *Elementi di meteorologia*, un complesso organico di cielo e terra, e, nell'ambito di questi, un complesso organico di uomini, dei, e cose generate in virtù di essi. Il cielo è l'estrema superficie periferica in cui si colloca tutto ciò che è divino. Il cosmo è governato secondo

# Chiavi di lettura

▶**A** La distinzione tra un principio attivo e uno passivo, identificati il primo con la materia e il secondo con ciò che le dà forma e vita, consente di pensare la realtà in modo unitario, perché l'uno è inseparabile dall'altro.

▶**B** Mentre i due principi sono eterni, gli elementi particolari che costituiscono il mondo sono corruttibili: questo significa che il mondo, considerato in sé, ovvero come «cosmo» (di cui si parla in seguito), è eterno, ma ha un suo ciclo vitale per cui, dopo un dato tempo, si avrà una «conflagrazione» e la distruzione di tutte le singole cose, a cui seguirà un nuovo inizio in cui tutto rinascerà esattamente come prima.

▶**C** Definire come unica la divinità vuole dire evidenziare come l'essere di Dio sia un tutt'uno con l'essere del mondo, al punto che tutto, cioè il mondo e i suoi elementi, è Dio: di qui la prospettiva panteistica che anima il pensiero stoico.

▶**D** Il mondo prende forma dal dispiegarsi dell'azione del principio che lo anima, che è come un seme che contiene in sé molti semi, i quali sono i principi che danno vita alle singole cose. Il riferimento alla generazione umana è ricorrente. Leggiamo ad esempio in una testimonianza di Falcidio: «la divinità permea la materia tutta così come per gli organi genitali scorre il seme».

▶**E** Distinguere, nel significato del termine "cosmo" (in greco *kósmos*, che letteralmente significa "ordine"), tra la divinità, l'ordinamento degli astri e queste due cose considerate insieme («l'insieme che risulta dall'uno e dall'altro») ha valore solo nell'ambito del discorso comune, perché, al di là dei diversi modi di descrivere la realtà, essa si presenta come profondamente unitaria. In quanto divino, il cosmo è «indistruttibile e ingenerato», e produce in sé tutte le cose a partire dall'unico principio che lo vivifica, il *lógos*, anche se gli elementi che lo costituiscono hanno un ciclo vitale che prevede, come abbiamo visto, una conflagrazione e una rinascita successiva.

intelletto e provvidenza, come dice Crisippo nel libro V del *Della provvidenza* e Posidonio nel libro XIII del *Degli dei*, poiché l'intelletto lo percorre tutto quanto, così come negli individui l'anima [...]. ▼F

(Zenone, in Diogene Laerzio, *Vite dei filosofi*, VII, 134-136,<br>in *Stoici antichi*, cit., vol. 2, pp. 782-783)

▶F La definizione del cosmo come «complesso organico» evidenzia sia la negazione di qualsiasi distinzione tra il piano della realtà materiale e quello spirituale, sia l'unità profonda che anima il Tutto, unità simile a quella che lega tra loro le diverse parti di un organismo: in questa prospettiva la divinità è una sorta di "proprietà" inseparabile dalla materia, proprio come l'anima è una sorta di "proprietà" inseparabile dal corpo.

## T4  LA PERFEZIONE DEL COSMO

Poiché l'universo è il prodotto dell'azione divina, del *lógos*, tutto in esso è razionale: ne consegue sia l'affermazione della sua perfezione, sia il riconoscimento della necessità che caratterizza tutti gli avvenimenti che in esso si verificano. Infatti, dire che il *lógos* è il principio che produce tutte le cose equivale a dire non solo che tutto è perfettamente razionale, ma anche che il mondo non avrebbe potuto essere diverso da come concretamente si presenta. Da ciò deriva una rigorosa prospettiva finalistica, che esclude ogni forma di meccanicismo, quale invece era quella proposta dagli atomisti e ripresa dagli epicurei. E da ciò deriva anche il fatto che gli stoici parlino di una «provvidenza» che guida tutte le cose.

Si pone a questo punto il problema dell'origine del male: gli stoici non negano la presenza dei mali nel mondo, ma sostengono che il bene e il male si implicano a vicenda e che la perfezione del tutto nasce proprio dalla loro intima unione.

Quelli che non credono che il mondo sia stato foggiato per la divinità e per l'uomo, né che le cose umane siano rette da provvidenza, ritengono di avere in mano una valida prova col dire: «se ci fosse la provvidenza, non ci sarebbe il male». Dicono infatti che nulla è tanto contrario alla provvidenza quanto il fatto che in questo mondo, che si dice essere stato fatto da essa per gli uomini, ci sia così gran copia di dolori e di mali. ▼A

**La provvidenza e il problema del male**

Crisippo, argomentando contro di essi nel libro IV del *Della provvidenza*, «nulla» disse «è più stolto di questi, i quali ritengono che possano esservi dei beni senza che insieme vi siano anche dei mali. Essendo infatti il bene contrario al male, è necessario che l'uno e l'altro sussistano in opposizione reciproca e quasi sostenendosi a vicenda con sforzo insieme scambievole e contrario: non vi è alcun contrario senza che sussista anche il suo contrario. A qual patto si potrebbe sentire la giustizia se non ci fosse il torto? E che cos'è la giustizia se non la mancanza di ingiustizia? Chi potrebbe capire che cosa sia la forza se non dal confronto con la

**La vera natura del male**

## CHIAVI DI LETTURA

▶A L'affermazione che il mondo è fatto «per la divinità e per l'uomo» implica una prospettiva finalistica, secondo cui tutto ciò che accade, anche le cose più minute, è parte di un progetto volto alla perfezione del Tutto. Lo stesso dicasi per la tesi secondo cui le cose umane sono «rette da provvidenza», cioè hanno alla loro base un disegno razionale necessario, che è immanente alla realtà e che coincide con il *lógos*, il principio che anima e guida ogni cosa. Tali affermazioni, a prima vista, appaiono smentite dalla constatazione empirica dell'esistenza del male nel mondo: esattamente in ciò consiste il cosiddetto "problema del male", al quale numerosi filosofi successivi dedicheranno le loro riflessioni.

viltà? La continenza se non dal confronto con l'intemperanza? Come potrebbe esservi prudenza, se non volgendosi contro l'imprudenza? Perciò» conclude «quegli uomini stolti perché non chiedono anche che vi sia la verità senza che vi sia la menzogna? Insieme nascono bene e male, fortuna e sfortuna, dolore e piacere. Sono legati l'uno all'altro, come dice Platone, per le punte contrarie fra loro: se abolisci l'uno, sopprimi anche l'altro». ▼B

(Crisippo, *Della provvidenza*, testimonianza di Aulio Gellio, *Notti attiche*, VII, I, 1 ss., in *Stoici antichi*, cit., vol. 1, p. 389)

▶B  Secondo la prospettiva monistica propria del pensiero stoico non vi può essere alcuna imperfezione nel mondo, dal momento che il principio materiale (tradizionalmente considerato come la fonte di ogni negatività) è il veicolo necessario dell'azione del principio razionale. All'obiezione secondo cui il male e l'imperfezione in realtà esistono, gli stoici rispondono che è il Tutto a essere in sé perfetto, mentre le singole cose possono, se considerate in modo isolato, essere ritenute imperfette, in quanto la loro perfezione è tale solo nel disegno del Tutto. In altre parole, gli stoici non negano la presenza del male nel mondo, ma la considerano il frutto di una sorta di "errore di prospettiva": quello che a un singolo individuo può apparire come male, non lo è nella considerazione del Tutto. Per rafforzare questa considerazione viene proposto, facendo riferimento al *Fedone* di Platone, l'argomento dei contrari, secondo cui il bene non può sussistere senza il male, così come ogni cosa può essere definita solo nel caso in cui se ne definisca contemporaneamente il contrario. Riprendendo le tesi di Crisippo, Plutarco affermerà nel *De Stoicorum republica*: «Anche il male nasce in un certo modo secondo la ragione della natura, e, per così dire, non nasce senza utilità per il tutto: altrimenti non ci sarebbero i beni».

---

## PERCORSO 3

❝ *Quando ha attuato la piena razionalità della vita, l'uomo ha compiuto il suo bene e toccato la meta segnata alla sua natura.* ❞

(Zenone)

### ■ Lo stoicismo: ragione, dovere e virtù

Come per le altre filosofie dell'ellenismo, anche per lo stoicismo tutta la ricerca razionale è volta a individuare quale sia il comportamento morale corretto: la stessa conoscenza scientifica non è intesa come fine a se stessa, ma come al servizio della virtù. Il fatto che la proposta dell'etica stoica sia stata al centro della riflessione di pensatori di diverse culture per più di mezzo millennio è il segno di quanto essa sia stata ritenuta capace di offrire un sostegno efficace alla ricerca di un senso compiuto per l'esistenza umana.

Centrale, in questa prospettiva, è l'idea della virtù come "attività conforme a ragione" (secondo quanto emerge dal primo testo proposto, che riprende alcune delle affermazioni sulle quali più si era soffermato Zenone): in quanto caratterizzato dalla ragione, l'uomo è infatti tenuto ad "accordare" le proprie azioni con le leggi della razionalità cosmica, ovvero con il *lógos* che tutto pervade. Di qui la centralità della nozione di "dovere", inteso appunto come quell'azione «che ha in sé una giustificazione razionale».

Conseguentemente (come si legge nel secondo brano proposto), solo l'azione che è conforme alla ragione può essere ritenuta un bene, mentre tutte le cose che sono relative al corpo sono da considerare «indifferenti», siano esse positive oppure negative.

L'ultimo brano proposto consente di rivolgere l'attenzione su un altro punto centrale della dottrina stoica: quello del cosmopolitismo. Gli uomini, in quanto accomunati da una medesima razionalità, appartengono a un'unica grande famiglia, retta da una medesima legge, che fa sì che vi sia «una comune città degli dei e degli uomini». Alla crisi della *pólis* si contrappone così non il rifugio nella propria individualità e interiorità, ma l'apertura all'intera umanità, con la conseguente affermazione della fondamentale uguaglianza tra tutti gli uomini. In tal modo l'etica stoica viene a definirsi come un sistema in grado di proporre un modello di vita capace di soddisfare gli spiriti più diversi, nella convinzione, come afferma Cleante nell'*Inno a Zeus*, che «non c'è premio più grande ai mortali, né agli dei, se non l'inneggiare nella giustizia alla legge universale».

## T 5   LA VERA NATURA DELL'UOMO È LA RAGIONE

Caratteristica comune a tutti gli esseri viventi è la tendenza a conservare e rafforzare la natura che è loro propria: per l'essere umano questo significa vivere seguendo la ragione, che è ciò che lo caratterizza in modo specifico e che gli permette di conformarsi con consapevolezza alla ragione universale e al corso degli eventi. Solo così l'uomo è in grado, secondo la definizione di Zenone, di «vivere in modo coerente», cioè di mantenere un atteggiamento di costante imperturbabilità nei confronti di tutto ciò che gli accade, senza farsi sconvolgere dalle passioni. Comportandosi così, l'uomo raggiunge la virtù, che è il solo bene che possa definirsi realmente tale, in quanto costituisce la realizzazione nell'individuo umano dell'ordine razionale del Tutto. Infine, la vita secondo ragione consente di raggiungere la libertà interiore e porta alla felicità indipendentemente dalla presenza di beni esteriori.

Orbene, che cosa è che rappresenta nell'uomo il supremo valore? La ragione: per essa sta avanti agli animali e viene subito dopo gli Dei. Il bene che gli è proprio è la ragione perfetta: tutto il resto egli ha in comune cogli animali e colle piante. Egli è forte, ma sono forti anche i leoni; è bello, ma sono belli anche i pavoni; è veloce, ma sono veloci anche i cavalli. Posso senz'altro ammettere che in tutte queste qualità l'uomo è superato; ciò che importa cercare non è se egli abbia in sé qualche cosa più grande degli altri esseri viventi, ma quello che ha di prettamente suo. Ha il corpo: l'hanno anche gli alberi; ha impulso e movimento volontario: l'hanno anche le bestie e persino i vermi. Ha la voce, ma quanto più sonora l'hanno i cani, quanto più acuta le aquile, più forte i tori, più dolce e varia gli usignoli! Che cosa c'è nell'uomo che rappresenti la sua specifica essenza? La ragione. ▼A

*La natura razionale dell'uomo*

## CHIAVI DI LETTURA

▶A L'uomo occupa tra gli esseri mortali una posizione privilegiata, perché partecipa più di ogni altro animale del *lógos* divino, in quanto la sua anima è un frammento del principio attivo che anima il Tutto. Il paragone con gli altri esseri viventi (animali e vegetali) ha un particolare valore nella prospettiva monistica che caratterizza la filosofia stoica, secondo cui il cosmo è la "casa comune" di tutti gli esseri. Ora, la ragione è l'unica facoltà che appartiene solo all'uomo, perché tutte le altre si trovano anche negli animali e nelle piante, e talvolta in grado perfino maggiore. Ciò si spiega tenendo presente come anche negli animali e nelle piante vi sia un impulso che porta a conservare il proprio essere: ma ciò che specifica l'uomo è che egli è in grado di assecondare consapevolmente, e non solo istintivamente, le tendenze del proprio corpo.

**Ragione,
felicità
e virtù**

Essa quando ha trovato il retto cammino e portato a perfezione il suo compito, riempie l'animo umano di felicità. Dunque se ogni essere vivente quando ha compiuto il bene, raggiunge la mèta che la sua natura gli ha assegnato ed è degno di lode, e se il bene è per l'uomo la ragione, bisogna concludere che quando ha attuato la piena razionalità della vita, egli ha compiuto il suo bene e toccata la mèta segnata alla sua natura ed è degno di lode. ▼B
La ragione perfetta si chiama virtù e s'identifica coll'onestà. ▼C

(Zenone, testimonianza di Seneca, *Lettere a Lucilio*, libro IX, 76, trad. it. di G. Balbino,
Zanichelli, Bologna 1984, vol. 2, p. 145)

▶B Quando l'uomo vive costantemente secondo ragione raggiunge la felicità. Zenone aveva più volte sottolineato l'importanza di una vita caratterizzata in modo continuo e coerente dall'impegno razionale, cioè dal solo atteggiamento capace di evitare all'uomo l'infelicità. In queste righe si trova inoltre sottolineato il nesso tra razionalità e bene: poiché il bene di ogni essere coincide con la realizzazione da parte di quest'ultimo della propria natura, può essere definito "bene" umano solo ciò che incrementa il *lógos*, che è il tratto specifico dell'uomo.

▶C Vivere secondo ragione vuole dire conseguire la virtù, che in più passi Zenone definisce come «una disposizione coerente che si deve ricercare per se stessa». La virtù si identifica con l'onestà ed esclude ogni imperfezione o vizio: infatti, secondo l'etica stoica – nella definizione che ne dà ad esempio Cleante – «non vi è via di mezzo tra la virtù e il vizio».

## T 6 LA NOZIONE DI DOVERE E IL VIVERE VIRTUOSO

La nozione di dovere è uno degli elementi più originali dell'etica stoica: essa indica l'azione umana compiuta in tutto e per tutto nel rispetto dell'ordine che regge l'intera realtà. Come si legge nel brano proposto di seguito, infatti, quando un'azione è compiuta «secondo natura», il che equivale a dire in modo razionalmente corretto, essa è denominata "dovere". Ciò significa che il dovere vale per tutti gli esseri viventi, ma solo nell'uomo l'agire in conformità al dovere si presenta come azione moralmente perfetta, in forza della consapevolezza con la quale è compiuta.
Proprio perché l'agire virtuoso consiste nell'adeguarsi al *lógos* che anima e pervade tutta la realtà, l'uomo si trova di fronte ad azioni che non può non compiere, di fronte a scelte che appaiono vincolanti e che presentano le caratteristiche del comando morale: nell'etica stoica l'accento è posto non tanto sul "tu puoi", quanto sul "tu devi", che per la prima volta viene individuato come autonomo principio costitutivo dell'agire morale.
Da una tale impostazione deriva non solo la distinzione tra azioni virtuose e azioni viziose, ma anche la sottolineatura del fatto che esistono azioni concernenti cose che, perlopiù relative al corpo, «non giovano e non danneggiano», e che per questo sono definite «indifferenti». Intorno a esse gli stoici elaborano il concetto di "valore", intendendo con questo termine ciò che è un bene inferiore rispetto al bene sommo, ma comunque degno di essere scelto in quanto «contribuisce a una vita coerente con se stessa».

**Il dovere**

Dicono che dovere è l'azione che, una volta compiuta, ha in sé una giustificazione razionale: così per esempio ciò ch'è coerente nella vita; questo si estende anche alle piante e agli animali; anche fra di essi si possono riconoscere dei doveri. ▼A

## CHIAVI DI LETTURA

▶A La definizione del dovere come «azione che […] ha in sé una giustificazione razionale» è strettamente legata alla concezione finalistica e provvidenzialistica del cosmo, nel quale, secondo gli stoici, è immanente un principio divino, il *lógos*. Per questo è possibile affermare che anche le piante e gli animali hanno dei "doveri", ma li compiono per istinto, mentre l'uomo agisce con piena consapevolezza razionale.

Per primo da Zenone il dovere fu così denominato, prendendo questa denominazione in base al suo "convenire a qualcuno". Esso è un atto proprio della costituzione secondo natura. ▼B
Gli atti che si compiono in base a impulso sono alcuni doveri, altri contro il dovere, altri ancora né doveri né contro il dovere. Doveri sono quegli atti che la ragione sceglie di fare: per esempio venerare i genitori, i fratelli, la patria, venire in aiuto agli amici; contro il dovere ciò che non sceglie la ragione, cioè cose come non aver cura dei genitori, non preoccuparsi dei fratelli, non soccorrere gli amici, disprezzare la patria e altre simili. Né doveri né contro il dovere sono tutte quelle cose che la ragione né sceglie né respinge: raccogliere sterpi, tenere uno stilo o uno strigile[1] e altre simili a queste. E vi sono poi doveri indipendenti dalle circostanze e altri soggetti a queste. Indipendenti da ogni circostanza sono cose come aver cura della salute, dell'integrità dei propri sensi e simili; soggetti a particolari circostanze cose come mutilarsi o gettar via il proprio patrimonio [...]. ▼C
I beni dunque sono le virtù: la saggezza, la giustizia, il valore, la temperanza e le altre simili; i vizi le cose opposte a queste: la stoltezza, l'ingiustizia ecc. Né l'uno né l'altro sono quelle cose che né giovano né danneggiano, come la vita, la salute, il piacere, la bellezza, la forza, la ricchezza, la buona fama, la buona nascita, e le opposte a queste, la morte, la malattia, la sofferenza, la vergogna, la debolezza, la povertà, l'oscurità, la umile nascita e tutte le cose simili [...] non beni sono questi, ma indifferenti, preferibili secondo la specie[2]. ▼D
Come è proprio del calore riscaldare e non raffreddare, così del bene lo è giovare e non danneggiare; ma la ricchezza e la salute non portano giovamento più di quanto non portino danno; la ricchezza e la salute non sono quindi beni. Inoltre, dicono, ciò di cui ci si può valere anche per cattivo uso, non può essere un bene; ma della ricchezza e della salute si può fare cattivo uso, quindi esse non sono beni [...]. Nemmeno il piacere dicono essere un bene Ecatone[3] [...] e Crisippo: vi sono anche piaceri turpi, ma niente di ciò ch'è turpe può essere un

1 Strumento utilizzato nelle palestre o nelle terme dell'antica Grecia per detergere il corpo.

**Beni, mali e cose indifferenti**

2 Cioè preferibili di volta in volta, a seconda delle specifiche caratteristiche che presentano.

3 Ecatone di Rodi fu un pensatore stoico del II secolo a.C., allievo di Panezio.

▶B Per indicare il dovere inteso come "ciò che conviene a qualcuno", e quindi come ciò che è conveniente all'uomo in relazione all'ordine della natura, Zenone aveva usato il termine *kathékon* (dal verbo *kathékein*, "convenire", "spettare"). Max Pohlenz, nel saggio intitolato *La Stoá. Storia di un movimento spirituale* (La Nuova Italia, Firenze 1967), ha evidenziato come Zenone abbia innestato sulla concezione greca tratti che venivano dal modo di sentire semitico – si ricordi che Zenone era originario dell'isola di Cipro e che quindi si era formato nella cultura fenicia –, unendo la nozione del rispetto verso un comandamento alla concezione greca della natura come ordine razionale ed elaborando così il concetto di dovere che noi conosciamo.

▶C A metà strada, per così dire, tra le azioni conformi al dovere e quelle a esso contrarie, vi sono le azioni che la facoltà razionale non comanda né proibisce, in quanto irrilevanti in relazione a una vita retta.

▶D Il bene, ossia il dovere, equivale alla virtù, in tutte le sue declinazioni, e il male, cioè le azioni «contro il dovere», al vizio: in altri passi si specifica tuttavia come per conseguire la virtù non sia sufficiente compiere azioni conformi al dovere, ma come sia necessaria «una disposizione interna all'anima, concorde con se stessa per tutta la vita». Tra il bene e il male si collocano le cose definite «indifferenti», in quanto non impediscono, ma neppure caratterizzano, una vita conforme a ragione: si tratta di tutte quelle realtà esteriori, legate perlopiù al corpo, la cui mancanza non può essere sentita come un male. In forza di tale nozione, gli stoici sono convinti di poter mettere l'uomo al riparo dai mali e dagli sconvolgimenti sociali del loro tempo: definendo tali accadimenti come indifferenti, essi ribadiscono infatti che, potendo provenire solo dall'interno dell'io, il bene e il male non possono essere legati a eventi esterni.

bene. Giovare significa agire o trovarsi in stato di virtù, danneggiare [significa] agire o trovarsi in stato di vizio. ▼E

**Il valore** [...] Degli indifferenti alcuni si dicono preferibili e altri da non preferirsi: preferibili sono quelli che hanno in sé un certo valore e da non preferirsi quelli che rappresentano un disvalore. Dicono che valore è ciò che in qualche maniera contribuisce a una vita coerente con se stessa, il che per essi è in ogni caso un bene: ma valore può essere anche una capacità o utilità di tipo medio che contribuisce in qualche modo alla vita secondo natura, il che vale a dire che anche la ricchezza o la salute portano un certo contributo alla vita secondo natura. [...] È dunque preferibile tutto ciò che possiede un certo valore: per esempio nelle realtà che riguardano l'anima l'ingegno innato, l'arte, il far progressi e cose analoghe; tra quelle che riguardano il corpo la vita, la salute, la forza, il benessere, l'attitudine, la bellezza e altre del genere. ▼F

(Diogene Laerzio, *Vite dei filosofi*, VII, 107-109 e 102-105, in *Stoici antichi*, cit., vol. 2, pp. 1152-1153 e 1091-1093)

▶**E** Così come la ricchezza e la salute non possono essere considerate beni, in quanto di esse non si può dire propriamente che "giovino" a una vita conforme a ragione, per lo stesso motivo il piacere non può dirsi un bene: vi è in tale prospettiva non solo una netta contrapposizione con le etiche edonistiche, ma anche la sottolineatura di un rigorismo morale che porta a una vita di tipo quasi ascetico.

▶**F** La definizione del valore non solo come ciò che «contribuisce a una vita coerente con se stessa» (cioè, per l'uomo, a una vita secondo ragione), ma anche come ciò che è «preferibile» in quanto «contribuisce [...] alla vita secondo natura» introduce una connotazione soggettiva nella distinzione tra i beni e i mali: in altre parole, attribuendo legittimità a una scelta che ha dalla sua parte delle buone ragioni, ma che non si presenta come necessaria, è possibile "recuperare" a una valutazione positiva anche la ricchezza e la salute, quando non vengano utilizzate per scopi negativi, ovvero contro natura. La concezione secondo cui il valore si caratterizza come bene in relazione a chi compie la scelta, pur sollevando numerose polemiche all'interno dello stoicismo in quanto in apparente contrasto con l'affermazione dell'esistenza di un unico bene, ha avuto un'ampia risonanza nello sviluppo del pensiero morale moderno.

## T 7    L'AFFERMARSI DI UNA PROSPETTIVA COSMOPOLITA

La convinzione della presenza nel mondo di una legge universale razionale, accomunata alla considerazione che esiste nell'uomo un'inclinazione naturale che lo spinge verso gli altri, consente alla filosofia stoica di riproporre la concezione (già presente, ad esempio, in Aristotele) dell'essere umano come essere sociale, o socievole, e come membro di una comunità che non è costituita da un mero aggregato di individui, ma è caratterizzata da un'organizzazione razionale.

L'istinto sociale è legato alla costante tendenza umana a conservare il proprio essere (*oikéiosis*), nonché l'essere dei propri figli e familiari. È in forza di tale tendenza che l'uomo si unisce agli altri, uscendo da una prospettiva individualistica per aprirsi a una dimensione sociale e politica, non più ristretta a una specifica *pólis*, ma aperta all'umanità intera. La comune appartenenza di tutti gli uomini a un medesimo *lógos*, infatti, porta a considerare il cosmo come una grande società, come un'unica grande famiglia: di qui il "cosmopolitismo" stoico, secondo cui l'uomo è "cittadino del mondo".

La stessa radice teorica è alla base dell'affermazione dell'esistenza di una legge naturale uguale per tutti e immutabile: essa si fonda sul *lógos* che anima tutta la realtà e proprio per questo motivo richiede obbedienza e rispetto assoluti. La teoria stoica della legge naturale universale ha avuto una vasta eco nella filosofia romana, che, come si legge nel passo che segue, tratto dagli scritti di Cicerone, l'ha definita "giusnaturalismo".

**La natura propria dell'uomo** Questo animale previdente, sagace, di molteplici attitudini, intelligente, pieno di ragione e di riflessione, che chiamiamo uomo, sappiamo che è stato generato dalla divinità suprema in una condizione privilegiata. Solo, fra tanti generi di esseri viventi, egli è partecipe di natura razionale e capacità di pensare, mentre tutti gli altri esseri ne sono privi. E che cosa ci può essere di più divino, non dico nell'uomo, ma in tutto il cielo e la terra? ▼A E questa ragione, quando è diventata adulta ed è giunta alla sua perfezione, giustamente si può chiamare sapienza. Perciò, poiché nulla è superiore alla ragione, e questa si trova nell'uomo e nella divinità, la prima associazione fra uomo e divinità è quella che proviene dalla comune ragione. ▼B

Ma quelli fra cui è comune la ragione hanno anche comunanza di retta ragione, e poiché quest'ultima si identifica con la legge, ecco che noi uomini siamo associati con gli dei per mezzo della legge. Ma fra quelli fra i quali vige una comunanza di legge vige anche una comunanza di diritto; ▼C e quelli cui sono comuni queste cose, hanno anche fra loro comunanza di città; ▼D tanto più se obbediscono allo stesso comando, allo stesso potere. Essi in realtà obbediscono a questo nostro ordine celeste, e all'intelligenza divina, e alla divinità che ha potere superiore: sì che tutto questo nostro universo può essere considerato una sola comune città degli dei e degli uomini. E poiché nelle città, per una determinata ragione di cui si parlerà a suo luogo, gli ordini delle famiglie sono contrassegnati da parentela, così nella natura ciò avviene in una forma tanto più magnifica e illustre per il fatto stesso che uomini e dèi sono congiunti da parentela e appartenenti a una stessa gente. ▼E

**Una sola legge e una sola città per uomini e dei**

(Cicerone, *De legibus*, I, 7, 22-23, in *Stoici antichi*, cit., vol. 2, pp. 1215-1216)

## CHIAVI DI LETTURA

▶A Ancora una volta ci troviamo di fronte a un passo che evidenzia il valore della ragione come tratto che definisce l'uomo e la sua natura. La condizione privilegiata dell'uomo è data dal fatto che la sua azione è guidata da un principio razionale e consapevole che è parte del *lógos* universale.

▶B La ragione, al suo livello più alto, si definisce «sapienza» e si specifica come il fine ultimo del saggio e come ciò che accomuna l'uomo alla divinità. A tale proposito, leggiamo significativamente in un passo di Diogene Laerzio: «i sapienti sono divini, è infatti in loro qualcosa di divino».

▶C Essendo la «retta ragione» la legge universale che regge il cosmo, noi siamo accomunati agli dei in forza di essa. Questo implica che le varie leggi umane (il diritto), dovendo rispettare la legge universale, non possono essere una semplice convenzione, che gli uomini stabiliscono a loro piacimento a seconda della comunità in cui vivono, bensì, secondo le parole dello stesso Cicerone, «un qualcosa di eterno, capace di reggere tutto l'universo con la sapienza del comando e della proibizione» (*De legibus*, II, 8). L'idea di una legge naturale e universale, fondata sulla razionalità del Tutto, svolge un ruolo centrale nella filosofia stoica, la quale in questo senso riprende alcune delle riflessioni sviluppate nel V secolo a.C. dalla sofistica, inquadrandole in un saldo impianto razionale che fa di tale legge qualcosa che la ragione immediatamente riconosce come universale e vincolante.

▶D La comunanza del diritto porta alla comune cittadinanza: se una è la legge, uno è anche lo Stato, e se la legge ha valore universale, lo Stato è propriamente il mondo. Viene così fondato il cosmopolitismo che caratterizza il pensiero degli stoici e che, secondo una testimonianza di Plutarco, porta Zenone ad affermare: «Tutti gli uomini devono essere compatrioti e concittadini; uno per tutti deve essere il modo di vita e l'ordinamento, come lo è di una schiera ordinata, alimentata da una sola legge comune» (*Sulla virtù di Alessandro*, I, 6, 329). La prospettiva cosmopolita era già presente nella scuola cinica, tanto che Diogene di Sinope era uso rispondere di essere "cosmopolita" a chi gli chiedeva di dove fosse. Furono gli stoici, tuttavia, a specificarla con una tale chiarezza da favorirne la diffusione nel mondo ellenistico e romano.

▶E La definizione dell'universo come «comune città degli dèi e degli uomini» si fonda sui due punti messi in luce in precedenza, il giusnaturalismo e il cosmopolitismo, ed è alimentata dalla convinzione della profonda unità del Tutto. L'idea che gli uomini siano partecipi del *lógos* divino che anima tutta la realtà fa dire a Cleante nell'*Inno a Zeus*: «Siamo della tua stirpe, noi che abbiamo in sorte, imitandoti, la parola, noi soli fra tutti gli esseri mortali che vivono e si muovono sulla terra» (testimonianza di Stobeo, *Eclogae*, I, 1, 12).

## PERCORSO 4

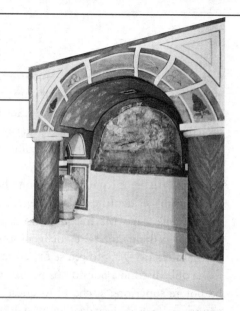

> « *La nostra società umana è proprio simile ad una volta di pietre, che non cade proprio perché le pietre, opponendosi l'una all'altra, si sostengono a vicenda e quindi sostengono la volta.* »
>
> (Seneca, *Lettere a Lucilio*)

### ■ Il neostoicismo romano: introspezione e solidarietà

Diffusosi a Roma intorno al II secolo a.C. grazie all'attività di un gruppo di intellettuali affascinati dalla cultura greca e ispirati dal filosofo Panezio di Rodi, lo stoicismo romano si caratterizza per l'accentuazione del tema dell'interiorità spirituale. Il saggio stoico dei pensatori latini si presenta come colui che ricerca nella propria anima la risposta a quella sete di infinito che si diffonde sempre più nella società romana del tempo e che costituisce la base per una nuova forma di saggezza pratica. Le riflessioni di Seneca, di Epitteto e dell'imperatore Marco Aurelio sottolineano così la vanità degli affanni terreni e l'importanza per l'uomo di non dipendere dai bisogni del corpo, ma di esercitare su di essi un controllo che permetta di volgere lo sguardo verso il divino che dà vita e anima al mondo: Dio infatti «l'uomo l'ha introdotto qui per contemplare Lui e le sue opere» (Epitteto, *Diatribe*, I, 4, 19-21). La riflessione interiore e il ritorno in se stessi si accompagnano in Seneca a un'apertura alle necessità e agli affanni degli altri uomini – come appare nel primo brano presentato, in cui l'autore non solo sottolinea l'uguaglianza naturale che caratterizza il genere umano, ma afferma anche l'urgenza di trattare con rispetto tutti gli uomini, siano essi liberi o schiavi –, mentre costituiscono il tema che emerge con maggior continuità nella riflessione di Marco Aurelio – da cui è tratto il secondo brano –, in cui prevalgono l'esigenza di un ritorno alle sorgenti profonde del proprio io e l'invito a mettere tra parentesi tutte le contingenti vicende umane.

### T 8  IL VALORE DELLA SOLIDARIETÀ TRA GLI UOMINI

La considerazione che il mondo è un'unica vasta realtà regolata dalla ragione divina – considerazione che nello stoicismo greco si accompagnava alla constatazione che gli uomini sono tra loro tutti fratelli, senza distinzione di razza o di condizione sociale – acquista una maggiore concretezza e sostanza nel pensiero del filosofo romano Lucio Anneo Seneca, il quale sottolinea l'atteggiamento di benevolenza che deve guidare il saggio verso ogni uomo che abiti in questo mondo. Si attenua così quel-l'impressione di freddezza che spesso accompagna la descrizione che lo stoicismo greco fa del saggio, inteso come colui che, indifferente rispetto alle vicende umane, è chiuso nella sua impassibilità, e ci si avvicina a una nuova considerazione della saggezza, alimentata da un sentimento di amore e di compassione attiva nei confronti degli altri uomini, in quanto essi, come si legge nel brano che segue, «sono stretti da legami di intima parentela» che ispirano loro «un amore reciproco».

**Il culto degli dei**  Il primo culto dovuto agli Dei è credere che essi sono, poi riconoscere la loro maestà, e riconoscere la loro bontà, senza la quale non c'è maestà, sapere che essi presiedono il mondo e lo governano colla loro potenza senza fine, che esercitano la tutela del genere umano nella sua totalità, sebbene talora trascurino i singoli. Essi non danno e non ricevono il male: puniscono delle persone, le trattengono a forza, infliggono delle pene e anche dei castighi qualche volta sotto forma di benefici. Vuoi propiziarti gli Dei? Sii buono; chi li imita, già rende ad essi sufficiente onore. ▼A

Ma poi ci si presenta un altro problema: come dobbiamo comportarci con gli uomini? Che facciamo? E quali precetti diamo? Che si risparmi il sangue umano? È ben poca cosa non far male a chi dovresti fare del bene! Certo è merito grande che l'uomo sia mite verso un altro uomo. Gli daremo come norma di vita che porga la mano al naufrago, che indichi la via a chi l'ha smarrita e divida il pane con chi ha fame? Quando mi sarà dato mostrargli chiaramente le cose da attuare per il meglio e quelle da evitare? Quando potrò dargli come fondamentale principio dei doveri umani questa breve formula: l'universo che ci sta davanti con la sua multiforme realtà di vite umane e divine costituisce l'unità di un tutto e noi siamo le membra di quel gran corpo. ▼B

I rapporti con gli altri uomini

La natura ci produce fratelli generandoci dagli stessi elementi e destinati agli stessi fini. Essa pose in noi un sentimento di reciproco amore con cui ci ha fatti socievoli, ha dato alla vita una legge di equità e di giustizia e secondo i principi ideali della sua legge è più misera cosa offendere che essere offesi. Essa ordina che le nostre mani siano sempre pronte a beneficare. Serbiamo sempre in cuore e sulle labbra quel verso «Sono uomo e nulla di quanto è umano considero a me estraneo». ▼C

Teniamo sempre presente questo concetto, che siamo nati per vivere in società. E la nostra società umana è proprio simile ad una volta di pietre, che non cade proprio perché le pietre opponendosi l'una all'altra si sostengono a vicenda e quindi sostengono la volta. ▼D

(Seneca, *Lettere a Lucilio*, libro XV, 95, cit., vol. 3, p. 71)

# Chiavi di lettura

▶A Nelle righe precedenti Seneca ha sottolineato l'inutilità di rivolgere agli dei un culto esteriore; ora afferma che il vero culto che si deve tributare loro consiste nel riconoscere la loro onnipotenza, la loro bontà e la provvidenza con la quale guidano il mondo. Non è tuttavia sufficiente fermarsi al piano, per certi versi intellettuale, dell'amore per gli dei: occorre "essere buoni" e sforzarsi di "imitarli" nella vita concreta. Vi è nelle pagine di Seneca la profonda convinzione della fragilità dell'uomo, accompagnata però dalla considerazione morale della necessità che quest'ultimo purifichi il proprio comportamento, allontanando da sé i vizi e seguendo il comando della ragione.

▶B L'esortazione a tributare onore agli dei attraverso la propria vita concreta porta Seneca a chiedersi come ci si debba comportare con gli altri uomini. La risposta è che non è sufficiente astenersi dal recar loro danno: occorre piuttosto venire in soccorso di chi è in difficoltà, tenendo a mente che siamo tutti membra di un medesimo organismo. La prospettiva monistica, propria dello stoicismo, viene qui declinata nel senso di prestare attenzione alle necessità di tutti coloro che partecipano della stessa vita universale. Se poniamo mente alla condanna, espressa in molte testimonianze sullo stoicismo antico, della misericordia – pensiamo ad esempio all'affermazione: «i sapienti non sono suscettibili di compassione, né perdonano ad alcuno» (Diogene Laerzio, *Vite*, VII, 123) –, possiamo misurare la novità della concezione dell'uomo che anima le pagine di Seneca e apprezzare maggiormente l'atteggiamento di simpatia verso i suoi simili che guida il filosofo latino.

▶C L'unità che lega tutti gli esseri umani è ciò che deve portarli a considerarsi come fratelli: qui non si fa tanto riferimento al *lógos*, ossia al principio razionale che anima il Tutto, quanto a un «sentimento di reciproco amore» che la natura avrebbe posto in noi nel momento in cui ci ha generati: è tale sentimento a permettere di andare al di là del freddo distacco del sapiente stoico della tradizione, per accostarsi agli uomini con simpatia emotiva e con atteggiamento compassionevole. Per dare ancora più forza alla propria posizione, Seneca ribadisce l'idea socratica secondo la quale è peggior cosa fare il male che subirlo, e fa propria l'affermazione del commediografo romano Terenzio, secondo cui la partecipazione alla medesima condizione umana è il principio che deve ispirare il comportamento di ciascuno.

▶D L'esempio della volta è l'immagine plastica che suggella il discorso, sottolineando il valore della solidarietà che deve stringere tra loro tutti gli uomini.

## T 9    L'IMPORTANZA DELL'INTERIORITÀ

Nelle pagine di Marco Aurelio, imperatore dal 161 al 180 d.C., l'interiorità appare come un rifugio sicuro, nel quale è possibile trovare le energie che permettono di vivere una vita degna e insieme appagata. Solo ritornando al proprio io profondo, nel quale riluce la parte razionale caratteristica dell'uomo, è infatti possibile rinvenire quella considerazione pacata e disincantata delle vicende umane che sola ci rende capaci di cogliere la caducità di tutte le conquiste e di tutte le gioie della vita, e di giunge-

re alla serenità. Non sono né la prosperità né il potere a rendere l'uomo felice, ma è il faticoso scavo nella profondità della propria anima, perché solo lì è possibile attingere alla «fonte del bene, fonte inesauribile, se tu ci scaverai sempre».

Nel brano che segue si legge come occorra raccogliersi spesso nella solitudine del proprio io per essere autenticamente liberi e contemplare le cose «da uomo, da cittadino, da essere mortale».

**La pace interiore**

Alcuni cercano di ritirarsi tra i campi, al mare, sui monti, e tu pure desideri ardentemente questi luoghi, ma tutto questo è degno d'un uomo volgare e ignorante, ché tu puoi, quando tu lo voglia, ritirarti in te medesimo. Infatti, l'uomo non si può ritirare in alcun posto nel quale sia tranquillità maggiore o calma più assoluta che non nell'intimo della propria anima e specialmente per colui che ha in sé tali idee che, solo a contemplarle, subito riacquista la pace del proprio spirito. E per pace non intendo altro che buon ordine. Raccogliti quindi spesso in questa solitudine e ti rinnoverai. ▼A

**Il superamento dei motivi di afflizione**

Concise e semplici debbono però essere le tue meditazioni e tali che, se appena le farai, possano bastare a vincere ogni tua malinconia, e a rimandarti, senz'ira, alle tue occupazioni consuete. Per altro, che cosa t'adira? La malvagità degli uomini? Ricorda quella sentenza che afferma gli esseri ragionevoli esser nati per aiutarsi scambievolmente, che la pazienza è pure parte della giustizia, che essi errano senza volerlo, e se pensi quanti, dopo essersi combattuti, ingannati, detestati, colpiti, ora sono ridotti in cenere, ti calmerai certamente.

O t'adiri per quel che t'è riserbato dall'ordine universale? E allora, ricordati di quella sentenza «O tutto è opera della provvidenza o del cieco muover degli atomi», e di tutte quelle ragioni con le quali è stato dimostrato che il mondo è come una città.

O t'affliggi per quel che riguarda il corpo?

E allora rifletti che la ragione, padrona che sia diventata di se stessa e conscia della propria forza, non ha nulla di comune coi moti dolci o violenti dei sensi, e ricordati di quel che hai udito e provato intorno al piacere e al dolore.

O non ti concede requie l'ambizione?

E, allora, osserva come l'oblio scenda rapidamente e tutto avvolga l'infinità del tempo, la vanità, l'incostanza, la leggerezza di chi pare distribuire la lode, e l'angustia del luogo in cui è

## Cʜɪᴀᴠɪ ᴅɪ ʟᴇᴛᴛᴜʀᴀ

▶A Per la salute dello spirito non è necessario allontanarsi dai luoghi della quotidianità: occorre invece ritirarsi nella propria interiorità. Già Seneca nel *De ira* (III, 34) aveva affermato: «Ogni giorno sostengo la mia causa davanti a me stesso [...] vado scrutando tutta la mia

giornata e riesamino i miei fatti e i miei detti: nulla nascondo a me stesso, nulla tralascio». Solo attraverso l'introspezione l'uomo può raggiungere la massima serenità e la massima pace.

circoscritta la tua fama; pensa che la terra non è che un punto e di questo qual parte è il cantuccio dove tu stai! E quivi quanti e quali saranno i tuoi laudatori! ▼B

D'ora in avanti, rammentati di ritirarti nel campicello di te stesso, e prima d'ogni cosa, non affannarti, non nutrire grandi speranze, ma sii libero e contempla le cose con fermezza da uomo, da cittadino, da creatura mortale. Tra le massime a cui dovrai rivolgerti, ricorda sempre queste due: primo: che le cose esteriori non giungono mai a toccare l'animo nostro, ma restano sempre immobili al di fuori, e che ogni turbamento dipende dalla nostra opinione interiore; secondo: che quel che tu vedi si muta continuamente e non è mai per un attimo la medesima cosa. Pensa di quante trasformazioni tu stesso sei stato partecipe.

Il mondo è trasformazione; la vita opinione. ▼C

(Marco Aurelio, *I ricordi*, IV, 3, trad. it. di F. Cazzamini-Mussi, Einaudi, Torino 1960, pp. 41-43)

▶B Nella propria interiorità l'uomo rinviene quei principi che lo portano a considerare come le passioni siano affanni inutili e nocivi, e come la vita sia caratterizzata dalla provvisorietà. È forte in queste parole l'eco dell'"apatia" stoica, che insegna a spegnere le passioni per lasciare spazio alla considerazione razionale del Tutto. Nel profondo di se stesso, da un lato l'uomo coglie la necessità della legge che regola ogni cosa, cioè della provvidenza, e dall'altro sente lo scorrere del tempo, che cancella inesorabilmente ogni suo atto, rendendo vana ogni ambizione. Vi è in queste righe l'invito a un sentimento di lucido distacco rispetto alle emozioni umane (all'indignazione per la malvagità altrui o per gli eventi dolorosi riservati dal destino; all'inquietudine per i limiti del nostro corpo; alla brama di potere e di gloria) che trascolora in una forma di "sospensione" da ogni aspetto della vita, riecheggiando il libro biblico del *Qoèlet*: «Vanità delle vanità, tutto è vanità».

▶C Sembra paradossale che un imperatore romano, cioè un uomo che gode del massimo potere, affermi che non bisogna «nutrire grandi speranze»: tali parole vanno tuttavia collocate nella giusta prospettiva, che non è quella di un'esortazione a evadere dal proprio stato sociale (che, in quanto assegnatoci dalla provvidenza, qualunque esso sia, costituisce per noi un dovere: v. T6, p. 480), ma quella di un invito a considerare come le vicende esteriori non solo non rappresentino la totalità della nostra vita, ma neppure il suo aspetto più caratteristico, e come soltanto nella nostra interiorità possiamo cogliere il vero senso di quanto accade nel mondo, per giungere così all'autentica libertà.

# PERCORSO 5

*« Bisogna anche ritenere che noi vediamo la forma delle cose e pensiamo per mezzo di qualcosa che dall'esterno giunge a noi. »*

(Epicuro, *Lettera a Erodoto*)

## ■ L'epicureismo: i fondamenti della conoscenza

Le testimonianze che sono state tramandate sul pensiero di Epicuro e gli scritti che sono pervenuti fino a noi consentono di avere un quadro abbastanza preciso delle tesi filosofiche che egli sostenne nel corso del suo lungo insegnamento ad Atene, dal 306 a.C. fino all'anno della sua morte, avvenuta nel 270 a.C. Il carattere stesso della scuola, che prevedeva che il nuovo scolaro dovesse per prima cosa impadronirsi dei punti principali della dottrina ridotti a semplici formule, per poi passare a uno studio più approfondito, ma senza sviluppare alcuna proposta innovativa rispetto alle tesi del maestro, ha fatto sì che né prima né dopo la sua morte vi siano state personalità di grande rilievo dal punto di vista speculativo, tali da originare una pluralità di indirizzi di pensiero. Per questo le sue principali dottrine sono rimaste sostanzialmente invariate nel tempo e hanno seguito le indicazioni contenute negli scritti del maestro.

Tra questi occorre citare soprattutto le due *Lettere*, a Erodoto e a Meneceo, che presentano un compendio dei principi fondamentali della concezione epicurea e che indicano la strada per raggiungere una vita felice. In queste *Lettere* Epicuro si esprime in modo semplice e conciso, usando immagini dotate di una notevole chiarezza concettuale e – soprattutto in quella a Meneceo, che è stata definita come una sorta di "protrettico", ovvero come un'esortazione ad avvicinarsi alla filosofia – anche di un suggestivo afflato spirituale. In verità, come è emerso in seguito al ritrovamento di alcuni papiri a Ercolano negli ultimi anni del Settecento, lo stile con il quale Epicuro compose il suo testo fondamentale, il *Perí phýseos* (*Sulla natura*), in 37 libri destinati a scolari ormai avanti con gli studi, appare assai pesante e faticoso, privo della limpidezza e della concisione che hanno reso così leggibili e meditate le sue *Lettere* e che caratterizzano tante delle sue *Massime*.

Scopo della filosofia, secondo Epicuro, è quello di raggiungere la felicità tramite una vita serena e priva di affanni, sia pratici sia teoretici: per questo è necessario stabilire alcuni punti fermi sui quali fondare l'intera dottrina, e questo vale per tutte e tre le sfere nelle quali il filosofo divide l'attività speculativa: la gnoseologia, la fisica e l'etica.

Nel primo dei passi presentati di seguito si legge come il fondamento sul quale Epicuro costruisce tutto il suo sistema gnoseologico sia la «sensazione», che è considerata il criterio della verità, cioè l'unico mezzo in grado di fornire gli elementi di base di ogni attività conoscitiva, e al tempo stesso il criterio di controllo dei risultati raggiunti.

A partire dalla sensazione scaturiscono, come è affermato nel secondo brano proposto, i «concetti», intesi come «anticipazioni» che nascono dal ripetersi di sensazioni uguali e dal loro ricordo.

## T 10  LA SENSAZIONE COME CRITERIO DI VERITÀ

Il primo grado della conoscenza è dato dalla sensazione, che viene a specificarsi come l'elemento che sta alla base di tutto il sapere: la gnoseologia epicurea si fonda sull'esperienza sensibile e propone un tipo di conoscenza che ha, pertanto, un costitutivo rimando a quanto ci viene attestato dai sensi. Come già nella dottrina stoica, anche in questo caso il modello di riferimento può essere definito come radicalmente empiristico, e quindi avverso non solo a ogni forma di innatismo, ma anche a ogni pretesa della ragione di definire la realtà in base a pure forme logiche. La stessa sensazione ci fornisce una conoscenza sicura solo quando ci si attiene alla sua evidenza, che è data dall'azione diretta delle cose sul nostro intelletto: l'errore compare quando il ragionamento aggiunge ai dati sensibili qualcosa che non è stato ancora confermato da altri dati sensibili, o che addirittura è stato da questi smentito.

L'opera in cui Epicuro sembra abbia sviluppato in modo organico la propria concezione della conoscenza non ci è pervenuta: sappiamo solo che aveva come titolo *Canonica*, espressione che derivava dal termine *kánon*, con cui in greco si indicava il regolo del muratore e, per estensione, ciò che è criterio, o regola, di scelta in un qualsiasi campo di conoscenza o di azione. Il termine "canonica" è usato ancora oggi per designare la scienza che indaga sul criterio della conoscenza.

Bisogna anche ritenere che noi vediamo la forma delle cose e pensiamo per mezzo di qualcosa che dall'esterno giunge a noi. ▼A

Non potrebbero infatti le cose esterne imprimere il loro colore e la loro forma per mezzo dell'aria frapposta fra noi e loro, né per mezzo di radiazioni o di afflussi che si dipartano da noi verso di esse, ▼B così come lo possono per mezzo di immagini che giungano a noi dagli oggetti esterni, conservandone colore e forma e con grandezza proporzionata alla nostra vista o alla nostra mente, muoventisi con grande velocità, e per questa causa adatte a dare la sensazione di un tutto unico e continuo, capaci di conservare le qualità dell'oggetto da cui provengono in seguito all'armonico impulso che loro proviene dal martellare in profondità degli atomi del corpo solido. ▼C

E quella percezione che noi cogliamo, sia per un atto di attenzione della mente, sia dei sensi, sia della forma, sia dei caratteri essenziali, è proprio la forma dell'oggetto solido risultante dall'ordinato, continuo presentarsi di un simulacro, o da un residuo di esso. ▼D

**La conoscenza viene «dall'esterno»**

## C HIAVI DI LETTURA

▶A Poiché è una modificazione dell'anima – un «moto percettivo», secondo la definizione di Diogene Laerzio –, la sensazione dev'essere il risultato di una causa esterna, che ha la sua origine negli oggetti stessi.

▶B Epicuro esclude che la sensazione possa avvenire attraverso l'aria, in quanto un oggetto imprime nell'anima l'immagine della sua forma e del suo colore, e non si comprende come l'aria potrebbe trasmetterla. Del pari, la sensazione non può consistere in un'azione del soggetto sull'oggetto, perché nella conoscenza sensibile il soggetto ha un ruolo passivo. Già in queste prime righe è evidente la polemica contro ogni forma di innatismo di tipo platonico.

▶C La velocità con cui le immagini raggiungono la nostra mente ci consente di percepire l'oggetto nella sua compattezza; la somiglianza dell'immagine con l'oggetto dal quale deriva è data invece dal movimento vibratorio degli atomi che costituiscono l'oggetto medesimo.

▶D I nostri sensi colgono dunque la forma e le altre proprietà dell'oggetto esterno attraverso il «continuo presentarsi» della sua immagine (che Epicuro designa con il nome di «simulacro») alla nostra mente. Il fatto che la sensazione avvenga tramite immagini che si staccano dagli oggetti esterni, a cui somigliano fedelmente, pone nella concretezza del dato la fonte della sua veridicità. La sensazione è il criterio della verità della conoscenza proprio per il suo far riferimento agli oggetti nella loro precisa fattualità.

**La natura dell'errore** L'inganno e l'errore è sempre in quel che nel giudizio aggiungiamo a ciò che attende di essere confermato o di non avere attestazione contraria, e che invece non sia confermato o riceva attestazione contraria, per un moto che sorge in noi congiunto all'atto apprensivo, ma da esso distinto, per il quale appunto si origina l'inganno. ▼E [...] L'errore poi non potrebbe sorgere se non cogliessimo in noi un certo quale altro moto, connesso sì con l'atto apprensivo ma distinto da esso. È a causa di questo moto dunque, nel caso non venga confermato o riceva attestazione contraria, che si origina l'inganno; se invece viene confermato o non riceve attestazione contraria, la verità. E questa credenza bisogna possederla in maniera ben salda per non distruggere i criteri che si basano sull'evidenza, e perché l'errore, ugualmente considerato come avente un fondamento di realtà, non porti alla più completa confusione. ▼F

(Epicuro, *Lettera a Erodoto*, 49-50, in *Opere*, cit., pp. 26-27)

▶E Una volta chiarito che la sensazione è prodotta dell'azione dell'oggetto esterno sulla mente dell'uomo, resta da individuare la natura dell'errore, che non può che risiedere nel soggetto. È il soggetto, infatti, che "aggiunge" all'immagine impressa dall'oggetto qualcosa che non è ancora stato confermato da altre sensazioni simili, o che addirittura è stato smentito da immagini successive. Pertanto, se è vero che l'errore è legato al meccanismo dell'"apprensione" (nel quale la mente è passiva), è altrettanto vero che da questa è distinto, perché ha la sua origine in una disposizione (attiva) del soggetto.

▶F La distinzione tra «atto apprensivo» (passivo) e «moto» (attivo) che porta all'errore ha una notevole importanza, perché permette a Epicuro di non introdurre, in una teoria della conoscenza che vuol essere radicalmente empiristica, elementi di confusione, con i quali tentare di rendere conto della possibilità di percepire le cose diverse da come sono in realtà. Grazie alla testimonianza di Diogene Laerzio sappiamo che Epicuro si preoccupò anche di rispondere all'obiezione secondo la quale le sensazioni sembrano frequentemente contraddirsi: la diversità che sensazioni simili talvolta presentano deriva dalla diversità di prospettive attraverso le quali il soggetto entra in relazione con esse.

## T 11    L'ORIGINE E LA FUNZIONE DEI CONCETTI

Dopo le sensazioni, a fondamento della conoscenza Epicuro pone i concetti, che designa con il termine «prolessi», che vuole dire "anticipazioni": essi sono rappresentazioni mentali delle cose e nascono dal ricordo di sensazioni che si sono succedute in precedenza. Il termine usato serve a sottolineare come essi siano in grado di "anticipare" nella nostra mente l'immagine di un oggetto, prima che se ne abbia l'effettiva esperienza: tale anticipazione è tuttavia possibile solo in quanto prodotta essa stessa dall'esperienza.

Secondo Epicuro, anche nel caso delle prolessi vi è un elemento che può causare la nascita dell'errore: esso è costituito dall'«opinione», cioè da una rappresentazione che trae origine dall'unione ancora da verificare di due immagini. Come si legge nel testo presentato di seguito, l'uomo ha però un rimedio a portata di mano, che consiste nella verifica empirica della validità della connessione che la mente ha istituito.

Tra ciò che è presente con evidenza nel nostro animo (ossia tra le sensazioni e i concetti) Epicuro inserisce anche le passioni, cioè i sentimenti di piacere e di dolore, che sono però criterio di giudizio nella vita pratica e che, in quanto tali, saranno esaminati nell'ambito della teoria etica.

**I concetti** La prolessi dicono che è come un apprendimento o retta opinione, o idea, o nozione universale insita in noi, vale a dire la memoria di ciò che spesso si è presentato alla nostra mente dall'esterno, come per esempio: quella cosa fatta in una determinata maniera è un uomo. Infatti nel momento stesso che si dice uomo, grazie alla prolessi, si pensa ai suoi caratteri secondo i dati precedenti delle sensazioni. ▼A

Per ogni nome dunque ciò che da esso è immediatamente significato ha i caratteri dell'evidenza. E non potremmo mai ricercare alcunché se prima non ne avessimo avuto esperienza; come per esempio (quando ci domandiamo): «Quello laggiù è un cavallo o un bue?», bisogna che sia conosciuta già da prima la forma del cavallo e del bue per mezzo della prolessi. Né potremmo mai nominare alcuna cosa se prima non ne conoscessimo per mezzo della prolessi i suoi caratteri. Le prolessi sono dunque chiare e evidenti. ▼B

**Le opinioni**

E anche l'opinione trae origine da un primitivo elemento di evidenza, facendo riferimento al quale noi possiamo porci delle domande, come per esempio questa: «Donde sappiamo che questo è un uomo?». Chiamano l'opinione anche "presunzione", e dicono che può essere vera o falsa: se riceve conferma oppure non riceve attestazione contraria è vera; se invece non riceve conferma o riceve attestazione contraria è falsa. Da ciò fu introdotta l'espressione "ciò che attende (conferma)"; come per esempio l'attendere e avvicinarsi alla torre e apprendere com'è da vicino. ▼C

**Le passioni**

Le passioni dicono essere due, il piacere e il dolore, che si danno in ogni essere vivente, e l'una è conforme a natura, l'altra le è contraria; e in base a queste si giudica di ciò che si deve eleggere e fuggire. ▼D

(Diogene Laerzio, *Vite dei filosofi*, X, 33-34, in Epicuro, *Opere*, cit., pp. 14-15)

## CHIAVI DI LETTURA

►**A** Epicuro afferma la presenza nella nostra mente di concetti, o «nozioni universali», o «prolessi», ponendoli fin da subito in diretta relazione con l'esperienza: essi nascono dall'elaborazione delle sensazioni e dall'istituzione di collegamenti tra esse, e dunque si fondano sulla memoria di immagini più volte impresse nella nostra mente. Pertanto, se non ci fossero le sensazioni, i concetti non avrebbero alcun contenuto, e non si avrebbe «più alcun criterio a cui fare riferimento» (*Massime*, 23 RS). Epicuro osserva che le prolessi "anticipano" l'esperienza, in quanto sono i criteri a partire dai quali noi riconosciamo gli oggetti che di volta in volta sperimentiamo: è in base a essi, ad esempio, che ci è possibile definire una certa realtà, costituita da certi elementi, con il termine "uomo".

►**B** Il significato di ogni nome, ovvero l'immagine mentale che noi associamo a ogni nome, è posteriore alla prolessi e come quest'ultima è strettamente legato all'esperienza da cui ha tratto origine: pertanto tale significato è evidente, in quanto si accompagna a un'immagine mentale, il concetto, che presenta le stesse caratteristiche dell'oggetto a cui si riferisce, derivando da una precedente esperienza di esso. Si noti come, collegando strettamente sensazione e anticipazione, la canonica epicurea venga a risolvere il problema del criterio della conoscenza senza dover avvicinarsi ad alcuna forma di innatismo e sbarrando la via a ogni tentativo scettico.

►**C** Anche l'opinione, come ogni rappresentazione mentale, trae origine dalla sensazione, ma a differenza della prolessi, che è un'immagine generale che corrisponde all'esperienza di molte sensazioni dello stesso tipo, l'opinione si forma quando il soggetto associa due immagini in modo affrettato, senza una ponderata riflessione. Poiché nell'opinione il collegamento è operato dal soggetto mediante un suo «moto», è necessario che questo collegamento venga confermato o smentito dall'esperienza, che può attestare o meno la validità della connessione. Noi possiamo, per riprendere l'esempio dello stesso Epicuro, ritenere che una torre che scorgiamo in lontananza abbia determinate caratteristiche, ma non lo possiamo dire con certezza fino a quando non la esaminiamo da vicino.

►**D** Il fatto che Diogene Laerzio inserisca, nella sua testimonianza sulla dottrina della conoscenza di Epicuro, il passo in cui si fa riferimento alle passioni indica lo stretto legame che intercorre tra i vari elementi del sistema filosofico epicureo. Alla base di quest'ultimo, sia in ambito logico, sia in ambito etico, si trova la sensibilità, che non solo determina la verità delle rappresentazioni, ma stabilisce anche, secondo il principio del piacere, che cosa scegliere e che cosa evitare.

## PERCORSO 6

*Che i corpi esistano lo attesta di per sé in ogni occasione la sensazione [...]; se poi non esistesse ciò che noi chiamiamo vuoto, i corpi non avrebbero né dove stare, né dove muoversi.*

(Epicuro, *Lettera a Erodoto*)

# ■ L'epicureismo: il materialismo atomistico

La fisica epicurea si caratterizza per l'impostazione materialistica e per il suo stretto legame con l'etica, tanto che Epicuro nelle righe iniziali della *Lettera a Pitocle*, dedicata a «tutti coloro che da poco hanno gustato della verace scienza della natura», afferma che nella conoscenza dei fenomeni celesti «l'unico scopo è la tranquillità e la sicura fiducia».

Anche in ambito fisico il punto di partenza è l'evidenza di ciò di cui facciamo esperienza e di cui la ragione deve dare una spiegazione coerente: in particolare, si tratta di conciliare l'evidenza empirica della nascita e del dissolversi degli enti con l'evidenza razionale secondo cui "nulla nasce dal nulla". La soluzione proposta da Epicuro è quella di una ripresa della filosofia atomistica di Democrito, dalla quale viene tratto il principio fondamentale secondo cui, come si può leggere nel primo passo proposto, tutta la realtà è costituita da due elementi fondamentali: i corpi, composti dagli atomi, e il vuoto. L'unione e la separazione degli atomi sono alla base di tutto ciò che esiste e la realtà è concepita, in esplicita polemica con la fisica aristotelica, come infinita, non solo in quanto totalità cosmica, ma anche nei suoi componenti: infinita è infatti la moltitudine dei corpi, infinita è l'estensione del vuoto e infiniti sono i mondi.

Riguardo al movimento degli atomi, la fisica di Epicuro si allontana decisamente da quella di Democrito, e non solo perché lo intende come una caduta verso il basso, dovuta al fatto che gli atomi sono dotati di peso, ma anche perché rifiuta di considerarlo come necessario e immodificabile. Come emerge dal secondo brano proposto, Epicuro introduce a tal fine l'idea di una "deviazione" (che verrà chiamata *clinàmen*) per indicare la possibilità di ogni atomo di deviare in qualsiasi momento dal proprio percorso. In questo modo il filosofo intende sottrarre il cosmo alla necessità implacabile del fato e affermare che nell'universo non vi è alcun ordinamento necessario, ma tutto avviene in modo casuale e fortuito. È così possibile dare ragione della libertà umana, che anch'essa appare agli occhi di Epicuro come un'evidenza immediata, che fornisce un solido fondamento alla capacità dell'uomo di decidere liberamente.

Nell'infinità del Tutto l'uomo appare dunque, agli occhi di Epicuro, come un ente che deve trovare da solo il senso dell'esistenza; ma questo, lungi dal generare un sentimento di angoscia, lo apre a una serena accettazione della propria condizione finita e costituisce il fondamento di un'etica capace di portarlo alla serenità dell'animo.

### T 12 — LA REALTÀ COME UN INFINITO COMPOSTO DI CORPI E DI VUOTO

L'affermazione che la realtà è costituita dall'unione e dalla separazione degli atomi e che i corpi sono aggregati di tali enti indivisibili, immutabili e, quindi, ingenerati ed eterni è il risultato dell'impegno di Epicuro di proporre una spiegazione complessiva di tutto il reale a partire da un'impostazione materialistica. Rifacendosi alla posizione di Democrito, egli intende fornire una concezione unitaria della realtà, basata su una spiegazione di tipo esclusivamente fisico dei vari fenomeni naturali e capace di liberare l'uomo dalla paura degli dei e della morte, e dalla superstizione. Nella *Lettera a Pitocle* Epicuro afferma : «Non bisogna indagare la scienza della natura con

vacui assiomi e legiferazioni, ma come richiedono i fenomeni» (86-87); proprio per questo, come si legge nel brano che segue (tratto dalla *Lettera a Erodoto*), avanza una spiegazione dei fenomeni fisici basata sul movimento degli atomi nel vuoto e sull'infinità, o illimitatezza, del mondo.

Prima di tutto nulla nasce dal nulla; perché qualsiasi cosa nascerebbe da qualsiasi cosa, senza aver bisogno di semi generatori; e se ciò che scompare avesse fine nel nulla tutto sarebbe già distrutto, non esistendo più ciò in cui si è dissolto. ▼A Inoltre il tutto sempre fu come è ora, e sempre sarà, poiché nulla esiste in cui possa tramutarsi, né oltre il tutto vi è nulla che penetrandovi possa produrre mutazione. ▼B

**L'eternità del tutto**

E inoltre il tutto è costituito di corpi e di vuoto [...]. Che i corpi esistano infatti lo attesta di per sé in ogni occasione la sensazione in base alla quale bisogna, con la ragione, giudicare di ciò che sotto i sensi non cade, come abbiamo detto prima; se poi non esistesse ciò che noi chiamiamo vuoto o luogo o natura intattile, i corpi non avrebbero né dove stare né dove muoversi, come vediamo che si muovono [...].

**Gli elementi costitutivi del tutto**

Oltre a queste due realtà, né in base all'esperienza, né in analogia ai dati di essa si può arrivare a concepire alcuna altra cosa nel modo in cui queste appunto vengono colte in tutte le nature; diverso è il caso di ciò che di queste nature chiamiamo qualità accidentali o essenziali. ▼C

Eppoi [...] dei corpi alcuni sono aggregati, altri componenti degli aggregati. Questi sono indivisibili e immutabili, dato che tutto non deve distruggersi nel nulla, ma permanere essi saldi nella dissoluzione degli aggregati, avendo natura compatta, né esistendo dove o come possano essere distrutti. Per cui è necessario che i principi costitutivi dei corpi siano indivisibili. ▼D

## Chiavi di lettura

►A Punto di partenza dell'argomentazione epicurea è l'affermazione, già ben presente nel pensiero presofistico, secondo cui nulla nasce dal nulla, o dal non essere, e nulla si dissolve nel nulla, perché, se così fosse, nel primo caso si potrebbe pensare che le cose possano generarsi da sé, senza bisogno di alcun principio generatore, e nel secondo caso nulla esisterebbe più, essendoci ormai il niente in cui le cose si sarebbero dissolte.

►B Poiché la ragione ci mostra, con la forza della sua evidenza, che nulla nasce e nulla perisce, ne consegue che la realtà nella sua totalità è eterna, perché non vi è nulla di distinto da essa da cui possa provenire e nulla in cui possa mutarsi. In una tale posizione possiamo sentire l'eco della logica eleatica, peraltro largamente recepita all'interno dell'atomismo, che rappresenta la concezione pluralistica della realtà che più ha meditato sulla lezione di Parmenide.

►C La realtà è costituita dai corpi e dal vuoto: sono i

sensi a mostrarci con evidenza l'esistenza dei corpi, mentre l'esistenza del vuoto è affermata dalla ragione, in quanto il vuoto costituisce la condizione del movimento dei corpi stessi. Alla base di tutte queste riflessioni vi è dunque la convinzione secondo cui la "verità" è data unicamente da tutto ciò che si presenta come "evidente", cioè appunto dal vuoto e dai corpi.

►D I corpi sono concepiti come costituiti da atomi, ovvero da elementi indivisibili e immutabili che permangono anche dopo la dissoluzione dei corpi stessi. Questa tesi non è dimostrabile in modo empirico, ma è conseguenza dell'affermazione razionale secondo cui il tutto non può distruggersi nel nulla. Si ricordi che secondo Epicuro gli atomi si distinguono tra loro per null'altro «all'infuori della forma e del peso e della grandezza» (*Lettera a Erodoto*, 54): il filosofo introduce in tal modo una caratteristica, il peso, che non compariva nella concezione di Democrito e che dà origine alla dottrina del *clinàmen* (v. T13, p. 495).

**L'infinità del tutto**

Oltre a ciò, il tutto è infinito, poiché ciò che è finito ha un estremo, e l'estremo si può scorgere rispetto a qualcos'altro; ma il tutto non si può scorgere rispetto a qualcos'altro; di modo che non avendo estremo non ha nemmeno limite, e ciò che non ha limite è illimitato, non delimitato.

E anche per la quantità dei corpi e per l'estensione del vuoto il tutto è infinito. Se infatti il vuoto fosse infinito e i corpi finiti, questi non potrebbero rimanere in alcun luogo, ma vagherebbero per l'infinito vuoto, sparsi qua e là, non sostenuti né mossi da altri corpi nei rimbalzi; se poi fosse finito il vuoto, i corpi infiniti non avrebbero dove stare. ▼E

**La forma e il numero degli atomi**

Per di più, i corpi che sono indivisibili e solidi – dei quali sono formati gli aggregati e nei quali si disgregano – hanno un inconcepibile numero di forme; perché non sarebbe possibile che potessero sussistere tante differenze negli aggregati prodotti dalle stesse forme limitate. E per ciascuna forma vi è un numero assolutamente infinito di atomi simili; ma per diversità di forma non sono infiniti, ma solo di quantità inconcepibile [...], se non si vuole farli infiniti anche per grandezza. ▼F

**Il moto degli atomi**

Gli atomi poi hanno un moto continuo [...] e eterno, e alcuni rimbalzano via lontano gli uni dagli altri, alcuni invece trattengono lì il loro rimbalzo quando siano compresi in un aggregato o contenuti da altri atomi intrecciati; infatti la natura del vuoto che separa gli uni dagli altri è causa di tale fenomeno, non essendo tale da opporre resistenza, e d'altra parte la solidità, che è loro propria, è causa del loro rimbalzare negli urti nei limiti in cui l'eventuale presenza di un intreccio di atomi non li rimette nella primitiva posizione turbata dal rimbalzo. Non c'è un inizio di questi moti, essendo eterni sia gli atomi che il vuoto [...]. ▼G Tutto quanto è stato detto, se viene tenuto bene a mente, fornisce un compendio sufficiente di quanto si deve pensare riguardo alla natura delle cose. ▼H

(Epicuro, *Lettera a Erodoto*, 39 ss., in *Opere*, cit., pp. 22-25)

▶E In contrasto con la fisica aristotelica, Epicuro afferma che l'universo è infinito, nel senso di "illimitato": a tale posizione il filosofo giunge osservando che se l'universo fosse finito, allora esisterebbe qualcosa di distinto da esso che ne costituirebbe il limite; ma, come Epicuro ha già detto, non esiste nulla di diverso dal tutto. Se il tutto è infinito, allora anche i corpi devono essere infiniti per numero, e di conseguenza anche il vuoto che li contiene deve estendersi all'infinito.

▶F Il riferimento alle differenti forme degli atomi è reso necessario dall'esigenza di spiegare le diversità che vi sono tra i corpi (gli «aggregati») di cui facciamo esperienza. È interessante osservare che non si tratta solamente di forme geometriche regolari, ma di forme di ogni tipo, e che esse differiscono tra loro solo a livello quantitativo, e non qualitativo, dal momento che gli atomi sono tutti di identica natura. Le forme degli atomi sono numerosissime, ma non infinite per numero, perché se fossero tali dovrebbero poter variare all'infinito anche in grandezza, il che li renderebbe in alcuni casi visibili, cosa che invece non accade. Infinito è, invece, il numero degli atomi.

▶G Epicuro non intende il moto degli atomi come un volteggiare in tutte le direzioni, ma come un movimento di caduta verso il basso nello spazio infinito, causato dal peso degli atomi stessi. In ciò egli è probabilmente influenzato da Aristotele, il quale riteneva impossibile qualsiasi movimento che non fosse provocato da un impulso (noi oggi diremmo una "forza") impresso da un "motore", ovvero da qualcosa già in movimento. Democrito, invece, riteneva che gli atomi si muovessero nel vuoto "spontaneamente", in questo quasi prefigurando il concetto di "inerzia" della fisica moderna. La spiegazione di Epicuro fa ricorso a immagini sensibili: egli suppone che gli atomi, urtandosi tra loro, "rimbalzino" nel vuoto, reagendo in modo diverso a seconda della quantità di vuoto che hanno a disposizione e della loro solidità: tale movimento è eterno, come eterni sono gli atomi e il vuoto.

▶H In queste righe finali, Epicuro sottolinea come le nozioni fornite siano sufficienti per intendere la «natura delle cose»: si ricordi, a questo proposito, la convinzione epicurea secondo cui la scienza non costituisce un valore in sé, bensì uno strumento di cui l'uomo si serve per liberarsi da quelle false credenze che gli impediscono di raggiungere la serenità dell'animo.

**T 13**  LA "DECLINAZIONE" DEGLI ATOMI

La teoria del *clinàmen* non si trova mai formulata in modo esplicito nei testi di Epicuro che ci sono pervenuti: ce ne parlano però altre fonti antiche, quali Lucrezio, Cicerone e Plutarco. Il brano che segue è tratto dal *De rerum natura* (Sulla natura delle cose) di Lucrezio, poema in esametri di cui è proposta una traduzione in prosa. Lucrezio riporta la teoria della "deviazione", o "declinazione", degli atomi facendo esplicito riferimento a una duplicità di piani: da un lato essa spiega come mai gli atomi non cadano, in forza del loro peso, secondo linee parallele, finendo in tal modo per non incontrarsi mai; dall'altro serve a infrangere il rigido determinismo democriteo, introducendo un elemento di casualità in grado di dar spiegazione della libertà umana. È in questa seconda prospettiva che Epicuro, nella *Lettera a Meneceo* (134), scrive: «Era infatti meglio credere ai miti sugli dei, piuttosto che essere schiavi del destino dei fisici: quelli infatti suggerivano la speranza di placare gli dei per mezzo di onori, questo invece ha implacabile necessità».

In quest'ordine di cose desidero farti ancora apprendere che gli atomi, nel loro stesso muoversi a perpendicolo attraverso il vuoto spazio, trascinati dal loro peso, a un momento non precisato e in luoghi non precisati si allontanano un poco dalla loro traiettoria, di quel tanto per cui si può parlare di una declinazione. Se non fossero soliti subire questo spostamento, essi cadrebbero tutti quanti dall'alto per l'immenso vuoto come gocce di pioggia, né vi sarebbe urto o colpo alcuno per dare inizio alle cose, e la natura non avrebbe mai prodotto quindi nulla [...]. Perciò necessariamente gli atomi devono declinare un poco, un tantino appena però, perché non sembri che immaginiamo dei moti obliqui che andrebbero contro la realtà: è infatti chiaro e manifesto a tutti che corpi pesanti, di loro propria natura, non possono percorrere traiettorie oblique quando cadono dall'alto, come chiunque può vedere. Ma chi di per sé potrebbe verificare direttamente che nessun corpo in assoluto devii dalla traiettoria perpendicolare? ▼A

**La deviazione degli atomi spiega il loro aggregarsi**

Infine, se tutti i movimenti si svolgessero in concatenamento reciproco, e se un nuovo movimento nascesse dal vecchio sempre in ordine stabilito, se i primi elementi, con la loro declinazione, non producessero un movimento tale da rompere le leggi del fato, sì da impedire che la concatenazione delle cause vada all'infinito, donde deriverebbe questa libera facoltà di sottrarsi al fato che vediamo propria degli esseri animati per tutta la terra, per via della quale possiamo andare ovunque la volontà ci guidi? ▼B

**La deviazione degli atomi spiega la libertà dell'uomo**

(Lucrezio, *De rerum natura*, II, 216-224 e 243-260, in Epicuro, *Opere*, a cura di M. Isnardi Parente, UTET, Torino 1983, pp. 312-313)

## CHIAVI DI LETTURA

▶A La teoria del *clinàmen* assume in Lucrezio una formulazione assai poco scientifica, ma non bisogna dimenticare che ci troviamo di fronte a un testo poetico, che ha modalità espressive particolari e che privilegia l'immagine rispetto al concetto. Le parole scelte da Lucrezio – «momento non precisato», «luoghi non precisati», «si allontanano un poco», «declinare un tantino appena» ecc. – rendono con efficacia il carattere fortuito della deviazione, che avviene in modo casuale e imprevedibile. Essa è inoltre talmente lieve da non entrare in contraddizione con l'esperienza comune della caduta perpendicolare (rispetto alla terra) dei corpi pesanti, né con il permanere dei vari corpi, ossia dei vari aggregati nei quali gli atomi, pur non cessando di muoversi, mantengono tra loro rapporti stabili.

▶B L'implicazione etica della teoria del *clinàmen* è espressa con grande chiarezza: tale teoria introduce una sorta di "strappo" nella necessità del tutto e in questo modo rende concepibile quella libertà dell'uomo e degli altri esseri animati di cui facciamo, come già aveva affermato Aristotele, indubitabile esperienza. Anche Cicerone, nel *De Fato*, collega la teoria epicurea del *clinàmen* con l'affermazione della libertà umana. Resta tuttavia da comprendere che senso abbia tale libertà in un universo in cui tutto è frutto dell'incontro casuale degli atomi, e di conseguenza in che cosa possa consistere la felicità per l'uomo: a queste domande Epicuro intende dare risposta con la sua etica, che resta il vero punto centrale di tutta la sua ricerca filosofica.

## PERCORSO 7

« *Quando diciamo che il piacere è il bene completo e perfetto, intendiamo il non aver dolore nel corpo né turbamento nell'anima.* »

(Epicuro, *Lettera a Meneceo*)

### ■ L'epicureismo: l'etica come ricerca della tranquillità dell'anima

In quanto "cura dell'anima", la filosofia, secondo Epicuro, libera gli uomini dalle false conoscenze riguardo alla struttura del reale e li accompagna verso il raggiungimento della felicità. Quest'ultima, infatti, è un bene che può essere effettivamente conseguito durante l'esistenza terrena e che dipende dalle scelte che ogni singolo individuo compie, e non dalle circostanze esterne (quali la ricchezza, la nobiltà, la salute, il sostegno delle istituzioni, le consolazioni della religione ecc.): Epicuro sostiene infatti che il saggio può essere felice anche tra i tormenti e che «bastare a se stessi è la massima ricchezza» (*Massime*, 476 Usener).

Per conseguire una vita felice l'uomo ha bisogno di liberarsi da alcune paure, e in particolare, come si legge nel primo testo proposto, dalla paura della morte, che appare come un male solo a chi di essa possieda una falsa opinione. Infatti, poiché l'uomo non è altro che un composto di atomi, la morte consiste nello scioglimento dei legami che li tengono uniti e quindi nella dissoluzione del corpo e dell'anima: essa rappresenta dunque il termine di tutta l'esperienza umana e, in questo senso, non è motivo di affanno per l'uomo.

Liberatosi dai suoi vani timori, l'uomo è pronto per vivere un'esistenza che può agevolmente trovare, nell'orizzonte finito che la costituisce, il suo pieno significato. L'etica di Epicuro è basata sul piacere: è quindi un'etica edonistica; ma il piacere da ricercare, come si afferma nel secondo dei brani proposti, non è quello caratterizzato dalla dismisura, essendo piuttosto inteso come assenza di dolore fisico («aponia») e come mancanza di turbamento spirituale («atarassia»). In una delle sue *Massime* Epicuro esprime con estrema chiarezza questa sua visione etica: «La felicità e la beatitudine non sono date né da grandi ricchezze né dall'attività fine a se stessa né dalle cariche né dal potere, ma da assenza di dolore, mitezza di passioni e disposizione d'animo che consenta di determinare ciò che è secondo natura» (548 Usener).

**T 14** ⬛ IL TIMORE DELLA MORTE È IMMOTIVATO

L'impostazione materialistica della propria fisica porta Epicuro ad affermare la distinzione dell'anima dal corpo, ma al tempo stesso l'intima unione di queste due realtà, che si presentano come inseparabili: quando il corpo si distrugge, anche l'anima si disperde. Tali considerazioni, appartenenti alla *Lettera a Erodoto* ed esposte nella prima parte del brano che segue, aprono la strada a un'affermazione contenuta nella *Lettera a Meneceo*, dalla quale è tratta la seconda parte del testo, dove il timore

della morte viene descritto come immotivato. Epicuro è ben consapevole che la paura della morte ha sempre angosciato gli uomini, ma ritiene che la filosofia sia in grado di liberare da tale paura tramite un'attenta riflessione sull'effettivo significato della morte stessa. Questa si caratterizza per essere la fine di ogni sensazione, dopo la quale non resta nulla dell'individuo senziente: solo il disperdersi degli atomi che ne componevano il corpo e l'anima. Perciò lo svolgersi sereno dell'esistenza umana non deve essere offuscato dall'ombra della finitezza, che costituisce anzi l'unico orizzonte entro cui l'uomo può sperimentare i diversi piaceri, scelti in base a un'attenta analisi razionale.

L'anima è un corpo sottile, sparso per tutto l'organismo, assai simile all'elemento ventoso, e avente una certa mescolanza di calore, e in qualche modo somigliante all'uno[1], in qualche modo all'altro[2]. [...] ▼A

E bisogna pensare anche che della sensazione la causa principale risiede nell'anima; non l'avrebbe invero se non fosse in qualche modo contenuta nel restante organismo; il quale, facendo sì che nell'anima risieda questa causa, partecipa poi dal canto suo di tale qualità accidentale grazie all'anima, non però di tutte quelle che di essa sono proprie. ▼B Per cui, separato dall'anima il corpo non ha più sensazione, perché non ha tale potere in se stesso, ma lo procura a qualcos'altro [cioè all'anima] con esso generatosi, e questo qualcos'altro, attuatasi nel corpo tale possibilità di sentire secondo il moto, produce dapprima il fenomeno della sensazione per sé, la trasmette poi [anche al corpo] per il contatto e il consentimento[3], così come ho detto prima. ▼C Per questo, finché l'anima rimane nel corpo non perde la facoltà di sentire, anche se qualche parte di esso se ne stacca; ma anche se qualche parte di essa vada distrutta insieme al corpo che la contiene, sia in tutto, sia in parte, se [il rimanente di essa] perdura, conserva la sensazione. Il rimanente corpo invece, sia che permanga tutto, sia in parte, perde la sensazione se si separa quella quantità, per quanto piccola, di atomi che serve a costituire la natura dell'anima. ▼D E invero se tutto il corpo si distrugge, l'anima si disperde, e non ha più quei poteri e quei moti, e quindi perde anche la facoltà di sentire. Non si può infatti concepire come senziente [l'anima] se non in questo complesso [di anima e corpo], né che possa più avere quei moti, quando il corpo che la contiene e la circonda non sia più tale com'è ora, stando nel quale l'anima tali moti possiede. ▼E

(Epicuro, *Lettera a Erodoto*, 63-66, in *Opere*, cit., pp. 32-33)

**La natura dell'anima e la sua unità con il corpo**

1 Intendi: al vento.

2 Intendi: al calore, al fuoco.

3 Si fa qui riferimento al "sentire comune" dell'anima e del corpo.

# CHIAVI DI LETTURA

▶**A** L'anima è distinta dal corpo ed è un corpo essa stessa, composto da atomi sottilissimi, simili a quelli che costituiscono l'aria o il fuoco e sparsi per tutto l'organismo umano. Si noti però che altrove Epicuro afferma che, tra gli atomi che costituiscono l'anima, ve ne sono alcuni che si differenziano del tutto anche da quelli corporei del fuoco.

▶**B** Propria dell'anima è la facoltà del sentire, o sensazione, mentre il corpo è ciò che rende possibile l'esercizio di tale facoltà. In altre parole, l'anima "sente" attraverso il corpo, il quale a sua volta "sente" in quanto strumento dell'anima. Il corpo non è però collegato a tutte le facoltà dell'anima, e in particolare ciò non accade per la ragione, che ne costituisce la qualità essenziale.

▶**C** In assenza dell'anima, il corpo perde la facoltà di sentire, che gli deriva appunto dal contatto con l'anima. Questa, infatti, nel momento in cui "sente" qualcosa, mediante il movimento dei propri atomi trasmette tale sensazione anche al corpo.

▶**D** L'anima non perde la facoltà di sentire se il corpo subisce una qualche mutilazione, mentre il corpo, integro o menomato che sia, senza l'anima perde ogni sensibilità, mantiene cioè le funzioni vitali, ma non la capacità di sentire e di pensare.

▶**E** Se si dissolve il corpo che le fa da "recipiente", anche l'anima "muore", nel senso che si disperdono gli atomi che la compongono. Epicuro difende l'idea della distinzione tra anima e corpo, e quindi della specificità dell'anima come principio della sensazione e della ragione, ma al tempo stesso nega la possibilità che essa abbia un'esistenza autonoma rispetto al corpo. La dottrina epicurea, pertanto, per il primo aspetto si avvicina a quella platonica (la quale però, sulla base della distinzione tra anima e corpo, affermava l'immortalità dell'anima), mentre per il secondo a quella aristotelica (la quale però, pur collegando strettamente anima e corpo, affermava l'immaterialità dell'anima).

«Niente è
per noi
la morte» Abìtuati a pensare che nulla è per noi la morte, poiché ogni bene e ogni male è nella sensazione, e la morte è privazione di questa. Per cui la retta conoscenza che niente è per noi la morte rende gioiosa la mortalità della vita; non aggiungendo infinito tempo, ma togliendo il desiderio dell'immortalità. ▼F Niente c'è infatti di temibile nella vita per chi è veramente convinto che niente di temibile c'è nel non vivere più. Perciò stolto è chi dice di temere la morte non perché quando c'è sia dolorosa ma perché addolora l'attenderla; ciò che, infatti, presente non ci turba, stoltamente ci addolora quando è atteso. ▼G

Il più terribile dunque dei mali, la morte, non è nulla per noi, perché quando ci siamo noi non c'è la morte, quando c'è la morte noi non siamo più. Non è nulla dunque, né per i vivi né per i morti, perché per quelli non c'è, questi non sono più. ▼H

Ma i più, nei confronti della morte, ora la fuggono come il più grande dei mali, ora come cessazione dei mali della vita la cercano. Il saggio invece né rifiuta la vita né teme la morte; perché né è contrario alla vita, né reputa un male il non vivere. E come dei cibi non cerca certo i più abbondanti, ma i migliori, così del tempo non il più durevole, ma il più dolce si gode. ▼I

(Epicuro, *Lettera a Meneceo*, 124-126, in *Opere*, cit., p. 62)

▶F Poiché il bene e il male hanno la loro origine nella sensazione (bene è ciò che procura piacere, male ciò che procura dolore), e poiché la sensazione cessa con il disperdersi degli atomi che compongono l'individuo, non ha alcun senso che l'uomo tema la morte. Coerentemente con la convinzione secondo cui il valore della vita sta nel piacere che essa offre, Epicuro ritiene che la finitezza del vivere umano non costituisca un ostacolo per la felicità, in quanto, come afferma in una *Massima* (19 RS), «L'infinito tempo e il finito hanno ugual quantità di piacere, ove si misurino i limiti di esso con la ragione». La durata della vita non è quindi ciò che conta.

▶G Non ha senso tormentarsi per qualcosa che inevitabilmente avverrà, ma che sappiamo non essere doloroso. Il timore della morte, inducendo a preoccuparsi del domani, non consente di godere pienamente delle gioie presenti: di conseguenza, «la vita se ne va mentre si indugia e ciascuno di noi muore senza avere mai goduto la pace» (*Massime*, 14 SV).

▶H L'argomentazione secondo cui della morte non facciamo esperienza e quindi non ha senso temerla è espressa con una formula concisa ed efficace, secondo la quale la morte rappresenta il semplice termine della nostra capacità di provare sensazioni.

▶I La morte non è dunque nulla di terribile per il saggio, il quale, ben consapevole della finitezza che connota l'esperienza umana e del fatto che la morte non è un male, assume un atteggiamento positivo verso la vita, rallegrandosi delle gioie che essa gli offre e senza tormentarsi chiedendosi quanto durerà. In una delle sue *Massime* Epicuro invita a godere dei principali piaceri della vita: «Bisogna ridere e insieme filosofare e attendere alle cose domestiche e esercitare tutte le altre nostre facoltà, e non smettere mai di proclamare i detti della retta filosofia» (41 SV).

T 15  LA NATURA DEL PIACERE

L'etica epicurea è un'etica edonistica, in quanto identifica la felicità con il piacere (in greco *edoné*); essa tuttavia invita l'uomo a una rigorosa valutazione dei suoi desideri, in modo da accogliere solo quelli che non possono essere causa di dolore o di sofferenza. Secondo la testimonianza di Cicerone, infatti, per Epicuro «sommo è quel piacere che si prova dopo che ogni dolore è stato allontanato» (*De finibus bonorum et malorum*, I, 11, 37). Quindi la ragione, a cui è affidato il «calcolo» dei piace-

ri, viene ad assumere un ruolo fondamentale, e la virtù viene a specificarsi come il frutto di una prudente valutazione di che cosa effettivamente giovi o nuoccia all'uomo.

Epicuro, come si legge nel brano che segue, propone una classificazione dei vari tipi di piacere ispirata dalla convinzione che tra essi sono da ricercare soltanto quelli che hanno in sé una certa "misura". La «vita beata» consiste, secondo il filosofo, nella «salute del corpo» e, soprattutto, nella «tranquillità dell'anima», e il conseguimento di quest'ultimo obiettivo fa sì che l'uomo non solo sia feli- ce, ma anche utile ai suoi simili, in quanto «l'uomo sere- no procura serenità a sé e agli altri» (*Massime*, 79 SV).

E analogamente bisogna pensare che dei desideri alcuni sono naturali, altri vani; e di quelli naturali alcuni sono necessari, altri solo naturali; e di quelli necessari alcuni lo sono per la felicità, altri per il benessere del corpo, altri per la vita stessa. Infatti una giusta conoscenza di essi sa riferire ogni atto di scelta e di rifiuto alla salute del corpo e alla tranquillità dell'anima, poiché questo è il termine entro cui la vita è beata. Perché è in vista di questo che compiamo tutte le nostre azioni, per non soffrire né aver turbamento. ▼A Quando ciò noi avremo, ogni tempesta dell'anima si placherà, non avendo allora l'essere animato alcuna cosa da appetire come a lui mancante, né altro da cercare con cui rendere completo il bene dell'anima e del corpo. È allora infatti che abbiamo bisogno del piacere, quando soffriamo perché esso non c'è; quando non soffriamo non abbiamo bisogno del piacere. ▼B

**I diversi tipi di desiderio**

E per questo noi diciamo che il piacere è principio e termine estremo di vita felice. Esso noi sappiamo che è il bene primo e a noi connaturato, e da esso prendiamo inizio per ogni atto di scelta e di rifiuto, e ad esso ci rifacciamo giudicando ogni bene in base alle affezioni assunte come norma. ▼C

**La centralità del piacere**

E poiché questo è il bene primo e connaturato, per ciò non tutti i piaceri noi eleggiamo, ma può darsi anche che molti ne tralasciamo, quando ad essi segue incomodo maggiore; e molti dolori consideriamo preferibili ai piaceri quando piacere maggiore ne consegua per aver sop- portato a lungo i dolori. Tutti i piaceri dunque, per loro natura a noi congeniali, sono bene, ma non tutti sono da eleggersi; così come tutti i dolori sono male, ma non tutti sono tali da doversi fuggire. ▼D

In base al calcolo e alla considerazione degli utili e dei danni bisogna giudicare tutte queste cose. Talora infatti esperimentiamo che il bene è per noi un male, e di converso il male è un bene. ▼E

## CHIAVI DI LETTURA

▶**A** La distinzione tra desideri vani, desideri naturali e non necessari, e desideri naturali e necessari evidenzia il ruolo della ragione, che, tra i vari desideri che via via si presentano all'individuo, deve scegliere quelli che porta- no alla salute del corpo, intesa come assenza di dolore fisico, o «aponia», e alla tranquillità dell'anima, intesa come assenza di turbamento, o «atarassia».

▶**B** È di estrema finezza psicologica l'osservazione secondo la quale il piacere è collegato al cessare di una sofferenza, per cui è per noi un bisogno solo quando sof- friamo per la sua mancanza; una volta che abbiamo sod- disfatto le nostre necessità (ad esempio quando abbiamo placato la nostra sete con dell'acqua), il nostro impulso a ricercare il piacere deve dunque cessare (cioè, per ripren- dere il nostro esempio, non dobbiamo desiderare di bere del vino, perché si tratterebbe di un piacere non necessa- rio): per questo motivo il fine della vita consiste per Epi- curo nell'assenza di dolore e di preoccupazioni, e non nell'accumulo dei piaceri.

▶**C** L'elogio del piacere nasce dal fatto che esso è ricer- cato dall'uomo come il «bene primo» ed è assunto quale criterio per stabilire se una qualunque cosa sia un bene o un male. Esso, dunque, nell'ambito dell'etica svolge lo stesso ruolo che svolgono le sensazioni nel processo della conoscenza: è il principio evidente che permette di formulare giudizi.

▶**D** Poiché si presenta in molte forme, il piacere non costituisce un criterio univoco: esso ha bisogno che la ragione indichi quali tra i piaceri sono da preferirsi, sia perché «maggiori» di altri, sia perché comportano meno dolori e turbamenti di altri.

▶**E** Epicuro rifiuta il perseguimento indiscriminato di tutti i piaceri, e sottolinea il ruolo della ragione nel "calcolare" gli «utili» e i «danni» che da essi derivano. Vi è pertanto nell'etica epicurea una compresenza di edonismo e di utilitarismo, in quanto il fine dell'agire umano non è posto solo nel piacere, ma anche nell'ot- timizzazione del piacere stesso, cioè nel «calcolo» intelligente che consente di stabilire una gerarchia tra i vari piaceri.

**Il valore dell'auto-sufficienza**

Consideriamo un gran bene l'indipendenza dai desideri, non perché sempre dobbiamo avere solo il poco, ma perché, se non abbiamo il molto, sappiamo accontentarci del poco; profondamente convinti che con maggior dolcezza gode dell'abbondanza chi meno di essa ha bisogno, e che tutto ciò che natura richiede è facilmente procacciabile, ciò che è vano difficile a ottenersi. I cibi frugali inoltre danno ugual piacere a un vitto sontuoso, una volta che sia tolto del tutto il dolore del bisogno, e pane ed acqua danno il piacere più pieno quando se ne cibi chi ne ha bisogno. L'avvezzarsi a un vitto semplice e frugale, mentre da un lato dà la salute, dall'altro rende l'uomo sollecito verso i bisogni della vita, e quando, di tanto in tanto, ci accostiamo a vita sontuosa ci rende meglio disposti nei confronti di essa e intrepidi nei confronti della fortuna. ▼F

Quando dunque diciamo che il piacere è il bene completo e perfetto, non intendiamo i piaceri dei dissoluti o quelli delle crapule[1], come credono alcuni che ignorano o non condividono o male interpretano la nostra dottrina, ma il non aver dolore nel corpo né turbamento nell'anima. ▼G

1 Cioè del mangiare e del bere oltre misura, per golosità o avidità: Epicuro prende qui le distanze da qualsiasi impulso smodato.

(Epicuro, *Lettera a Meneceo*, 127-132, in *Opere*, cit., pp. 63-65)

▶**F** Il saggio ricerca quel tipo di piacere il cui conseguimento necessita del concorso di pochissime condizioni esterne: per questo motivo egli si volge verso un tenore di vita frugale, perseguendo quei piaceri che recano con sé il preciso limite del soddisfacimento di un bisogno naturale. Ad esempio, una volta calmata la propria sete con l'acqua, l'assetato consegue un piacere completo, che non necessita di essere ulteriormente accresciuto. La testimonianza che Diogene Laerzio ci ha lasciato sullo stile di vita di Epicuro mostra come tali principi fossero consuetudine di vita nel Giardino. Il filosofo e i suoi amici consumavano pasti semplici e frugali, «si accontentavano di un cotilo [più o meno il nostro "quarto" di litro] di vinello, ma in genere la loro bevanda era acqua». Solo sfrondando i propri desideri da tutto ciò che non è necessario è possibile conseguire l'autosufficienza, cioè quella capacità di bastare a se stessi che procura la più

grande ricchezza e felicità, mettendo l'uomo al riparo dalle insidie del destino e rendendolo autenticamente libero. «Una vita libera non può procacciarsi grandi ricchezze, perché ciò non è facile senza essere schiavi delle folle o dei monarchi» afferma significativamente Epicuro in una sua *Massima* (67 SV).

▶**G** Il piacere a cui fa riferimento Epicuro è stato definito "ascetico", in quanto si tratta di un piacere "in quiete", "catastematico" (dall'aggettivo greco *katastematikós*, "quieto", "stabile"), tale da garantire l'imperturbabilità del saggio. Questo spiega sia il rifiuto, propugnato dagli epicurei, della politica attiva, considerata fonte di preoccupazioni e di affanni, sia l'esortazione a "vivere nascostamente" (*láthe biósas*, "vivi nascosto") e a non farsi travolgere dall'ambizione del potere e della fama di una carriera pubblica.

# PERCORSO 8

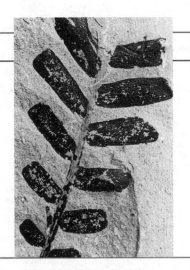

> « *Dell'Uno è tale la natura da essere fonte delle cose migliori e potenza che genera gli esseri e tuttavia permane in se stessa.* »
>
> (Plotino, *Enneadi*)

## ■ Plotino: le caratteristiche dell'Uno

La filosofia di Plotino, che si sviluppa nella prima metà del III secolo d.C., riporta al centro del dibattito filosofico il pensiero di Platone, al quale intende aderire completamente, limitandosi a sviluppare alcuni dei suoi temi più caratteristici: delle proprie teorie, infatti, Plotino afferma che «non sono nuove, né di oggi, ma sono state pensate da molto tempo, anche se non in maniera esplicita, e i nostri ragionamenti sono l'interpretazione di quelli antichi, la cui antichità ci è testimoniata dagli scritti di Platone» (*Enneadi*, V, 1, 8).

Plotino riprende l'idea di Bene, quale appariva nella *Repubblica* di Platone e quale era stata presumibilmente esposta nelle sue dottrine non scritte, e la trasforma nell'unità assoluta da cui tutto deriva: è la ragione lo strumento grazie al quale è possibile cogliere come tutti gli aspetti della realtà suppongano un principio primo di unità, che il filosofo denomina «Uno» e che concepisce come infinito. Tale principio, come si legge nel primo dei brani presentati di seguito, è l'unità assoluta che consente al molteplice di avere senso, di essere riconoscibile, di non precipitare in una dispersione totale nella quale nulla più vi sarebbe di definito.

Oltre a essere il principio supremo della realtà, l'Uno ne è anche la causa: esso è ciò da cui tutto deriva, come si legge nel secondo brano. L'Uno è dunque un principio trascendente e infinito, che non sta accanto agli altri esseri, ma che costituisce la realtà di ognuno di loro. Per questo non gli si addice alcuna delle definizioni del finito: l'Uno è unità ineffabile che è «al di là» di tutto e che può essere compresa o per via negativa, cioè evidenziando quello che *non* è, o attraverso l'analogia e la metafora.

**T 16**    L'UNO È LA SORGENTE PRIMA DI TUTTE LE COSE

Il testo che segue pone l'accento sulla trascendenza dell'Uno, il quale è anteriore a tutti gli esseri, superiore alla stessa Intelligenza, che da esso deriva, e alla stessa Vita, principio del movimento a partire dal quale tutte le cose sono. L'Uno non ha, "oltre" e "al di sopra" di sé, alcun termine al quale rimandare: esso è realtà assoluta che manifesta solo se stessa.

Le immagini della sorgente che alimenta molti fiumi e dell'albero dal quale si dipartono molti rami, utilizzate da Plotino per far comprendere come dall'unità traggano origine i vari enti, mostrano che non vi è frattura tra il principio ineffabile e ciò che da esso promana.

Il testo ci mette in contatto con una modalità di scrittura articolata in frasi brevi e concettualmente assai dense, che richiedono un elevato sforzo di concentrazione, e nel contempo si apre a immagini suggestive, che vivificano l'argomentazione facendo cogliere, in modo per così dire "visivo", il contenuto della riflessione teorica. Riguardo allo stile di Plotino, così si esprime il suo discepolo Porfirio: «Nello scrivere egli era conciso, denso di pensieri, breve, ricco più di idee che di parole, e scriveva sotto il dominio dell'ispirazione e della passione» (*Vita di Plotino*, 14).

**La natura dell'Uno**

L'Uno non è alcuno degli esseri, ma è anteriore a tutti. ▼A

Che cosa è dunque? L'Uno è la potenza di tutte le cose; se esso non fosse, nulla esisterebbe, né l'Intelligenza, né la Vita prima, né la Vita universale. Ciò che è al di sopra della vita è causa della vita; l'attività della vita, che è tutte le cose, non è la prima[1], ma scaturisce da essa come da una sorgente. ▼B Si immagini una sorgente che non ha alcun principio e che a tutti i fiumi si espande senza che i fiumi la esauriscano, e rimane sempre calma; i fiumi che escono da essa scorrono tutti assieme prima di dirigersi verso punti diversi, ma ciascuno sa già dove i flutti lo porteranno. Oppure [s'immagini] la vita di un albero grandissimo, la quale trascorre in esso, mentre il suo principio rimane immobile senza disperdersi per tutto l'albero, poiché risiede nelle radici. Esso dà alla pianta tutta la sua molteplice vita, ma, non essendo molteplice, anzi essendo principio della molteplicità, rimane immobile. ▼C E non c'è da stupire – oppure sarebbe anche il caso di meravigliarsi – che la molteplicità delle vite proceda da ciò che non è molteplice e che non esista molteplicità se ciò che non è molteplice non esiste prima di questa molteplicità. Infatti il Principio non si divide nell'universo, perché, se esso si frammentasse, l'universo perirebbe né più rinascerebbe, qualora il suo principio non rimanesse in sé, differente [da tutto]. ▼D

**Ogni cosa rimanda all'unità**

Perciò si risale sempre a un'unità. E per ogni cosa c'è un'unità, a cui bisogna risalire; e ogni essere si riconduce all'unità che è prima di esso, ma che non è ancora l'Uno assoluto, finché poi si arrivi all'Uno assoluto; ma questo non rimanda più a nessun altro. Quando si afferra l'unità della pianta – cioè l'immobile suo principio – o l'unità dell'animale o quella dell'anima o quella dell'universo, si afferra ciò che in ciascuno di essi c'è di più possente e prezioso: ▼E e quando noi conosciamo l'Uno che appartiene agli esseri realissimi ed è il loro principio, la loro sorgente e la loro potenza, dovremo diffidare e credere che sia il nulla? Certo, questo principio non è alcuna di quelle cose di cui è principio, poiché nulla si può predicare di esso, né l'ente, né la sostanza, né la vita: egli è sopra tutte queste cose. Se tu lo afferri facendo astrazione dall'essere rimarrai stupito. Ma se ti dirigi verso di lui e raggiungendolo riposi in lui, potrai concepirlo meglio penetrandolo col tuo sguardo e contemplerai la sua grandezza attraverso gli esseri che sono dopo di lui e per lui. ▼F

[1] Intendi: non è la «Vita prima».

(Plotino, *Enneadi*, III, 8, 9-10, trad. it. di G. Faggin, Rusconi, Milano 1992, p. 525)

## CHIAVI DI LETTURA

▶A Questa prima affermazione sottolinea come tutti gli enti siano tali in virtù dell'Uno, e quindi come esso vada inteso come ciò che è assolutamente primo e al di là dell'essere stesso.

▶B L'Intelligenza è, insieme all'Anima (intesa come il "mondo della vita", mentre l'intelletto è inteso come il "mondo dello spirito"), una delle due "ipostasi", cioè realtà sostanziali, che derivano dall'Uno, il quale a sua volta è la prima suprema ipostasi. Per "Intelligenza" (in greco *Noús*), si intende qui il mondo platonico delle idee, mentre per "Vita" si intende il mondo dei fenomeni fisici e biologici, caratterizzato dal movimento. La distinzione tra Vita «prima» e Vita «universale» indica invece la distinzione tra il principio in sé, che procede dall'Intelligenza, e il suo dispiegarsi nel mondo. In entrambe le accezioni, tuttavia, la Vita dipende dall'Uno e di conseguenza tutte le cose sono un riflesso di quell'unità perfetta da cui tutto deriva e verso cui tutto tende.

▶C Le immagini della sorgente e dell'albero evidenziano il legame esistente tra la molteplicità degli effetti e l'unicità della causa, che resta «immobile», ovvero sempre identica in se stessa, essendo l'origine e la radice di ogni mutamento.

▶D Se il principio primo si frammentasse, cioè se fosse molteplice, l'universo diventerebbe puro caos e dispersione, e quindi perirebbe: più volte Plotino sottolinea come gli enti non possano essere, senza unità.

▶E Il risalire sempre all'unità ha un valore insieme *gnoseologico*, in quanto il molteplice non si può conoscere se non grazie a un principio di unificazione, e *ontologico*, in quanto, senza l'Uno, «i molti sarebbero staccati gli uni dagli altri» e non potrebbero sussistere. L'esigenza di un principio unitario riguarda tutto il reale, dai suoi gradi più bassi (il mondo vegetale e animale), che così vengono sottratti all'insignificanza e al caso, fino a quelli più alti, come l'anima.

▶F Essendo al di sopra di ogni realtà, l'Uno è indefinibile e si coglie con un atto di contemplazione, cioè entrando con esso in una sorta di "contatto" mistico. Solo così è possibile cogliere la grandezza dell'Uno, svelata attraverso i vari gradi degli esseri che da esso dipendono.

## T 17    ALL'UNO «NON SI ADDICE ALCUN NOME»

Dopo aver affermato la trascendenza dell'Uno, Plotino affronta il problema della sua definizione: egli precisa che il termine "Uno" non designa un particolare tipo di unità, e neppure l'unità matematica, bensì il principio che è alla radice di ogni unità, ciò che è assolutamente semplice e che è nel contempo in grado di dare ragione di tutta la molteplicità esistente nell'universo. In questo senso, l'Uno è «potenza che genera gli esseri» e viene descritto come autosufficiente, cioè come una realtà che non ha bisogno di alcunché, pur essendo il principio da cui tutto procede. Plotino afferma dunque che l'Uno è ineffabile e indescrivibile, ma al tempo stesso nota che «noi parliamo e scriviamo per avviare verso di Lui, per svegliare dal sonno delle parole alla veglia della visione, come coloro che mostrano la strada a chi vuol vedere qualcosa» (*Enneadi*, VI, 9, 4), cioè per permettere all'anima di ciascuno di arrivare a una conoscenza che è contemplazione.

Egli non è "ente", altrimenti l'Uno sarebbe predicato di un altro essere, mentre a Lui non si addice alcun nome; ma poiché è inevitabile dargli un nome, lo potremmo dire volgarmente, con una certa convenienza, "Uno", non tuttavia nel senso che Egli sia prima un'altra cosa e sia "Uno" in un secondo momento. ▼A

È difficile certamente conoscerlo per questa via; ma Egli è conoscibile piuttosto per mezzo della sua creatura, l'essere; ed è l'Intelligenza che porta all'essere. Dell'Uno è tale la natura da essere fonte delle cose migliori e potenza che genera gli esseri e tuttavia permane in se stessa, né si sminuisce nemmeno nelle cose che nascono da essa, poiché esiste prima di loro. ▼B

Noi lo diciamo necessariamente Uno per indicarcelo l'uno all'altro, poiché con questo nome suggeriamo un'idea indivisa e vogliamo unificare l'anima nostra; ma non lo diciamo uno e indivisibile come quando parliamo di un punto geometrico o di una unità aritmetica: l'Uno preso in questo senso è, infatti, principio della quantità, la quale non sarebbe se non le pre-esistesse l'essenza e ciò che è prima dell'essenza. Non bisogna dunque avviare il pensiero nel campo matematico, poiché queste nozioni sono simili a quei valori soltanto per analogia, cioè per la semplicità e per l'assenza della molteplicità e della divisibilità. ▼C

**La difficoltà di proporre una definizione dell'Uno**

## CHIAVI DI LETTURA

▶A  L'Uno non è un ente, cioè una semplice realtà esistente che si aggiunge alle altre, seppure a un livello più alto, perché di ogni ente è l'origine e la radice. Non è neppure l'Essere, del quale anzi è la condizione. Nessuna delle determinazioni del finito si addice all'Uno, il quale è "al di là" di tutto: ecco perché Plotino tende a dare dell'Uno definizioni negative, cioè che dicono quello che l'Uno *non* è. Afferma infatti il filosofo: «A parlare con precisione, non si deve dire di Lui né questo, né quello». Lo stesso termine "Uno", con cui Plotino sceglie di indicare il principio assoluto della realtà, allude innanzitutto alla *negazione* della molteplicità ed è utilizzato nell'intento di facilitare la nostra comprensione: esso dunque vale per noi, quale attributo con cui noi designiamo il principio supremo, ma che non gli appartiene, perché l'Uno tutto trascende.

▶B  In forza della sua trascendenza, l'Uno non è conoscibile da parte dell'uomo, il quale non può far altro che ricercarne il riflesso nel mondo, ovvero in ciò che da esso deriva. Pur dando origine a tutti gli esseri, l'Uno permane immutabile, e proprio per questo ne costituisce la realtà profonda: tutte le cose derivano dall'Uno, radice salda su cui tutto poggia.

▶C  Non si traggano conclusioni affrettate dall'uso del nome "Uno": esso, infatti, non allude alla nozione geometrica del punto, né a quella matematica dell'unità, poiché la matematica, come ogni altro sapere umano, può fornire una definizione del principio primo solo per analogia, e anche così rischia di confondere le idee, non mettendo in debito risalto la trascendenza che caratterizza l'Uno. L'unità matematica è infatti il fondamento della quantità, ma non è trascendente rispetto a essa e, soprattutto, necessita di una realtà "ulteriore" (l'essenza) a cui fare riferimento.

**L'autosufficienza dell'Uno**

1 Intendi: dell'Uno.

[...] Quanto alla sua[1] autosufficienza, nessuno potrà negarne l'unità. Infatti, se fra tutti gli esseri Egli è il più dotato e il più autosufficiente, ne consegue che Egli non ha assolutamente bisogno di nulla. Tutto il molteplice e il non-uno è manchevole perché consta di molti: perciò la sua essenza ha bisogno dell'unità; l'Uno, invece, non ha bisogno di se stesso perché Egli stesso è uno. Ciò che è molteplice ha bisogno di tutte le cose che appartengono al suo essere; e poi, ogni cosa che è in esso esiste insieme con le altre e non sta in se stessa, poiché si mostra bisognosa delle altre; e così, nel singolo come nel tutto, un tale essere è manchevole. Ora, se è vero che deve esserci qualcosa di assolutamente sufficiente a se stesso, questa cosa non può essere altri che l'Uno, il quale è tale da non essere manchevole né rispetto a se stesso né rispetto ad altri. ▼D

(Plotino, *Enneadi*, VI, 9, 5-6, trad. it. di G. Faggin, cit., pp. 1347-1349)

▶**D** L'autosufficienza dell'Uno nasce dal non aver bisogno di nulla, dall'essere assoluta pienezza, unità assoluta. Si noti il distacco nei confronti della visione cristiana di Dio come amore, che si stava proponendo a Roma in quegli stessi anni e che Plotino conobbe, ma dalla quale si tenne lontano, pur senza polemizzare direttamente nei suoi scritti e nelle sue lezioni con essa. Si noti, inoltre, come l'autosufficienza dell'Uno costituisca un punto di riferimento anche per la condotta dell'uomo: in un momento storico segnato da lacerazioni e contrasti, la dottrina neoplatonica si presenta come un ideale da seguire, come una sorta di «modello culturale di salvezza», secondo la felice espressione di Giuseppe Faggin, acuto interprete del pensiero plotiniano, nonché traduttore della sua opera.

---

## PERCORSO 9

« *Bisogna dunque risalire verso il Bene, cui ogni anima aspira.* »

(Plotino, *Enneadi*)

### ■ Plotino: il passaggio dall'Uno ai molti e il ritorno all'Uno

La definizione della natura dell'Uno consente di illustrare uno dei punti più difficili della filosofia di Plotino: il passaggio dall'assoluta unità alla molteplicità. Proprio perché l'Uno in sé non è vuota indeterminatezza, ma realtà piena, che in un certo senso "contiene" tutte le cose – «in Lui c'è tutto» dice Plotino –, esso si caratterizza come sovrabbondanza, come infinita ricchezza a partire dalla quale scaturisce il molteplice. Per spiegare questo aspetto, Plotino fa riferimento ad alcune immagini assai suggestive: «Tutti gli esseri, finché sussistono, producono necessariamente dal fondo della loro essenza, intorno a sé e fuori di sé, una certa esistenza [...] il fuoco effonde da sé il suo calore, e la neve non conserva il freddo soltanto dentro di sé; un'ottima prova di ciò che stiamo dicendo la danno le sostanze odorose, dalle quali, finché sono efficienti, deriva qualcosa tutt'intorno, di cui gode chi gli sta vicino» (*Enneadi*, V, 1, 6).

Intendendo superare il dualismo della filosofia platonica e aristotelica tra unità e molteplicità, tra realtà divina originaria e materia prima del mondo, Plotino afferma che il molteplice deriva dal principio primo, il quale è infinito e trascendente. La produttività dell'Uno, che avviene in virtù della sua natura e della sua perfezione, e che è stata definita con i termini di "emanazione" e di "processione", segue un cammino che, come si legge nel primo dei brani proposti di seguito, è scandito da alcune «ipostasi», cioè da alcune realtà sostanziali per sé sussistenti: l'Intelligenza, o lo Spirito, e l'Anima.

Nell'intento di dare al proprio sistema un solido impianto teorico, Plotino non descrive soltanto i rapporti tra l'Uno e il molteplice, ma anche quelli tra il molteplice e l'Uno, andando a scrutare non solo nella natura ineffabile dell'Uno, ma anche nella dispersa molteplicità della materia. Questo ardito cammino ha uno scopo eminentemente etico: quello di ricondurre l'anima dell'uomo fuori della corporeità e di permetterle di ricongiungersi con il principio infinito da cui tutto deriva. Ciò è possibile perché, come abbiamo visto, il processo discensivo della realtà dal proprio principio non si presenta solo come un allontanamento dall'Uno, ma mantiene con esso un collegamento costante. In tal modo, il processo di emanazione contiene già in sé il momento del ritorno e lascia aperta la possibilità per l'anima umana di risalire i vari gradi della realtà, le differenti ipostasi, per ricongiungersi all'unità originaria.

Le vie del ritorno sono molteplici, due delle quali vengono proposte nei brani che seguono: una è la via dell'amore, inteso come tensione verso la bellezza, che porta a purificarsi dalle passioni e ad unirsi con la «causa della vita, dell'intelligenza, dell'essere»; l'altra è la via del contatto mistico, che porta l'uomo a uscire dall'ambito razionale per immergersi nell'Uno tramite una visione che annulla ogni distanza, essendo totale «dedizione di sé», brama di contatto per la quale Plotino utilizza il nome di "estasi". Nel tema del ritorno dell'anima all'Uno si evidenzia l'afflato religioso del filosofare plotiniano, che intende il ricongiungimento con il principio assoluto come un atto che, pur compiuto tramite la riflessione dialettica, va oltre la stessa ragione, in quanto coinvolge tutte le determinazioni dello spirito e apre alla dimensione mistica dell'estasi.

## **T 18** LE DIFFERENTI REALTÀ GENERATE DALL'UNO

Il processo che va dall'Uno alla molteplicità è definito "discendente", in quanto dà origine a qualcosa che ha una perfezione inferiore a quella del principio assoluto. Il primo momento di tale processo è dato dall'Intelligenza, intesa come pensiero divino che ha come contenuto se stesso e, in se stesso, il mondo intelligibile; dall'Intelligenza deriva l'Anima, che, contemplando le idee, produce l'universo visibile, al quale dà vita e ordine. L'Intelligenza è concepita come immagine dell'Uno, e l'Anima come immagine dell'Intelligenza; l'Anima, a sua volta, si riflette nei differenti tipi di anime che rendono vitale la realtà sensibile. Per spiegare un tale cammino, che è eterno e non temporale, Plotino fa ricorso a una metafora che ha avuto una larga eco, quella secondo cui l'Uno è presentato come la luce, l'Intelligenza come il sole e l'Anima come la luna.

Egli infatti è perfetto perché nulla cerca e nulla possiede e di nulla ha bisogno; e perciò, diciamo così, trabocca e la sua sovrabbondanza genera un'altra cosa. ▼A **L'Intelligenza**

Ma l'Essere così generato si volge a Lui e tosto ne è riempito e, una volta nato, guarda a se stesso, e questa è l'Intelligenza. Il suo orientarsi verso l'Uno genera l'Essere; lo sguardo rivol-

## CHIAVI DI LETTURA

►A La perfezione dell'Uno fa sì che esso produca tutte le cose non essendo mosso da alcuna causa esterna, ma solo dalla propria natura: di qui l'affermazione di Plotino secondo cui l'Uno genera per «sovrabbondanza», il che equivale a dire che il suo generare deriva di necessità dall'atto con cui liberamente esso si auto-pone.

to a se stesso genera l'Intelligenza. Ma poiché l'Intelligenza per contemplarsi deve persistere in se stessa, diviene insieme Intelligenza ed Essere. ▼B

**L'Anima**

E così l'Essere, essendo simile a Lui, genera ciò che gli è affine, riversando fuori la sua grande potenza; ma anche questa è un'immagine di Colui che, prima di lui, manifestò la sua potenza. Questa forza che procede dall'Essere è l'Anima, ma questa diviene, mentre l'Intelligenza è immobile, poiché anche l'Intelligenza nacque, mentre Colui che è prima di lei persiste nella sua immortalità.

Ma l'Anima non è immobile nel suo generare, anzi, una volta in movimento, genera la sua immagine. Essa, finché guarda lassù donde ebbe origine, si riempie di Intelligenza, ▼C ma se procede verso un'altra e opposta direzione, genera la sensibilità, sua immagine, e la potenza vegetativa che è nelle piante. Nulla tuttavia è separato e tagliato fuori da ciò che precede; anzi, sembra quasi che l'Anima superiore si estenda sino alle piante; e in certo modo vi si estende, in quanto la potenza vegetativa che è nelle piante appartiene all'Anima. Essa non è certamente tutta nelle piante, ma è in esse in quanto è proceduta verso il basso e ha generato, in questo suo processo e con il suo desiderio dell'inferiore, un altro essere. E nondimeno, anche la sua parte superiore, che è sospesa all'Intelligenza, lascia che l'Intelligenza che è in essa rimanga immobile. ▼D

**La metafora della luce**

[...] Si può perciò paragonare l'Uno alla luce, il termine seguente al sole e il terzo alla luna che riceve la luce dal sole. L'Anima infatti ha soltanto un'intelligenza a prestito, la quale la illumina solo superficialmente quando essa è intelligente; l'Intelligenza invece la possiede come cosa tutta sua, ma non è luce pura, pur essendone illuminata nella sua essenza. Ma chi le fornisce la luce è un'altra luce, una luce purissima, che ad essa dà la possibilità di essere ciò che è. ▼E

(Plotino, *Enneadi*, V, 2, 1 e V, 6, 4, trad. it di G. Faggin, cit., pp. 815 e 893)

▶B La prima ipostasi che deriva dall'Uno è l'Intelligenza, o lo Spirito, che, in quanto contempla il principio da cui proviene, è Essere, e in quanto contempla se stesso è Pensiero: nel primo senso, l'Intelligenza è il contenuto del pensiero, l'unità del molteplice intelligibile; nel secondo senso essa è la capacità di cogliere in sé la totalità delle idee. In altre parole, il *Noús* – questo è il termine utilizzato da Plotino – è il mondo platonico delle idee e in esso coincidono l'attività del pensiero e la molteplicità di ciò che è pensato.

▶C L'Intelligenza, a sua volta, genera l'Anima, attraverso cui le idee si traducono in realtà concreta. L'Anima è il principio che produce il mondo e la sua caratteristica principale è quella di essere vita, dinamismo. L'Anima deriva dallo Spirito nello stesso modo in cui questo deriva dall'Uno: rivolgendosi allo Spirito riceve dunque l'Intelligenza, e attraverso lo Spirito "vede" l'Uno, mantenendo così un contatto con il principio supremo.

▶D L'Anima, a sua volta, produce il mondo sensibile e, unendosi alla corporeità, diventa Anima del mondo, cioè principio che dà vita alle cose. Estendendosi fino al mondo vegetale, l'Anima rende presente il contenuto dell'Intelligenza alla realtà sensibile, dandole forma. Essa è quindi la realtà intelligibile che dà origine e ordine al mondo sensibile, pur continuando a permanere realtà incorporea e, come tale, indivisibile e unitaria: essa è in sé unità, ma al tempo stesso, in quanto vita del mondo, è molteplicità.

▶E L'Intelligenza è paragonata al sole, perché derivando direttamente dall'Uno ha una vivida intensità luminosa, anche se non si identifica con la luce pura, ma la riceve per irradiazione. L'Anima è invece paragonata alla luna, perché è solo partecipe della luce, che le viene dall'Intelligenza e non dal principio primo stesso: la sua è quindi una luce pallida e riflessa.

## T 19    L'AMORE E LA BELLEZZA COME VIE D'ACCESSO ALL'UNO

Nel testo che segue Plotino riprende la concezione platonica dell'amore come via che porta verso il mondo intelligibile: il filosofo esalta la perfezione della bellezza divina, cioè dell'Uno, al cui confronto sfigura ogni altra bellezza. Essa suscita in chi la contempla un sentimento vivo di amore, che spinge a purificarsi e ad elevarsi per poterne godere per sempre, raggiungendo così la felicità suprema, che si trova solo in quella «cara patria» (quella dell'assoluta unità) verso cui l'uomo è invitato a «fuggire».

Plotino pone con forza l'accento sul carattere interiore di tale ricerca: il viaggio dell'anima è un viaggio dentro di sé, alla scoperta del proprio essere più vero e profondo, e proprio per questo implica la rinuncia a tutto ciò che è esteriore e materiale. Come sottolinea Aldo Magris, «io mi unisco al Tutto quando cesso di guardarlo al di fuori, e lo contemplo invece in me stesso, come il mio proprio "io" […] unificandosi così con la totalità eterna dell'Essere, l'anima si riconosce anche per ciò che già da sempre era» (*Invito al pensiero di Plotino*, Mursia, Milano 1986, p. 129).

Bisogna dunque risalire verso il Bene, cui ogni anima aspira. Soltanto chi l'ha visto comprende in quale senso io dica che esso è bello. Come Bene, esso è desiderato e il desiderio tende a lui; ma lo raggiungono solo coloro che salgono verso l'alto, ritornano a lui e si spogliano delle vesti indossate nella discesa; come coloro che salgono al sacrario dei templi devono purificarsi, abbandonare le vesti di prima e procedere spogli, fino a che, dopo aver abbandonato, nella salita, tutto ciò che è estraneo a Dio, vedano, soli a solo, nel suo isolamento e nella sua semplicità e purezza, l'essere da cui tutte le cose dipendono e a cui guardano e per cui sono, vivono e pensano: egli è infatti causa della vita, dell'intelligenza, dell'essere. ▼A

**L'aspirazione al Bene**

E chi lo vedesse, quale amore e quali desideri non proverebbe, volendo unirsi a lui; e come il suo stupore non sarebbe accompagnato da piacere? Difatti colui che non l'ha ancora veduto può tendere a lui come ad un bene; ma colui che l'ha veduto dovrà amarlo per la sua bellezza, sarà riempito di commozione e di piacere e, scosso da salutare stupore, lo amerà di vero amore, riderà della passione che consuma, nonché degli altri amori e disprezzerà le sedicenti bellezze di prima: questo provano coloro che hanno incontrato delle forme divine o demoniche né più ricercano ormai la bellezza degli altri corpi. Che cosa crediamo proverebbe chi vedesse il Bello in sé in tutta la sua purezza, non quello che è composto di carne e di corpo, ma quello che, essendo puro, non è né sulla terra né in cielo? Tutte [le altre bellezze] sono acquisite, mescolate e non primitive; e vengono da lui. ▼B

**L'indicibile bellezza del Bene**

Se dunque si vedesse quel Bello, che dispensa la bellezza a tutte le cose e la dà rimanendo in sé senza ricevere nulla in sé, e si restasse in questa contemplazione gioendo di lui, di quale

## CHIAVI DI LETTURA

▶A   La trattazione del tema della bellezza riprende un significativo spunto platonico, costituito dall'identificazione del Bene, inteso come pienezza originaria, con il Bello, che non è descrivibile con parole umane, ma che è ciò che rende l'essere "desiderabile". È tale unione a far sì che l'anima muova verso la perfezione, non solo con la razionalità, ma con tutte le sue facoltà, il che vuole dire con tutto il dinamismo che la caratterizza. Il Bene, essendo sempre presente all'anima, è insieme l'intima scintilla che la costituisce e l'infinito desiderio che la anima e la spinge al ritorno all'unità. Tale ritorno è affidato alla capacità di non disperdersi nel mondo materiale, ma di risalire, purificandosi, alla realtà intelligibile. È infatti solo al termine di un cammino di purificazione, con tutte le sue oscillazioni e incertezze, che l'anima incontra Dio nella sua indivisa unità.

▶B   Colui che muove verso l'essere autentico, avendone colto la bellezza assoluta, è animato da una passione fatta di stupore e di commozione, che lo porta a tralasciare ogni altra forma di bellezza imperfetta e derivata.

altra bellezza si avrebbe bisogno? Esso è difatti la vera e prima bellezza, che rende belli ed amabili i suoi amanti. ▼C

Sorge allora per l'anima la più grande e suprema lotta, nella quale essa applica tutto il suo sforzo per non rimaner fuori dalla più bella delle visioni, giungendo alla quale essa è felice per la contemplazione di quella gaudiosa visione, mentre colui che non può giungervi è il vero infelice. Difatti non è infelice colui che non può vedere bei colori o bei corpi, e nemmeno è infelice colui che non ha il potere, le magistrature o la regalità; infelice è colui che non può possedere [il Bello], ed egli solo: per ottenerlo è necessario lasciar da parte i regni e il dominio di tutta la terra, del mare e del cielo, se, abbandonando e disprezzando queste cose, ci possiamo volgere verso di lui e vederlo. ▼D

(Plotino, *Enneadi*, I, 6, 7, trad. it. di G. Faggin, cit., pp. 137-139)

▶**C** Chi coglie la bellezza del principio assoluto e resta in tale atteggiamento contemplativo non ha più bisogno di nulla: Plotino ritiene che già su questa terra sia possibile, benché con difficoltà, per un individuo distaccarsi dal corporeo e ricongiungersi all'Uno. Era questo un tema su cui tutta la filosofia ellenistica aveva insistito e che Plotino riprende, apportandovi però un'importante specificazione: la felicità è raggiungibile anche nella nostra fragile condizione umana, perché in noi c'è una componente trascendente, che può unirsi al divino anche quando è ancora "prigioniera" del corpo.

▶**D** La visione del Bello e l'intima unione con esso sono ciò che rende l'anima felice: per raggiungerle occorre saper fare delle rinunce, che sono tali solo in apparenza, perché la vera felicità è propria di chi riesce a fondersi con il principio intimo che lo anima e lo costituisce. L'anima umana è così protagonista di una grandiosa vicenda spirituale, che le consente di elevarsi dalle oscure regioni della materia alla luce dell'Uno, che è bellezza suprema. Secondo la testimonianza del suo allievo Porfirio, Plotino «amava con tutto il suo cuore» questo "luogo" di felicità estatica, che considerava come la sua «patria celeste». Lo stesso Porfirio ci tramanda che il suo maestro riuscì «con atto ineffabile» a contemplare «quel Dio che non ha né forma né essenza, perché si trova sopra l'Intelligenza e l'intelligibile» (*Vita di Plotino*, 23).

## T 20   IL CONTATTO MISTICO CON L'UNO

Il momento culminante del ritorno dell'uomo all'Uno si ha quando egli accede alla pura visione del divino; in questo cammino l'anima umana si presenta come qualcosa di unico, come protagonista di una vicenda che è possibile solo ad essa, e che ha come termine e come fine quello di giungere all'estasi, ovvero al momento in cui, spogliata di ogni contatto con la materia, diventa una cosa sola con il principio del Tutto.

La sottolineatura dell'infinità e della trascendenza dell'Uno si accompagna all'affermazione della capacità dell'anima di "annullarsi", per così dire, nel contatto con il principio assoluto, ritrovando così la sua natura più intima e instaurando con l'essere autentico un rapporto che Plotino esprime con la suggestiva immagine che chiude le *Enneadi*: una «fuga di solo a solo».

Le metafore, che ricorrono frequenti nel brano che segue, rappresentano il tentativo di esprimere ciò che la ragione non può dimostrare, perché il suo procedere avviene attraverso tutta una serie di distinzioni e oggettivazioni, le quali non possono che precluderle il momento dell'unità assoluta. Tali metafore non solo ci consentono di aprire uno squarcio sul congiungimento ineffabile dell'umano con il divino, ma lasciano anche al lettore la possibilità (e la responsabilità) di sviluppare secondo il proprio sentire le immagini proposte. Marsilio Ficino, accingendosi a tradurre Plotino nel XV secolo, affermò significativamente al riguardo che occorre «penetrare nel pensiero sublime di Plotino non con la guida dei sensi o della ragione, ma con uno spirito più alto».

E le difficoltà ci si presentano soprattutto perché la conoscenza di Lui non si ottiene né per mezzo della scienza, né per mezzo del pensiero, come per gli altri oggetti dell'Intelligenza, ma per mezzo di una presenza che vale più della scienza. [...] ▼A

**La visione dell'Uno da parte dell'anima**

Ora, se uno non giunge alla visione, se l'anima sua non sa comprendere il suo splendore, se essa non sperimenta e non racchiude in sé la passione amorosa che ne è la sorgente e non riposa in Lui come l'amante riposa in colui che ama; se pur accogliendo la vera luce e avvolgendone tutta l'anima per esserne andato più vicino, egli sale sì ma con le spalle gravate da qualcosa che gli impedisce di contemplare; se cioè sale non solitario ma insieme con qualcosa che lo separa da Lui, non essendosi ancora raccolto in unità...; in realtà, Egli non è lontano da nessuno, eppure è lontano da tutti; Egli è presente, ma è presente soltanto a coloro che possono accoglierlo e che si sono preparati ad armonizzare e ad entrare in contatto con Lui in virtù di un'affinità e di una potenza insita in Lui, consustanziale a ciò che da Lui deriva; qualora questa potenza si conservi così com'era quando uscì da Lui, essi, allora, sono capaci di contemplarlo nel modo in cui Egli è, per sua natura, visibile...; se quello, dunque, non è ancora giunto lassù ma se ne sta al di fuori a causa degli ostacoli che abbiamo menzionato o per la mancanza della ragione che lo guidi e gli sappia infondere una convinzione su di Lui, allora incolpi pure se stesso per tutti quegli impedimenti e cerchi di starsene solo, lontano da tutti. ▼B

[...] Egli ha trasceso ormai le stesse cose belle, anzi, ha trasceso il Bello stesso e il coro delle virtù: è simile ad uno che, entrato nell'interno del penetrale[1], abbia lasciato dietro di sé le statue collocate nel tempio, quelle statue che, quando egli uscirà nuovamente dal penetrale, gli si faranno avanti per prime, dopo aver avuto l'intima visione e dopo essersi unito non con una statua, con un'immagine, ma con Lui stesso: quelle statue che sono, dunque, di secondo ordine. ▼C

**La vita degli «uomini divini e beati»**

1 Cioè di quel recondito luogo del tempio in cui erano conservati i simulacri degli dei.

Quella però non fu una vera visione, ma una visione ben diversa, un'estasi, una semplificazione, una dedizione di sé, brama di contatto, quiete e studio di adattamento; solo così si può vedere ciò che v'è nel penetrale; ma se si guarda in altra maniera, tutto scompare. ▼D

## CHIAVI DI LETTURA

▶A Per cogliere l'Uno occorre uscire dall'ambito del pensiero logico-razionale, in cui prevale il momento della definizione e della distinzione, e aprirsi a un momento di pura visione. Questa, a cui Plotino si riferisce qui con il termine «presenza», va oltre la stessa contemplazione, nella quale si dà ancora un momento di differenziazione tra contemplante e contemplato.

▶B Se l'uomo non giunge alla visione dell'Uno, se pur sentendo la presenza del divino, non riesce a spogliarsi di ogni impedimento per aprirsi al Tutto, ciò dipende da lui solo, perché l'Uno è sì accanto a noi, ma può essere colto solo da chi si è preparato a entrare in contatto con Lui. Il cammino dell'anima si specifica quindi come responsabilità individuale, come risposta consapevole a un'esigenza che è presente in ogni individuo, ma che deve essere approfondita e continuamente riaffermata.

▶C Nel suo procedere verso il principio primo l'anima deve trascendere ogni cosa, compresa la bellezza, intesa come idea particolare, e le diverse virtù: queste infatti sono realtà che hanno un valore solo di second'ordine se paragonato a quello dell'intimo incontro con l'Uno, di fronte alla cui profonda suggestione ogni realtà generata passa in secondo piano. Il penetrale era, nell'età classica, la parte più interna del tempio, caratterizzata da un'atmosfera di religiosa intimità: a essa si accedeva dopo aver lasciato sulla soglia del tempio le proprie decorazioni.

▶D La visione cui si giunge dopo aver trasceso ogni cosa si specifica come estasi, come contemplazione del principio sommo, come incontro e unione con esso. Come afferma Margherita Isnardi Parente: «Plotino non cerca mediatori tra il divino e l'umano, né si affida a rivelazioni extra-razionali o a forze irrazionali ed emotive. Il raggiungimento del fine, l'intuizione dell'ineffabile si consegue mediante un esercizio di ascesi razionale e mediante le forze del proprio intelletto: è questo che conduce fino alle soglie dell'intuizione suprema, che lo supera di un balzo, ed è la sola, unica via per pervenirvi» (*Introduzione a Plotino*, Laterza, Roma-Bari 1989, p. 171).

Tutto ciò è soltanto un'immagine, un modo allusivo, di cui si servono i profeti sapienti per indicare come il Dio supremo va contemplato; ma un saggio sacerdote che comprenda l'allusione, può giungere alla vera visione solo che entri all'interno del penetrale. Anche se non vi entra, cioè se pensa che questo penetrale sia qualcosa di invisibile, la sorgente e il Principio, egli sa tuttavia che solo il Principio vede il Principio e che solo il simile si unisce al simile; e non trascurerà alcuno degli elementi divini che la sua anima è capace di contenere, già prima della visione; e il resto, poi, lo esigerà dalla visione stessa; ma il resto, per chi ha trasceso tutto, è Colui che è prima di tutte le cose. ▼E

[...] Se uno si vede già trasformato in Lui, egli possiede dunque in sé un'immagine di Lui e se passa da sé, che è copia, all'originale, ha toccato finalmente il termine del suo viaggio. [...]

Questa è la vita degli dei e degli uomini divini e beati: distacco dalle restanti cose di quaggiù, vita che non si compiace più delle cose terrene, fuga di solo a solo. ▼F

(Plotino, *Enneadi*, VI, 9, 4 e VI, 9, 11, trad. it. di G. Faggin, cit., pp. 1343-1345 e 1361-1363)

▷

►E L'anima dell'uomo ha un ruolo centrale nel sistema plotiniano: essa è caratterizzata da un dinamismo inquieto, che la spinge a non fermarsi prima di aver ritrovato se stessa immergendosi nell'unità assoluta da cui proviene. In questo senso si afferma qui che «il simile si unisce al simile». Nell'*Introduzione* alle *Enneadi*, Giuseppe Faggin osserva in proposito: «La storia autentica dell'anima individuale è possibile, per Plotino, solo a condizione che l'Uno sia in essa immanente, sotto la forma di una perenne ed essenziale aspirazione all'unità» (p. XXVII).

►F Nell'unità perfetta, ritrovata dopo un cammino che è ascesi, riconquista e potenziamento insieme, un cammino che è una vera e propria "storia spirituale" fatta di possibilità di regresso e di slanci di elevazione, l'anima individuale giunge a ritrovare la propria origine e la propria autentica natura; essa si immerge nell'Uno con un rapporto che Plotino esprime in una formula che nella sua incisività non ha bisogno di alcun commento: «fuga di solo a solo».

## LE FORME DELLA COMUNICAZIONE FILOSOFICA

### ■ La lettera: una via per la formazione morale dell'individuo

**La Biblioteca di Alessandria e la diffusione del libro** Con l'ellenismo il libro diventa uno strumento centrale ed essenziale nella diffusione della cultura: il prevalere definitivo della dimensione scritta su quella orale ha come simbolo la Biblioteca di Alessandria, voluta dal re d'Egitto Tolomeo I e progettata dal suo ministro Demetrio Falereo, ateniese di nascita e allievo di Teofrasto, che era succeduto ad Aristotele nella guida della sua scuola. Demetrio Falereo porta ad Alessandria una parte della biblioteca del Liceo e progetta di aggiungervi tutto il materiale bibliografico reperibile in Grecia e in Asia, organizzando gli scritti a disposizione – quasi settecentomila volumi – secondo un preciso sistema di catalogazione, grazie al quale per ogni libro, a cui viene attribuito un titolo determinato, si specificano l'autore e la provenienza. In tal modo si mette ordine sia nel materiale spesso caotico della tradizione antica, sia in quello della tradizione classica, dando l'avvio a un processo di organizzazione sistematica del sapere che si rivelerà fondamentale per la conoscenza puntuale del mondo greco e dei suoi differenti pensatori e poeti.

Sul modello della Biblioteca di Alessandria sorgono altri centri culturali, tra cui quelli di Pergamo, di Antiochia e di Pella, che sanciscono la centralità del libro come forma di comunicazione tra i dotti e come veicolo di diffusione del sapere: l'importanza che ai tempi dei sofisti e dell'Accademia di Platone era rivestita dal confronto e dal dialogo diretto tra gli studiosi lascia il posto allo scambio di informazioni tramite i testi scritti, che possono essere facilmente consultati nelle sale dei nuovi centri culturali.

**La lettera e la tendenza all'introspezione** In questo orizzonte si assiste alla nascita di un nuovo genere letterario, quello della "lettera", destinato ad avere una vasta diffusione nella cultura antica e a permanere nel tempo come una delle modalità specifiche della comunicazione, sia filosofica, sia letteraria. L'uso della lettera ben si concilia con l'orientamento della filosofia ellenistica, volta in primo luogo alla sapienza pratica e caratterizzata da un rapporto di tipo scolastico, che fa emergere l'importanza del mantenimento di un contatto tra maestro e discepolo, anche in caso di lontananza.

La lettera, poi, ben si accorda con la centralità assunta in questo periodo dall'individuo, il quale, ormai staccato dalla dimensione pubblica, tende a ripiegarsi su se stesso per curare la propria formazione morale e la propria interiorità: perciò il nuovo genere letterario assume spesso il carattere di un'esortazione a calarsi nella profondità del proprio animo per esaminare il senso del proprio agire e l'orientamento da imprimere alla propria esistenza.

**Le lettere di Epicuro** È l'epicureismo la prima scuola a fare della lettera un ampio utilizzo, sia per facilitare il mantenimento dei contatti tra le varie comunità epicuree, diffuse in tutta la Grecia e nell'Asia Minore, e la comunità ateniese guidata dal maestro, sia come strumento pedagogico escogitato al fine di raccogliere in un testo relativamente breve «i sommi principi del complesso delle dottrine» (*Lettera a Erodoto*). Attraverso l'analisi delle lettere epicuree giunte fino a noi è dunque possibile individuare i tratti che contraddistinguono lo stile epistolare: il carattere colloquiale, una modalità espositiva comprensibile a una cerchia più ampia di quella dei soli specialisti, la focalizzazione dell'attenzione su alcuni punti particolari, l'intento morale.

**L'epistolario di Seneca** Tutti questi elementi acquisiscono un carattere ancor più specifico nell'epistolario che Seneca, esponente dello stoicismo romano, indirizza all'amico e allievo Lucilio: da esso è tratto il brano proposto di seguito, che può essere ritenuto esemplare dello stile espositivo della lettera. Il tono è colloquiale, di facile comprensione, ma dietro all'amabile levità delle espressioni usate si cela un profondo intento morale, volto a collocare le vicende umane nella loro prospettiva specifica, caratterizzata dalla finitezza e dalla precarietà. Il periodare è breve, essenziale, ricco di domande alle quali non viene data una risposta immediata, ma che vengono lasciate risuonare nell'animo dell'allievo. Numerosi sono gli esempi tratti dall'esperienza quotidiana, quasi a voler sottolineare l'intimo legame che vi è tra la riflessione filosofica e le ordinarie vicende dell'esistenza umana, e significativo è il ricorso a citazioni tratte dagli autori classici, che vengono utilizzate come una traccia capace di far germinare l'autonoma riflessione dell'allievo.

**La lettera come dialogo con se stessi** Per tutti questi motivi, la lettera si presenta come lo strumento capace non solo di stabilire un legame profondo tra chi scrive e chi riceve lo scritto, ma anche di suscitare l'approfondimento delle tematiche morali. In questo senso l'epistola costituisce un mezzo per riprendere in modo nuovo la traccia feconda del dialogo platonico tra maestro e allievo, con il suo avvicinarsi graduale e mai concluso alla verità. Forma di dialogo propria di un'età di crisi, in cui le certezze assolute si dissolvono, la lettera diventa il "luogo" privilegiato in cui l'individuo, nella sua solitudine, cerca una risposta adeguata agli interrogativi dell'esistenza.

PERCORSI ANTOLOGICI

🔍 **Il contenuto dell'epistolario**

Non crederai certo che io ti scriva per narrarti come si è comportato benignamente con noi l'inverno che è stato mite e breve, invece come è stata maligna la primavera con un freddo intempestivo e altre sciocchezze di questo genere che vanno bene per chi cerca argomenti su cui fare parole. Io ti scriverò invece di cose che possano giovare a me e a te: ed il meglio che possa fare è proprio questo, ti esorterò a formarti ed a mantenere uno spirito sano. Mi chiedi quale ne sia il fondamento? È il non compiacersi di vanità. Ho detto il fondamento: ma è più esatto dire che è il suo momento culminante. E lo ha raggiunto colui che sa di che cosa debba compiacersi e che non ha messa la sua felicità in potere altrui. È invece destinato a vivere sempre pieno di ansie e d'incertezze colui che è sempre agitato dalla speranza di qualche cosa anche se l'ha a portata di mano e non gli è affatto difficile ottenerla e anche se non è mai stato deluso nelle sue speranze.

🔍 **La gioia autentica**

Prima di tutto, caro Lucilio, impara a godere. Non devi credere che io voglia toglierti molti piaceri perché io voglio allontanare da te ciò che appartiene al caso, perché credo che siano da evitare i dolci allettamenti delle speranze: al contrario io voglio che la gioia non ti manchi mai, che ti nasca in casa: e nascerà purché essa sia dentro di te. Vi sono altre forme di allegrezza che però non riempiono il cuore, rasserenano l'esteriorità del viso, ma restano alla superficie, a meno che tu non ritenga una persona in vero stato di gioia solo perché ride. L'animo deve essere alacre, fiducioso e levarsi più in alto di ogni cosa. Credi a me, Lucilio, la vera gioia è sempre austera. Puoi credere tu che quanti ti si presentano col volto sereno e

# Analisi del testo

## 🔍 Il contenuto dell'epistolario

- Fin dalle prime righe della lettera emerge come il tono sia quello del *sermo*, cioè della "conversazione" familiare, e come il contenuto dello scambio non voglia essere in alcun modo superficiale o frivolo, ma si indirizzi verso ciò che può giovare all'animo umano.

- Le lettere che costituiscono l'epistolario hanno un interlocutore concreto – Lucilio, personaggio in vista nella vita culturale dell'epoca e insieme amico e discepolo di Seneca –, ma nel contempo ambiscono a rivolgersi a chiunque abbia a cuore i valori dello spirito e voglia avviare un'indagine psicologica volta ad approfondire in modo originale i moti e le affezioni dell'animo umano.

- Il mantenimento di uno «spirito sano» è individuato come il punto di approdo di ogni seria ricerca: la filosofia si presenta come una medicina che – insegnando a non inseguire vane speranze e ad essere autenticamente padroni di se stessi – cura gli affanni della vita.

## 🔍 La gioia autentica

- L'esortazione a "imparare a godere" viene sviluppata da Seneca in un modo particolare, che si discosta da quello utilizzato dai tradizionali manuali sul tema o dai trattati esortativi: il tono è piano, privo di immagini a effetto o di artifici retorici, e volto a far scendere il lettore nelle profondità del proprio animo.

- L'invito alla riflessione interiore e la sottolineatura del legame tra interiorità e gioia ripropongono il tema socratico del "conosci te stesso". La scelta della lettera come compagno di viaggio per scendere nel profondo di sé è dovuta anche al mutare delle condizioni sociali: mentre l'uomo ateniese del V secolo a.C. viveva per così dire "in piazza", ora la vita autentica si sviluppa tra le mura domestiche, in una dimensione di intimità che fa da scudo contro il tumulto degli eventi esteriori. Ma anche qui c'è bisogno di una guida, che può ben configurarsi come una lettera, tramite la quale intessere un discorso che di continuo si rianno-da, mantenendosi nel tempo.

- L'insistenza con la quale si fa riferimento alle vicende dolorose della vita (morte, povertà, dolore…) ci aiuta a collocare la lettera nel contesto della riflessione etica stoica: il rifugiarsi nella propria interiorità non costitui-sce una "fuga" dalla concretezza della vita, ma uno strumento per analizzare con pacatezza la realtà nella sua complessità e per attribuire ai diversi eventi il loro giusto valore.

- La presenza abbastanza insistente di esempi tratti dall'esperienza comune (come quello dei metalli più preziosi, che devono essere tratti con fatica dalle viscere della terra) sottolinea il clima colloquiale con cui nella lettera sono trattati i diversi argomenti: il tono vuole essere quello dell'incontro tra lo spirito del maestro e quello dell'allievo, non quello di una fredda o dotta esortazione morale.

anche ilare, come dice questa gente effeminata[1], sappiano sprezzare la morte, aprire la casa alla povertà, frenare i piaceri e fare oggetto di meditazione la tolleranza del dolore? Chi sa rielaborare dentro di sé tali pensieri non può fare a meno di sentire una gioia grande, se anche appare poco carezzevole. Io vorrei che tu fossi in possesso di siffatta gioia: ed essa non potrà mancarti, una volta che tu abbia trovato il fonte a cui bisogna chiederla. I metalli di lieve peso si trovano a fior di terra: i metalli più ricchi sono invece quelli la cui vena si nasconde più profonda, ma risponderà con maggiore abbondanza allo sforzo di chi scava. Le cose delle quali si diletta il volgo danno un godimento tenue e superficiale e qualunque gioia raggiunta con esteriore artificio manca di fondamento: questa invece della quale ti parlo ed alla quale mi sforzo di farti pervenire è una gioia concreta ed effettiva, che si spiega ampia e aperta nell'interiorità dell'anima.

Ti prego, o Lucilio carissimo, volgi la tua azione alla sola cosa che può darti la felicità, rompi e calpesta tutte coteste cose che hanno una luminosità puramente esteriore, che ti vengono promesse ora dall'uno ora dall'altro, mira invece a quello che è il vero bene e cerca quella gioia che puoi ricavare da qualcosa che è veramente tuo. E che è questo tuo da cui puoi ricavare la vera gioia? Sei tu stesso, è la parte migliore di te. Anche questo nostro povero corpo, senza il quale noi non possiamo fare cosa alcuna, è bensì necessario, ma non di alto valore. Esso ci dà piaceri vani e fugaci, che sono poi cagione di pentimento, e che se non vengono tenuti in freno con grande moderazione, vanno a finire al termine opposto: intendo dire con questo che il piacere sta sull'orlo dell'abisso, e se appena non è tenuto entro ben precisi limiti cade e si volge in dolore. Certo riesce ben difficile mantenere la misura in ciò che tu credi il bene. Il desiderio del vero bene non presenta pericoli.

(Seneca, *Lettere a Lucilio*, III, 23, cit., vol. 1, pp. 137-139)

1 Intendi: come dicono quanti si fermano ai piaceri esteriori.

🔍 La fugacità dei piaceri del corpo

---

▷ 🔍 **La fugacità dei piaceri del corpo**

- Seneca ripropone il legame tra virtù e felicità, che nella filosofia di Zenone appariva invece problematico: l'invito ad abbandonare i piaceri vani e fugaci si trova all'interno di una prospettiva che mette i beni materiali nella loro giusta luce, subordinandoli a quelli spirituali in vista dell'acquisizione della vera gioia.

- Anche in questo passo, in cui l'esortazione al bene assume un rilievo centrale, il tono rimane quello abituale, piano e insieme affettuoso: lo strumento epistolare appare così in grado di toccare le questioni più profonde senza bisogno di ricorrere a un tono enfatico e, di conseguenza, freddo e distaccato.

# SERCIZI SUI TESTI

## UNITÀ 5 Le filosofie ellenistiche e il neoplatonismo

### ▨▨▨▨▨ Epicuro: la centralità della riflessione morale

#### Analisi e comprensione

1 Nella prima parte del brano, Epicuro presenta un quadro contrapposto di ciò che si intende come "piacere". Completa la tabella sottostante in modo da evidenziare questa contrapposizione.

| FALSI PIACERI | PIACERI AUTENTICI |
|---|---|
| .......................... | .......................... |
| .......................... | .......................... |
| .......................... | .......................... |
| .......................... | .......................... |

2 Un uomo che segua i piaceri che abbiamo definito "autentici" che cosa otterrà?

3 Perché, nella scelta dei vari piaceri, la prudenza è considerata «il principio e il massimo bene», «più apprezzabile della filosofia»?

4 Perché «virtù» e «vita felice» costituiscono un binomio inscindibile?

5 Completa la tabella riportata a fianco specificando quali sono le opinioni dell'uomo saggio e virtuoso riguardo ai temi degli dei, della morte, del bene e del male.

6 Per quale ragione Epicuro sostiene che un uomo saggio vive «come un dio fra gli uomini»?

#### Sintesi

7 In che cosa consiste l'autentica felicità per Epicuro?

8 Che cos'è la prudenza?

9 Che cosa permette al saggio di vivere una vita senza turbamento?

#### Riflessione

10 Dopo aver analizzato il binomio epicureo "piacere - assenza di turbamento", indispensabile per il conseguimento di una vita felice e saggia, riporta le tue considerazioni in proposito.

TABELLA ▶ ES. 5

| DEI | ............................. ............................. |
|---|---|
| MORTE | ............................. ............................. |
| BENI | ............................. ............................. |
| MALI | ............................. ............................. |

### ▋6▋ ▨▨▨ La nozione di dovere e il vivere virtuoso (Stoici)

#### Analisi e comprensione

1 Chi è l'autore del brano e a chi si riferisce il «dicono» posto in apertura?

2 Qual è l'ambito di indagine a cui si fa riferimento in queste righe? (scegli una delle alternative proposte)
- a fisica
- b logica
- c etica

**3** Riporta la definizione, o le definizioni, del dovere presenti nel testo.

**4** Zenone distingue vari «atti» che, rispetto alla definizione "generale" del dovere, si pongono in diverso modo. Ricercali nel testo e riportali nella tabella seguente.

| ATTI CHE SI COMPIONO IN BASE A IMPULSO | | |
|---|---|---|
| doveri | contro il dovere | |
| .................. | .................. | .................. |
| atti determinati dalla ragione | | |
| .................. | .................. | .................. |

**5** Riguardo alle «circostanze», quali altre tipologie di doveri si possono individuare?

**6** Alla distinzione tra i diversi tipi di dovere gli stoici fanno corrispondere quella tra beni, vizi e «indifferenti»: per ciascuna di queste tre tipologie riporta alcuni esempi.

**7** I piaceri, per gli stoici, sono dei beni? Motiva la tua risposta.

**8** Definisci i seguenti termini:

a) *valore:* ...............................................................................

b) *disvalore:* ...........................................................................

### Sintesi

**9** Quale rapporto esiste, secondo gli stoici, tra ragione, bene e virtù?

**10** In base ai numerosi esempi riportati nel testo, come definiresti l'uomo saggio dello stoicismo?

### Riflessione

**11** Vivere "secondo natura" e vivere "secondo ragione" sono per gli stoici due modalità contrastanti o congruenti? Motiva la tua risposta con un'appropriata argomentazione.

## **T 12** La realtà come un infinito composto di corpi e di vuoto (Epicuro)

### Analisi e comprensione

**1** A quale altro autore si rifà Epicuro nel proporre la teoria atomistica come spiegazione della realtà?

**2** All'inizio del brano si legge che «nulla nasce dal nulla» e che nulla si dissolve, «poiché nulla esiste in cui possa tramutarsi»: quale altro pensatore presocratico aveva sostenuto tale concezione?

**3** Per ogni tesi riportata nella tabella che segue, spiega le argomentazioni addotte da Epicuro nel sostenerla.

| | |
|---|---|
| **NULLA NASCE DAL NULLA** | ................................................. |
| **NULLA FINISCE NEL NULLA** | ................................................. |
| **TUTTO È COSTITUITO DI CORPI E DI VUOTO** | ................................................. |
| **TUTTO SEMPRE FU COME È ORA, E SEMPRE SARÀ** | ................................................. |
| **IL TUTTO È INFINITO** | ................................................. |

**4** Che cos'è che attesta l'esistenza dei corpi?

**5** Quali motivi portano Epicuro ad affermare l'esistenza del vuoto?

**6** A un certo punto dell'argomentazione Epicuro dimostra l'esistenza di corpi «indivisibili e immutabili» che sono alla base di ogni tipo di aggregato in natura. Dall'indivisibilità che caratterizza questi corpi scaturisce il termine «atomi», con cui Epicuro da quel momento in poi designerà i «componenti degli aggregati». In base a quale argomentazione il filosofo afferma che «è necessario che i principi costitutivi dei corpi siano indivisibili»?

**7** Una volta ammesse l'esistenza degli atomi e la loro multiforme capacità di aggregazione, a quali nozioni ricorre Epicuro per poter spiegare il loro unirsi e dissolversi?

### Sintesi

**8** Elabora, visualizzandolo nel modo che ritieni più opportuno (tabella, schema…), un quadro delle caratteristiche dei corpi secondo Epicuro.

**9** Analizza brevemente il formarsi dei corpi secondo la dottrina epicurea, soffermandoti in particolare sulla descrizione di quello che verrà definito *clinàmen*.

## Riflessione

**10** Nel brano della *Lettera a Erodoto* analizzato, Epicuro intende dimostrare, attraverso un rigoroso materialismo, l'esistenza degli atomi quali costitutivi ultimi dei corpi e quali cause delle loro specifiche caratteristiche. Il brano si chiude infatti con queste parole: «Tutto quanto è stato detto, se viene tenuto bene a mente, fornisce un compendio sufficiente di quanto si deve pensare riguardo alla natura delle cose». Analizza i motivi che sono alla base di questa affermazione, ovvero l'idea secondo cui la ricerca filosofica deve aiutare ogni uomo a comprendere il mondo, a superare le paure legate agli aspetti non conosciuti della natura e a liberarsi da ogni spiegazione che si rifaccia a cause di tipo misterioso e spirituale.

## T 19 L'amore e la bellezza come vie d'accesso all'Uno (Plotino)

### Analisi e comprensione

**1** Nelle prime battute del brano Plotino si rifà al concetto di amore platonico, amore per il Bene e il Bello assoluti: quali caratteristiche in particolare vengono richiamate?

**2** A quale condizione l'uomo può «salire verso l'alto»?

**3** Quali sono gli attributi di Dio che gli uomini vanno a contemplare «soli a solo»?

**4** In che cosa consiste la bellezza del «Bello in sé»?

**5** Che cosa intende Plotino quando definisce il Bello come ciò che «dispensa bellezza a tutte le cose [...] rimanendo in sé e senza ricevere nulla in sé»?

**6** Qual è, per Plotino, il frutto della contemplazione?

**7** Quali lotte deve ingaggiare l'anima, una volta raggiunta la contemplazione del bello? Perché Plotino parla di "lotta"?

**8** Che cosa «è necessario lasciar da parte» per «possedere il Bello», cioè per realizzare una vita autenticamente felice?

### Sintesi

**9** È possibile per l'uomo, nella sua condizione terrena, pervenire alla contemplazione del Bello? Come?

**10** In che cosa consiste per Plotino la vera felicità?

### Riflessione

**11** Plotino sovverte i canoni terreni con cui normalmente si giudica la vita felice e mostra di disprezzare molte di quelle cose in cui generalmente si ripone il desiderio umano. Condividi il suo punto di vista? Argomenta la tua idea in proposito.

## TU FILOSOFO

■ Le scuole filosofiche ellenistiche hanno cercato di dare una risposta soddisfacente (e che è risultata tendenzialmente simile) alla domanda "chi è l'uomo saggio e felice?". La tua personale risposta a questa domanda è in contrapposizione o in accordo con le soluzioni proposte dalle scuole studiate? Argomenta la tua posizione.

■ Piacere e felicità: un binomio che le scuole ellenistiche mantengono inalterato, pur proponendo una serie di soluzioni che a prima vista, per la mentalità contemporanea, appaiono non completamente condivisibili. A tuo giudizio, il "piacere" può accostarsi al "dovere", oppure alla "sospensione" di ogni emozione, o alla messa in discussione del fatto che quelli che noi consideriamo piaceri lo siano realmente?

■ Plotino propone un modello di felicità legato alla contemplazione mistica di un Bello, o di un Bene, che non è di questo mondo, ma al quale si giunge solo mediante un cammino di ascesi: una simile prospettiva può ancora avere un senso ai giorni nostri? Può ancora essere proposta all'uomo della nostra società, oppure ti sembra completamente avulsa dalla mentalità odierna, e perciò improponibile?

# LA PATRISTICA E AGOSTINO

In questa unità ci occupiamo di quella prima fase storica del pensiero cristiano che va sotto il nome di "**patristica**".

### CAPITOLO 1 Il cristianesimo e la filosofia

Nel primo capitolo analizziamo i caratteri distintivi del messaggio evangelico rispetto alla filosofia greca ed esaminiamo i primi contatti tra la nuova religione e la cultura pagana, ovvero la nascita di quella nuova sintesi teorica che è la "**filosofia cristiana**". Quest'ultima sottintende alcuni tratti di continuità e nello stesso tempo di rottura nei confronti della speculazione precedente.

### CAPITOLO 2 Agostino

Nel secondo capitolo studiamo il pensiero del cosiddetto "**Platone cristiano**", mostrando come nella sua figura (straordinariamente interessante, sia sul piano umano, sia su quello intellettuale) si concretizzi la **congiunzione decisiva tra pensiero greco e pensiero cristiano**. Il fascino di Agostino e la ricchezza sempre attuale dei suoi testi – che sono animati dalla passione della ricerca e che mirano alla scoperta del senso ultimo dell'esistenza – consistono nella capacità di coinvolgere direttamente il lettore, rendendolo partecipe delle questioni affrontate. Anche la modalità espositiva è originale: al dialogo interpersonale, di stampo socratico, si sostituisce il **dialogo interiore**, sviluppato secondo i canoni della razionalità, ma non per questo meno forte sotto il profilo dell'impatto emotivo.

**Filosofia e verità rivelata** vengono presentate da Agostino come due **vie che si rafforzano a vicenda**, all'insegna di una suggestiva trama di pensiero che spazia su tutti i grandi temi: dal problema della conoscenza umana a quello della natura di Dio, dalla questione del tempo a quella del male, dal tema della libertà a quello del significato complessivo della storia.

# 1

# Il cristianesimo e la filosofia

## ✗ 1. L'avvento della filosofia cristiana

*↳ nasce intorno a una verità rivelata*

L'avvento e il successivo prevalere del cristianesimo nel mondo occidentale determinò un nuovo indirizzo della filosofia.

**Il cristianesimo come religione rivelata**

Ogni religione implica un insieme di credenze che non sono frutto di ricerca, perché consistono nell'accettazione di una rivelazione. La **religione** è infatti l'**adesione a una verità che l'uomo accetta in virtù di una testimonianza superiore**. Tali sono anche i tratti del cristianesimo. Ai farisei che gli dicono: «Tu testimoni di te stesso, quindi la tua testimonianza non è valida», Gesù risponde: «Io non sono solo, ma siamo io e Colui che mi ha mandato» (*Gv*, VIII, 13, 16), identificando così il proprio insegnamento con la testimonianza della voce del Padre e fondandone in tal modo il valore.

**Religione e filosofia**

La religione sembra dunque escludere nel suo stesso principio la ricerca, e consistere anzi nell'atteggiamento opposto dell'**accettazione di una verità testimoniata dall'alto** e indipendente da qualsiasi indagine. Tuttavia, non appena l'uomo si chiede il significato della verità rivelata e si domanda per quale via egli possa veramente intenderla per farne "carne della propria carne" e "sangue del proprio sangue", **l'esigenza della ricerca rinasce**. Una volta riconosciuta la verità quale viene rivelata e testimoniata da una potenza trascendente, cioè nel suo valore assoluto, per ogni uomo si determina immediatamente la necessità di avvicinarsi a essa e di comprenderla nel suo significato autentico, per vivere veramente "con" essa e "di" essa.

A questa esigenza solo la ricerca filosofica può rispondere. La ricerca rinasce dunque dalla stessa religiosità, per il bisogno dell'uomo religioso di avvicinarsi, per quanto è possibile, alla verità rivelata. Rinasce con un compito specifico, impostole dalla stessa natu-

*QUESTO PUZZA di GERMANIA*

ra della verità e dalle possibilità che essa può offrire all'effettiva comprensione umana, ma rinasce con tutti i caratteri che le sono propri e con tanta più forza quanto maggiore è il valore attribuito alla verità in cui si crede e che si vuole far propria.

In questo modo, **dalla *religione* cristiana nasce la *filosofia* cristiana**, la quale si assume il compito di condurre l'uomo alla **comprensione della verità rivelata da Cristo**, in modo che egli possa veramente realizzarne in sé il significato autentico.

*Filosofia cristiana e tradizione greca*

Gli strumenti indispensabili per questo compito vengono in parte rintracciati dalla filosofia cristiana nella **filosofia greca**, e in particolare nelle **dottrine dell'ultimo periodo** della speculazione ellenica, che per il loro carattere prevalentemente religioso si prestano a esprimere in modo accessibile all'uomo il significato della rivelazione cristiana.

La filosofia cristiana delle origini non ha dunque lo scopo di scoprire nuove verità, né quello di sviluppare in nuove direzioni la verità originale del messaggio di Cristo, ma solo quello di trovare la via migliore attraverso la quale gli uomini possano **comprendere e far propria la rivelazione**. Tutto ciò è necessario perché l'uomo possa risollevarsi dalla dimensione di peccato nella quale vive e perché possa in tal modo raggiungere la salvezza, secondo quanto Cristo stesso ha insegnato e suggellato con il proprio martirio.

*La comprensione del messaggio di Cristo nella Chiesa delle origini*

Ma all'uomo da solo, o all'uomo che si affidi unicamente alla propria ragione, non è dato di scoprire il significato essenziale della rivelazione di Cristo. La filosofia cristiana delle origini e del Medioevo non solo muove a **chiarire una verità che è già nota fin dall'inizio**, ma muove a chiarirla nell'ambito della **dimensione collettiva della Chiesa**, nella quale ciascun individuo trova una guida e un limite: è dunque la stessa comunità cristiana a individuare, nelle assemblee solenni dei suoi vescovi (**Concili**), quelle dottrine che esprimono il significato fondamentale della rivelazione (**dogmi**).

Da ciò deriva il carattere proprio della filosofia cristiana, nella quale la ricerca individuale trova anticipatamente segnati i propri limiti. A differenza della filosofia greca, infatti, **la filosofia cristiana non è una ricerca completamente autonoma**, volta in primo luogo a fissare i termini e il significato del proprio problema: i termini e la natura di tale problema le sono già dati. Ciò, tuttavia, non diminuisce il suo significato vitale: è proprio attraverso la ricerca filosofica che il messaggio cristiano, nell'immutabilità del suo significato fondamentale, ha rinnovato e conservato attraverso i secoli la forza e l'efficacia del proprio magistero spirituale.

*I limiti della filosofia cristiana*

# 2. Caratteri e novità del messaggio cristiano

## La nuova parola

La predicazione di Cristo, se da un lato si collega alla tradizione ebraica, dall'altro lato la innova profondamente.

L'ebraismo insegnava la credenza in un **Dio unico, puro spirito e garante dell'ordine morale nel mondo degli uomini**, in un Dio che aveva eletto come proprio popolo il popolo ebraico e che lo sorreggeva nelle difficoltà, così come lo puniva inesorabilmente

*La tradizione ebraica*

per le sue aberrazioni religiose e per le sue mancanze morali. L'ultima tradizione ebraica, quella dei profeti, annunciava inoltre, dopo un periodo di sventure e di punizioni tremende, il rinnovamento del popolo ebraico e il suo risorgere a una potenza materiale e morale che ne avrebbe fatto lo strumento diretto di Dio per il suo dominio nel mondo.

**L'universalità del messaggio di Cristo**

All'annuncio di questo rinnovamento, che avrebbe dovuto verificarsi attraverso l'opera di un "messia" direttamente inviato e investito di questo compito da Dio, si ricollega la predicazione di Gesù Cristo. Ma tale predicazione allarga immediatamente l'orizzonte dell'annuncio profetico, estendendolo dal solo popolo eletto a tutti i popoli della terra, **a tutti gli uomini «di buona volontà»**, indipendentemente dalla loro razza, dalla loro civiltà e dal loro grado sociale.

**Il regno di Dio è dentro il cuore dell'uomo**

Inoltre il messaggio di Cristo toglie all'annunciato rinnovamento ogni carattere temporale e politico, trasformandolo in un **rinnovamento spirituale** che deve realizzarsi nell'interiorità delle coscienze. Il «regno di Dio» annunciato da Gesù non esige un mutamento politico: «Date a Cesare quel che è di Cesare e a Dio quel che è di Dio» (*Mt*, 22, 21; *Lc*, 20, 25). Esso è piuttosto una realtà invisibile e interiore all'uomo: «Non si potrà dire "eccolo qui" o "eccolo là" perché, ecco, il regno di Dio è dentro di voi» (*Lc*, 17, 21). Il regno di Dio è simile al granello di senape, che, pur essendo il più piccolo di tutti i granelli, diventa un albero grande; è simile al lievito che si spande nella farina e la fa lievitare (*Mt*, 13, 31 ss.; *Mc*, 4, 30 ss.; *Lc*, 13, 18 ss.); è cioè "vita spirituale" che si sviluppa e si espande gradualmente negli uomini.

**L'abbandono dei legami terreni**

Il regno di Dio esige l'abbandono radicale da parte dell'uomo di tutti gli interessi mondani. Gesù afferma esplicitamente di non essere venuto a portare la pace, ma la spada (*Mt*, 10, 34): accettare il suo messaggio significa infatti **spezzare definitivamente tutti i legami terreni e affidarsi totalmente a Dio**. Perciò egli dice: «Chi avrà trovata la sua anima la perderà, e chi avrà perduta la sua anima per me la troverà» (*Mt*, 10, 39).

**La legge dell'amore**

Che cosa implichi per l'uomo questa rottura totale con il mondo e con il proprio io, questo totale rivolgersi a Dio, Gesù lo specifica nel "Discorso della montagna", nel quale afferma che il regno dei cieli è per i poveri di spirito, per coloro che soffrono, per i mansueti, per quelli che desiderano la giustizia, per quelli che sono perseguitati. Alla legge del Vecchio Testamento, che diceva «Occhio per occhio, dente per dente», Gesù oppone dunque la **nuova legge cristiana dell'amore**:

> Amate i vostri nemici e pregate per coloro che vi perseguitano, affinché siate figli del Padre vostro che è nei cieli, che fa spuntare il sole sui malvagi e sui buoni e piovere sui giusti e sugli ingiusti. Giacché, se amate solo coloro che vi amano, che merito avete? Non fanno questo anche i pubblicani? E se avete cari solo i vostri fratelli, che cosa fate di straordinario? Non fanno lo stesso anche i pagani? Siate dunque perfetti, come è perfetto il vostro Padre celeste.
>
> (*Vangelo di Matteo*, 5, 44-48)

**Dio come padre amorevole**

Dio, nella predicazione di Gesù, più che signore dell'universo, è **padre di tutti gli uomini**, e più che ministro di quella giustizia inflessibile e vendicativa che gli attribuivano gli ebrei, è **fonte inesauribile di amore**. Per questo Egli comanda a tutti gli uomini, come primo e fondamentale dovere, proprio l'amore, e per questo le stesse comunità cristiane sorte per seguire la predicazione di Gesù dovranno essere fondate sull'amore.

Anche il rapporto tra l'uomo e Dio deve essere essenzialmente un rapporto d'amore: **l'uomo deve abbandonarsi con fiducia al proprio Padre celeste**: «Cercate prima di tutto il regno di Dio e la sua giustizia, e tutto il resto vi sarà dato per sovrappiù» (*Mt*, 6, 33). Ma questo abbandono non deve essere un'attesa inerte. «Vigilate – dice Gesù – perché non sapete in qual giorno il vostro Signore verrà» (*Mt*, 24, 42): attendere il regno di Dio significa prepararsi incessantemente per esso. Nulla è concesso senza sforzo: «Chiedete e vi sarà dato; cercate e troverete; bussate e vi sarà aperto» (*Lc*, 11, 9). Tutto l'insegnamento di Gesù è volto a comunicare l'esigenza di questa **attesa attiva e preparatoria**, di questa ricerca senza la quale non è possibile rendersi degni del regno di Dio. Per questo Gesù si rivolge di preferenza agli umili e a coloro che soffrono («Io sono stato mandato soltanto alle pecore sperdute della casa d'Israele», *Mt*, 15, 24), mentre ritiene che il proprio appello risuoni invano per coloro che sono soddisfatti di sé e che non hanno nulla da chiedere alla vita: «È più facile che un cammello passi attraverso la cruna di un ago anziché un ricco entri nel regno di Dio» (*Mt*, 19, 24). Soltanto dal dolore, dall'inquietudine e dal bisogno nasce nell'uomo quell'aspirazione alla giustizia, alla pace e all'amore che porta al regno di Dio.

## Le *Lettere* paoline

Le *Lettere* di Paolo di Tarso, scritte occasionalmente a varie comunità cristiane, contengono, oltre che richiami alla dottrina fondamentale di Cristo, ammonimenti, consigli e prescrizioni rituali. Ma contengono pure la chiara espressione di quei **capisaldi concettuali della nuova religione** che dovevano servire, nei secoli successivi, come costanti punti di riferimento per le dispute teologiche e per le interpretazioni filosofiche degli scritti evangelici. Tali capisaldi sono i seguenti:

▶ la tesi della **conoscibilità naturale di Dio**: Dio è conoscibile attraverso le sue opere, nelle quali egli stesso si è rivelato e dalle quali appaiono in modo evidente la sua potenza e la sua gloria (*Romani*, I, 18-25); di conseguenza, non conoscere Dio costituisce per l'uomo una vera e propria colpa;

▶ la dottrina del **peccato originale** e l'affermazione della **possibilità per l'uomo di riscattarsi** da tale condizione **mediante la fede in Cristo**: «Come attraverso un solo uomo il peccato entrò nel mondo e attraverso il peccato la morte, così allo stesso modo la morte trapassò a tutti gli uomini, perché tutti peccarono» (*Romani*, V, 12); «Dio è giusto e giustifica chi ha fede in Gesù. Dov'è dunque la ragione di vantarsi? È stata esclusa. Attraverso quale legge? Forse quella delle opere? No, ma attraverso la legge della fede. Siamo convinti che l'uomo sarà giustificato con la fede, senza le opere della legge» (*Romani*, III, 26-28);

▶ il concetto della **grazia** come azione salvifica di Dio attraverso Cristo: «Come avvenne per la trasgressione, così non fu per la grazia; che se per la trasgressione di uno solo, tutti morirono, molto più sovrabbondò la grazia di Dio e la gratuità della grazia di un solo uomo: Gesù Cristo» (*Romani*, V, 15);

▶ il contrasto tra la vita secondo la carne e la **vita secondo lo spirito**: «Se vivete secondo la carne, precipiterete nella morte; se con lo spirito fate morire gli atti del corpo, vivrete. Giacché tutti quelli che seguono lo spirito di Dio sono suoi figli» (*Romani*, VIII, 13-14);

▶ l'identificazione del regno di Dio con la vita e con lo spirito della comunità dei fedeli, cioè con la Chiesa: secondo Paolo, infatti, **la Chiesa è il corpo di Cristo**, e i cristiani ne sono le membra, diverse l'una dall'altra, ma tra loro armonizzate e concordi (*Romani*, XII, 5 ss.).

**Le diverse vocazioni**

Nella comunità cristiana vi è posto per i compiti più diversi, perché tutti cospirano all'unità dell'insieme; ma ognuno deve scegliere quello per il quale è chiamato. Domina nelle *Lettere* paoline il tema della "**vocazione**", attraverso la quale la grazia divina opera in ciascun individuo chiamandolo al "dono", cioè alla funzione carismatica, che è più conforme alla sua natura:

> Ciascuno rimanga nella vocazione alla quale è chiamato. (*I Corinti*, 7, 20)

> V'è diversità di carismi, ma uno solo è lo Spirito; v'è diversità di servizi, ma uno solo è il Signore; v'è diversità di operazioni, ma uno solo è Dio che opera tutto in tutti. In ciascuno lo Spirito si manifesta in quel modo che torna più utile. (*I Corinti*, 12, 4-7)

Così, a uno è data la sapienza, a un altro la scienza, a un altro la fede, a un altro il dono della profezia e così via, ma tutti sono come le membra di un unico corpo che è lo stesso corpo di Cristo, la comunità dei cristiani (*ibidem*).

**L'*agápe***

Proprio tale diversità, tale ricchezza di funzioni rende necessaria l'**armonia spirituale** dei membri della comunità, e questa armonia è garantita soltanto dall'*agápe*, ovvero dall'**amore**, inteso nell'accezione del termine latino *caritas*.

L'amore è la condizione di ogni vita cristiana. Tutti gli altri doni dello spirito (la profezia, la scienza, la fede) sono nulla senza di esso: «La carità sopporta tutto, ha fede in tutto, spera tutto, sostiene tutto [...]. Ci sono, ora, la fede, la speranza, la carità, queste tre cose; ma la carità è la maggiore di tutte» (*I Corinti*, 13, 7 e 13, 13).

**La comunità cristiana come comunità storica**

Il posto centrale che il concetto di "vocazione" occupa nelle *Lettere* paoline e l'accentuazione del valore della carità dimostrano con tutta evidenza che i cristiani, ai tempi di Paolo, costituiscono ormai una comunità ben precisa e storicamente determinata, la cui vita consiste nel cercare di comprendere il significato autentico dell'insegnamento di Cristo e nel cercare di realizzarlo nella vita concreta.

## Il quarto vangelo

**L'interpretazione filosofica del Cristo**

Nei vangeli sinottici (di Matteo, di Marco, di Luca) la predicazione di Cristo appare strettamente legata alla sua persona e al suo comportamento. Gesù dà testimonianza della verità di ciò che insegna non solo appellandosi al Padre celeste che lo ha mandato tra gli uomini, ma anche attraverso i miracoli che opera e, soprattutto, attraverso la propria resurrezione. Il **Vangelo di Giovanni** (nel quale la figura di Gesù è ancor più centrale di quanto non sia nei tre sinottici) costituisce invece **il primo tentativo di intendere filosoficamente la figura di Cristo** e il principio del suo insegnamento.

**Il Cristo-*Lógos***

Il prologo del quarto vangelo vede in Gesù il *Lógos*, o Verbo, divino:

> In principio era il Verbo, e il Verbo era presso Dio e il Verbo era Dio. Egli era in principio presso Dio: tutto è stato fatto per mezzo di Lui, e senza di Lui niente è stato fatto di tutto ciò che esiste. In Lui era la vita e la vita era la luce degli uomini: la luce splende, ma le tenebre non l'hanno accolta. (*Gv*, 1, 1-5)

Con queste parole Giovanni definisce per la prima volta la natura del **Cristo** attraverso il concetto di *Lógos*, che era già entrato nella tradizione giudaica con il libro biblico della

*Sapienza*. Al Cristo-*Lógos* l'evangelista attribuisce la **funzione di mediatore tra Dio e il mondo**, affermando che tutto è stato creato attraverso di Lui.

Giovanni riconosce inoltre la **diretta filiazione** e derivazione di Cristo **da Dio** e gli attribuisce chiaramente il ruolo di **salvatore di tutti gli uomini**. La sera della sua ultima cena con i discepoli, prima di essere catturato, Gesù rivolge infatti questa preghiera al Padre celeste:

**Cristo come Figlio di Dio, inviato dal Padre per la salvezza dell'uomo**

> Non prego solo per questi [i discepoli], ma anche per quelli che per la loro parola crederanno in me; perché tutti siano una sola cosa. Come tu, Padre, sei in me e io in te, siano anch'essi in noi una cosa sola, perché il mondo creda che tu mi hai mandato.
>
> (*Gv*, 17, 20-21)

Nel Vangelo di Giovanni l'opposizione tra legami terreni e regno di Dio viene espressa come opposizione tra la vita secondo la carne e la vita secondo lo spirito, e presentata come l'alternativa cruciale dell'essere umano. La **vita secondo lo spirito** è una **nuova vita**, che implica una nuova nascita dell'uomo. In un dialogo con Nicodemo, un capo dei Giudei, Gesù afferma:

**La rinascita spirituale dell'uomo**

> «In verità, in verità ti dico, se uno non rinasce dall'alto, non può vedere il regno di Dio». Gli disse Nicodemo: «Come può un uomo nascere quando è vecchio? Può forse entrare una seconda volta nel grembo di sua madre e rinascere?». Gli rispose Gesù: «In verità, in verità ti dico, se uno non nasce da acqua e da spirito, non può entrare nel regno di Dio. Quel che è nato dalla carne è carne e quel che è nato dallo Spirito è Spirito. Non ti meravigliare se t'ho detto: dovete rinascere dall'alto. Il vento soffia dove vuole e ne senti la voce, ma non sai di dove viene e dove va: così è di chiunque è nato dallo Spirito».   (*Gv*, 3, 3-8)

Rinascere nello spirito significa dunque nascere alla vera vita. «È lo Spirito che dà la vita, la carne non giova a nulla; le parole che ivi ho dette sono Spirito e vita» (*Gv*, 6, 63).

Ma la vita spirituale implica anche un nuovo criterio di giudizio. Perciò Gesù dice ai farisei: «Voi giudicate secondo la carne; io non giudico nessuno. E anche se giudico, il mio giudizio è vero, perché non sono solo, ma siamo io e il Padre che mi ha mandato» (*Gv*, 8, 15-16).

# ✗ 3. Caratteri della patristica

Quando il cristianesimo, per difendersi dagli attacchi polemici e dalle persecuzioni, nonché per garantire l'unità delle proprie dottrine contro la possibilità di sbandamenti ed errori, dovette chiarire i propri presupposti teorici e organizzarsi in un sistema coerente di insegnamenti, si presentò come l'espressione compiuta e definitiva della verità che la filosofia greca aveva cercato, ma solo imperfettamente e parzialmente raggiunto. In altre parole, una volta postosi sul terreno della filosofia, il cristianesimo affermò la propria

**Il cristianesimo come culmine della filosofia greca**

**continuità con il pensiero greco** e si pose come **l'ultima e la più compiuta manifestazione di esso**. La dottrina cristiana giustificò questa continuità richiamandosi all'unità della ragione (*lógos*), che Dio aveva creato identica in tutti gli uomini di tutti i tempi e alla quale la rivelazione cristiana aveva dato l'ultimo e più sicuro fondamento.

In tal modo si affermava implicitamente l'**unità della filosofia e della religione**. Del resto, questa unità non costituiva un problema per gli scrittori cristiani dei primi secoli, ma piuttosto un dato, o un presupposto, che guidava e sorreggeva tutta la loro ricerca. E anche quando essi stabilirono un'antitesi polemica tra la dottrina pagana e quella cristiana (come nel caso di Taziano), tale antitesi si pose sul terreno comune della filosofia, presupponendo quindi la continuità di questa con il cristianesimo.

In questa prospettiva era dunque naturale, da un lato, tentare di **interpretare la dottrina cristiana mediante concetti desunti dalla filosofia greca**, riconducendo così la prima alla seconda, e, dall'altro, **ricondurre il significato del pensiero greco a quello della riflessione cristiana**. Questo duplice tentativo, che in realtà è uno solo, costituisce l'essenza dell'elaborazione dottrinale di cui il cristianesimo fu oggetto nei primi secoli d.C. e nella quale i pensatori cristiani furono frequentemente aiutati e ispirati, com'era inevitabile, dalle dottrine delle grandi scuole filosofiche pagane, e specialmente dallo stoicismo, da cui attinsero molte delle loro ispirazioni, spingendosi talvolta (come accadde a Tertulliano) fino ad accettare tesi apparentemente incompatibili con i dogmi cristiani (come quella della corporeità di Dio).

Il periodo di questa elaborazione dottrinale viene indicato con il nome di "patristica": i "padri" della Chiesa sono infatti quegli scrittori cristiani dell'antichità che hanno contribuito all'**elaborazione dottrinale del cristianesimo** e la cui opera è stata accettata e fatta propria dalla Chiesa.

L'età della patristica si può considerare chiusa, per la Chiesa greca, con la morte di Giovanni Damasceno (754 circa) e, per la Chiesa latina, con la scomparsa di Beda il Venerabile (735). Essa può a sua volta essere distinta in tre periodi:

▶ il primo, che va fino al 200 circa, è dedicato alla **difesa del cristianesimo** contro i suoi avversari pagani e gnostici;

▶ il secondo, che va dal 200 fino al 450 circa, è dedicato alla **formulazione dottrinale delle credenze cristiane**;

▶ l'ultimo, che va dal 450 fino alla fine della patristica, è dedicato alla **rielaborazione e sistemazione delle dottrine già formulate**.

## 4. Gli apologisti cristiani e gli gnostici

I padri del I secolo sono autori di *Lettere* che illustrano singoli punti della dottrina cristiana e che regolano questioni di ordine pratico e religioso. Essi sono: l'autore della cosiddetta *Lettera di Barnaba*, Clemente Romano, Erma, Ignazio d'Antiochia e Policarpo. Ma questi scrittori ancora non affrontano problemi filosofici.

*Margin notes:*
La reciproca riconducibilità di filosofia greca e filosofia cristiana

La patristica e i padri della Chiesa

I periodi della patristica

I padri del I secolo e le *Lettere*

La vera attività filosofica cristiana comincia con i padri del II secolo, detti "apologisti" perché scrivono **in difesa (in greco *apologhía*) del cristianesimo.** In questo periodo, infatti, «i cristiani sono osteggiati dagli ebrei come stranieri e sono perseguitati dai pagani» (*Epistola a Diogneto*, 5, 17): essi sono oggetto della satira e del dileggio di numerosi scrittori pagani, e costituiscono il principale bersaglio dell'odio delle plebi pagane e delle persecuzioni sistematiche dello Stato. Da queste condizioni di fatto nascono le apologie.

**I padri apologisti**

La più antica apologia di cui si abbia notizia è la **difesa presentata da Quadrato**, discepolo degli apostoli, **all'imperatore Adriano**: di essa, che risale al 124 circa, in occasione di una persecuzione dei cristiani, abbiamo solo un frammento, conservatoci da Eusebio. Nel 1878 è stata invece ritrovata l'apologia del filosofo Marciano Aristide, diretta all'imperatore Antonino Pio (138-161). In essa si afferma già esplicitamente il principio secondo cui **soltanto il cristianesimo è la vera filosofia**: solo i cristiani, infatti, hanno quella nozione di Dio che deriva necessariamente dalla considerazione della sua natura. Marciano Aristide utilizza concetti platonici: l'ordine del mondo, quale appare nei cieli e sulla terra, fa pensare che tutto sia mosso con necessità e che Dio sia colui che muove e governa tutto. Il filosofo insiste sull'irraggiungibilità e sull'ineffabilità dell'essenza divina, per contrapporre il monoteismo rigoroso del cristianesimo alle credenze dei "barbari" (che adorano elementi materiali), dei Greci (che attribuiscono ai loro dei debolezze e passioni umane) e dei Giudei (che, pur ammettendo un solo Dio, servono piuttosto gli angeli che Lui).

**L'apologia più antica**

**L'apologia di Marciano Aristide**

## Giustino: l'elaborazione filosofica della fede

La prima grande figura di padre apologista è quella di Giustino, a ragione considerato il fondatore della patristica.

Giustino nacque, probabilmente, nel primo decennio del II secolo a Flavia Neapolis, l'antica Sichem, ora Nablus, in Palestina. Egli stesso ci descrive la propria formazione spirituale: figlio di genitori pagani, frequentò i rappresentanti delle varie scuole filosofiche (stoici, peripatetici e pitagorici) e professò a lungo le dottrine dei platonici. Infine trovò nel cristianesimo ciò che cercava e da allora con la parola e con gli scritti lo difese come l'unica vera filosofia. Visse molto tempo a Roma, dove fondò una scuola e subì il martirio, tra il 163 e il 167.

**Vita e scritti**

Delle opere rimasteci attribuite a Giustino, solo tre sono sicuramente autentiche: il *Dialogo con Trifone giudeo* e due *Apologie*. La prima e la più importante di queste è diretta all'imperatore Antonino Pio e probabilmente fu composta negli anni 150-155. La seconda, che è un supplemento o un'appendice della prima, fu redatta in occasione della condanna di tre cristiani, rei soltanto di professarsi tali. Il *Dialogo con Trifone giudeo* riferisce invece di una disputa che ebbe luogo a Efeso tra Giustino e Trifone, ed è volto sostanzialmente a dimostrare che la predicazione di Cristo realizza e completa l'insegnamento del Vecchio Testamento.

La tesi fondamentale di Giustino è che **il cristianesimo è «la sola filosofia sicura ed utile»** (*Dialogo con Trifone giudeo*, 8) e che esso è il **risultato ultimo e definitivo al quale la ragione deve giungere nella sua ricerca**, giacché la ragione non è che il Verbo di Dio, cioè il Cristo, *Lógos* fatto uomo, del quale partecipa tutto il genere umano. Nella prima

**Il cristianesimo come «sola filosofia sicura»**

delle sue apologie, Giustino afferma:

> Noi imparammo che il Cristo è il primogenito di Dio e che è la ragione [*lógos*] della quale partecipa tutto il genere umano. E coloro che vissero secondo ragione sono cristiani, anche se furono creduti atei: come tra i Greci Socrate, Eraclito e altri come loro, e tra i barbari Abramo e Anania e Azaria e Misael ed Elia. Sicché anche quelli che nacquero prima e vissero senza ragione erano malvagi e nemici del Cristo e uccisori di coloro che vivono secondo ragione; ma quelli che vissero e vivono secondo ragione sono cristiani impavidi e tranquilli.
>
> (*Apologia prima*, 46)

**Il "seme" della verità nel pensiero degli antichi filosofi**

Giustino ritiene dunque che Socrate, Eraclito e tutti quei pensatori che ricercarono la legge razionale che regge l'intera realtà fossero "cristiani *ante litteram*". Essi tuttavia non conobbero la verità nella sua interezza. C'erano in loro dei **"semi" di verità**, che però non poterono essere pienamente intesi. Questi pensatori, infatti, poterono certo intravedere la verità mediante quel seme di ragione che era innato in essi. Ma altro sono il seme della ragione e la sua imitazione, altro sono lo sviluppo compiuto di essa e la realtà, da cui il seme e l'imitazione si generano.

In Giustino la dottrina stoica delle ragioni seminali viene dunque utilizzata per fondare la continuità del cristianesimo rispetto alla filosofia greca, per riconoscere nei maggiori filosofi greci gli anticipatori del cristianesimo e per giustificare l'opera della ragione mediante l'identificazione di quest'ultima con Cristo. In altre parole, la dottrina delle ragioni seminali consente a Giustino di **identificare completamente la verità cristiana con la verità filosofica**:

> Tutto ciò che è stato detto di vero appartiene a noi cristiani; giacché, oltre Dio, noi adoriamo ed amiamo il *Lógos* del Dio ingenito e ineffabile, il quale si fece uomo per noi, per guarirci delle nostre infermità partecipando di esse.
>
> (*Apologia seconda*, 13)

## Lo gnosticismo

**La conoscenza come via di salvezza**

Il II secolo d.C. vede anche il pullulare di numerosissime sette che, come ricorda lo stesso Giustino, prendono il nome dai loro fondatori: Marcione, Valentino, Basilide, Satornilo, tutti uomini di forte personalità. Nonostante le differenze dottrinali e organizzative, i vari gruppi concordano nel conferire grande rilievo alla **conoscenza** (in greco *gnósis*, da cui il nome "**gnosticismo**" utilizzato per indicare il movimento di questi pensatori nel suo complesso) come via eminente di salvezza religiosa. L'equilibrio tra filosofia e religione cristiana raggiunto dal martire Giustino si spezza dunque in favore della ragione, o della filosofia.

**La prospettiva dualistica**

Le origini dello gnosticismo non risultano del tutto chiare. Alcuni suoi precedenti sono stati rintracciati in **certe tendenze del pensiero orientale** e in certe filosofie greche, come il **platonismo** e lo **stoicismo**, favorevoli alla concezione dualistica, secondo la quale all'origine dell'universo starebbero **due opposti principi** – uno positivo e di ordine spirituale, l'altro negativo e di natura materiale – e secondo cui, di conseguenza, il contrasto chiaro-oscuro, luce-tenebre sarebbe la chiave per comprendere la realtà.

Sono comunque nel giusto quanti hanno intuito che le diverse espressioni di sincretismo gnostico miravano a incontrarsi con la religione cristiana per svuotarla dall'interno e, quindi, per assimilarla e strumentalizzarla. Questo spiega come mai inoltrarsi nel mondo degli gnostici equivalga a scoprire un universo popolato da entità astratte: gli «**eoni**», scaglionati in una gerarchia che al vertice ha Dio e che, nel suo insieme, costituisce il «**pleroma**»; il «**demiurgo**» e il suo opposto intrinsecamente cattivo, la «**materia**»; quell'eone particolarissimo che è **Gesù Cristo**; il principio spirituale imprigionato nel corpo, cioè l'**anima**. In un universo del genere ovviamente non c'è posto per il Verbo che si fa carne e che muore in croce. Ecco perché ai racconti evangelici gli gnostici riconoscono, al massimo, un valore simbolico. D'altra parte, gli gnostici partono dalla fede nella rivelazione, ma la **fede** viene da loro considerata come una **scelta provvisoria, propedeutica**, o preparatoria, **alla conoscenza intellettiva**, la sola in grado di elevare l'uomo fino all'unione salvifica con Dio. Né la salvezza dell'anima è fatta dipendere da un comportamento etico virtuoso, dato che le sregolatezze deturpano solo il corpo: per conseguirla, sarà più che sufficiente l'elevazione alla conoscenza del pleroma.

È abbastanza facile intuire il risvolto socio-politico delle dottrine gnostiche. Non tutti disponevano del tempo, della preparazione, degli strumenti e delle capacità necessari per conseguire un tipo di conoscenza tanto complicata e astratta: alla salvezza, dunque, poteva effettivamente aspirare la solita minoranza di aristocratici privilegiati, una sorta di "élite della mente". Almeno così sembrerebbe, se non si ricordasse che nell'antica società ellenica e romana una tale "selezione" era per così dire "naturale", poiché chi non disponeva di denaro e di potere non disponeva neppure dell'*otium*, cioè del tempo libero e della tranquillità indispensabili per coltivare le risorse dello spirito.

## Tertulliano: la condanna della filosofia

Rispetto agli apologisti orientali, che cercano di stabilire la continuità del cristianesimo con la filosofia greca e che presentano la dottrina cristiana come la vera filosofia, condotta al proprio compimento dalla rivelazione di Cristo, gli apologisti occidentali tendono invece a rivendicare l'**originalità della rivelazione cristiana nei confronti della sapienza pagana** e a fondare tale convinzione sulla natura pratica e immediata della fede, anziché sulla speculazione. Questo carattere è presente soprattutto nel maggiore rappresentante dell'apologetica latina: Tertulliano.

**Quinto Settimio Fiorente Tertulliano** nacque intorno al 160 a Cartagine da genitori pagani. Ebbe un'educazione eccellente e probabilmente esercitò in Roma la professione di avvocato. Tra il 193 e il 197 si convertì al cristianesimo e fu ordinato sacerdote. Svolse allora un'intensa attività polemica in favore della nuova fede. In seguito però entrò a far parte della setta dei montanisti[1] e cominciò a polemizzare contro la Chiesa cattolica con violenza poco minore di quella che aveva adoperata contro gli eretici. Infine, fondò una setta sua propria: i "tertullianisti". Pare che sia vissuto fino alla più tarda vecchiaia.

---

1 Il montanismo fu un movimento di carattere profetico sorto in Frigia intorno al II secolo a opera di Montano, il quale annunciava l'imminente venuta dello Spirito Santo e richiamava i credenti e la Chiesa al rigore dell'ascesi.

La filosofia come fonte di eresia

L'attività letteraria di Tertulliano è vastissima, ma esclusivamente polemica. Il punto di base del suo pensiero è la **condanna della filosofia**: mentre la verità della religione si fonda sulla tradizione ecclesiastica, dalla filosofia nascono soltanto le eresie e nulla vi è di comune tra il filosofo e Cristo, ovvero tra chi è "allievo della Grecia" e chi è "allievo dei cieli". I filosofi sono per Tertulliano i «patriarchi degli eretici» (*Sull'animo*, 3) e la radice di tutte le eresie è rintracciabile nel pensiero greco: Valentino, lo gnostico, era discepolo di Platone e Marcione era discepolo degli stoici; gli epicurei negavano l'immortalità dell'anima e tutti i filosofi erano concordi nel negare la resurrezione della carne; Eraclito parlava di un Dio-fuoco e la dialettica del "disgraziato" Aristotele era il più inutile degli strumenti, utilizzabile sia per edificare sia per distruggere e adattabile a tutte le opinioni.

Fede e ricerca

In questa prospettiva, quale valore assume il detto di Cristo «Cercate e troverete»? Secondo Tertulliano significa che **bisogna cercare la dottrina di Cristo** finché non la si è trovata, cioè finché non si è giunti a credere in essa. La ricerca esclude il possesso e il possesso esclude la ricerca: **cercare dopo che si è giunti alla fede significa precipitare nell'eresia**. Nulla è più estraneo alla mentalità di Tertulliano dell'esigenza di una ricerca che nasca dalla fede e che di essa si alimenti, cioè nulla gli è più estraneo di quell'anelito che, come vedremo, si incarnerà nella grande figura di Agostino, il quale, "misurato" secondo il criterio di Tertulliano, sarebbe stato giudicato incredulo, o addirittura eretico.

# 5. La patristica nel III e nel IV secolo

## Caratteri generali del periodo

L'accresciuta importanza della filosofia

L'elaborazione dottrinale del cristianesimo, che gli apologisti avevano avviato nell'intento di difendere la comunità ecclesiastica dai suoi persecutori e di preservarla dall'eresia, prosegue e si approfondisce nei secoli successivi come risposta a una necessità interna alla stessa Chiesa. In questa fase i motivi polemici sono meno dominanti e si avverte come più urgente l'esigenza di **costituire la dottrina ecclesiastica in un organismo unico e coerente**, fondato su una solida base logica.

In questa prospettiva, alla filosofia spetta un ruolo sempre più importante e la continuità che gli apologisti orientali, a cominciare da Giustino, avevano stabilito tra il cristianesimo e il pensiero greco si rinsalda e si approfondisce. Il **cristianesimo** si presenta quindi come la **filosofia autentica, che assorbe e porta alla verità il sapere antico**, del quale può e deve servirsi per trarre gli elementi e i motivi della propria giustificazione.

La sistemazione delle dottrine cristiane

Le dottrine fondamentali del cristianesimo trovano così, negli anni che vanno dal 200 al 450 circa, la loro sistemazione definitiva. Le speranze escatologiche delle numerose sette cristiane, che nel periodo precedente erano state dominanti, erano infatti venute meno: se di fronte all'imminente ritorno del Cristo, il lavoro lungo e paziente della ricerca dottrinale sembrava pressoché inutile e prendevano il primo posto i riti preparatori e propiziatori, ora, venuta meno la speranza di questo ritorno, **l'elaborazione dottrinale diventa la prima e fondamentale esigenza della Chiesa**, quella che deve garantirne l'unità e la solidità nella storia.

# Clemente Alessandrino

Il primo impulso alla fondazione dell'edificio dottrinale del cristianesimo fu dato dalla scuola catechetica di Alessandria: questa esisteva già da tempo quando, nel 180, ne divenne capo Panteno, che le dette il carattere di un'accademia cristiana nella quale l'intera sapienza greca veniva utilizzata per gli scopi apologetici del cristianesimo. La scuola raggiunse il suo massimo splendore con Clemente e Origene; ma quando, nel 233, Origene cercò in Palestina una nuova patria e aprì a Cesarea una nuova scuola, questa soppiantò l'altra e divenne la sede della grande biblioteca che fu la più ricca di tutta l'antichità cristiana.

*La scuola catechetica di Alessandria*

Flavio Clemente, nato in Atene intorno al 150 e capo della scuola di Alessandria, ci ha lasciato tre opere: il *Protrettico* (cioè "esortazione") *ai Greci*, il *Pedagogo* e i *Tappeti* (cioè "tessuti" di dottrine diverse). Clemente si rifà direttamente a Giustino: **in tutti gli uomini**, ma specialmente in quelli che si sono dedicati alla filosofia, **è presente una «scintilla del *Lógos* divino»**, che ha fatto loro scoprire una parte della verità, per quanto non li abbia resi capaci di raggiungere la verità intera, la quale viene rivelata solo da Cristo.

*La ripresa della dottrina di Giustino*

In Clemente Alessandrino troviamo la prima esplicita affermazione cristiana dell'**infinità di Dio**: «l'Uno è indivisibile e, perciò, infinito, in quanto è senza dimensioni e senza limiti».

# Origene

Il primo grande sistema di filosofia cristiana è quello di **Origene**.

Nato nel 185 o 186, probabilmente ad Alessandria, Origene fu a capo della scuola catechetica della città e quando per le persecuzioni di Caracalla fu costretto a fuggire, si rifugiò a Cesarea, dove fondò una nuova scuola che divenne presto fiorentissima. Subì il martirio e morì durante la persecuzione di Decio nel 254 o 255. La sua produzione letteraria fu enorme: gli si attribuiscono da 800 a 6000 scritti; ma l'editto di Giustiniano emesso contro di lui (543) e il giudizio del quinto Concilio ecumenico (553), che lo includeva tra gli eretici, provocarono la perdita di buona parte di questi scritti. Ci rimangono un'apologia *Contro Celso*, un trattato *Sui principi*, giunto a noi solo in una traduzione latina rimaneggiata, e ampi frammenti del suo vastissimo *Commentario* alla Bibbia, tra i quali ben nove libri, non consecutivi, di commento al Vangelo di Giovanni.

*Vita e scritti*

Secondo Origene, gli apostoli ci hanno tramandato le dottrine fondamentali del cristianesimo, ma non si sono fermati a delineare anche quelle accessorie. Chiarire queste ultime è pertanto il compito del cristiano che abbia ricevuto da Dio la grazia della scienza e della parola: egli dovrà **interpretare le dottrine fondamentali e derivarne le altre**.

*Il compito del cristiano*

Delle dottrine bibliche Origene tenta un'interpretazione prevalentemente allegorica, che gli consente di correggere o, quando è necessario, rigettare gli antropomorfismi del Vecchio Testamento, e di avallare così una **concezione puramente spirituale e trascendente di Dio**. Dio è superiore all'essere, alla sostanza, alle idee: è il Bene nel senso platonico, giacché a Lui solo appartiene la bontà assoluta. Il *Lógos* è l'immagine della bontà di Dio, ma non è il bene in sé. Dio è eterno; l'eternità del Figlio dipende dalla volontà del Padre. Dio è la vita, il Figlio riceve la vita dal Padre. Quanto allo Spirito Santo, esso è inteso da Origene come una forza puramente religiosa, che non ha una funzione specifica nella formazione del mondo.

*La nozione di Dio*

**La formazione del mondo**

Quest'ultima è dovuta alla **caduta e** alla **degenerazione delle sostanze intellettuali che costituiscono il mondo intelligibile**. Origene riprende qui la dottrina del *Fedro* di Platone. Per colpa o per pigrizia, ma in ogni caso per un atto libero, imputabile a essi soltanto e non a Dio, gli esseri sovrasensibili, a eccezione del solo Figlio di Dio, si sono volti al male, dando in tal modo inizio alla loro "caduta" nel mondo. Da "intelligenze" che erano, sono divenuti "anime", destinate ad abitare in un corpo più o meno luminoso a seconda della gravità della colpa originaria. Con la "discesa" delle anime nei corpi è apparso il mondo visibile, nella varietà degli esseri che lo costituiscono. Alcune intelligenze sono diventate le anime dei corpi celesti; altre quelle degli angeli; altre ancora quelle degli uomini; mentre le più perverse sono diventate le anime dei diavoli.

**Il ritorno delle anime a Dio e al mondo intelligibile**

Tutte le anime, tuttavia, sono destinate a ritornare alla loro condizione originaria di intelligenze e a rientrare nel mondo intelligibile. Questo ritorno avviene attraverso una **lunga espiazione**, che esse subiscono vivendo in un numero indeterminato di mondi, che si succedono l'uno all'altro, finché le anime non siano giunte alla purificazione e non possano essere restituite alla condizione originaria («**apocatastasi**»).

Anche l'anima dell'uomo segue questo destino. Perciò al messaggio cristiano spetta l'azione educatrice che riconduce gradualmente alla vita spirituale. La Ragione, o *Lógos*, che si è incarnata in Cristo, illumina progressivamente gli esseri umani e li sollecita a intraprendere la via del **ritorno al mondo intelligibile**. L'uomo rinascerà in un altro o in tanti altri mondi, finché non avrà espiato la propria colpa e non sarà di nuovo degno dell'eternità. Ma questo ritorno dipende dalla sua libertà. Alla fine, comunque, tutti gli esseri si saranno risollevati e saranno ritornati a Dio; e Dio sarà tutto in tutti.

## Gregorio di Nissa

**La questione della natura del Figlio**

Gli avversari di Origene gli rimproverarono soprattutto il posto subordinato che egli aveva assegnato al Figlio rispetto al Padre; in seguito lo ritennero addirittura responsabile della dottrina di Ario, secondo cui il *Lógos*, o il Figlio di Dio, è stato creato dal nulla come tutte le creature e, quindi, non è eterno. Questa tesi fu condannata dal **Concilio di Nicea** (325), nel quale fu ribadita la **perfetta divinità del Figlio di Dio**, identico al Padre nella sostanza e nella perfezione.

La dottrina approvata a Nicea fu difesa da tre luminari di Cappadocia: Basilio il Grande, Gregorio di Nazianzo e Gregorio di Nissa. Di questi, il più notevole filosoficamente è Gregorio di Nissa (IV secolo), fratello di Basilio il Grande e di parecchi anni più giovane di lui. La sua opera maggiore è il *Discorso catechetico*, ma egli produsse numerosi altri scritti, trattati e dialoghi, tra i quali è notevole quello intitolato *Sull'anima e sulla resurrezione*.

**L'unità di Dio e il dogma della Trinità**

Secondo Gregorio, **la Trinità di Dio deriva dalla sua stessa perfezione**. Nell'uomo la ragione è limitata e mutevole, e quindi non ha sostanza né forza proprie; ma in Dio è immutabile ed eterna, e quindi sussiste come persona, ovvero come *Lógos*, o come Figlio di Dio. Lo stesso vale per lo Spirito. Nell'uomo lo spirito fa da mediatore tra il pensiero e la parola; in Dio invece la parola non è un suono, ma fa parte della sua stessa essenza e procede dal Padre e dal Figlio come un'altra persona che ha la loro medesima sussistenza e la loro medesima eternità.

L'unità di Dio si giustifica con l'unità della sostanza delle tre persone. Infatti la **sostanza**, o meglio ogni sostanza (quella divina come quella umana ), è una **realtà unica e semplice**, **che non viene moltiplicata dal numero delle persone** (o "ipostasi") **che ne partecipano**.

Il contributo della patristica latina alla speculazione cristiana, anteriormente ad Agostino, è piuttosto scarso. Tra le figure più notevoli ci sono: Ilario di Poitiers, morto nel 366, difensore dell'ortodossia contro l'arianesimo; il famoso vescovo di Milano Ambrogio (nato verso il 340 e morto nel 397), grande come uomo di azione e notevole come scrittore moralista; Girolamo, nato a Stridone, in Dalmazia, e morto a Betlemme nel 420, famoso per aver corretto la versione latina già in uso del Nuovo Testamento e per aver tradotto dall'ebraico in latino il Vecchio Testamento (a eccezione di pochi libri della cui autenticità dubitava).

*I principali padri latini del periodo*

---

## Indicazioni bibliografiche

### RACCOLTE DI TESTI PATRISTICI

■ *La teologia dei Padri*: vol. 1, *Dio, Creazione, Uomo, Peccato* (a cura di G. Mura), Città Nuova, Roma 1974[2]; vol. 2, *Grazia, Cristo, Santificazione* (a cura di G. Mura), Città Nuova, Roma 1974[2]; vol. 3, *Vita cristiana, Il prossimo, Stati di vita cristiana* (a cura di G. Mura), Città Nuova, Roma 1975[2]; vol. 4, *Chiesa, Sacramenti, Sacra Scrittura, Novissimi* (a cura di G. Mura), Città Nuova, Roma 1975[2]; vol. 5, *Profili bio-bibliografici dei Padri, Indici* (a cura di G. Mura), Città Nuova, Roma 1976[2] ■ A. Di

Berardino (a cura di), *Patrologia. I padri latini (secoli V-VIII)*, Marietti, Genova 1996 ■ H. Fries, G. Kretschmar (a cura di), *L'Epoca patristica*, ne *I classici della teologia*, vol. 1, Jaca Book, Milano 1996.

### OPERE GENERALI SULLA PATRISTICA

■ R. Barr, *Breve patrologia*, Queriniana, Brescia 1982 ■ A. Hamman, *Breve dizionario dei padri della Chiesa*, Queriniana, Brescia 1984.

### RACCOLTE DI TESTI GNOSTICI

■ L. Moraldi (a cura di), *La gnosi e il mondo. Raccolta di testi gnostici*, TEA, Milano 1988 ■ M. Simonetti (a cura di), *Testi gnostici in lingua greca e latina*, Mondadori, Milano 1993.

### OPERE SULLO GNOSTICISMO

■ G. Filoramo, *Il risveglio della gnosi ovvero diventare Dio*, Laterza, Roma-Bari 1990 ■ G. Filoramo, *L'attesa della fine. Storia della gnosi*, Laterza, Roma-Bari 1993[2] ■ H. Jonas, *Lo gnosticismo*, SEI, Torino 1995.

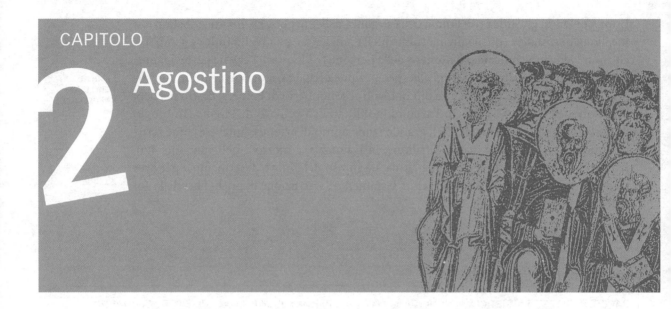

CAPITOLO

## 2 Agostino

# 1. I principali tratti del pensiero agostiniano

**Il carattere soggettivo del filosofare agostiniano**

Per la prima volta, con Agostino di Ippona, la speculazione teologica perde il carattere di oggettività che aveva conservato anche nel pensiero delle più potenti personalità della patristica greca, per saldarsi alla **dimensione soggettiva** dell'uomo che la sviluppa. Il **problema teologico** è in Agostino il **problema dell'uomo-Agostino**: il problema della sua dispersione e della sua inquietudine, il problema della sua crisi e della sua redenzione, della sua ragione speculante e della sua opera di vescovo. Ciò che Agostino ha offerto ai suoi lettori è ciò che egli ha conquistato per se stesso.

**Il programma filosofico**

Il centro della speculazione di Agostino coincide veramente con l'esplicitazione della sua personalità. L'**atteggiamento della "confessione"** (di cui parleremo più diffusamente nei prossimi paragrafi) non è tipico soltanto del suo famoso scritto dal titolo omonimo (*Confessioni*), ma è l'atteggiamento costante del pensatore e dell'uomo d'azione, che, qualsiasi cosa dica o intraprenda, non ha altro scopo che quello di chiarire sé a se stesso e di essere quello che deve essere.

Perciò **egli dichiara di non volere conoscere altro che l'anima e Dio**, e si mantiene costantemente fedele a questo programma. L'anima: cioè l'uomo interiore, l'io nella semplicità e nella verità della sua natura. Dio: cioè l'essere nella sua trascendenza e nella sua normatività, senza il quale non è possibile riconoscere la verità dell'io.

**Le radici del pensiero di Agostino**

Certamente, anche in questa radicale interiorizzazione della ricerca filosofica, Agostino ha dei predecessori: i "platonici", ai quali spesso il filosofo si richiama nelle sue opere, e tra questi in modo particolare **Plotino**. Ma per i neoplatonici il ritorno a se stesso, ovvero l'atteggiamento dell'introspezione, era privilegio solo del saggio; per Agostino può invece essere proprio di ogni uomo.

Agostino raccoglie anche il meglio della **patristica a lui precedente** e i concetti teologici fondamentali, oramai acquisiti dalla speculazione filosofica e fatti propri dalla Chiesa, non subiscono per opera sua sostanziali sviluppi. Ma si arricchiscono di un calore e di un significato umani che prima non avevano, diventando per l'uomo elementi di vita interiore, giacché tali sono per lo stesso Agostino. Il filosofo riesce infatti a saldarli alle inquietudini e ai dubbi, al bisogno di amore e di felicità che sono propri dell'essere umano: riesce, in una parola, a fondarli nella "ricerca", ovvero in ciò che costituisce la dimensione essenziale dell'uomo nella sua totalità.

Tutto l'uomo ricerca: ogni elemento della sua natura, nell'inquietudine della finitezza che lo caratterizza, muove verso l'Essere che solo può dargli consistenza e stabilità. Tale ricerca trova dunque nella ragione la propria disciplina e il proprio rigore, ma non è esigenza di pura ragione. Agostino ripropone, nel contesto della speculazione cristiana, l'istanza della ricerca con la stessa forza con cui Platone l'aveva presentata alla filosofia greca. Ma, a differenza di quella platonica, la ricerca agostiniana si radica nella religione. Fin dall'inizio Agostino la affida all'iniziativa di Dio, perché solo Dio determina e guida la ricerca umana, sia come speculazione, sia come azione: così la **speculazione**, nella sua verità, assume i tratti della **fede nella rivelazione**, e **l'azione**, nella sua libertà, diviene **grazia concessa da Dio**.

> La dimensione religiosa della ricerca

La polemica antipelagiana (v. par. "La polemica contro il pelagianesimo", p. 544) offre ad Agostino l'occasione per esprimere nella forma più estrema ed energica le proprie convinzioni; ma non costituisce una frattura nella sua personalità, una vittoria dell'uomo di Chiesa sul pensatore, giacché in Agostino **il pensatore vive tutto nella sfera della religiosità**, la quale necessariamente riconosce soltanto a Dio l'iniziativa della ricerca, perché soltanto Dio è la possibilità dell'uomo.

# 2. La vita e le opere ✗

Aurelio Agostino nacque nel 354 a Tagaste, nell'Africa romana. Suo padre Patrizio era pagano; sua madre Monica cristiana ed esercitò sul figlio una profonda influenza. Agostino trascorse la fanciullezza e l'adolescenza tra Tagaste e Cartagine; di temperamento ardente, insofferente ai freni, condusse in questo periodo una vita disordinata e dispersa, di cui si accusò aspramente nelle *Confessioni*. Nel contempo, tuttavia, egli coltivò gli studi classici, specialmente latini, e si occupò con passione di grammatica, fino a ritenere (come confessò con orrore) un'improprietà lessicale o sintattica più grave di un peccato mortale.

> La formazione classica

Verso i 19 anni la lettura dell'*Ortensio* di Cicerone lo trasse alla filosofia. L'opera di Cicerone (andata perduta) era un'esortazione alla filosofia che seguiva da vicino le tracce del *Protrettico* di Aristotele. In virtù di essa Agostino, dall'entusiasmo per le questioni formali e grammaticali, passò all'entusiasmo per i problemi del pensiero e per la prima volta si indirizzò alla ricerca filosofica.

> La scoperta della filosofia

**L'adesione al manicheismo e i primi dubbi**

Aderì allora (374) alla setta dei manichei. Dai 19 anni cominciò a insegnare retorica a Cartagine e continuò fino ai 29 anni, tra amori di donne e affetti di amici di cui si sarebbe accusato e pentito in seguito. A 26 o 27 anni compose il suo primo libro, *Sul bello e sul conveniente* (*De pulchro et apto*), andato perduto. Il suo pensiero si andava maturando: lesse e intese da sé il libro di Aristotele *Sulle categorie* e altri scritti, formulando nel frattempo i primi dubbi sulla verità del manicheismo, dubbi che si confermarono quando vide che neppure Fausto, il più famoso manicheo dei suoi tempi, sapeva risolverli.

**Da Cartagine a Roma, da Roma a Milano**

A 29 anni, nel 383, si recò a Roma, con l'intenzione di tenere là il proprio insegnamento di retorica, mosso dalla speranza di trovarvi una scolaresca meno turbolenta e più preparata di quella cartaginese e forse anche dall'ambizione di conseguirvi successo e denaro. Ma le sue speranze non si realizzarono e dopo un anno si spostò a Milano, per tenervi l'insegnamento ufficiale di retorica che aveva ottenuto dal prefetto Simmaco.

**L'avvicinamento alla dottrina cristiana e la lettura di Plotino**

Qui l'esempio e la parola del vescovo Ambrogio lo persuasero della verità del cristianesimo e divenne catecumeno. A Milano lo aveva raggiunto la madre, la cui influenza ebbe un'importanza decisiva nella sua crisi spirituale. La lettura degli scritti di Plotino (nella traduzione di Mario Vittorino, un famoso retore che si era convertito al cristianesimo) fornì ad Agostino l'orientamento definitivo. Nei libri dei neoplatonici, il filosofo non trovò né l'incarnazione del Verbo, né, di conseguenza, la via dell'umiltà cristiana, ma l'affermazione chiara dell'incorporeità e dell'incorruttibilità di Dio, e ciò lo liberò definitivamente dal materialismo al quale era rimasto fino ad allora legato, portandolo alla convinzione che l'universo è pieno di Dio al modo di una gigantesca spugna che occupi il mare.

**La meditazione e le prime opere**

Nell'autunno del 386 Agostino lasciò l'insegnamento e si ritirò, con una piccola schiera di parenti e di amici, nella villa di Verecondo, a Cassiciaco, presso Milano. Dalla meditazione in questa villa e dalle conversazioni con gli amici nacquero le sue prime opere: *Contro gli Accademici*, *Sull'ordine*, *Sulla beatitudine*, *Soliloqui*.

**Il battesimo e il ritorno in Africa**

Il 25 aprile del 387 ricevette il battesimo dalle mani di Ambrogio. Egli si persuase allora che la sua missione fosse quella di diffondere nella propria patria la sapienza cristiana e cominciò a pensare al ritorno. A Ostia, nell'attesa dell'imbarco, trascorse con la madre momenti d'intenso godimento spirituale, discorrendo con lei di questioni religiose; proprio in quei giorni Monica morì.

Da quel momento la vita di Agostino fu una continua ricerca della verità e una continua lotta contro l'errore. Dopo una nuova permanenza a Roma, ritornò a Tagaste, dove nel 391 fu ordinato sacerdote; nel 395 fu consacrato vescovo di Ippona. La sua attività teoretica si volse allora non solo alla difesa e al chiarimento dei principi della fede (mediante una ricerca di cui la fede era più il risultato che il presupposto), ma anche alla lotta contro i nemici della fede e della Chiesa: il manicheismo, il donatismo e il pelagianesimo.

**La morte**

Dopo il sacco di Roma, Agostino, per rispondere alle accuse dei pagani, compose *La città di Dio*. Intanto un flagello analogo, l'invasione dei Vandali, si abbatté nel 428 sull'Africa romana. Già da tre mesi le truppe di Genserico assediavano Ippona, quando, il 28 agosto del 430, Agostino morì.

Le sue opere principali sono le *Confessioni* (scritte tra il 397 e il 401) e *La città di Dio* (scritta tra il 413 e il 426).

# 3. Ragione e fede

Nei *Soliloqui*, che sono tra le prime sue opere, Agostino dichiara lo scopo della propria ricerca: «Io desidero conoscere Dio e l'anima (*Deum et animam scire cupio*)». E alla domanda «Nient'altro dunque?» risponde: «Nient'altro, assolutamente» (I, 2). E tali sono in realtà i termini verso i quali costantemente si indirizza la sua speculazione, dal principio alla fine. Ma Dio e l'anima non richiedono per Agostino due indagini parallele o diverse. **Cercare l'anima significa cercare Dio,** nella commossa persuasione che «Tu, o Dio, ci hai fatti per te e il nostro cuore è inquieto, finché non trovi riposo in te» (*Confessioni*, I, 1).

**Cercare Dio nella propria anima**

Ora, in quel continuo sforzo verso Dio che è l'esistenza dell'uomo, **ragione e fede sono strettamente unite** e in grado di collaborare e di rafforzarsi a vicenda. La teoria agostiniana dei rapporti tra ragione e fede è sintetizzata nella duplice formula *crede ut intelligas* (credi per capire) e *intellige ut credas* (capisci per credere). Con queste celebri affermazioni Agostino intende dire che per capire, ossia per far filosofia in modo corretto e per trovare la verità, è indispensabile credere, cioè possedere la fede, la quale è simile alla luce che indica il cammino da seguire. Viceversa, per avere una fede salda è indispensabile comprendere ed esercitare l'intelletto, cioè filosofare. Ragione e fede si configurano dunque come facce diverse di quella medesima realtà esistenziale che è il rapporto dell'uomo con Dio.

**«Credi per capire e capisci per credere»**

E proprio tale realtà Agostino, da un capo all'altro della propria opera, cerca incessantemente di chiarire a se medesimo: «Io stesso ero diventato per me un grosso problema» (*Factus eram ipse mihi magna quaestio*, *Confessioni*, IV, 4). Infatti, come si è già detto, l'oggetto della ricerca agostiniana non è il cosmo, ma l'uomo, o l'io, ossia la **persona** nella sua **singolarità irripetibile** e nella sua **apertura a Dio** (da ciò il carattere marcatamente esistenziale delle *Confessioni*).

**L'uomo come oggetto della ricerca agostiniana**

# 4. La confutazione dello scetticismo e la teoria dell'illuminazione: dal dubbio alla Verità

Contro lo scetticismo, che interpreta come teoria del dubbio universale, Agostino sostiene che non è possibile dubitare e ingannarsi su tutto, perché la nostra esistenza, ad esempio, è indubitabile, in quanto **se anche dubitiamo** e ci inganniamo su di essa, **dobbiamo per forza esistere:**

**La certezza del proprio esistere**

> Se m'inganno vuol dire che sono (*si enim fallor, sum*). Non si può ingannare chi non esiste: se dunque m'inganno, per ciò stesso io sono (*nam qui non est, utique nec falli potest: ac per hoc sum, si fallor*). Poiché dunque esisto, dal momento che m'inganno, come posso ingan-

narmi a credere che esisto, quando è certo che io esisto dal momento che m'inganno? Poiché dunque, anche nell'ipotesi che mi inganni, esisterei pur ingannandomi, non mi inganno certamente nel conoscere che esisto. (*La città di Dio*, XI, 26)

**Il rapporto dell'uomo con la verità**

Inoltre, **per dubitare della verità**, continua Agostino nella sua polemica anti-scettica, **si deve in qualche modo già essere nella verità**:

Se non comprendi bene quello che io dico, e se dubiti che ciò sia vero, guarda almeno se tu non sei sicuro di un tale tuo dubitare e se ne sei sicuro cerca donde mai ti derivi tale sicurezza (*et si certum est te esse dubitantem quaere unde sit certum*).

Chiunque comprende di essere in dubbio, vede una cosa sicura della quale è certo (*Omnis qui se dubitantem intelligit, verum intelligit et de hac re quam intelligit certus est*) [...]. Pertanto chiunque dubita se la verità esista, ha in sé alcunché di vero di cui non può dubitare; ora il vero non è tale se non in forza della verità. È necessario adunque che più non dubiti della verità chi ha potuto in qualche modo dubitare. (*La vera religione*, 39, 73)

In altri termini, il dubbio presuppone, per sua stessa natura, un rapporto dell'uomo con la verità. →**T2**

Tuttavia, pur essendo *nella* verità, l'uomo non è, egli stesso, *la* verità. Infatti l'uomo, semplice ricercatore della verità, è imperfetto e mutevole, mentre la verità assoluta è immutabile e perfetta e possiede totalmente se medesima: «Confessa di non essere tu ciò che è la verità, poiché essa non cerca se stessa». Di conseguenza, **la Verità non può essere che Dio**.

**La teoria dell'illuminazione**

Se l'uomo non è la verità, ma solo colui che ne accoglie una parte come dono, come avviene questo dono? A questa domanda Agostino risponde con la cosiddetta "teoria dell'illuminazione" (v. "Glossario"), secondo la quale l'essere umano, non essendo e non possedendo di per sé la verità, la riceve da **Dio**, il quale, simile a una vivida luce, **«illumina» la nostra mente**, permettendole di apprendere.

Cristo è Maestro interiore, Luce, Verità e Vita: Egli è *dator intelligentiae*, ossia artefice dell'umana capacità conoscitiva. Come spiega Michele Federico Sciacca, attento studioso di Agostino: «Se il nostro pensiero è illuminato, significa che esso è luce che si accende ad un'altra luce. Il pensiero è la *mia* luce, ma non sono io l'origine del mio lume. I lumi degli uomini si accendono e si affievoliscono, ora brillano e ora sembrano spegnersi; la mia luce, come quella dei miei simili, non è dunque *la* luce. Per conseguenza, la mia intelligenza e la mia ragione, ogni individuale intelligenza e ragione creata, sono testimonianza dell'esistenza della luce assoluta».

**Agostino e Platone**

Questa dottrina agostiniana, nonostante la sua forte valenza religiosa, ha un presupposto filosofico ben preciso, senza il quale non potrebbe essere adeguatamente intesa: la teoria platonica della conoscenza. Analogamente a Platone, Agostino ritiene infatti che nell'uomo esistano delle verità, o dei criteri di giudizio (ad esempio la Giustizia, il Bene, l'Uguaglianza ecc.), che non possono derivare dalla mutevole percezione dei sensi, cioè dall'esperienza. Tuttavia, mentre Platone, con la teoria della reminiscenza, faceva derivare tali verità dal mondo delle idee, Agostino, con la teoria dell'illuminazione, li fa cristianamente provenire da Dio, in base al principio secondo cui **la verità immutabile non è la ragione, cioè l'uomo, ma è la legge della ragione**. Infatti, se la ragione è superiore alle cose di cui giudica, la legge in base alla quale essa giudica è superiore alla ragione, poiché scaturisce da quella Legge o Ragione suprema che è Dio.

Ciò che si è detto rende comprensibile il famoso monito di Agostino con cui si è spesso riassunta, attraverso i secoli, la sua filosofia:

Il ritorno
in se stessi
come
apertura
a Dio

> Non uscire da te, ritorna in te stesso, nell'interno dell'uomo abita la verità; e se troverai mutevole la tua natura, trascendi anche te stesso (*noli foras ire, in teipsum redi, in interiore homine habitat veritas, et si tuam naturam mutabilem inveneris, transcende et te ipsum*).
>
> (*La vera religione*, 39, 72)

Infatti **la verità non sta nelle cose, ma nell'uomo che giudica**, anche se, come si è visto, la verità non si identifica con la mutevole natura umana, bensì con l'immutabile luce divina che le permette di conoscere. Per cui, ritornare a se stessi e rinchiudersi nella propria interiorità significa, di fatto, aprirsi alla verità e a Dio. In conclusione, il **rinserrarsi dell'esistenza in se stessa** è per Agostino la **via maestra per giungere all'apertura più radicale:** quella verso l'Essere e verso l'Assoluto. E poiché la verità di Dio trascende l'uomo, essa non è mai pienamente posseduta, ma rimane sempre, in qualche misura, un mistero che in questa vita non è dato svelare, ma solo riconoscere e amare. →**T1**

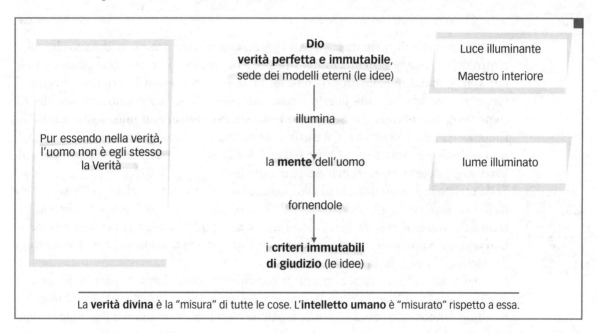

Dio
**verità perfetta e immutabile,**
sede dei modelli eterni (le idee)

Luce illuminante

Maestro interiore

*illumina*

Pur essendo nella verità, l'uomo non è egli stesso la Verità

la **mente** dell'uomo

lume illuminato

*fornendole*

i **criteri immutabili di giudizio** (le idee)

La **verità divina** è la "misura" di tutte le cose. L'**intelletto umano** è "misurato" rispetto a essa.

# ✕ **5.** Dio come Essere, Verità e Amore

Dio è verità: questo è il principio fondamentale della teologia agostiniana. La prima e fondamentale determinazione teologica del Dio cristiano scaturisce dunque dall'impianto della ricerca agostiniana. Poiché l'uomo ricerca Dio nell'interiorità della propria coscienza, Dio è per lui **Essere e Verità, Trascendenza e Rivelazione, Padre e *Lógos*.** Dio si rivela come trascendenza all'uomo che incessantemente e amorosamente lo cerca nella

Dio come
Padre e Figlio,
ovvero come
Essere e Verità

profondità del proprio io: ciò vuol dire che Egli non è essere se non in quanto è insieme manifestazione di sé come tale, cioè Verità; che non è Trascendenza se non in quanto è insieme Rivelazione; che non è Padre se non in quanto è insieme Figlio, *Lógos* o Verbo che muove incontro all'uomo per trarlo a sé.

**Dio come Spirito Santo, ovvero come Amore**

Se le prime due persone della Trinità si manifestano all'uomo che ricerca, lo stesso vale per lo Spirito Santo, che è Amore. Dio è dunque Amore, oltre che Essere e Verità; del resto amore e verità vanno congiunti, perché **non ci può essere amore se non per la verità e nella verità**. Amare Dio significa amare l'Amore, ma non si può amare l'Amore se non si ama chi ama. Non è amore quello che non ama nessuno. L'uomo perciò non può amare Dio, che è l'Amore, se non ama l'altro uomo. **L'amore fraterno tra gli uomini «non solo deriva da Dio, ma è Dio stesso»** (*Sulla Trinità*, VIII, 12). In altre parole, così come Dio si rivela come Verità solo a chi cerca la verità, allo stesso modo si offre come Amore solo a chi ama: la ricerca di Dio non è dunque soltanto intellettuale, ma si concretizza anche come bisogno di amore.

**Conoscere se stessi per conoscere Dio**

Si arriva così alla domanda fondamentale:

> Che cosa amo, o Dio, quando amo te? (*Confessioni*, X, 6)

Questo è il nodo che orienta la ricerca agostiniana all'anima e a Dio, il nodo che sta al centro della stessa personalità di Agostino. Si è detto che non è possibile cercare Dio se non sprofondandosi nella propria interiorità, se non "confessandosi" e riconoscendo il proprio autentico "sé"; ma questo riconoscimento è lo stesso riconoscimento di Dio come verità e trascendenza. **Se l'uomo non cerca se stesso, non può riconoscere Dio.** L'intera esperienza della vita di Agostino si esprime in questa formula, poiché solo al di là di sé, in ciò che trascende la parte più alta dell'io, si intravede, per la stessa impossibilità di raggiungerla, la realtà dell'essere trascendente.

**Dio come condizione della ricerca e dell'amore umani**

Se da un lato le determinazioni di Dio si radicano nella ricerca, poiché Dio si rivela come trascendenza e verità solo nella ricerca, dall'altro lato la ricerca si fonda sulle determinazioni della trascendenza divina. Certo, **l'uomo non può riconoscere la trascendenza se non cerca, ma non può cercare se la trascendenza non lo chiama a sé** e non lo sorregge rivelandogli nella sua imperscrutabilità.

Dio, nella sua trascendenza, è dunque la condizione della ricerca da parte dell'uomo. E allo stesso tempo è la condizione dei rapporti interumani, in quanto è Amore e in quanto, come Amore, condiziona e rende possibile ogni amore. Ma non è possibile riconoscerlo come amore, e quindi amarlo, se non si ama; e non può amarsi che l'altro uomo. In altri termini, **amare l'Amore significa amare; e non si può amare che l'uomo.** Perciò l'amore fraterno e la carità cristiana condizionano il rapporto tra Dio e l'uomo, e nello stesso tempo ne sono condizionati. In questo senso, l'Amore divino, o lo Spirito Santo, è la condizione che porta l'uomo non solo verso se stesso, ma anche verso l'altro uomo.

# 6. La struttura trinitaria dell'uomo e il peccato

La possibilità di cercare Dio e di amarlo è radicata nella stessa natura dell'uomo. Se fossimo animali, potremmo amare soltanto la vita carnale e gli oggetti sensibili. Se fossimo alberi, non potremmo amare nulla di ciò che ha movimento e sensibilità. Ma siamo uomini, creati a immagine del nostro creatore, il quale è vera Eternità, eterna Verità, eterno e vero Amore: abbiamo dunque la possibilità di ritornare a Lui, nel quale il nostro essere non avrà più morte, il nostro sapere non avrà più errori, il nostro amore non avrà più offese (*La città di Dio*, XI, 28).

**L'uomo è immagine di Dio**

Come si è detto, questa possibilità di ritornare a Dio è inscritta nella natura stessa dell'uomo, il quale presenta una **struttura trinitaria** che lo fa essere, per così dire, "in minuscolo" ciò che Dio è "in maiuscolo". Infatti l'uomo è, *conosce* e *ama*, proprio come Dio è *Essere* (il Padre), *Intelligenza* (il Figlio) e *Amore* (lo Spirito Santo).

In altri termini ancora, **l'uomo è composto di tre facoltà**, che riproducono altrettanti aspetti di Dio. La prima è la **memoria**, che è l'esistenza, o la presenza dell'anima a se stessa. La seconda è l'**intelligenza**. La terza è la **volontà**, o l'amore. Queste tre facoltà insieme, e ognuna per sé, costituiscono una sola vita, una sola mente e una sola essenza, ossia un'unica realtà capace di fungere da immagine impari (ma pur sempre immagine) della Trinità divina (la quale, in se stessa, rimane ovviamente un mistero):

**Memoria, intelligenza e volontà**

> Io sono, io conosco, io voglio. *Sono* in quanto so e voglio; *so* di essere e di volere; *voglio* essere e sapere. Veda chi può come in queste tre cose ci sia una vita inseparabile, un'unica vita, un'unica mente, un'unica essenza e come la distinzione sia inseparabile e, tuttavia, ci sia.
>
> (*Confessioni*, XIII, 11)

La struttura stessa dell'uomo interiore rende dunque possibile la ricerca di Dio. Che l'uomo sia fatto a immagine di Dio significa infatti che egli può cercare Dio, amarlo e rapportarsi all'Essere di Lui. Dio crea l'uomo affinché egli sia, giacché l'essere, in qualunque grado si realizzi, è sempre un bene, e il supremo Essere è il supremo bene; ma l'uomo può allontanarsi e decadere dall'essere, e in tal caso pecca. Ciò accade perché **la costituzione dell'uomo** come immagine di Dio, **se gli dà la *possibilità* di rapportarsi a Dio, non *garantisce* che** questa possibilità si realizzi.

**La possibilità del peccato**

L'uomo è infatti, innanzitutto, un «**uomo vecchio**», **esteriore**, o **carnale**, che nasce e cresce, invecchia e muore. Ma può essere anche un «**uomo nuovo**», **interiore**, o **spirituale**, poiché può rinascere spiritualmente e riuscire ad aggiogare l'anima alla legge divina. Anche l'uomo nuovo ha dunque le proprie "età", che però non sono date dal trascorrere del tempo, ma dal suo progressivo avvicinarsi al divino.

**La possibilità di una rinascita spirituale dell'uomo**

Se, come si è detto, ogni individuo è per sua natura un uomo vecchio che deve diventare un uomo nuovo, esso deve **rinascere alla vita spirituale**. La possibilità di questa rinascita gli si presenta come possibilità di scelta tra due opposte alternative: o **vivere secondo la carne**, indebolendo e rompendo il proprio rapporto con l'essere, cioè con Dio, e cadendo nella menzogna e nel peccato; o **vivere secondo lo spirito**, rinsaldando il proprio rapporto con Dio e preparandosi a partecipare della Sua stessa eternità.

**Il peccato come "non-scelta" e come rinuncia**

Ma la scelta della prima alternativa non è veramente una scelta, né una vera decisione. **L'unica scelta autentica è quella con cui l'uomo decide di aderire all'essere,** cioè di rapportarsi a Dio. E la causa del peccato (sia degli angeli ribelli a Dio, sia degli uomini) è in realtà la rinuncia a tale adesione.

> La causa della beatitudine degli angeli buoni è che essi aderiscono a ciò che veramente è; mentre la causa della miseria degli angeli cattivi è che essi si sono allontanati dall'essere e si sono rivolti a se stessi, che non sono l'essere. Il loro vizio fu dunque quello della superbia.
>
> (*La città di Dio*, XII, 6)

Il **peccato** è proprio questa "**superbia della volontà**", la quale si distoglie dall'essere e si attacca a ciò che è meno dell'essere. Perciò il peccato non ha una causa *efficiente*, ma soltanto una causa *deficiente*; non è una *realizzazione*, ma una *defezione*. È **rinuncia a ciò che è sommo per adattarsi a ciò che è inferiore.** Voler trovare le cause di tale defezione è come voler vedere le tenebre o udire il silenzio: esse non si possono conoscere se non ignorandole, mentre conoscendole si ignorano.

# ✗7. Il problema della creazione e del tempo

**Dio crea il mondo attraverso il *Lógos***

In quanto Essere (maiuscolo), Dio è il fondamento di tutto ciò che è, e dunque è il creatore di tutto. È la mutevolezza del mondo a dimostrarci che esso è essere (minuscolo) e che quindi ha dovuto essere creato dal nulla (per questo concetto v. "Glossario") e per opera di un Essere eterno. **Dio ha creato tutto attraverso la Parola,** ma la parola di cui parla il racconto della *Genesi* non è la parola sensibile, bensì il *Lógos*, ovvero il Figlio di Dio, che a Dio è coeterno.

**Le idee come ragioni seminali**

Il *Lógos*, o Figlio, ha in sé le **idee,** cioè le forme o ragioni immutabili delle cose, anch'esse eterne, ed è in conformità con tali forme o ragioni che tutte le cose che nascono e muoiono vengono create. Queste forme, o idee, non costituiscono dunque, come voleva Platone, un mondo intelligibile, ma **l'eterna e immutabile ragione per la quale e attraverso la quale Dio ha creato il mondo.** Separare il mondo intelligibile da Dio significherebbe ammettere che Dio sia privo di ragione nella creazione del mondo o prima di essa.

Le idee divine sono avvicinate da Agostino alle **ragioni seminali** di cui parlavano gli stoici. L'ordine del mondo, che dipende dalla divisione delle cose in generi e specie, è garantito appunto dalle ragioni seminali, che, implicite nella mente divina, **determinano nell'atto della creazione la divisione e l'ordinamento delle singole cose** (per il presunto "evoluzionismo" di Agostino v. la voce "ragioni seminali" del "Glossario").

**Il tempo è creato da Dio insieme con il mondo**

Alcuni padri della Chiesa, ad esempio Origene, ritenevano che la creazione del mondo fosse eterna, non potendo essa implicare un mutamento nella volontà divina, che a un certo "punto" avrebbe dovuto "decidere" di creare il mondo. Il problema si presenta anche ad Agostino, il quale si chiede: «Che cosa faceva Dio *prima* di creare il cielo e la terra?». Si potrebbe rispondere ironicamente: «Preparava l'Inferno per chi vuol saper troppo», ma sarebbe un eludere con lo scherzo un problema serio. In realtà, **Dio è l'autore non solo di ciò che esiste nel tempo, ma del tempo stesso**. Prima della creazione non c'era tempo: non c'era dunque un "prima" e non ha senso domandarsi che cosa Dio facesse "allora". L'eternità è al di sopra di ogni tempo: **in Dio nulla è passato e nulla è futuro perché il suo essere è immutabile**, e l'immutabilità è un presente eterno, in cui nulla trapassa.

Ma che cos'è, si domanda a questo punto Agostino, il tempo? Esso certamente **non è una realtà permanente**, in quanto è costituito da un passato che non è più, da un futuro che non è ancora e da un presente che trapassa continuamente dal futuro al passato, perché se fosse sempre presente non si tratterebbe di tempo, ma di eternità.

La natura fuggevole del tempo

Nonostante questa "fuggevolezza" del tempo, noi riusciamo a misurarlo e parliamo di un tempo "breve" o "lungo", sia passato sia futuro. Come e dove effettuiamo questa misura? Agostino risponde: nell'anima. Non si può certo misurare il passato (perché esso non è più) o il futuro (perché esso non è ancora), ma noi conserviamo la memoria del passato e siamo in attesa del futuro. Il futuro non c'è ancora, ma c'è nell'anima l'**attesa delle cose future**; il passato non c'è più, ma c'è nell'anima la **memoria delle cose passate**; il presente è privo di durata e trapassa in un istante, ma nell'anima dura l'**attenzione per le cose presenti**.

Il tempo trova quindi nell'anima la propria realtà: nel distendersi (*distensio*) della vita interiore dell'uomo attraverso la memoria, l'attenzione e l'attesa, nella **continuità interiore della coscienza che conserva dentro di sé il passato e si protende verso il futuro**. Partito alla ricerca della realtà oggettiva del tempo, Agostino giunge invece a chiarirne la soggettività. Ancora una volta il ripiegarsi della coscienza su se stessa appare come il metodo risolutivo di un problema fondamentale. →**T3**

Il tempo come *distensio animi*

# X8. La polemica contro il manicheismo e il problema del male

## Il problema

Agostino è uno dei filosofi occidentali che hanno vissuto con maggior tormento il problema del male. Tra i pensatori della Chiesa, egli è stato il primo a cimentarsi sistematicamente su di esso e ad offrirne il più celebre tentativo di soluzione in senso cristiano.

Il temperamento sensibile, la vivida intelligenza e l'esperienza esistenziale di uomo di mondo hanno portato Agostino a capire molto presto che il mondo e l'uomo, al di là di un primo sguardo superficiale, celano una somma sconcertante di mali fisici e morali. Riluttante a far coesistere la credenza in un Dio buono con la credenza della reale esistenza del male, Agostino abbraccia in un primo tempo la soluzione professata dal principe persiano Mani (III secolo d.C.), che ammetteva nel mondo **due princìpi opposti**, uno del Bene e l'altro del Male, in lotta eterna e necessaria tra loro.

La soluzione manichea e il suo superamento

In un secondo tempo Agostino abbandona il manicheismo, ritenendolo filosoficamente insostenibile, poiché, presupponendo uno scontro cosmico della divinità del Bene con quella del Male, esso mette in forse l'incorruttibilità di Dio. Infatti, come scrive Agostino nelle *Confessioni*, se il principio negativo può nuocere a Dio, Dio non è incorruttibile, in quanto può subire un'offesa; e se non può nuocergli, allora non c'è alcun motivo perché Dio debba combattere (*Confessioni*, VII, 2).

**La drammaticità del problema del male per il cristiano**

La conversione al cristianesimo non elimina il problema, semmai lo rende ancor più drammatico e urgente. Infatti, se vi è un Dio, cristianamente inteso come Bene, Amore e Provvidenza, perché il male nel mondo? *Si Deus est, unde malum?* (Se esiste Dio, da dove deriva il male?) Per rispondere non si può certo riproporre la dottrina platonica (esposta nel *Timeo*) secondo cui il male dipende dalla materia primordiale di cui è costituito il mondo, poiché la materia, nella prospettiva cristiana, è anch'essa creatura di Dio, e dunque è un bene.

Conscio del fatto che in gioco sono la fede stessa e la visione religiosa delle cose, Agostino si risolve, come vedremo tra poco, a negare la realtà sostanziale del male utilizzando lo schema neoplatonico secondo cui il male è una forma di non-essere del bene.

## La soluzione agostiniana: la non sostanzialità del male

**Il male come "privazione" di bene**

Poiché Dio ha creato tutte le cose – sostiene Agostino – tutto ciò che è, in quanto è, è bene. **Essere e bene coincidono**: alla luce di questo presupposto, il **male** non può configurarsi che come **privazione di bene**. Infatti le cose del creato, per poter essere corruttibili, devono essere in qualche modo "bene", poiché altrimenti non avrebbero in sé nulla che possa corrompersi. E se l'essere si identifica con il bene, poiché ogni sottrazione di essere è nel contempo una sottrazione di bene e viceversa, **il male, metafisicamente parlando, non ha una realtà sua propria**: esso, cioè, non è un essere sostanziale autonomo, in quanto è sempre male *di* qualcosa, ovvero è sempre l'accidente *di* un soggetto che di per sé è bene. Tant'è vero che un male assoluto sarebbe un non-essere assoluto e quindi non potrebbe neanche esistere:

> il male di cui cercavo l'origine non è una sostanza, perché, se fosse una sostanza, sarebbe un bene. E invero o sarebbe una sostanza incorruttibile e perciò senz'altro un bene grande, o una sostanza corruttibile e perciò un bene, ché, altrimenti, non potrebbe andar soggetto a corruzione. Perciò vidi chiaramente come Tu facesti buone tutte le cose. (*Confessioni*, VII, 12)

**Una precisazione lessicale**

Agostino ritiene che questa teoria della non sostanzialità del male costituisca una grande e liberatoria scoperta, poiché in virtù di essa si può sostenere che Dio non crea il male (perché se così fosse creerebbe il non-essere), ma solo il bene, di cui il male è semplice carenza, o privazione, cioè una sorta di parassita accidentale. Per questo motivo, se è corretto, a proposito di Agostino, parlare di "**teoria metafisica del male**", non lo è altrettanto parlare di "**male metafisico**". Questa espressione non è specificamente agostiniana e la si ritrova piuttosto in Leibniz, la cui teoria del male metafisico, fisico e morale, date le forti analogie con quella di Agostino, viene spesso confusa con questa, la quale a sua volta viene talora riduttivamente presentata in chiave plotiniano-leibniziana. Secondo quest'ultima prospettiva, il male sarebbe per Agostino il non-essere della perfezione di Dio e sarebbe dovuto al fatto che la creatura, non essendo il Creatore, è per forza limitata. In realtà, come abbiamo visto e come ribadiremo tra poco, il discorso di Agostino è assai più complesso e specifico.

## Mali fisici e mali morali

La negazione della realtà metafisica del male, ovvero della sua autonoma sussistenza, non toglie che nel mondo esista una somma verificabile di mali *fisici* e di mali *morali* (poiché quella "privazione di bene" in cui consiste il male si può incontrare sia nell'ordine delle *realtà naturali*, sia nell'ordine delle *azioni umane*).

Per quanto riguarda le "imperfezioni" della natura, Agostino afferma che esse non sono veramente tali, se pensate dal punto di vista dell'ordine universale delle cose. Utilizzando schemi di derivazione stoica e neoplatonica, il filosofo sostiene infatti che **i cosiddetti mali di natura:**

▸ o **derivano dalla struttura gerarchica dell'universo**, il quale per la sua completezza richiede non solo gli esseri superiori, ma anche quelli inferiori («Io non potevo pensare a cose migliori, dacché ho cominciato a pensarle nel loro assieme; si possono giudicare migliori le cose superiori che non le inferiori, ma con giudizio ben più sano c'è da affermare migliore l'universo che non le cose superiori», *Confessioni*, VII, 13);

▸ o **fungono da elementi necessari per l'armonia cosmica**, esattamente come le ombre sono indispensabili per dar risalto alle luci di un quadro, o come i silenzi e le dissonanze sono indispensabili per una sinfonia.

In ognuno di questi casi il male fisico, come tale, non esiste, poiché è semplicemente il momento o la funzione di una totalità che di per sé è bene.

Anche **i mali fisici che affliggono l'uomo** (le malattie, le sofferenze, la morte...) **sono la giusta pena per il peccato originale**, e quindi, nell'economia della salvezza dell'umanità, hanno un significato positivo.

Per quanto riguarda invece il male morale, esso risiede nel **peccato**, che, come si è visto, consiste nella deficienza della volontà, che rinuncia a Dio e si volge a ciò che è inferiore. Così come non è un male l'acqua, mentre è male precipitarsi in essa, allo stesso modo nessuna cosa creata, per quanto umile sia, è un male, ma è un male l'attaccarsi a essa come se fosse Dio.

In conclusione, per Agostino **il male non esiste**, in quanto o è parte di un ordine cosmico che, globalmente considerato, è bene, oppure è dovuto all'uomo. Partito dalla tesi manichea che faceva del male non soltanto una realtà, ma un principio sostanziale del mondo, Agostino giunge dunque alla tesi opposta, che nega totalmente la sostanzialità e la realtà del male. L'inquietudine esistenziale e filosofica di fronte allo spettacolo del male nel mondo finisce dunque per risolversi in un assoluto ottimismo teologico: «Non ha una mente sana, o Signore, colui che trova a ridire della tua creazione, così come non era sano il mio giudizio quando mi dispiacevano molte cose fatte da Te» (*Confessioni*, VII, 14). →**T4** ▪ **T5**

*I mali fisici*

*I mali morali*

*L'ottimismo teologico di Agostino*

# 9. La polemica contro il pelagianesimo

La polemica contro il pelagianesimo è quella che ha avuto la maggiore portata nella formulazione della dottrina di Agostino, conducendolo a fissare con straordinaria energia e chiarezza il proprio pensiero sul problema del libero arbitrio e della grazia.

Il monaco inglese (irlandese) Pelagio viveva a Roma nei primi anni del V secolo. Lì ebbe per la prima volta sentore della dottrina agostiniana della grazia, espressa nella famosa invocazione a Dio: «Concedi quel che comandi e comanda pure ciò che vuoi» (*Da quod iubes et iube quod vis*). In seguito, giunto a Cartagine con l'amico Celestio e insieme alle molte famiglie romane che si rifugiavano in Africa di fronte all'avvicinarsi dei Goti, le sue critiche all'agostinismo si diffusero, soprattutto ad opera di Celestio, nello stesso gregge del vescovo Agostino.

**La tesi di Pelagio e la sua problematicità** — Il punto di vista di Pelagio consisteva essenzialmente nel negare che la colpa di Adamo avesse indebolito radicalmente la libertà originaria dell'uomo e quindi la sua capacità di fare il bene. Il **peccato di Adamo** costituiva per Pelagio solo un "**cattivo esempio**", che sebbene pesi sulla nostra capacità di scelta rendendoci più difficile il compito di operare il bene, tuttavia non lo rende impossibile e, soprattutto, non toglie all'uomo la possibilità di reagire e di decidere per il meglio. In altre parole, **Pelagio era convinto che l'uomo,** sia prima del peccato di Adamo, sia dopo, **fosse capace di operare virtuosamente senza bisogno del soccorso straordinario della grazia.**

Ma questa dottrina conduceva a ritenere **inutile l'opera redentrice di Cristo**. Infatti, se il peccato di Adamo non aveva posto l'uomo nell'impossibilità di salvarsi con le sue sole forze, l'uomo non aveva evidentemente bisogno dell'aiuto soprannaturale offertogli dall'incarnazione del Verbo, né di essere reso partecipe di questo aiuto dall'opera mediatrice della Chiesa e dai sacramenti che essa amministrava.

**La reazione di Agostino** — Di fronte a una dottrina che si prospettava così rovinosa per la dogmatica cristiana e per la sopravvivenza della Chiesa, Agostino reagì energicamente, affermando che con Adamo e in Adamo aveva peccato tutta l'umanità e che quindi il **genere umano** era una «**massa dannata**», nessun membro della quale poteva sottrarsi alla *dovuta* punizione, se non grazie alla misericordia e alla *non dovuta* grazia di Dio.

**Il traducianesimo** — Per spiegare la trasmissione del peccato da Adamo a tutto il resto dell'umanità, Agostino fu inoltre indotto a difendere, riguardo all'origine dell'anima, non il creazionismo (giacché non si può ammettere che Dio crei un'anima dannata), ma il "traducianesimo", per il quale **l'anima viene trasmessa di padre in figlio attraverso la generazione del corpo.**

**Il pessimismo agostiniano** — La vigoria con la quale Agostino difese queste tesi lo portò a non esitare dinanzi ad alcuna delle conseguenze di esse. Egli inclinò quindi a un pessimismo radicale riguardo alla natura dell'uomo e alla sua capacità di compiere anche il più piccolo passo sulla via dell'elevazione spirituale e della salvezza, e fu portato a insistere sul carattere imperscrutabile della scelta divina, che sembra predestinare alcuni uomini alla salvezza ed escluderne implicitamente altri.

**La libertà umana coincide con la grazia divina** — Per quanto queste conclusioni possano apparire paradossali (e la stessa Chiesa cattolica dovette mitigarne il rigore), non c'è dubbio che il principio sul quale Agostino le fondò rivesta all'interno della sua dottrina un valore del tutto indipendente rispetto alla polemica anti-pelagiana. Questo principio è quello secondo cui la libertà umana si identifica con la grazia divina: **la volontà**, secondo Agostino, **è libera soltanto quando non è asservita al vizio e al peccato**, ed è questa libertà che può essere restituita all'uomo solo dalla grazia divina (*Confessioni*, XIV, 11). In altri termini, il primo libero arbitrio, quello che fu dato ad Adamo, consisteva nel «poter non peccare» (*posse non peccare*). Perduta, con la colpa originaria, questa libertà, l'uomo è costretto a «non poter non peccare» (*non posse non peccare*), ed essendosi infiacchita la sua volontà, **l'individuo può vincere il peccato solo mediante l'aiuto della grazia divina** (concessa in virtù dei meriti di Cristo).

Una libertà diversa, che Dio concederà come premio ai beati, è quella di «non poter peccare» (*non posse peccare*). Questa è in tutto e per tutto un dono divino, giacché non appartiene alla natura umana, che in virtù di essa sarà resa partecipe dell'impeccabilità propria di Dio. Ma poiché la prima libertà (di poter non peccare), detta anche «libertà minore», fu data all'uomo affinché egli si procurasse l'ultima e la più compiuta, detta anche «libertà maggiore», è evidente che solo questa esprime ciò che l'uomo veramente *deve* e *può* essere. Il **non poter peccare**, la **liberazione totale dal male**, è dunque una **possibilità dell'uomo interamente fondata su un dono divino**: «Dio stesso è la nostra possibilità» dice Agostino (*Soliloqui*, II, 1).

«Dio stesso è la nostra possibilità»

# 10. Libertà, grazia e predestinazione: gli spinosi interrogativi sollevati dalla teoria agostiniana della salvezza

La dottrina agostiniana della grazia dà luogo a una serie di complessi interrogativi, che hanno diviso gli studiosi e che sono esplosi in tutta la loro forza dirompente con la Riforma protestante. Cerchiamo di vedere con obiettività quali sono.

In generale, con l'espressione "problema della grazia" si intende la seguente questione: **in relazione alla salvezza dell'uomo, la grazia divina è un fattore determinante o solo concomitante?** Di fronte a questo problema non ci sono, evidentemente, che due soluzioni possibili, e due in effetti sono le dottrine tipiche della grazia:

*Il problema della grazia*

▶ **la grazia è determinante**, il che significa che gli "abiti", o le disposizioni, che renderanno l'uomo giusto e che lo porteranno alla salvezza dipendono da Dio, cioè dal Suo conferirgli o meno la grazia;

▶ **la grazia non è determinante**, nel senso che la concessione di essa da parte di Dio, pur essendo condizione necessaria per la salvezza dell'uomo, non è sufficiente a determinarla, in quanto esige il concorso o la cooperazione dell'uomo.

Ora, l'ambiguità della posizione agostiniana consiste nel fatto che in essa ci sono appigli per **entrambe le soluzioni**. Inoltre, posto che la grazia divina è in ogni caso indispensabile, sorge la domanda: la grazia è concessa a tutti indistintamente o solo ad alcuni? Anche in questo caso Agostino oscilla tra due esigenze opposte: da un lato quella di ammettere che **Dio concede a tutti la grazia sufficiente alla salvezza, pur lasciando a tutti la possibilità di perdersi**; dall'altro lato quella di esaltare la potenza della grazia quale **dono gratuito, concesso solo ad alcune anime**. Tant'è vero che talvolta il filosofo

*L'ambiguità della posizione agostiniana*

parla di una grazia che non viene distribuita a tutti, ma solo agli «eletti», che Dio ha «predestinato» *ab aeterno* alla salvezza.

**Un Dio che oscilla tra bontà e giustizia**

Agostino è indotto a tale posizione teorica dalla considerazione di alcuni dati di fatto: l'esistenza di numerosi bambini che muoiono senza battesimo, ad esempio, o di milioni di individui ai quali, per ragioni storico-geografico-culturali, non è mai giunta alcuna notizia di Cristo, e che quindi sono stati "esclusi" dalla Chiesa (fuori della quale «non c'è salvezza»). Ma perché, ci si può allora chiedere, Dio, che pure lo potrebbe, non concede a tutti indistintamente una grazia efficace? «Agostino risponde: Mistero. Forse perché la giustizia esige che almeno alcuni incorrano nella condanna dovuta per la colpa di Adamo (e una colpa non punita sarebbe contraria all'ordine). E certo è, secondo Sant'Agostino, che nessuno ha diritto di lagnarsi per essere stato abbandonato alla sua trista sorte: tutti **gli uomini formano una "massa dannata"**, una "massa di peccato". **Dio avrebbe potuto non trar via da essa nessuno; l'ha fatto per alcuni: è bontà; non lo fa per gli altri: è giustizia»** (E.P. Lamanna).

**La lettura protestante e quella cattolica**

Mentre il filone ortodosso del cattolicesimo insisterà (come si vedrà meglio nelle prossime righe) sulla prima alternativa (Dio concede la sua grazia a tutti indistintamente), il filone protestante, a cominciare dal monaco agostiniano Lutero, preferirà insistere sulla seconda (la grazia divina è concessa solo ad alcuni), fino a giungere, con Calvino, alla teoria della cosiddetta "predestinazione doppia", secondo cui Dio predestina alcuni alla salvezza e altri alla perdizione.

Sintetizzando quanto si è detto finora, si può quindi affermare che **in Agostino non esiste una teoria univoca sulla salvezza** (come si potrebbe evincere da alcune unilaterali letture di stampo protestante o da alcune unilaterali interpretazioni di stampo cattolico). In Agostino c'è piuttosto un **ambiguo oscillare tra sistemi concettuali opposti** e talora contraddittori, con un'oggettiva prevalenza, nella fase anti-pelagiana, di uno schema teorico propenso ad affidare a Dio, più che all'uomo o alla cooperazione tra uomo e Dio, l'impresa della salvezza.

Ed è proprio su questo punto che **la Chiesa si sforzerà di "mitigare" il dettato di Agostino**, al fine di salvaguardare quello che, soprattutto in antitesi alla Riforma, ha finito per imporsi come uno dei principi vitali e irrinunciabili del cattolicesimo, ossia la teoria della **cooperazione tra l'uomo e Dio**, teoria che si fonda sulla persuasione che, se la grazia è la condizione che rende fruttuoso il libero arbitrio, quest'ultimo è la condizione in virtù della quale la grazia è davvero un dono e non una costrizione o una necessità.

# 11. La città di Dio

## Le due città

Il sacco di Roma, perpetrato nel 410 dai Goti di Alarico, aveva ridato attualità alla vecchia tesi secondo cui la sicurezza e la forza dell'Impero romano erano legate al paganesimo, mentre il cristianesimo rappresentava per esso un elemento di debolezza e di dissolvimento. Contro questa tesi e contro il timore dei cristiani di essere travolti da una catastrofe di portata storica, Agostino compose, tra il 413 e il 426, il suo capolavoro: *La città di Dio*. In quest'opera egli afferma che, così come la vita dell'uomo singolo è dominata dall'**alternativa fondamentale tra il vivere secondo la carne e il vivere secondo lo spirito**, la stessa alternativa domina la storia dell'umanità. Quest'ultima si svolge a partire dalla lotta di due "città", o "regni": il regno della carne e il regno dello spirito, la **città terrena** o città del diavolo, che è la società degli empi, e la **città celeste** o città di Dio, che è la comunità dei giusti. **→T6**

> L'amore di sé portato fino al disprezzo di Dio genera la città terrena; l'amore di Dio portato fino al disprezzo di sé genera la città celeste. Quella aspira alla gloria degli uomini, questa mette al di sopra di tutto la gloria di Dio testimoniata nella coscienza [...]. I cittadini della città terrena sono dominati da una stolta cupidigia di predominio che li induce a soggiogare gli altri; i cittadini della città celeste si offrono l'uno all'altro in servizio con spirito di carità e rispettano docilmente i doveri della disciplina sociale. (*La città di Dio*, XIV, 28)

Le due città non si spartiscono mai nettamente il campo d'azione nella storia: infatti nessun periodo storico e nessuna istituzione sono dominati esclusivamente dall'una o dall'altra delle due città. Ed esse non si identificano mai neppure con i particolari elementi da cui la storia degli uomini è costituita, giacché dipendono soltanto da ciò che ogni singolo uomo decide di essere. In altre parole, nessun contrassegno esteriore distingue **le due città**, che **sono mescolate insieme fin dall'inizio della storia umana** e che **lo saranno fino alla fine dei tempi**. **→T7**

Solo interrogando se stesso ognuno potrà scorgere a quale delle due città appartiene. Ecco perché «Non è possibile attribuire al vescovo di Ippona una identificazione tra città terrena e Stato, da un lato, e tra città celeste e Chiesa, dall'altro. Egli è assai esplicito, nell'indicare nella grazia divina l'elemento che rende membri della città di Dio [...]. La nozione stessa di città, nel senso in cui viene utilizzata da Agostino, è fortemente segnata da un carattere mistico o ideale, come le immagini utilizzate dalla tradizione platonica antica. Il dato storico, la realtà effettiva in cui si muovono gli uomini è come una situazione intermedia tra i due estremi ideali e dà quindi luogo ad una commistione inestricabile delle due città» (M.T. Fumagalli Beonio Brocchieri - M. Parodi).

Sulla base del suo schema teologico, Agostino, in corrispondenza dei sei giorni della creazione, distingue **sei epoche storiche**. La prima va da Adamo al diluvio universale, la seconda da Noè ad Abramo, la terza da Abramo a Davide, la quarta da Davide fino alla cattività babilonese, la quinta da quest'ultima fino alla nascita di Cristo, la sesta dalla prima venuta di Cristo fino al suo ritorno alla fine del mondo.

Accanto a questa divisione in sei epoche, ne troviamo un'altra in **tre periodi, secondo i gradi del progresso spirituale**. Nel primo periodo gli uomini vivono **senza leggi** e non lottano ancora contro i beni mondani; nel secondo vivono **sotto la legge** e perciò combattono contro i beni materiali, ma ne sono vinti. Il terzo periodo è invece il **tempo della grazia**, in cui gli uomini combattono e vincono le tentazioni del mondo.

Questi periodi sono individuati da Agostino nella storia del popolo d'Israele, mentre per quanto riguarda Atene e Roma, il filosofo le giudica soprattutto attraverso il politeismo della loro religione. **Roma**, in particolare, è la **Babilonia dell'Occidente**. Alla sua origine c'è un fratricidio, quello di Romolo, che riproduce il fratricidio di Caino, dal quale è nata la città terrena. Le virtù stesse dei cittadini di Roma sono **virtù apparenti**, ma in realtà sono vizi perché la virtù senza Cristo non è possibile (*La città di Dio*, XIX, 25). Così, all'idea secondo cui le sventure di Roma sono conseguenze dell'abbandono del culto degli dei tradizionali, Agostino risponde ritorcendo l'accusa, ossia mostrando come i mali fisici e morali abbiano funestato Roma anche quando il paganesimo era in fiore e il cristianesimo non esisteva ancora. Infine, per quanto concerne la costruzione dell'Impero, il filosofo afferma che essa non deriva dal volere delle false divinità della mitologia, ma dai disegni superiori della Provvidenza.

**I filosofi pagani**

Il libro VIII della *Città di Dio* è dedicato all'esame della filosofia pagana. Agostino si sofferma soprattutto su **Platone**, che chiama «il più meritatamente famoso tra i discepoli di Socrate». Platone ha riconosciuto la spiritualità e l'unità del divino, ma non ha glorificato e adorato Dio come tale; anzi, come gli altri filosofi pagani, ha ammesso il culto politeistico (*La città di Dio*, VIII, 11). Le coincidenze della dottrina platonica con quella cristiana sono spiegate da Agostino con il riferimento ai viaggi di Platone in Oriente, durante i quali egli potè conoscere il contenuto dei libri sacri (*ibidem*, VIII, 12).

Quanto al **neoplatonismo**, si è visto come Agostino fosse stato indirizzato al cristianesimo dagli scritti di Plotino. I filosofi neoplatonici avevano insegnato la dottrina del Verbo, ma non avevano compreso che il Verbo si è incarnato e si è sacrificato per gli uomini (*Confessioni*, VII, 9). Questi filosofi avevano indubbiamente intravisto, sia pure oscuramente, il fine dell'uomo, la sua «patria» celeste; ma non avevano potuto additare la via che porta ad essa, come invece aveva fatto l'apostolo Giovanni, scorgendola nell'incarnazione di Cristo.

## La nuova concezione cristiana del tempo e della storia

Come ha sostenuto Karl Löwith, *La città di Dio* risulta importante anche in relazione agli sviluppi posteriori della filosofia della storia. Vediamo in che senso.

**Il tempo "circolare" dei Greci**

Presso i Greci, che pure hanno anticipato molti temi della filosofia europea, non troviamo ancora una filosofia della storia in senso stretto: «La chiarezza intuitiva – scrive Iring Fetscher – improntava a tal punto tutto il loro pensiero e la loro sensibilità che il mutamento storico parve loro solo una deviazione accidentale da una pura forma paradigmatica. La loro conoscenza filosofica era rivolta solo alla forma permanente; **verità e puro essere stavano per loro solo in ciò che permane sempre identico**, mentre il divenire e il morire riguardavano solo un mondo superficiale, a cui la conoscenza più alta si sentiva superiore. Ciò valeva anche nei confronti del mondo politico. È vero che Platone e Aristotele hanno esposto una specie di tipologia del variare delle forme di governo, ma era loro convinzione che ogni forma particolare costituisse solo una deviazione dall'unica forma di governo vera e giusta, da ristabilire di volta in volta. La figura in cui veniva colto l'accadere sia naturale che umano era quella del **cerchio**: ai Greci appariva come decorso circolare anche la vicenda degli Stati, nel cui svolgimento ritornano sempre le stesse forme».

Con la dottrina cristiana irrompe nella coscienza occidentale un nuovo modo di rapportarsi al tempo e agli accadimenti.

▶ In primo luogo, il cristianesimo, rifiutando la «teoria atea degli inutili cicli», afferma che Cristo è nato e ha sofferto sulla croce una sola volta (*semel*), esattamente come una sola volta è dato a ognuno di noi di vivere e di morire, e che dopo il calvario si è aperto per l'umanità un futuro di speranza e di salvezza. Questo schema, implicando il rigetto della pagana ripetizione dell'identico, comporta una **sostituzione della visione ciclica del tempo con una visione lineare**.

*Il tempo "lineare" dei cristiani*

▶ In secondo luogo, il cristianesimo, insistendo sul legame che unisce tutti gli uomini, perviene all'idea di **un'unica storia universale che comprende tutte le genti**: idea che, pur essendo già stata preparata dall'Impero romano e dalla dottrina stoica della *humanitas*, viene elaborata e diffusa in modo decisivo solo dai pensatori cristiani.

▶ In terzo luogo, il cristianesimo si rapporta alla **storia** non come a una successione di avvenimenti senza senso, ma come a una **totalità dotata di significato e di scopo**.

Questa serie di presupposti, che hanno in Agostino il loro maggior filosofo, o meglio teologo, costituiscono la base di ogni ulteriore filosofia (o metafisica) della storia. Infatti, dal punto di vista di quest'ultima, «**La storia ha un significato** se, nonostante l'indipendenza e l'eterogeneità apparenti degli episodi che entrano in essa talvolta a distanze enormi di tempo e di spazio, essa costituisce un'unica totalità; se questa totalità ha un ordine o un disegno complessivo che subordina a sé tutti gli episodi; se quest'ordine o disegno complessivo ha un unico scopo, un termine ultimo immanente o trascendente; e se infine l'uomo può, sia pure approssimativamente o genericamente, comprendere questo scopo»[1]. Ora, in ambito cristiano, il principio unificatore degli avvenimenti è dato dalla nozione di "**Provvidenza**" (intesa come forza che oltrepassa le intenzioni degli uomini) e dallo **schema triadico "Eden - caduta - redenzione"**. Tant'è vero che proprio basandosi su tali concetti Agostino riesce a fornire un quadro globale della storia, intesa biblicamente come **storia della salvezza** e concludentesi nell'*éschaton* (v. la voce "Escatologia" del "Glossario").

*Il significato della storia*

Tuttavia, mentre Agostino si basa esplicitamente sulla fede (senza la quale la sua costruzione non avrebbe senso), buona parte della successiva filosofia della storia (soprattutto di tipo ottocentesco) non ha fatto che "secolarizzare" (secondo la tesi di Löwith) lo schema escatologico ebraico-cristiano, sostituendo alla Provvidenza divina la Ragione, lo Spirito, le Nazioni, le Classi ecc. e concependo la "salvezza", o il compimento finale della storia, in termini immanentistici anziché trascendentistici. Da ciò la messa in discussione, da parte della cultura novecentesca, delle grandi filosofie della storia della modernità, accusate di essere delle teologie mascherate, o delle pseudo-fedi prive di valore scientifico. In altri termini, l'equivoco delle filosofie (metafisiche) della storia consisterebbe nel trasformare in una presunta conoscenza "razionale" e "scientifica" (Hegel, Marx ecc.) ciò che invece è solo oggetto di fede, ossia che la storia abbia un "compimento finale" coincidente con la "salvezza" (comunque intesa) dell'uomo.

*La secolarizzazione del modello cristiano*

---

1 N. Abbagnano, *Per o contro l'uomo*, Rizzoli, Milano 1968, p. 247.

# 12. Agostino nella storia

Negli anni successivi alla sua morte, Agostino diventò ben presto un "classico" della cultura della Chiesa. Alcuni motivi del suo pensiero (la conciliabilità di fede e ragione, la dipendenza dell'uomo e del mondo da Dio, la negatività del male, l'importanza della grazia ecc.) entrarono infatti a far parte dei più disparati sistemi filosofici e teologici cristiani. Pur rappresentando un solido baluardo per l'ortodossia cattolica, Agostino fu anche l'ispiratore di alcune sette ereticali, che, a partire da certe sue tesi estremistiche o rese tali dalla foga polemica, pervennero talora a formulare dottrine diverse da quelle riconosciute dalla Chiesa. Ciò costituisce comunque la prova tangibile del fatto che l'intera cultura occidentale cristiana fu profondamente segnata dal pensiero del grande padre africano e che riconobbe in lui uno dei suoi maestri maggiori.

**Agostino nel Medioevo** Ad Agostino fanno riferimento in primo luogo i pensatori più rilevanti dell'alto Medioevo: Scoto Eriugena, Anselmo d'Aosta, Abelardo, la Scuola di Chartres, i mistici del XII secolo. Da lui prende le mosse anche quell'agostinismo politico che indirizza in senso teocratico gran parte del pensiero giuridico-sociale medievale. Nel XIII secolo, con l'irrompere della cultura araba e con l'ingresso in Occidente dell'aristotelismo (di cui si nutrirà la sintesi tomistica), il pensiero agostiniano perderà quell'assoluta egemonia intellettuale che aveva mantenuto fino ad allora. Ciò favorirà d'altra parte la formazione dell'"agostinismo" come corrente specifica e come modo di far filosofia distinto da quello aristotelico-tomista.

Sebbene l'iniziale contrasto tra agostinismo e tomismo risulti attenuato da alcuni tentativi di sintesi (ad esempio da parte di Egidio Romano), l'agostinismo tenderà a mantenere viva la propria fisionomia peculiare e, tramite la propria perdurante influenza sui francescani, ispirerà tutta una corrente di pensiero (da Bonaventura a Duns Scoto, a Ockham) incentrata sui motivi della fede, della volontà e dell'amore, e antitetica rispetto al razionalismo greco-tomista.

**Agostino nel Rinascimento e nell'età della Riforma** Nel XV e nel XVI secolo, la rinascita del platonismo e la crisi dell'aristotelismo favoriranno un rinnovato interesse per il "Platone cristiano", nel cui filosofare aperto e problematico, molto diverso da quello sistematico della scolastica e di Tommaso, torneranno a riconoscersi molti spiriti del Rinascimento (da Petrarca a Cusano). Nello stesso periodo, in virtù di Lutero, monaco agostiniano fautore dell'importanza assoluta della grazia divina, Agostino tornerà ad essere oggetto di discussione e di contraddizione nei dibattiti teologici e nella disputa tra cattolicesimo e protestantesimo.

**Agostino e la modernità** Nel XVII secolo, se da un lato egli sarà presente in grandi filosofi come Cartesio e Malebranche, dall'altro lato rappresenterà il punto di riferimento di alcuni movimenti religiosi, come il giansenismo, che insisteranno sull'irrimediabile corruzione della natura umana dopo il peccato originale e sulla necessità della grazia divina per la salvezza dell'uomo. Lo spirito agostiniano sarà vivissimo anche nei *Pensieri* di Pascal e nella loro sottile analisi della condizione umana come fuga da Dio e al tempo stesso ricerca di Dio.

**Agostino nell'età contemporanea** Nei secoli seguenti la tradizione agostiniana conoscerà una certa battuta d'arresto, a tutto vantaggio del tomismo, che nel frattempo sarà divenuto la filosofia in cui di preferenza si rispecchierà la Chiesa ufficiale. Solo con Rosmini, nell'Ottocento, si avrà un tentativo di ripresa metafisica dell'interiorismo agostiniano. Venuto meno come corrente militante, l'agostinismo non cesserà tuttavia di essere parte e linfa del patrimonio culturale del cristianesimo, che da esso continuerà ad attingere a piene mani molti dei propri motivi teologici e filosofici.

Nel Novecento si trovano forti risonanze agostiniane nello spiritualismo cristiano e nell'esistenzialismo a sfondo religioso. E in generale Agostino ha goduto nel XX secolo, e gode tuttora, di una rinnovata fortuna, poiché la sua vita e la sua filosofia sembrano particolarmente rispondenti alla tormentata sensibilità dell'uomo d'oggi.

# 13. La decadenza della patristica e Boezio

A partire dalla seconda metà del V secolo la patristica perde ogni vitalità speculativa. In Oriente la sua attività sopravvive nelle dispute teologiche, che però passano sempre più al servizio della politica ecclesiastica, perdendo così il loro valore filosofico. In Occidente la civiltà romana è andata in frantumi sotto i colpi dei barbari e non si è ancora formata una nuova civiltà europea: il **sonno del pensiero filosofico** è in realtà il sonno di questa nuova civiltà. La cultura vive a spese del passato, in quanto il potere di creazione è venuto meno; **rimane solo l'attività erudita**, che si esplica nella compilazione di estratti di testi antichi o di commentari, e che parte da una preliminare **rinuncia a ogni ricerca originale**.

*La crisi dell'Impero romano e l'inaridirsi della cultura*

Nel mondo orientale la più notevole manifestazione filosofica di questo periodo è costituita da alcuni scritti il cui autore parve essere Dionigi, il discepolo di Paolo che, secondo gli *Atti degli apostoli* (XVII, 34), fu convertito al cristianesimo dall'orazione tenuta dall'apostolo davanti all'Areopago. Poiché la fonte di questi scritti è Proclo (V secolo), la loro attribuzione a Dionigi l'Areopagita (I secolo) è tuttavia certamente falsa. In ogni caso, essi insistono sulla **superiorità e trascendenza di Dio** inteso come **assoluta unità**, e quindi sull'**impossibilità di determinarne positivamente la natura**.

*Dionigi l'Areopagita*

Nel mondo occidentale, invece, l'opera di Severino Boezio (480-525) contribuì a far sopravvivere nel Medioevo una parte della filosofia antica. Boezio tradusse in latino tutte le opere logiche di Aristotele, ne commentò alcune e compose numerosi opuscoli teologici e uno scritto intitolato *De consolatione philosophiae* (La consolazione della filosofia) che lo rese famoso per tutto il Medioevo. Le traduzioni e i commenti di Boezio assicurarono la sopravvivenza della logica aristotelica e ne fecero un elemento fondamentale della cultura e dell'insegnamento medievale.

*Severino Boezio*

Per quanto riguarda invece il *De consolatione*, esso si ispira a concetti neoplatonici e stoici. La **filosofia** vi è **presentata allegoricamente**, attraverso la figura di un'augusta matrona che consola Boezio (imprigionato per volere di Teodorico) mostrandogli come la felicità dell'uomo consista non già nei beni del mondo, ma in Dio, e che discute con lui il problema della provvidenza e del fato, e della loro conciliazione con la libertà umana.

Il punto di vista di Boezio è quello di un **platonismo eclettico**. Da Platone il filosofo attinge il concetto della divinità come sommo bene; da Aristotele la concezione di Dio come primo motore immobile; dagli stoici l'ammissione dell'esistenza della provvidenza e del fato. Sebbene sia cristiano, Boezio traduce dunque nella propria filosofia il neoplatonismo dell'epoca, e la sua figura rappresenta il passaggio dall'antichità al Medioevo: egli è **l'ultimo romano e il primo scolastico**.

**Isidoro di Siviglia**

Nel VII secolo comincia il periodo più oscuro della storia medievale. La cultura si mantiene viva soltanto grazie all'opera di qualche solitario erudito, che l'attinge dalle opere del passato e la trasmette in rozzi e disordinati compendi. Uno di questi è Isidoro di Siviglia (570 circa - 636), il quale compose una serie di opere che dovevano servire alle scuole abbaziali ed episcopali per la formazione dei chierici. La più celebre di queste opere è intitolata *Le etimologie*, o *Le origini*: si tratta di una sorta di enciclopedia in venti libri, nei quali è condensato tutto il sapere, dalle arti liberali all'agricoltura, alle altre arti manuali. Isidoro è anche autore di un saggio *Sulla natura*, che è un compendio di astronomia, di meteorologia e di geografia.

**Beda il Venerabile**

Un analogo compendio fu composto da Beda il Venerabile, nato nel 674 in Inghilterra e morto nel 735. Il suo *De rerum natura* attinge largamente alla *Storia naturale* di Plinio il Vecchio. Con la morte di Beda, il periodo della patristica si può considerare chiuso.

---

# GR GLOSSARIO E RIEPILOGO
## Agostino

■ **Confessione**  La parola "confessione" indica, in generale, il riconoscimento di una cosa per quella che è. Pertanto essa viene adoperata da Agostino sia a indicare il riconoscimento di Dio come Dio (della Verità come Verità), sia il riconoscimento dei propri peccati come tali. Questa distinzione, che consente di comprendere i due usi del termine abitualmente distinti dagli studiosi, permette anche di spiegare: 1. la composizione delle *Confessioni*, che solo in parte contengono l'esposizione delle vicende biografiche di Agostino, in quanto dal X libro in poi sono puramente "teoretiche", cioè dedicate al riconoscimento della Verità attraverso la soluzione dei dubbi e delle difficoltà che ostacolano tale riconoscimento; 2. la coincidenza dell'atteggiamento di chi si confessa, cioè riconosce in se stesso la verità, con l'atteggiamento del ripiegamento dell'uomo su se stesso (v. "interiorità" e "coscienza").

■ *Crede ut intelligas e intellige ut credas*  Le formule "credi per capire" e "capisci per credere" riassumono la posizione agostiniana circa i rapporti tra fede e ragione. Nel libro biblico di *Isaia* (così almeno suona la traduzione inesatta dei Settanta) si legge: «Se non avrete creduto, non capirete» (*Nisi credideritis, non intelligetis*, VII, 9). Agostino, a sua volta, non smette di raccomandare: *crede ut intelligas* (*La vera religione*, 5, 24;

*Discorsi*, 43, 9; *Sull'ordine*, II, 9 ecc.), convinto che «l'intelligenza è ricompensa della fede». Nello stesso tempo, respingendo il principio secondo cui *credo quia absurdum* e difendendo la correlazione e la complementarità tra fede e ragione, egli sostiene l'importanza della ricerca, ossia dell'*intellige ut credas*: «noi ciò che crediamo vogliamo anche conoscerlo e comprenderlo», «a coloro che già credono [il Signore] disse: "cercate e troverete". Perciò, obbedendo al comando di Dio, cerchiamo senza posa; e ciò che, spinti da Lui, cerchiamo, con la sua guida troveremo» (*Il libero arbitrio*, II, 2, 16-17).

■ **Teoria dell'illuminazione**  Con il termine "illuminazione" Agostino intende quella specifica azione divina che, a suo parere, risulta indispensabile per spiegare il dinamismo della conoscenza umana. Il ragionamento agostiniano, che ha una manifesta matrice platonica e una specifica valenza anti-scettica, può essere riassunto nel modo seguente (cfr. *Il libero arbitrio*, II, 12, 34). Nella nostra anima (come ci ha insegnato Platone) esistono delle verità, o dei criteri immutabili di giudizio, tramite cui valutiamo le cose sensibili. Tali sono, ad esempio, i principi matematici ed etici (l'idea di uguaglianza, di giustizia, di bene ecc.). Ora, tali criteri, essendo immutabili e perfetti, non possono derivare dalla nostra ragione, che è mutevole e imperfetta. Ma se non derivano dalla ragione, da dove derivano le umane

▶

verità? Agostino afferma che esse derivano da Dio, inteso come Verità o Luce che illumina la nostra mente, permettendole di conoscere. In altri termini, alla teoria platonica della reminiscenza Agostino sostituisce la teoria dell'illuminazione, «o, se si vuole, la teoria dell'illuminazione è l'interpretazione agostiniana della teoria platonica della reminiscenza» (S. Vanni Rovighi).

N.B. L'illuminazione di cui parla Agostino in relazione a Dio (*lumen verum quod illuminat omnem hominem venientem in hunc mundum*) appartiene all'ordine *naturale* e non va confusa con l'aiuto *soprannaturale* della grazia (v.); la conseguenza della teoria dell'illuminazione è che «il ragionare non crea la verità, esso solo la scopre: la verità quindi esiste in sé anche prima che sia scoperta, ed una volta scoperta essa ci rinnova» (*La vera religione*, 39, 73).

■ **Interiorità** Agostino è il filosofo dell'interiorità e della coscienza (v.), poiché predica il ritorno dell'uomo a se stesso, ovvero il suo distogliersi dall'esperienza esteriore a favore di quella interiore, secondo il celebre monito: «Non uscire fuori da te, ritorna in te stesso, nell'interno dell'uomo abita la verità».

■ **Coscienza** Per "coscienza" (in lat. *conscientia*, da *conscìre*, "essere consapevole") si intende quel rapporto interiore dell'anima con se stessa che, per il suo carattere immediato e privilegiato, costituisce per l'uomo la forma più certa di conoscenza: «Niente – scrive Agostino – la mente conosce così bene come ciò che le è più accessibile e niente è alla mente così vicino come essa a se stessa».

■ **Uomo** Secondo l'antropologia agostiniana l'uomo, essendo uno e triplice al tempo stesso, costituisce una riproduzione, sia pure imperfetta, della vita una e trina di Dio. Infatti l'uomo *esiste, conosce* e *ama* proprio come Dio è *Essere* (il Padre), *Intelligenza* (il Figlio) e *Amore* (lo Spirito Santo). Detto altrimenti, nell'uomo esistono tre facoltà, che corrispondono ognuna a un aspetto della vita divina: la *memoria* (che è la presenza dell'anima a se stessa), l'*intelligenza* e la *volontà*.

■ **Peccato** Per Agostino il peccato (preso nella sua accezione più profonda) risiede in una "defezione" della volontà umana, la quale, andando contro «la legge eterna di Dio», che prevede una subordinazione gerarchica dell'inferiore nei confronti del superiore, antepone le creature (l'inferiore) al Creatore (il superiore).

■ **Creazione dal nulla** Che nel libro biblico della *Genesi* si trovi l'esplicito e inequivocabile riferimento al con-

cetto di creazione "dal nulla" è questione criticamente controversa. Tant'è vero che alcuni studiosi ritengono che il termine ebraico *barah* (che nella versione dei Settanta è reso con il verbo artigianale *epóiesen*, "fece") non significhi "creò", ma soltanto "formò", "foggiò", "ordinò". Comunque si giudichi in proposito, è però un fatto che per una definizione rigorosa del concetto di creazione bisogna attendere la filosofia e la teologia dei padri della Chiesa. In questo senso, una delle voci più importanti è quella di Agostino, il quale, in antitesi alla filosofia antica – ferma al principio eleatico secondo cui "nulla deriva dal nulla" –, afferma esplicitamente, sulle orme della patristica greca, che Dio crea il mondo "dal nulla" (ovvero, come si dirà in seguito, *ex nihilo sui et subiecti*). Ecco uno dei passi agostiniani più significativi in materia: «Ciò che uno fa, o lo fa dalla sua sostanza o da un qualcosa fuori di sé o dal nulla. L'uomo, che non è onnipotente, dalla sua sostanza genera il figlio e, come artefice, dal legno fa l'arca, ma non il legno; ha potuto fare il vaso, ma non l'argento. Nessun uomo può fare qualcosa dal nulla, cioè fare che sia ciò che assolutamente non è. Dio invece, perché onnipotente, e dalla sua sostanza ha generato il Figlio, e dal nulla ha creato il mondo, e dalla terra ha plasmato l'uomo» (*Contro Felice Manicheo*, 2, 18).

■ **Idee platoniche** In Agostino, che si rifà a una tendenza filosofica già presente nei platonici dei primi due secoli, in Plotino, in Filone e nella patristica greca, le idee platoniche cessano di essere delle entità esistenti di per sé, per divenire i pensieri eterni di Dio, ovvero i modelli sovratemporali tramite i quali Dio crea il mondo. Da ciò l'equazione cristiana "iperuranio = mente di Dio".

■ **Ragioni seminali** Con l'espressione "ragioni seminali" (in lat. *rationes seminales*) Agostino indica le virtualità impresse da Dio nelle cose al momento della creazione: «Il mondo è come una donna incinta: porta in sé la causa delle cose che verranno alla luce nel futuro» (*Sulla Trinità*, III, 9, 16). Questa dottrina è oggetto di interpretazioni discordanti da parte dei critici. Alcuni hanno perfino visto, in essa, una maniera anticipata di conciliare il creazionismo con l'evoluzionismo. In verità tale dottrina, sottolineando la predeterminazione della realtà nelle sue strutture essenziali, mal si concilia con l'evoluzionismo (almeno con quello di marca darwiniana).

■ **Tempo** Agostino riporta la struttura del tempo alla coscienza, definendolo *extensio*, o *distensio, animi*. Con tale formula egli intende dire che passato, presente e futuro non esistono di per sé, ma solo in relazione all'anima, la quale *intuisce* il proprio presente, *ricorda* il proprio passato (il presente che è stato) e *attende* il proprio futuro (il presente che sarà). Il teorema fondamentale che sta alla base di questa dottrina, la quale finisce per ridurre il tempo al presente della coscienza, è stato enunciato dallo stesso Agostino: «È inesatto dire che i tempi sono tre: passato, presente e futuro. Forse sarebbe esatto dire che i tempi sono tre: presente del passato, presente del presente, presente del futuro» (*Confessioni*, XI, 20, 26).

■ **Male** Secondo Agostino il male non ha una consistenza ontologica autonoma, ma è semplice "privazione" di essere, ovvero di bene. Infatti, il male è sempre la corruzione di qualcosa che esiste e, come tale, è bene (visto che per il filosofo cristiano vale l'equazione "essere = bene"). Questo non toglie che nel mondo vi sia una somma impressionante di mali fisici e morali: ciò porta Agostino ad affermare che i mali fisici fanno parte integrante di un ordine universale che nella sua globalità è bene, mentre il male morale risiede nella deficienza della volontà, ossia nel peccato (v.). In sintesi, il male per Agostino non esiste (poiché è parte di un ordine cosmico che è di per sé bene), oppure è dovuto all'uomo. Di conseguenza, secondo l'ottimismo teologico del filosofo, coloro che trovano «a ridire» della creazione non hanno «una mente sana». Gli stessi mali fisici che affliggono l'uomo (ad esempio la malattia o la morte) sono un effetto del peccato originale.

■ **Grazia** Nel linguaggio teologico, per "grazia" si intende il dono gratuito che Dio fa all'uomo della salvezza o di qualche condizione essenziale della salvezza. Il problema della portata e dei limiti della grazia è sempre stato fondamentale nel cristianesimo e, dopo le innumerevoli discussioni medievali, ha segnato uno dei punti di maggior contrasto tra le tesi della Riforma e quelle del cattolicesimo post-tridentino. In Agostino la teoria della grazia (che presenta sfumature diverse e che dà luogo a tutta una serie di problemi teologici e filosofici: v. par. "Libertà, grazia e predestinazione…", p. 545) è strettamente connessa alla polemica contro il pelagianesimo (v.).

■ **Pelagianesimo** Per "pelagianesimo" si intende la dottrina del monaco inglese Pelagio, che, agli inizi del secolo V, insegnò a Roma e a Cartagine. Secondo tale dottrina, il peccato di Adamo non ha indebolito la capacità umana di fare il bene, ma è solo un "cattivo esempio" che rende più difficile e gravoso il compito dell'uomo. A partire dal 412, Agostino combatté con molti scritti questa tesi, sostenendo la tesi opposta: con Adamo e in Adamo ha peccato tutta l'umanità, e quindi il genere umano è una sola «massa dannata», nessun membro della quale può essere sottratto alla dovuta punizione se non dalla misericordia e dalla non dovuta grazia di Dio.

■ **Traducianesimo** Per "traducianesimo" (dal lat. *traducere*, "trasmettere") si intende la dottrina secondo cui l'anima dei figli deriva dall'anima dei padri, anziché da una creazione *ex novo* da parte di Dio (creazionismo). Il fatto che Agostino, anche qui non senza qualche oscillazione, si sia sentito più vicino al traducianesimo (o "generazionismo") che al creazionismo deriva dalla difficoltà di conciliare quest'ultimo con il dogma della trasmissione del peccato originale. Tuttavia, secondo alcuni studiosi, a proposito di Agostino si dovrebbe parlare, più che di traducianesimo *tout-court*, di "creazionismo traducianista": «Nessun dubbio che Dio crei le singole anime; resta la questione se le crei traendole dall'anima del progenitore (per via di generazione) o dal nulla […]. L'alternativa è: *creazione dal nulla*, come per Adamo, o *creazione dall'anima* di Adamo, fermo restando che chi "traendo" crea è sempre Dio» (M.F. Sciacca).

■ **Storia** Secondo Agostino la storia è costituita dalla lotta di due "città", o regni: il regno della carne e il regno dello spirito, la città terrena o città del diavolo, che è la società degli empi, e la città celeste o città di Dio, che è la comunità dei giusti. Queste due città non si identificano con alcuna istituzione umana (ad es. con lo Stato o la Chiesa) e non si dividono mai nettamente il campo d'azione nella storia. Solo alla fine dei tempi si avrà il completo trionfo della città celeste.

■ **Escatologia** Il termine "escatologia" (dal gr. *éschatos*, "ultimo", "estremo") è un termine moderno, che serve a indicare quella parte della teologia la quale considera le fasi "finali" o "estreme" della vita e della storia: la morte, il giudizio universale, il castigo ultraterreno e la fine del mondo.

■ **Provvidenzialismo** Per "provvidenzialismo" si intende una visione della storia che, alla base degli avvenimenti, pone un ordine di tipo provvidenziale. Il provvidenzialismo rappresenta una costante di tanta parte della filosofia della storia, non solo di tipo religioso, ma anche laico (v. par. "La nuova concezione cristiana del tempo e della storia", p. 548).

## Indicazioni bibliografiche

### OPERE DI AGOSTINO

■ *Opera omnia*, Città Nuova, Roma 1965 ss. (59 voll. su 60 previsti) ■ M. Pellegrino, A. Carena (a cura di), *Confessioni*, Einaudi, Torino 1966 ■ L. Alici (a cura di), *La città di Dio*, Rusconi, Milano 1984 ■ F. De Capitani (a cura di), *Il De libero arbitrio*, Vita e Pensiero, Milano 1987 ■ O. Grassi (a cura di), *Il filosofo e la fede*, Rusconi, Milano 1989 ■ L. Alici (a cura di), *La dottrina cristiana*, Edizioni Paoline, Milano 1989 ■ M. Vannini (a cura di), *De vera religione*, Mursia, Milano 1992 ■ M. Bettetini (a cura di), *Ordine, musica, bellezza*, Rusconi, Milano 1992 ■ M. Bettetini (a cura di), *Il maestro e la parola*, Rusconi, Milano 1993.

### OPERE SU AGOSTINO

■ É. Gilson, *Introduzione allo studio di S. Agostino*, Marietti, Genova 1984 ■ G. Wehr, *Aurelius Augustinus. Grandezza e tragicità del discusso Padre della Chiesa*, Augustinus, Palermo 1986 ■ H.I. Marrou, *Agostino e la fine della cultura antica*, Jaca Book, Milano 1987 ■ B. Mondin, *Il pensiero di Agostino. Filosofia teologia cultura*, Città Nuova, Roma 1988 ■ A. Campodonico, *Salvezza e verità. Saggio su Agostino*, Marietti, Genova 1989 ■ H. Chadwick, *Agostino*, Einaudi, Torino 1989 ■ M. Vannini, *Invito al pensiero di Agostino*, Mursia, Milano 1989 ■ H.I. Marrou, *Agostino e l'agostinismo*, Queriniana, Brescia 1990 ■ G. Santi, *Dio e l'uomo. Conoscenza, memoria, linguaggio, ermeneutica in Agostino*, Città Nuova, Roma 1990[2] ■ W. Beierwaltes, *Agostino e il neoplatonismo cristiano*, Vita e Pensiero, Milano 1995 ■ A. Pincherle, *Vita di Sant'Agostino*, Laterza, Roma-Bari 2000 ■ S. Biolo, *L'autocoscienza in S. Agostino*, Pontificia Università Gregoriana, Roma 2001 ■ R. Guardino, *La conversione di Agostino*, Morcelliana, Brescia 2002 ■ K. Flash, *Agostino d'Ippona. Introduzione all'opera filosofica*, Il Mulino, Bologna 2002.

# **V**ERIFICA

## UNITÀ 6 La patristica e Agostino

## Il cristianesimo e la filosofia (Capitolo 1)

**1** Quale rapporto intercorre tra religione cristiana e filosofia cristiana?

**2** Ricostruisci i capisaldi concettuali della religione cristiana espressi dall'apostolo Paolo nelle sue *Lettere*.

**3** La vita storica della Chiesa è segnata dal tentativo continuo di avvicinare gli uomini al significato essenziale del messaggio cristiano: qual è la condizione fondamentale perché sia possibile questo avvicinamento?

**4** Completa la tabella a fondo pagina indicando le principali caratteristiche dei vari periodi della patristica.

**5** Perché i padri apostolici del II secolo furono detti "apologisti"?

**6** Che cos'è lo gnosticismo?

**7** In che cosa differisce l'atteggiamento dei padri apologisti orientali nei confronti della filosofia rispetto a quello dei padri occidentali?

**8** Elenca i concetti principali del pensiero di ognuno degli autori elencati di seguito.

a) *Clemente Alessandrino:* ................................................
................................................................................

b) *Origene:* ....................................................................
................................................................................

c) *Gregorio di Nissa:* .......................................................
................................................................................

TABELLA ►
ES. 4

| PERIODO | DATAZIONE | CARATTERISTICHE |
|---------|-----------|-----------------|
| I | fino al 200 circa | |
| II | dal 200 al 450 circa | |
| III | dal 450 al 735 (morte di Beda il Venerabile) per la Chiesa latina; dal 450 al 754 (morte di Giovanni Damasceno) per la Chiesa greca | |

## Agostino (Capitolo 2)

**9** Perché la ricerca agostiniana può essere definita "esistenziale"?

**10** In che cosa consiste l'atteggiamento della "confessione" che caratterizza l'intera opera di Agostino?

**11** Con quali formule Agostino indica il rapporto tra fede e ragione? Esplicitane brevemente il significato.

**12** Come può l'uomo apprendere e riconoscere la verità?

**13** Tra le espressioni riportate di seguito, scegli quelle corrette in riferimento alla filosofia agostiniana. (4 risposte esatte)

- a  L'uomo non può rapportarsi all'essere di Dio
- b  Dio ha creato l'uomo affinché egli sia
- c  L'uomo pecca perché il suo essere carnale è più forte del suo essere spirituale
- d  L'uomo pecca perché si lascia vivere seguendo la sua parte carnale
- e  L'uomo pecca perché sceglie di peccare
- f  L'uomo pecca perché rinuncia a scegliere il bene
- g  Il peccato è una defezione
- h  Il peccato è una realizzazione

**14** Che cosa si intende quando si afferma che Dio crea "attraverso la parola"?

**15** Quale rapporto ha Dio con il tempo?

**16** In che senso la teoria agostiniana della non sostanzialità del male supera i limiti filosofici della posizione manichea al riguardo?

**17** Quali sono le tesi del pelagianesimo riguardo alla grazia? Perché e come vengono contestate da Agostino?

**18** A proposito del problema del peccato e della grazia, che cosa intende dire Agostino affermando che la libertà umana e la grazia divina coincidono?

**19** Quali sono, secondo Agostino, le caratteristiche della città celeste e della città terrena?

**20** Quali sono i concetti utilizzati da Agostino per fornire un quadro globale della storia e in che cosa si differenziano rispetto a quelli della filosofia greca?

## RIFLETTI E CONFRONTA

**Trattazione sintetica di argomenti (15-20 righe per ogni risposta)**

■ Commenta l'affermazione di Marina Maruzzi riportata di seguito e utilizzala come punto di partenza per redigere una breve introduzione alle *Confessioni* di Agostino.

> Confessioni, dunque, non nel significato corrente di accusa dei peccati, ma nella triplice accezione di *confessio peccatorum*, *fidei* e *laudis* che tale termine aveva assunto nel latino cristiano. Fin dall'inizio, pertanto, l'autobiografia agostiniana si propone come lode a Dio, ma anche come l'ammissione dell'indegnità dell'uomo peccatore e della necessità dell'intervento salvifico di Dio.

■ Agostino ci parla del tempo come di un *implicatissimum aenigma* e individua nell'anima le condizioni che permettono di coglierne la dimensione. Rifletti su tale conclusione agostiniana ed esprimi le tue osservazioni in proposito.

■ Illustra la soluzione agostiniana al problema: "se Dio esiste, da dove deriva il male?", seguendo nella tua esposizione i seguenti passaggi:
a) concezione cristiana di Dio;
b) rapporto tra essere e bene;
c) conseguenze relative alla nozione di male;
d) portata liberatrice della soluzione agostiniana.

# PERCORSI ANTOLOGICI

## UNITÀ 6 La patristica e Agostino

I testi che costituiscono questa sezione antologica sono raggruppati in modo da render conto dei principali nodi teorici del sistema filosofico-teologico di Agostino. Si analizza in primo luogo l'introspezione, che il filosofo considera come l'unico metodo di indagine valido per giungere alla verità, la quale viene da Dio e abita nel cuore dell'uomo; si passa poi a considerare la soluzione proposta da Agostino per i problemi del tempo e del male, unitamente alla sua riflessione sugli aspetti teologici a questi connessi; infine si prendono in esame le caratteristiche della «città di Dio» e della «città terrena», ovvero delle due comunità ideali a cui secondo Agostino appartengono gli individui storici.

Ecco quindi i contenuti della sezione antologica:

### INCONTRO CON...

■ Agostino: la rivelazione come punto di partenza e di approdo della ricerca

**PERCORSO 1** Il valore dell'interiorità e il superamento del dubbio
**PERCORSO 2** La soluzione agostiniana ai problemi del tempo e del male
**PERCORSO 3** La storia come luogo della rivelazione del disegno salvifico di Dio

### LE FORME DELLA COMUNICAZIONE FILOSOFICA

■ La confessione come racconto di una particolarissima esperienza spirituale

---

## INCONTRO CON...

### ■ Agostino: la rivelazione come punto di partenza e di approdo della ricerca

**Ripresa della tradizione e novità nella filosofia cristiana** La diffusione del messaggio evangelico tramite la predicazione dei primi padri della Chiesa ha un significato non solo religioso e morale, ma anche culturale, in quanto comporta un nuovo modo di intendere la relazione dell'uomo con se stesso e con la divinità, una diversa percezione del senso complessivo del tempo e del divenire storico, e una particolare sottolineatura del rapporto che l'uomo instaura con i propri simili e con la realtà che lo circonda. Viene così a formarsi una "filosofia cristiana" che si confronta con la tradizione del pensiero greco-romano e con le visioni del mondo proposte dalle differenti scuole filosofiche dell'antichità, ma che nel contempo non ha soggezione nel rivendicare la propria specificità. Infatti, se da un lato i nuovi autori cristiani tendono a conciliare la novità della loro dottrina con i valori vitali della civiltà greco-romana, dall'altro affermano l'originalità della rivelazione cristiana e il suo carattere di rottura rispetto alla tradizione culturale precedente. Così, se da una parte lo scrittore cristiano Minucio Felice, sulla base della concordanza di tutti i filosofi antichi sull'unicità di Dio, afferma che «o i cristiani sono i filosofi di ora, o i filosofi di allora erano cristiani» (*Octavius*, 20), dall'altra parte Tertulliano si chiede: «Che cosa c'è di simile tra il filosofo e il cristiano, tra il discepolo della Grecia e quello del cielo?» (*Apologeticum*, 46).

Sia i sostenitori della continuità del pensiero cristiano rispetto a quello antico, sia gli avversari della tradizione filosofica espongono e difendono le loro teorie con gli schemi di ragionamento e le forme stilistiche elaborati dalla civiltà classica, e con i loro scritti giungono a dare vita a un indirizzo di pensiero che viene ad assumere nel tempo una sempre maggiore unitarietà, accanto a una peculiare e inconfondibile cifra stilistica e teoretica.

## Il pensiero di Agostino come "filosofare nella fede"

Questo cammino trova un primo momento di sintesi in Agostino, la cui riflessione è insieme filosofica e teologica, pronta a riconoscere che tutto dipende da Dio e che la ragione non ha forza se non è illuminata dalla fede, ma al tempo stesso che, proprio in quanto creato da Dio, il mondo ha una propria consistenza e un proprio valore e che la fede non può fare a meno della ragione. Quello di Agostino è dunque un "filosofare nella fede", nutrito dalla convinzione che la rivelazione possa entrare a pieno titolo nell'esercizio della ragione: «Ciò che caratterizza il metodo agostiniano come tale – afferma Étienne Gilson, grande studioso contemporaneo del pensiero cristiano – è il rifiuto di accecare sistematicamente la ragione chiudendole gli occhi di fronte a quello che la fede mostra [...] il filosofo cristiano considera la rivelazione come una fonte di luce per la sua ragione» (*Introduzione allo studio di Sant'Agostino*).

## Il complesso rapporto del cristiano con la Parola di Dio

Agostino affronta dunque con estrema lucidità intellettuale i problemi fondamentali posti alla riflessione filosofica dal pensiero cristiano, illuminando i motivi che spingono il credente ad affidarsi alla rivelazione divina e a ricercare nell'ordinamento del mondo il segno di una presenza che insieme lo costituisce e lo trascende. La filosofia cristiana dei primi secoli trova così nelle sue pagine una conferma del duplice movimento che la anima: da una parte il fiducioso abbandono alla Parola di Dio che in Cristo si è rivelata agli uomini, e dall'altra l'incessante impegno a chiarire sia i significati che da tale Parola sgorgano, sia le loro conseguenze nel nostro modo di conoscere e interpretare la realtà. Il brano che segue, tratto dal commento agostiniano al Vangelo e alla Prima lettera di Giovanni, mostra con particolare forza la specificità di tale ricerca intellettuale, che è insieme viaggio verso l'Essere, verso la Verità e verso Dio.

---

«In principio era il verbo» (*Gv*, 1, 1). È sempre lo stesso, sempre allo stesso modo; è così come è da sempre, e non può mutare: semplicemente è. Questo suo nome lo rivelò al suo servo Mosè: «Io sono colui che sono. Colui che è, mi ha mandato» (*Es*, 3, 14). ▼A

Chi dunque potrà capire ciò, vedendo come tutte le cose mortali siano mutevoli; vedendo che tutto muta, non solo le proprietà dei corpi: che nascono, crescono, declinano e muoiono; ma anche le anime stesse turbate e divise da sentimenti contrastanti; vedendo che gli uomini possono ricevere la sapienza, se si accostano alla sua luce e al suo calore, e che possono perderla, se per cattiva volontà si allontanano da essa? ▼B

Osservando, dunque, che tutte queste cose sono mutevoli, che cos'è l'Essere, se non ciò che trascende tutte le cose contingenti? Ma chi potrebbe concepirlo?

O chi – quand'anche impegnasse a fondo le risorse della sua mente e riuscisse a concepire, come può, l'Essere stesso – potrà pervenire a ciò che in qualche modo con la sua mente avrà raggiunto?

È come se uno vedesse da lontano la patria, e ci fosse di mezzo il mare: egli vede dove arrivare, ma non ha come arrivarvi. Così è di noi, che vogliamo giungere a quella stabilità dove ciò

*Come pervenire alla conoscenza dell'Essere*

---

# CHIAVI DI LETTURA

▶**A** Il punto di partenza della riflessione agostiniana è la verità rivelata sia dal Nuovo, sia dall'Antico Testamento: le due citazioni cui Agostino fa riferimento sono infatti tratte l'una dal Vangelo di Giovanni e l'altra dal libro dell'*Esodo*, ed entrambe affermano che Dio, essere vero ed eterno, non muta.

▶**B** Il secondo momento della riflessione è costituito dal confronto tra la Parola divina e l'esperienza umana:

mentre la prima ci rivela l'eternità dell'Essere, la seconda ci attesta il mutamento continuo di tutte le cose. Il compito della riflessione razionale sarà dunque quello di trovare un accordo tra queste due prospettive. La riflessione di Agostino è animata da un'ansia di comprendere che è al tempo stesso bisogno di fede, come si legge nell'opera sulla *Trinità*: «L'intelligenza cerca ancora Colui che ha trovato [...] l'uomo deve essere intelligente, per cercare Dio».

**1** Intendi: c'è di mezzo il mondo sensibile.

che è è, perché esso solo è sempre così com'è. E anche se già scorgiamo la mèta da raggiungere, tuttavia c'è di mezzo il mare di questo secolo[1]. Ed è già qualcosa conoscere la mèta, poiché molti neppure riescono a vedere dove debbono andare. ▼C

Ora, affinché avessimo anche il mezzo per andare, è venuto di là colui al quale noi si voleva andare. E che ha fatto? Ci ha procurato il legno con cui attraversare il mare. Nessuno, infatti, può attraversare il mare di questo secolo, se non è portato dalla croce di Cristo. Anche se uno ha gli occhi malati, può attaccarsi al legno della croce. E chi non riesce a vedere da lontano la mèta del suo cammino, non abbandoni la croce, e la croce lo porterà. ▼D

[...]

**L'errore dei filosofi precedenti**

Vi sono stati, per la verità, filosofi di questo mondo che si impegnarono a cercare il Creatore attraverso le creature. Che il Creatore si possa trovare attraverso le sue creature, ce lo dice esplicitamente l'Apostolo [Paolo]: «Fin dalla creazione del mondo le perfezioni invisibili di Dio possono essere contemplate con l'intelletto nelle opere da lui compiute, come la sua eterna potenza e divinità, onde sono inescusabili». E continua: «Perché avendo conosciuto Dio...». Non dice: perché non hanno conosciuto Dio, ma al contrario: «Perché avendo conosciuto Dio, non lo glorificarono né lo ringraziarono come Dio, ma vaneggiarono nei loro ragionamenti e il loro cuore insipiente si ottenebrò».

In che modo si ottenebrò il loro cuore?

Lo dice chiaramente: «Affermando di essere sapienti, diventarono stolti» (*Rom*, 1, 20-22).

Avevano visto dove bisognava andare, ma, ingrati verso colui che aveva loro concesso questa visione, attribuirono a se stessi ciò che avevano visto; diventati superbi, si smarrirono, e si rivolsero agli idoli, ai simulacri, ai culti demoniaci, giungendo ad adorare la creatura e a disprezzare il Creatore. Giunsero a questo dopo che già erano caduti in basso. Fu l'orgoglio a farli cadere, quell'orgoglio che li aveva portati a ritenersi sapienti. ▼E

▶**C** La conciliazione tra rivelazione ed esperienza si raggiunge a partire dalla considerazione che la stessa contingenza del mondo rimanda alla necessità di un principio che lo trascende e lo fonda. Il problema è come cogliere tale principio, e a questo deve nuovamente rispondere il dato della Scrittura, in quanto, pur vedendo il punto di approdo, la ragione non sa come giungervi.

▶**D** Cristo, *Lógos* divino, si è incarnato per la nostra salvezza: per farci comprendere il senso della nostra esistenza e per indicarci la strada per giungere a Dio. È dunque grazie a Cristo che noi possiamo comprendere quale cammino dobbiamo percorrere. L'immagine del mare richiama la metafora della navigazione a cui aveva fatto riferimento Platone: è stato soprattutto Giovanni Reale (cfr. *La filosofia antica*, Jaca Book, Milano 1992, 2 voll.) a sottolineare come dopo la «prima navigazione» – propria della filosofia cosmologica dei presocratici, che proponevano spiegazioni di carattere fisico – e dopo la «seconda navigazione» – propria della riflessione ontologica di Platone e di Aristotele, che proponevano spie-

gazioni di carattere metafisico – con Agostino si sia in presenza di una «terza navigazione», la quale avviene tramite quella rivelazione divina che si identifica specificamente con la croce di Cristo, la sola in grado di dare all'uomo la sicurezza dell'incontro con la verità.

▶**E** Vi è in queste righe un giudizio positivo nei confronti dei filosofi che hanno cercato Dio a partire dalle sue creature, giudizio avvalorato da una serie di citazioni dalla *Lettera ai Romani* dell'apostolo Paolo. Si noti come lo stile di Agostino presenti una continua alternanza di momenti speculativi e di citazioni scritturali, volta a far risaltare la complementarità tra fede e ragione. La valutazione inizialmente positiva si fa poi, quasi subito, negativa: la fiducia nell'autosufficienza della ragione è l'errore che ha impedito ai filosofi pagani di trovare Dio. La ragione ha indicato loro la strada, ma, lasciata a se stessa, si è smarrita e ha finito per rivolgersi a false immagini («simulacri») della divinità. È vibrante la polemica di Agostino contro l'irrazionalismo presente in tanta parte della cultura del suo tempo, che pure si era alimentata delle ricerche della grande speculazione classica.

Coloro di cui l'Apostolo dice che conobbero Dio, videro ciò che dice Giovanni, che cioè per mezzo del Verbo di Dio tutto è stato fatto. Infatti, anche nei libri dei filosofi si trovano cose analoghe, perfino che Dio ha un unico Figlio per mezzo del quale furono fatte tutte le cose. Essi riuscirono a vedere ciò che è, ma videro da lontano. Non vollero aggrapparsi all'umiltà di Cristo, cioè a quella nave che poteva condurli sicuri al porto intravisto. La croce apparve ai loro occhi spregevole. Devi attraversare il mare e disprezzi la nave? Superba sapienza! Irridi al Cristo crocifisso, ed è lui che hai visto da lontano: «In principio era il Verbo, e il Verbo era presso Dio» (*Gv*, 1, 1). ▼F

Ma perché è stato crocifisso? Perché ti era necessario il legno della sua umiltà. Infatti ti eri gonfiato di superbia, ed eri stato cacciato lontano dalla patria; la via era stata interrotta dai flutti di questo secolo, e non c'è altro modo di compiere la traversata e raggiungere la patria che nel lasciarti portare dal legno.

Ingrato! Irridi a colui che è venuto per riportarti di là. Egli stesso si è fatto via, una via attraverso il mare. È per questo che ha voluto camminare sul mare, per mostrarti che via è attraverso il mare. Ma tu, che non puoi camminare sul mare come lui, lasciati trasportare da questo vascello, lasciati portare dal legno: credi nel Crocifisso e potrai arrivare. ▼G

(Agostino, *Commento al Vangelo e alla Prima epistola di San Giovanni*, trad. it. di E. Gandolfo, Città Nuova, Roma 1968, pp. 25 e 29)

▶F L'elemento di novità che rende così diversa la speculazione agostiniana rispetto a quella della filosofia greca è il richiamo all'umiltà: per giungere alla verità ultima, la ragione deve riconoscere la propria radicale insufficienza e lasciarsi guidare dalle parole di Cristo. Agostino sottolinea come Cristo, il Verbo di Dio, abbia accettato una morte ignominiosa, come la morte in croce, per salvare l'uomo: in tal modo egli evidenzia il legame tra la rivelazione e la salvezza dell'umanità, tra il momento conoscitivo e il momento morale, tra l'illuminazione e la redenzione.

▶G La croce di Cristo, intesa come simbolo dell'adesione dell'uomo alla fede cristiana, ossia come lo strumento attraverso cui la salvezza è stata portata agli uomini, è vista come la strada per attraversare le incertezze e gli errori del mondo, i «flutti di questo secolo», e per ricondurre l'uomo alla sua vera patria. Come ha osservato il filosofo esistenzialista del Novecento Karl Jaspers: «La conversione è il presupposto del pensiero agostiniano», in quanto solo mediante essa «il pensiero è attraversato come da una linfa diversa» (*I grandi filosofi*, Longanesi, Milano 1973, p. 81) ed è in grado di giungere alla beatitudine, cioè al possesso di Dio. Il ritorno finale alla metafora della navigazione chiarisce ulteriormente come solo grazie alla fede nella rivelazione di Cristo sia possibile arrivare alla vera conoscenza, ma questo richiede da parte dell'uomo l'umile riconoscimento della necessità di essere salvato. Nelle *Confessioni* si legge: «L'uomo vuole lodarti, una particella del tuo creato, che si porta attorno il suo destino mortale, che si porta attorno la prova del suo peccato e che tu resisti ai superbi» (I, 1).

## PERCORSO 1

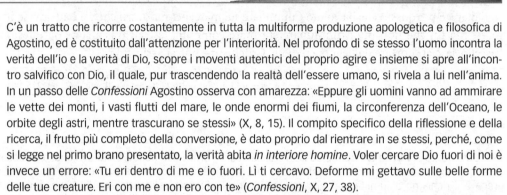

« *Riconosci dunque quale è la suprema armonia: non uscire fuori di te, rientra in te stesso, la verità abita nel profondo dell'uomo.* »

(Agostino, *La vera religione*)

# ■ Il valore dell'interiorità e il superamento del dubbio

C'è un tratto che ricorre costantemente in tutta la multiforme produzione apologetica e filosofica di Agostino, ed è costituito dall'attenzione per l'interiorità. Nel profondo di se stesso l'uomo incontra la verità dell'io e la verità di Dio, scopre i moventi autentici del proprio agire e insieme si apre all'incontro salvifico con Dio, il quale, pur trascendendo la realtà dell'essere umano, si rivela a lui nell'anima. In un passo delle *Confessioni* Agostino osserva con amarezza: «Eppure gli uomini vanno ad ammirare le vette dei monti, i vasti flutti del mare, le onde enormi dei fiumi, la circonferenza dell'Oceano, le orbite degli astri, mentre trascurano se stessi» (X, 8, 15). Il compito specifico della riflessione e della ricerca, il frutto più completo della conversione, è dato proprio dal rientrare in se stessi, perché, come si legge nel primo brano presentato, la verità abita *in interiore homine*. Voler cercare Dio fuori di noi è invece un errore: «Tu eri dentro di me e io fuori. Lì ti cercavo. Deforme mi gettavo sulle belle forme delle tue creature. Eri con me e non ero con te» (*Confessioni*, X, 27, 38).

Una volta rientrato in se stesso, l'uomo è finalmente nella condizione di superare le insidie del dubbio scettico, come si legge nel secondo brano proposto. Entrando in contatto con la propria interiorità, egli acquisisce la coscienza della propria esistenza, cioè la consapevolezza, che gli deriva proprio dall'atto di dubitare, di esistere, perché «se dubita comprende di dubitare; se dubita, vuole arrivare alla certezza, se dubita pensa» (*La Trinità*, X, 10, 14). Tale certezza di esistere, che l'uomo scopre immergendosi nel proprio io e allontanandosi dalle cose esteriori, porta con sé il riconoscimento della propria precarietà e finitezza, e consente così il movimento verso quella verità piena che nell'anima si può solo intravedere e che illumina e sostiene la ricerca umana.

## T 1    L'INCONTRO CON LA VERITÀ AVVIENE NEL PROFONDO DELL'ANIMO UMANO

Già nei *Soliloqui*, scritti nel 387, Agostino afferma che intende porre Dio e l'anima come oggetti della propria riflessione: «Desidero avere scienza di Dio e dell'anima» (I, 2, 7); nel contempo egli indica la via di una tale ricerca: quella del dialogo interiore, condotto «con l'aiuto di Dio» e con un'attitudine caratterizzata dalla «calma» e da un «largo impiego di tempo». Questo impegno viene ancor meglio specificato nell'opera *La vera religione*, scritta tra il 389 e il 390, quando Agostino, appena tornato in Africa dopo la conversione, non era stato ancora ordinato sacerdote.

*La vera religione* è un trattato dalla mole piuttosto contenuta, ma che accoglie tutti i temi fondanti della filosofia agostiniana, e in particolare, come si legge nel brano che segue, il riferimento all'interiorità, intesa come la capacità dell'anima di cogliere Dio quale verità che parla all'uomo e quale luce che rischiara e affascina lo spirito della creatura a cui si rivela. La condizione che rende un tale cammino percorribile è la purificazione da ogni attaccamento verso le cose temporali: solo a partire dalla scelta meditata della conversione, l'incontro con il trascendente diventa possibile.

Nella loro ignoranza, amano[1] le cose temporali, attendendo da esse la felicità; e di queste cose è necessario che divengano schiavi, lo vogliano o no. Dovunque esse conducono, bisogna seguirle, temendo chiunque sembri portarcele via. Eppure una sola scintilla di fuoco o un semplice animaletto possono togliercele. In ogni caso, per non parlare delle innumerevoli avversità, è necessario che il tempo stesso, infine, porti via tutte le cose transeunti. Pertanto, dal momento che questo mondo comprende solo cose temporali, quelli che credono di non dover adorare nulla per non essere schiavi, servono in effetti tutte le cose del mondo. [...] ▼A
Che v'è mai, dunque, che non possa ricordare all'anima la primitiva bellezza perduta, se possono farlo anche i suoi stessi vizi? Infatti la Sapienza di Dio si estende con forza da un termine all'altro[2]. Così, attraverso essa, il supremo artefice dispose ordinatamente tutte le opere, rivolte all'unico fine della bellezza. Così la sua bontà, dall'essere più elevato fino al più basso, con nessuna bellezza, che da Lui solo può venire, è stata avara, per cui nessuno può essere allontanato dalla verità senza esser preso da qualche immagine della medesima. ▼B
Ricerca che cosa avvince nel piacere fisico: non troverai altro che armonia: infatti, le cose opposte producono dolore, quelle in armonia piacere. Riconosci dunque quale è la suprema armonia: non uscire fuori di te, rientra in te stesso, la verità abita nel profondo dell'uomo; e se troverai che la tua natura è mutevole, trascendi anche te stesso. ▼C Ricordati, però, mentre trascendi te stesso, che trascendi un'anima razionale: tendi, dunque, là dove si accende la stessa luce della ragione. ▼D
Dove giunge, infatti, un buon ragionatore, se non alla verità? La verità non giunge a se stessa col ragionamento, ma essa è quel che ricercano gli uomini che ragionano. Vedi là una armonia superiore ad ogni altra, e conformati ad essa. Confessa che tu non sei quel che essa è: infatti essa non cerca se stessa, mentre tu sei giunto ad essa con la ricerca, non attraverso lo spazio, ma con la passione della ragione, perché l'uomo interiore si conformi col suo ospite interno, in una gioia non bassa e carnale, ma suprema e spirituale. ▼E

(Agostino, *La vera religione*, 39, trad. it. di M. Vannini, Mursia, Milano 1987, pp. 133-139)

**Ciò che passa e ciò che permane**

1 Agostino si riferisce qui agli uomini "incatenati" ai beni terreni, «schiavi» del piacere.

**L'armonia e la bellezza del creato**

2 Cioè da Dio agli esseri inferiori.

**La natura della verità**

# CHIAVI DI LETTURA

►A  L'uomo, a causa della sua natura corrotta, è attratto dalle cose temporali e ritiene di poter trovare in esse la sua felicità, mentre vi trova soltanto una forma di schiavitù. Afferma Agostino: «Le immagini provenienti dall'eccitazione e dalla volubilità non permettono che contempliamo l'immutabile unità» (*La vera religione*, 35). Esse inoltre sono beni illusori, che l'uomo non può possedere in modo stabile, sia perché si tratta di cose che possono venir meno a causa di un nonnulla, sia perché l'uomo stesso, in questo mondo, è "di passaggio".

►B  L'attaccamento alle cose materiali può tuttavia rivelarsi come un'occasione per volgersi verso Dio, perché esse contengono una bellezza di cui Dio soltanto può essere l'origine. Il bello, infatti, è il manifestarsi graduale della razionalità divina e, anche se viene colto attraverso la mediazione dei sensi, si rivela all'uomo solo tramite la sua conoscenza razionale, che gli consente di staccarsi dall'immediatezza della sensazione e di avviare un cammino di elevazione spirituale.

►C  Ciò che spinge l'essere umano al piacere della bellezza sensibile è in realtà un anelito verso l'equilibrio e l'armonia. Questa considerazione deve portare l'uomo a riconoscere la necessità di ritornare in se stesso, perché solo nel profondo del proprio io egli può trovare l'armonia della verità, ovvero di ciò che nei capitoli precedenti Agostino ha definito come la «natura immutabile al di sopra dell'anima razionale», come la norma a partire dalla quale è possibile il giudizio (*La vera religione*, 31).

►D  Dio si incontra nella profondità dell'anima, ma l'anima non coincide con Dio: è dunque necessario trascendere anche l'anima, per aprirsi a quella luce che in essa rifulge, ma che ha la propria origine fuori di essa.

►E  La verità è definita come il termine verso il quale la mente tende, e non come un possesso dell'uomo: questi, infatti, secondo un modello tipico del pensiero platonico, proprio perché cerca, non si identifica con l'oggetto della propria ricerca, che resta sempre altro rispetto ad esso. Poiché Dio è trascendenza, l'incontro con Lui non ha luogo nello spazio sensibile, ma si attua nel tempo, attraverso la decisione dell'individuo di conformarsi a Colui che abita nella sua anima e che solo può riempirla di gioia spirituale.

**T 2** L'AUTOCOSCIENZA COME CONSAPEVOLEZZA
CHE RESISTE A OGNI DUBBIO

Agostino si dedicò in diverse occasioni alla confutazione delle posizioni dello scetticismo, anche in considerazione dell'attrattiva che tale corrente aveva suscitato su di lui negli anni giovanili.

Il brano che segue è tratto dal saggio sulla *Trinità*, una delle opere più complesse e meditate della vasta produzione filosofica agostiniana, che impegnò il filosofo per moltissimi anni, tanto che nel "Prologo" egli afferma: «I libri sulla Trinità li cominciai da giovane e li pubblicai da vecchio». In quest'opera – nella quale il motivo teologico, volto all'approfondimento del contenuto della fede, si unisce in modo inscindibile al motivo mistico, volto a indurre ad ascendere fino alle supreme vette della contemplazione – l'argomentazione filosofica svolge un ruolo molto importante, perché chiarifica i termini di numerosi problemi teologici, e in particolare di quelli connessi all'essenza dell'anima e della conoscenza umana. Si sviluppa così una riflessione sulla natura dell'errore, la quale porta ad affermare un principio assolutamente indubitabile, e cioè quello secondo cui l'uomo, nella conoscenza della propria esistenza, non può ingannarsi: «Non si può dunque sbagliare, né può mentire colui che dice che sa di vivere». Tale verità assolutamente certa scoperta da Agostino coincide con la pienezza dell'esperienza interiore, attraverso la quale la mente ha coscienza di sé e fonda la validità dello stesso processo conoscitivo, che ha il suo punto di arrivo nell'approdo alla verità piena dell'essere di Dio.

**La certezza di esistere** Prescindendo dunque da ciò che si trova nell'anima come apporto dei sensi, c'è, fra quelle che ci restano, una conoscenza ugualmente certa di quella che abbiamo di vivere? In questo caso non abbiamo timore alcuno che ci accada di essere ingannati da qualche falsa apparenza, perché è certo che anche colui che si inganna, vive. Qui non accade come nel caso della vista degli oggetti esterni, in cui l'occhio si può ingannare, come si inganna quando un remo appare spezzato nell'acqua, quando una torre sembra muoversi a coloro che navigano, e mille altri casi in cui la realtà è differente da ciò che appare, perché questo non si vede con l'occhio della carne.

**L'inconsistenza delle obiezioni degli scettici** È con una scienza interna che noi sappiamo di vivere, ▼A cosicché un filosofo dell'Accademia non può neppure obiettare: «Forse tu dormi senza saperlo, e quello che tu vedi lo vedi in sogno». Chi non sa infatti che le cose viste in sogno sono assai simili alle cose viste in stato di veglia? Ma colui che, con scienza certa, sa di vivere, non dice: «So di essere sveglio», ma: «So di vivere», dunque che dorma o che sia sveglio, vive. Si tratta di un sapere che il sonno non può rendere illusorio, perché sia dormire che vedere in sogno sono proprietà di uno che vive. ▼B

## CHIAVI DI LETTURA

▶A La certezza di vivere non può essere messa in dubbio nello stesso modo in cui si dubita dei dati dell'esperienza sensibile, perché essa è il frutto di una «scienza interna», cioè di una forma di conoscenza che si rivolge all'anima, ovvero allo stesso principio fondante di ogni processo conoscitivo. Così si esprime Agostino nella *Città di Dio*: «Se m'inganno, sono. Ciò che non è, infatti, non può neppure ingannarsi; perciò se mi inganno sono» (XI, 27, 1).

▶B La polemica agostiniana è rivolta contro la nuova Accademia, che aveva ripreso l'indirizzo scettico proprio di Pirrone e che aveva avuto come maestro Carneade: di tale scuola era stato seguace in gioventù anche Agostino, dopo che si era staccato dalla setta manichea; egli l'aveva in seguito abbandonata, in forza della lettura dei testi del neoplatonismo. Agostino osser-

va che il dubbio può riguardare l'esistenza reale degli oggetti di cui la mente possiede l'immagine, ma non il *fatto* che la mente ne possieda l'immagine: per questo anche l'obiezione secondo cui la vita potrebbe essere un sogno è inconsistente, in quanto, anche se lo fosse, non si potrebbe comunque dubitare del *fatto* che la mente sta sognando. Già nel libro X di questa stessa opera Agostino aveva affermato che non si può dubitare dell'*attività* dello spirito, che costituisce il fondamento di ogni possibile atto intellettivo: l'uomo, «anche se dubita, vive; se dubita ricorda donde provenga il suo dubbio» (10, 14). Si ricordi che l'intera filosofia agostiniana si fonda sulla fede, ovvero sull'autorità della rivelazione di Cristo, e che quindi l'umana certezza di esistere ha il suo più sicuro ancoraggio nel fatto che l'anima dell'uomo partecipa della stessa vita di Dio.

Né contro questa scienza l'Accademico può obiettare: «Forse sei pazzo senza saperlo», perché è vero che anche le visioni dei folli sono estremamente simili alle visioni dei sani di mente, ma colui che è folle, vive. E contro gli Accademici non afferma: «So di non essere pazzo», ma: «So di vivere». Non si può dunque sbagliare, né può mentire colui che dice che sa di vivere. Si possono dunque opporre innumerevoli esempi di errori dei sensi a colui che afferma: «So di vivere», ma egli non ne temerà alcuno, perché colui stesso che si inganna, vive. ▼C

(Agostino, *La Trinità*, XV, 12, 21, trad. it. di G. Beschin, Città Nuova, Roma 2002, pp. 500-501)

▶C  L'obiezione secondo cui l'immagine che l'uomo ha della propria vita potrebbe essere il frutto della follia non ha maggiore solidità di quella che la paragona al sogno: anche in questo caso la certezza non è inficiata dal modo in cui la mente opera, poiché riguarda soltanto la coscienza che essa ha della propria attività ed esistenza. Si ricordi che il superamento del dubbio scettico non porta, in Agostino, all'affermazione dell'autosufficienza della mente umana, ma al riconoscimento dell'esistenza di una verità che insieme la costituisce e la trascende.

## PERCORSO 2

❝ *Cos'è dunque il tempo? Se nessuno m'interroga, lo so; se volessi spiegarlo a chi m'interroga, non lo so.* ❞
(Agostino, *Confessioni*)

### ■ La soluzione agostiniana ai problemi del tempo e del male

La riflessione agostiniana, la quale poggia sulla considerazione che Dio è il creatore dell'intera realtà, e che quindi *tutto* deve essere a Lui ricondotto, non può tralasciare di confrontarsi con il tempo e con il male, nozioni che sembrano sfidare una tale impostazione con obiezioni difficili da superare: il tempo, con il suo fluire continuo, sembra infatti sottrarsi a una norma assoluta, e il male, con la sua presenza incombente, sembra mettere in questione l'onnipotenza e la bontà di Dio.

All'analisi del tempo Agostino dedica l'intero libro XI delle *Confessioni*, da cui è tratto il primo brano proposto, e la fa precedere, nel libro X, da un'indagine sulla memoria, cioè sulla facoltà umana che ha maggiormente a che fare con la percezione dello scorrere del tempo. La memoria viene definita come la capacità "ricettiva" dell'anima, ovvero come una specie di "alveo" spirituale in cui, attraverso il canale dei sensi e dell'intelligenza, rifluisce tutta la vita, interiore ed esteriore, dell'uomo: «Grande cosa è la memoria; una cosa inesplicabile, che mette i brividi, o Dio mio, molteplicità profonda ed infinita: ed essa è l'anima mia, ed essa sono io» (17, 26).

Anche questa osservazione ha però bisogno di essere specificata ulteriormente, se si intende dare ragione dell'esperienza quotidiana e del fatto che, pur sfuggendo alla nostra analisi razionale, il tempo è comunque un dato di cui abbiamo una vivissima percezione interiore. Agostino giunge così ad affermare l'esistenza di un momento "unificante", individuabile proprio nell'anima, che permette all'uomo di porre ordine tra i propri stati interiori e, quindi, di padroneggiare in qualche modo il tempo, che di conseguenza viene definito come *distensio animae*, "distensione dell'anima". In tal modo il tempo acquista realtà nell'attività attraverso la quale si "distende" la vita interiore dell'uomo, cioè attraverso l'attesa delle cose future, la memoria delle cose passate, l'attenzione alle cose presenti. Partito da un'indagine *oggettiva* sul tempo, Agostino ne scopre così la dimensione *soggettiva*.

Per quanto riguarda il tema del male, affrontato nel secondo e nel terzo dei brani proposti, esso presenta un'urgenza particolare, in quanto attraversa sia l'itinerario intellettuale del filosofo Agostino, sia l'avventura esistenziale dell'uomo Agostino: per questo le soluzioni da lui proposte non riguardano solo l'origine metafisica del male, ma anche la volontà dell'uomo, analizzata nella sua incapacità di sottrarsi al fascino che da questo promana e di scegliere il bene.

Il primo interrogativo affrontato, che fu oggetto di un'analisi durata molti anni, riguarda l'origine del male, cioè la necessità di chiarire quale posto esso possa avere in un universo caratterizzato dalla presenza onnipotente di un Dio buono. Come si legge nel secondo dei brani che seguono, il modo di porre la domanda sull'origine del male finisce per attribuire a quest'ultimo una consistenza e un'autonomia che esso, in quanto «privazione di bene», non possiede.

A partire dalla negazione della realtà metafisica del male, la riflessione di Agostino si sposta poi a indagarne il versante esistenziale, la cui analisi ci attesta che il male fa parte della nostra esperienza vissuta e che, pur essendo "un nulla", si presenta come un nulla tentatore e inquietante per la volontà dell'uomo. Quest'ultima, infatti, è come "scissa" al proprio interno, sia perché può determinarsi a scelte differenti, sia perché è attraversata da una costitutiva incertezza e da un continuo ondeggiare: la condizione per cui l'uomo può avviarsi alla libertà e al bene è data allora dall'intervento della grazia divina.

Come nell'analisi del tempo, anche nel caso del male la riflessione di Agostino non ha un fine puramente speculativo, ma è strettamente intrecciata al desiderio di accompagnare e sostenere il cammino dell'anima verso la perfezione e la verità: essa presenta quindi i caratteri del rigore teoretico e insieme quelli dell'indagine psicologica e della preghiera, ed è animata dal duplice impegno di ricondurre l'intera realtà al proprio creatore e di lodare Dio per la perfezione del tutto, lode che è davvero possibile solo se anche del male si può dare una spiegazione convincente.

## T 3     IL TEMPO E L'ANIMA

Agostino affronta inizialmente il problema del rapporto tra Dio e il mondo, rispondendo alla domanda, formulata nelle righe precedenti al testo presentato, su che cosa facesse Dio «prima di fare il cielo e la terra». Egli osserva che "prima" della creazione non esisteva neppure il tempo, in quanto l'eternità è assoluta assenza di divenire, stabilità piena e immutabile: anche il tempo, dunque, è stato creato insieme con il mondo. Agostino fa poi un'osservazione di carattere psicologico, domandandosi: «Che cos'è insomma il tempo? Lo so finché nessuno me lo chiede; non lo so più, se volessi spiegarlo a chi me lo chiede». In un certo senso, tale constatazione contiene già una traccia per la risposta, perché evidenzia come la realtà del tempo consista nel non avere realtà. Si tratta di una considerazione all'apparenza paradossale, ma che in qualche modo dà ragione del fatto che il tempo, nel suo continuo fluire, è costituito da entità che "non" sono: il passato è ciò che non è più, il futuro è ciò che non è ancora, e il presente è un attimo che dal futuro defluisce

di continuo nel passato, senza mai poter essere fissato.

Neppure l'affermazione della non realtà del tempo è tuttavia del tutto soddisfacente, in quanto l'uomo fa comunque esperienza del suo fluire nella propria interiorità, entro la quale ne misura gli intervalli: è dunque l'anima quella dimensione stabile che consente di dare un significato unitario ai differenti e dispersi momenti che costituiscono il fluire del tempo; è nella "distensione" dell'anima che ricorda, vive e attende che il tempo acquista significato.

La riflessione di Agostino si presenta sia come indagine sui dati dell'esperienza, sia come domanda rivolta a Dio, perché sostenga la ricerca e illumini la mente del credente, sia come dialogo con il proprio io interiore, perché sveli il proprio ruolo nella definizione di un'unità di misura per una realtà tanto fuggevole. Anche in questo caso l'analisi presenta un costante rimando tra i diversi piani della riflessione teorica, della rivelazione biblica e dell'esperienza personale, con un'esposizione che segue un andamento dialogico e che ripropone il cammino compiuto dallo stesso Agostino per chiarire i propri dubbi. Il testo attua così una sorta di "drammatizzazione", mediante la quale l'autore intende coinvolgere il lettore nella propria ricerca, in modo da non farne solo lo spettatore esterno di una vicenda intellettuale, ma da permettergli di entrare in contatto con gli interrogativi e con le incertezze di uno spirito che «si è appassionato all'esplorazione di questo intricatissimo enigma».

Non ci fu dunque un tempo, durante il quale avresti fatto nulla, poiché il tempo stesso l'hai fatto tu; e non vi è un tempo eterno con te, poiché tu sei stabile, mentre un tempo che fosse stabile non sarebbe tempo. ▼A

**L'enunciazione del problema**

Cos'è il tempo? Chi saprebbe spiegarlo in forma piana e breve? Chi saprebbe formarsene anche solo il concetto della mente, per poi esprimerlo a parole? Eppure, quale parola più familiare e nota del tempo ritorna nelle nostre conversazioni? Quando siamo noi a parlarne, certo intendiamo, e intendiamo anche quando ne udiamo parlare altri. ▼B

Cos'è dunque il tempo? Se nessuno m'interroga, lo so; se volessi spiegarlo a chi m'interroga, non lo so. Questo però posso dire con fiducia di sapere: senza nulla che passi, non esisterebbe un tempo passato; senza nulla che venga, non esisterebbe un tempo futuro; senza nulla che esista, non esisterebbe un tempo presente. Due, dunque, di questi tempi, il passato e il futuro, come esistono, dal momento che il primo non è più, il secondo non è ancora? E quanto al presente, se fosse sempre presente, senza tradursi in passato, non sarebbe più tempo, ma eternità. Se dunque il presente, per essere tempo, deve tradursi in passato, come possiamo dire anche di esso che esiste, se la ragione per cui esiste è che non esisterà? Quindi non possiamo parlare con verità di esistenza del tempo, se non in quanto tende a non esistere […] ▼C

## Chiavi di lettura

▸**A**  Il primo punto richiamato da Agostino in questo passo è quello dell'eterogeneità tra il tempo, che caratterizza il mondo creato, e l'eternità, che caratterizza l'esistenza di Dio: Dio è "fuori" del tempo; in Lui nulla è passato e nulla è futuro; il suo essere è immutabile e la sua immutabilità è un eterno presente. Il tempo, invece, per la sua stessa natura in continuo fluire, non può essere «eterno con» Dio: in tal modo, affermando che il tempo è stato «fatto» da Dio, Agostino mette in luce il carattere proprio della concezione cristiana della creazione, che è un creare tutte le cose "dal nulla". Anche il tempo è dunque una realtà creata, e non sussistente di per sé, come affermano coloro che, «pieni della loro vecchiezza» (come dice Agostino sempre nelle *Confessioni*), non hanno compreso che tale caratteristica appartiene solo a Dio, dal cui atto creativo *tutto* dipende. In questa prospettiva, domandarsi che cosa facesse Dio "prima" di creare il mondo e, insieme con esso, il tempo, significa travisare la realtà della creazione stessa, che appartiene a una dimensione in cui non vi è "ancora" alcun divenire: «non c'era infatti un "allora" dove non c'era un tempo» (*Confessioni*, XI, 13, 15).

▸**B**  La ricerca di Agostino non è volta solo a far dipendere il tempo dall'atto creativo di Dio, ma anche a dar ragione dell'esperienza che noi facciamo di esso: il tempo è infatti una dimensione specifica della nostra vita spirituale, ovvero del "luogo" in cui avviene l'incontro tra l'uomo e Dio. Così, mentre l'ideale del sapiente greco consiste nel superare la dimensione temporale e nel raggiungere la stabilità della dimensione dell'eternità, la centralità della nozione di "conversione", che avviene *nel tempo*, porta Agostino ad approfondire l'indagine sulla realtà del tempo creato, al fine di trovare un collegamento tra il tempo e l'anima.

▸**C**  La ricerca sul tempo mette in luce l'apparente ovvietà e insieme il mistero che caratterizzano questa realtà: su tale contrasto Agostino si sofferma con una serie di interrogativi che, da un lato, sottolineano l'ansia di dare una risposta ai dati dell'esperienza quotidiana, e, dall'altro, rivelano l'attenzione per una forma di composizione letteraria che non disdegna l'utilizzo degli artifici della retorica. La prima osservazione riguarda il fatto che nessuna delle tre dimensioni del tempo, considerata in se stessa, può essere intesa come una realtà: il passato e il futuro si definiscono infatti per il loro continuo fluire, cioè per il "non essere più" del primo e per il "non essere ancora" del secondo, e lo stesso presente è una realtà che continuamente "cessa di essere", trascorrendo dal futuro al passato.

**"Dove" si misura il tempo?**

Eppure, Signore, noi percepiamo gli intervalli del tempo, li confrontiamo tra loro, definiamo questi più lunghi, quelli più brevi, misuriamo addirittura quanto l'uno è più lungo o più breve di un altro, rispondendo che questo è doppio o triplo, quello è semplice, oppure questo è lungo quanto quello. Ma si fa tale misurazione durante il passaggio del tempo; essa è legata a una nostra percezione. I tempi passati invece, ormai inesistenti, o i futuri, non ancora esistenti, chi può misurarli? Forse chi osasse dire di poter misurare l'inesistente. [...] ▼D

Io cerco, Padre, non affermo. Dio mio, vigilami e guidami. Chi vorrà dirmi che non sono tre i tempi, come abbiamo imparato da bambini e insegnato ai bambini, ossia il passato, il presente e il futuro, ma che vi è solo il presente, poiché gli altri due non sono? O forse anche gli altri due sono, però il presente esce da un luogo occulto, allorché da futuro diviene presente, così come si ritrae in un luogo occulto, allorché da presente diviene passato? In verità, chi predisse il futuro, dove lo vide, se il futuro non è ancora? Non si può vedere ciò che non è. Così chi narra il passato, non narrerebbe certamente il vero, se non lo vedesse con l'immaginazione. Ma se il passato non fosse affatto, non potrebbe in nessun modo essere visto. Bisogna concludere che tanto il futuro quanto il passato sono. [...] ▼E

Il mio spirito si è acceso dal desiderio di penetrare questo enigma intricatissimo. Non voler chiudere, Signore Dio mio, padre buono, te ne scongiuro per Cristo, non voler chiudere al mio desiderio la conoscenza di questi problemi familiari e insieme astrusi. Lascia che vi penetri e s'illuminino al lume della tua misericordia, Signore. Chi interpellare su questi argomenti, a chi confessare la mia ignoranza più vantaggiosamente che a te, cui non è sgradito il mio studio ardente, impetuoso delle tue Scritture? Dammi ciò che amo. Perché io amo, e tu mi hai dato di amare. [...] ▼F

**Il tempo si misura nell'anima**

È in te, spirito mio, che misuro il tempo. Non strepitare contro di me: è così; non strepitare contro di te per colpa delle tue impressioni, che ti turbano. È in te, lo ripeto, che misuro il tempo. L'impressione che le cose producono in te al loro passaggio e che perdura dopo il loro passaggio, è quanto io misuro, presente, e non già le cose che passano, per produrla; è quanto misuro, allorché misuro il tempo. E questo è dunque il tempo, o non è il tempo che misuro. Ma quando misuriamo i silenzi e diciamo che tale silenzio durò tanto tempo quanto durò tale

▶D  Dalla confutazione teorica della realtà del tempo, la riflessione si volge nuovamente all'esperienza quotidiana, nella quale usiamo misurare e confrontare tra loro gli intervalli di tempo, parlando così di tempi "lunghi" e di tempi "brevi". Se è possibile misurare nella nostra mente il tempo che passa (com'era già stato messo in luce da Aristotele e ripreso da Plotino), non è però possibile misurare un tempo già concluso, che quindi non è più, né un tempo ancora da venire, che quindi non è ancora. Si tratta allora di trovare un "luogo" che non sia soggetto al divenire delle cose e nel quale il tempo si conservi, in modo da rendere possibile la sua misurazione.

▶E  A partire da questo nuovo risultato della riflessione, Agostino si rivolge a Dio affinché lo aiuti a comprendere come il passato e il futuro, pur senza perdere le loro caratteristiche, possano continuare a "essere". L'invocazione, da un lato, ricorda al lettore come tutta la ricerca si svolga alla presenza di Dio, e richieda la Sua assistenza e la Sua

illuminazione; dall'altro, sottolinea come ci si trovi a uno snodo centrale della ricerca. L'argomentazione di Agostino arriva in queste righe a un primo risultato, secondo cui il futuro e il passato continuano a essere "nello spirito", dove l'uomo può "scrutarli": si apre così la strada a una caratterizzazione "psicologica" del tempo, in quanto i tre momenti, i quali "non sono" se vengono considerati in relazione al fluire delle cose, invece "sono", cioè hanno una realtà, nell'interiorità dell'uomo.

▶F  Ancora una volta, a conclusione di un importante blocco di considerazioni teoriche, Agostino muta il registro del suo scritto e si apre alla preghiera al Signore, che è animata dalla convinzione che Dio non si sottrae al desiderio dell'uomo di comprendere il mistero che avvolge la sua esistenza. L'umile riconoscimento dei limiti della mente umana evita la superbia intellettuale e apre la mente a ricevere quella illuminazione che può arrivare soltanto da Dio.

voce, non concentriamo il pensiero a misurare la voce come se risuonasse, affinché noi possiamo riferire qualcosa sugli intervalli di silenzio in termine di estensione temporale? [...] ▼G
Ma come diminuirebbe e si consumerebbe il futuro, che ancora non è, e come crescerebbe il passato, che non è più, se non per l'esistenza nello spirito, autore di questa operazione, dei tre momenti dell'attesa, dell'attenzione e della memoria? Così l'oggetto dell'attesa fatto oggetto dell'attenzione passa nella memoria. ▼H Chi nega che il futuro non esiste ancora? Tuttavia esiste già nello spirito l'attesa del futuro. E chi nega che il passato non esiste più? Tuttavia esiste ancora nello spirito la memoria del passato. E chi nega che il tempo presente manca di estensione, essendo un punto che passa? Tuttavia perdura l'attenzione, davanti alla quale corre verso la sua scomparsa ciò che vi appare. Dunque il futuro, inesistente, non è lungo, ma un lungo futuro è l'attesa lunga di un futuro; così non è lungo il passato, inesistente, ma un lungo passato è la memoria lunga di un passato. ▼I

(Agostino, *Confessioni*, XI, 14, 17; 16, 21; 17, 22; 22, 28; 27, 36; 28, 37, trad. it. di C. Carena, in *Opera omnia*, Città Nuova, Roma 2002, vol. 1, pp. 285, 287-288, 291, 297-298)

▶G Dopo essersi rivolto a Dio, Agostino si rivolge alla propria anima: assistiamo così a una sorta di "drammatizzazione" in cui, da una parte, lo spirito "protesta" sottolineando il carattere disordinato delle sue «impressioni», le quali gli derivano dal contatto quotidiano con una realtà (esterna) che muta di continuo, e, dall'altra, il filosofo insiste sulla propria capacità di "misurare" il tempo, cioè di dare un ordine alle differenti impressioni esistenti nello spirito. Quando l'uomo misura il tempo, egli misura dunque la "traccia", per così dire, lasciata dentro di sé dalla realtà: ciò appare evidente, dice Agostino, se pensiamo a come, per misurare un silenzio, ne confrontiamo la durata con quella di un suono che evochiamo dentro di noi. Il fatto che, in tal modo, il tempo acquisti "forma" e "consistenza" nell'animo dell'uomo ci mostra come quest'ultimo sia veramente "fatto a immagine di Dio" e come sia in grado di realizzare dentro di sé quasi una "seconda creazione". Il suo spirito, infatti, è capace di riunire passato, presente e futuro, di ricordare e attendere, di attestare fedeltà e soffrire per il rimorso, di opporre resistenza di fronte all'insignificante trascorrere degli istanti: è capace, in altre parole, di una vita «varia, multiforme, immensa».

▶H L'anima raccoglie nella propria interiorità le diverse immagini che la realtà ha impresso in essa e le "distende" nel ricordo, o memoria, nell'attenzione, o visione, e nell'attesa. Quindi lo spirito dell'uomo non solo *registra*, misurandolo, lo scorrere del tempo, ma è esso stesso, nella sua struttura più profonda, uno *spirito temporale*, perché la sua stessa vita consiste nel ricordare, nell'essere attento, nell'attendere. Si noti che questa prospettiva "esistenziale" della filosofia di Agostino (presente soprattutto nelle *Confessioni* e più sfumata nelle altre sue opere) è uno dei tratti che hanno reso celebre la riflessione agostiniana.

▶I Le righe finali del brano ribadiscono con profonda suggestione come il tempo non possa essere considerato nella sua oggettività («non è lungo il tempo futuro», o il «tempo passato»), ma come acquisti significato solo nell'interiorità di un'esperienza vissuta (una «lunga attesa del futuro», o una «lunga memoria del passato»). Siamo davvero lontani dal tempo dei filosofi greci, misurato dall'indifferente scorrere degli astri, e ci troviamo piuttosto di fronte a una dimensione che l'interiorità dell'uomo raccoglie, dando a essa non solo un ordine, ma anche un senso.

## T 4  L'ORIGINE E LA NATURA DEL MALE

Attraverso un confronto serrato con la prospettiva dualistica dei manichei, Agostino giunge ad affermare che la vera domanda da porsi non è quella che riguarda l'origine del male (*unde malum?*), ma quella che si interroga su che cosa sia effettivamente il male (*quid est malum?*). L'incontro con il pensiero neoplatonico e l'approfondimento della concezione cristiana della creazione indirizzano il filosofo a rifiutare ogni soluzione volta a identificare il male con la materia: le creature, pur essendo meno perfette di Dio in quanto finite, sono state volute da Lui, e quindi sono anch'esse intrinsecamente un bene. Agostino viene così ad affermare che, a seconda della diversa natura delle realtà create, nel mondo sono presenti differenti gradi di perfezione, articolati in un complesso armonico e in un unico ordine gerarchico: dobbiamo quindi stare attenti a non giudicare nociva o imperfetta una qualche realtà, considerandola solo a partire dalla nostra prospettiva limitata, o dai nostri interessi contingenti.

Come si può notare nel brano che segue, la riflessione di Agostino assume come punto di partenza la considerazione di Dio come onnipotente e come sommo bene, e, attraverso una meditazione sull'atto della creazione e sulla realtà del finito, giunge a un primo importante risultato: il male non ha una consistenza ontologica propria, essendo piuttosto «privazione di bene».

**Da dove proviene il male?**

Dicevo: «Ecco Dio, ed ecco le creature di Dio. Dio è buono, potentissimamente e larghissimamente superiore ad esse. [...] Ma da dove proviene il male, se Dio ha fatto, lui buono, buone tutte queste cose? Certamente egli è un bene più grande, il sommo bene, e meno buone sono le cose che fece; tuttavia e creatore e creature tutto è bene. Da dove viene dunque il male? Forse da dove le fece, perché nella materia c'era del male, e Dio nel darle una forma, un ordine, vi lasciò qualche parte che non mutò in bene? Ma anche questo, perché? Era forse impotente l'onnipotente a convertirla e trasformarla tutta, in modo che non vi rimanesse nulla di male? ▼A

Infine, perché volle trarne qualcosa e non impiegò piuttosto la sua onnipotenza per annientarla del tutto? O forse la materia poteva esistere contro il suo volere? O, se la materia era eterna, perché la lasciò sussistere in questo stato così a lungo, attraverso gli spazi su su infiniti dei tempi, e dopo tanto decise di trarne qualcosa? O ancora, se gli venne un desiderio improvviso di agire, perché con la sua onnipotenza non agì piuttosto nel senso di annientare la materia e rimanere lui solo, bene integralmente vero, sommo, infinito? O, se non era ben fatto che chi era buono non edificasse, anche, qualcosa di buono, non avrebbe dovuto eliminare e annientare la materia cattiva, per istituirne da capo una buona, da cui trarre ogni cosa? Quale onnipotenza infatti era la sua, se non poteva creare alcun bene senza l'aiuto di una materia non creata da lui?». [...] ▼B

**La connessione tra essere e bene**

Osservando poi tutte le altre cose poste al di sotto di te, scoprii che né esistono del tutto, né non esistono del tutto. Esistono, poiché derivano da te; e non esistono, poiché non sono ciò che tu sei, e davvero esiste soltanto ciò che esiste immutabilmente. Il mio bene è l'unione con Dio, poiché, se non rimarrò in lui, non potrò rimanere neppure in me. Egli invece rimanen-

# Chiavi di lettura

▶A Nel libro VII delle *Confessioni* Agostino narra il cammino che lo ha portato a trovare una spiegazione convincente sulla natura del male. Egli riconosce di aver continuato, dopo aver abbandonato la prospettiva manichea, a porre in modo scorretto la domanda sul male, non focalizzando, come invece avrebbe dovuto, la propria attenzione sulla natura di esso: «Cercavo l'origine del male cercando male e non vedendo il male nella mia stessa ricerca» (VII, 5, 7). La domanda sull'origine del male, infatti, nasconde la convinzione che questo sia una sorta di "limitazione" imposta alla potenza creatrice di Dio, ma questa convinzione non regge se si considera la natura di Dio, ovvero la sua infinita bontà e la sua onnipotenza.

▶B I due punti di partenza della ricerca agostiniana sono: 1. la convinzione che la realtà è oggetto dell'attività creatrice di Dio nella sua totalità e, quindi, è bene; 2. la constatazione empirica della presenza del male, inteso in primo luogo come imperfezione, nel mondo. Per conciliare questi due dati, Agostino si impegna a definire la natura del finito e a chiarire come esso si rapporti con Dio, poiché solo una tale spiegazione può consentire l'elaborazione di una teoria in grado di fornire una risposta alla questione del male. Nelle domande che Agostino si pone riaffiora la concezione, che deriva dal pensiero greco classico, dell'eternità della materia: concezione subito rifiutata, perché se fosse eterna, la materia sarebbe qualcosa di indipendente rispetto a Dio, il che è assurdo, essendo anch'essa creata da Lui.

do stabile in sé, rinnova ogni cosa. Tu sei il mio Signore, perché non hai bisogno dei miei beni. ▼C

Mi si rivelò anche nettamente la bontà delle cose corruttibili, che non potrebbero corrompersi né se fossero beni sommi, né se non fossero beni. Essendo beni sommi, sarebbero incorruttibili; essendo nessun bene, non avrebbero nulla in se stesse di corruttibile. La corruzione è infatti un danno, ma non vi è danno senza una diminuzione di bene. Dunque o la corruzione non è danno, il che non può essere, o, com'è invece certissimo, tutte le cose che si corrompono subiscono una privazione di bene. [...] ▼D

Dunque tutto ciò che esiste è bene, e il male, di cui cercavo l'origine, non è una sostanza, perché, se fosse tale, sarebbe bene: infatti o sarebbe una sostanza incorruttibile, e allora sarebbe inevitabilmente un grande bene; o una sostanza corruttibile, ma questa non potrebbe corrompersi senza essere buona. Così vidi, così mi si rivelò chiaramente che tu hai fatto tutte le cose buone e non esiste nessuna sostanza che non sia stata fatta da te; e poiché non hai fatto tutte le cose uguali, tutte esistono in quanto buone ciascuna per sé e assai buone tutte insieme, avendo il nostro Dio fatto tutte le cose buone assai. ▼E

**La non sostanzialità del male**

(Agostino, *Confessioni*, VII, 5, 7; 11, 17; 12, 18, trad. it. di C. Carena, in *Opera omnia*, cit., vol. 1, pp. 152; 156-157; 162-163)

▶**C** La riflessione sulla natura creata, sul finito, consente di mettere in luce la sua costitutiva ambivalenza: delle cose non si può dire né che esistano pienamente, né che non esistano affatto. In quanto derivate da Dio, le cose infatti esistono e sono un bene, ma in quanto non possiedono la pienezza dell'essere di Dio e sono sottoposte al divenire e alla corruzione, non si può propriamente dire che esistano. L'argomentazione assume qui un andamento stilistico volutamente non lineare, ricco di contrapposizioni e di frasi ipotetiche, quasi a evidenziare sia la natura precaria del finito, che è come "sospeso" tra l'essere pieno e la completa insignificanza, sia, per contrasto, la natura «stabile» di Dio, che, a differenza dell'uomo, non ha «bisogno» di nulla.

▶**D** Le creature, in quanto tratte da Dio all'essere dal nulla, partecipano del Suo essere e, quindi, sono beni; ma hanno un grado di essere inferiore rispetto a quello di Dio e per questo sono soggette alla corruzione. Come ci mostra l'esperienza, la corruzione è il tratto che caratterizza il finito: essa però non costituisce un tratto solamente negativo, in quanto rivela alla nostra mente l'"essere bene" delle cose corruttibili. Queste, infatti, se non fossero bene non potrebbero essere corruttibili, cioè soffrire di una privazione.

▶**E** Dalla connessione che Agostino ha illustrato tra essere e bene, deriva che il male, in quanto privazione, non è una sostanza, perché tutto ciò che è, è bene. Se il male fosse una sostanza, gli si dovrebbe riconoscere un certo grado di bene, il che è però contraddittorio: esso può pertanto essere definito solo come «privazione». Così come vi sono diversi gradi di essere, allo stesso modo vi sono diversi gradi di perfezione. Paragonati ai gradi superiori, quelli inferiori mancano di qualcosa, e in questa mancanza, che non è sostanziale, consiste il male. Il male non coincide dunque con il finito, né è un principio antitetico al bene. Si noti come la conclusione di questa riflessione sia un canto di lode a Dio per la perfezione del creato, costituito da una pluralità di enti che tutti hanno in sé un certo grado di bene e che si presentano come i diversi momenti di un armonioso complesso unitario, in cui anche le cose infime hanno un loro ruolo e una loro dignità.

**T 5**     IL FASCINO DEL MALE E LA SCISSIONE DELLA VOLONTÀ

Il male non ha solo una dimensione ontologica, ma anche una dimensione esistenziale: esso fa parte della nostra esperienza vissuta e, pur essendo un nulla, si presenta come un nulla tentatore e inquietante. Nel libro II delle *Confessioni*, ripercorrendo la propria adolescenza,

Agostino si sofferma ad analizzare un'esperienza occorsagli quando aveva sedici anni: «Nelle vicinanze della nostra vigna sorgeva una pianta di pere carica di frutti d'aspetto e sapore per nulla allettanti. In piena notte, dopo aver protratto i nostri giochi sulle piazze, come usavamo fare pestiferamente, ce ne andammo, giovinetti depravatissimi quali eravamo, a scuotere la pianta, di cui poi asportammo i frutti. Venimmo via con un carico ingente e non già per mangiarne noi stessi, ma per gettarli addirittura ai porci. Se qualcuno ne gustammo, fu soltanto per il gusto dell'ingiusto. Così è fatto il mio cuore, o Dio, così è fatto il mio cuore, di cui hai avuto misericordia mentre era nel fondo dell'abisso. Ora, ecco, il mio cuore ti confesserà cosa andava cercando laggiù, tanto da essere malvagio senza motivo, senza che esistesse alcuna ragione della mia malvagità. Era laida e l'amai, amai la morte, amai il mio annientamento. Non l'oggetto per cui mi annientavo, ma il mio annientamento in se stesso io amai, anima turpe, che si scardinava dal tuo sostegno per sterminarsi non già nella ricerca disonesta di qualcosa, ma nella sola disonestà» (4, 9). In questa bravata di un gruppo di ragazzi inquieti, che vogliono provare l'ebbrezza del proibito, il movente dell'azione non è l'oggetto particolare, né il possesso di qualcosa di cui si è mancanti, ma il «gusto» di compiere una trasgressione: ecco perché Agostino definisce il male come una «perversione della volontà» (*Confessioni*, VII, 16, 22), come un "nulla" dalla grande capacità attrattiva, che fa appello alla libertà del soggetto e lo spinge a rendersi autonomo rispetto all'ordine del crea-to, nell'illusione di poter affermare la propria volontà assoluta. L'analisi dell'esperienza del male vissuta in prima persona porta Agostino ad approfondire la riflessione sulla natura della volontà dell'uomo. La libertà della volontà è individuata non solo come il fondamento a partire dal quale l'uomo può scegliere il male, ma anche come la condizione necessaria perché egli possa rivolgersi, in modo moralmente responsabile, al sommo bene. La volontà rivela però una sorta di "scissione" interna, come emerge dall'analisi dell'intrinseca incostanza e del continuo ondeggiare di essa, di cui Agostino ha più volte fatto una bruciante esperienza. Ancora una volta l'esperienza personale illumina con la sua forza un problema teorico: non basta «volere» per agire, occorre «voler volere» e questo porta a riflettere, da una parte, sull'intrinseca debolezza del libero arbitrio umano e, dall'altra, sulla grazia, quale condizione per rendere effettiva la volontà dell'uomo. Nel brano riportato di seguito, in cui Agostino racconta il momento finale del suo cammino di conversione, viene descritto con grande finezza psicologica il conflitto che animava la volontà del filosofo, portandolo a una paralizzante incapacità di scegliere: egli infatti voleva e nello stesso tempo non voleva, non riuscendo a prendere la decisione che pure gli sembrava giusta.

**L'impotenza della volontà** Io, mentre stavo deliberando per entrare finalmente al servizio del Signore Dio mio, come da tempo avevo progettato di fare, ero io a volere, io a non volere; ero io, io. Da questa volontà incompleta e incompleta assenza di volontà nasceva la mia lotta con me stesso, la scissione di me stesso, scissione che, se avveniva contro la mia volontà, non dimostrava però l'esistenza di un'anima estranea, bensì il castigo della mia. Non ero neppure io a provocarla, ma il peccato che abitava in me quale punizione di un peccato commesso in maggiore libertà; poiché ero figlio di Adamo. ▼A

**La paura di dar corso alle decisioni** [...] Mi dicevo fra me e me: «Su, ora, ora è il momento di agire»; a parole ero ormai incamminato verso la decisione e stavo già quasi per agire, e non agivo. Non ricadevo però al punto di prima: mi fermavo vicinissimo e prendevo lena.
Seguiva un altro tentativo uguale al precedente, ancora poco ed ero là, ancora poco e ormai toccavo, stringevo la meta. E non c'ero, non toccavo, non stringevo nulla. Esitavo a morire alla morte e a vivere alla vita; aveva maggior potere su di me il male inoculato, che il bene

## Chiavi di lettura

▶A  L'incapacità di scegliere, di determinarsi a un'azione, non è data dalla presenza nell'uomo di due nature, come volevano i manichei, e neppure dall'incertezza teorica riguardo a quale sia la via migliore da scegliere, ma dalla costitutiva debolezza della volontà umana nel dare corso alle proprie deliberazioni. L'indagine psicologica rivela il fondo oscuro dell'animo dell'uomo, nel quale il peccato, inteso in primo luogo come peccato originale, impedisce il pieno orientamento dell'anima verso il suo vero bene, che è Dio.

inusitato. L'istante stesso dell'attesa trasformazione, quanto più si avvicinava, tanto più atterriva, non al punto di ributtarmi indietro e farmi deviare, ma sì di tenermi sospeso. ▼B

(Agostino, *Confessioni*, VIII, 10, 22; 11, 25, trad. it. di C. Carena, in *Opera omnia*, cit., vol. 1, pp. 190-193)

►B L'analisi del conflitto interiore, che ha una tale forza da impedire all'uomo di agire, mostra come la caratteristica principale della volontà – facoltà differente dalla ragione, ancorché ad essa legata – sia la libertà: la volontà possiede una propria autonomia, una possibilità di scelta, detta "libero arbitrio". L'istante della decisione, che in questo caso è il momento finale della conversione di Agostino, viene di continuo rimandato, perché la volontà, da sola, è incapace di volgersi al bene. In ambito morale non è possibile alcuna forma di orgogliosa autosufficienza, in quanto per sfuggire alle lusinghe del male e per dirigersi al bene l'uomo ha bisogno della grazia divina: «L'uomo non è capace di risollevarsi liberamente, come liberamente è caduto» (*De libero arbitrio*, 2, 20, 54). Affermando che la "sospensione" è il tratto che maggiormente caratterizza la volontà umana, Agostino anticipa alcune delle analisi che la riflessione novecentesca – per quanto riguarda l'Italia si può fare riferimento ai romanzi di Italo Svevo – svilupperà sul tema. Il riferimento di Agostino è esplicitamente teologico, in quanto la sospensione è il frutto della non autosufficienza della volontà, e del bisogno di questa di essere «infiammata nel proposito di accedere alla vera luce di Dio» (*De spiritu et littera*, 2, 4).

## PERCORSO 3

❝ *Due amori quindi hanno costruito due città: l'amore di sé spinto fino al disprezzo di Dio ha costruito la città terrena; l'amore di Dio spinto fino al disprezzo di sé la città celeste.* ❞

(Agostino, *La città di Dio*)

### ■ La storia come luogo della rivelazione del disegno salvifico di Dio

L'urgenza che anima la riflessione di Agostino sul tema della storia è causata da un avvenimento specifico: il "sacco" di Roma, compiuto dai Goti di Alarico nel 410 e inteso dalla cultura pagana del tempo come la conseguenza del diffondersi della dottrina cattolica, considerata inadatta a fondare in modo efficace le virtù civili, in quanto più attenta alla coscienza del singolo che alla vita della comunità. Il discorso agostiniano non si limita però alla critica dell'ideologia pagana e alla difesa dei valori cristiani, ma si apre a un'interpretazione complessiva del divenire storico, volta a mettere in luce la novità sconvolgente che la rivelazione di Cristo porta nella comprensione degli avvenimenti umani. Agostino, infatti, propone di guardare alla storia senza i pregiudizi ideologici della vecchia cultura romana, ma con occhi rinnovati, illuminati dalla verità dell'amore di Cristo.

A un tale sguardo la storia si rivela, a somiglianza della natura umana (v. T5, p. 571), come "scissa" tra l'azione di due differenti «società», o «città»: l'una fondata sulla superbia e percorsa da un assoluto desiderio di dominio; l'altra fondata sull'umiltà e sulla carità. Come si legge nel primo brano proposto, le due città si differenziano tra loro a seconda del tipo di atteggiamento che le anima: l'uno volto ai beni terreni, l'altro orientato a Dio e agli altri uomini. Questa opposizione radicale non esclude che esse siano indissolubilmente intrecciate nella storia, in quanto, «confuse dall'inizio fino alla fine», l'una e l'altra «si servono ugualmente dei beni temporali e ugualmente sono afflitte di mali, essendo diverse nella fede, nella speranza e nell'amore» (*La città di Dio*, XVIII, 54, 2).

La completa separazione delle due città si avrà solo con il giudizio finale, ma fino a quel giorno le loro vicende saranno intimamente unite: questa constatazione consente ad Agostino di individuare alcune convergenze storiche tra i due tipi di società, rese possibili dal fatto che, non esistendo alcuna realtà puramente negativa, anche i fini perseguiti dalla città terrena, per quanto distorti, presentano qualche aspetto positivo. In particolare, come si legge nel secondo brano proposto, la città terrena e la città celeste convergono nel tendere alla pace, in quanto anche nella «pace di Babilonia», cioè nella pace illusoria di una società che abbia distolto gli occhi da Dio, vi è qualcosa di buono e di vantaggioso per tutti gli uomini: per questo è legittimo pregare per la città terrena e impegnarsi per la sua prosperità, pur nella consapevolezza che la vera pace si trova solo in Dio. Scrive Luigi Alici: «La città di Dio sulla terra […] viene restituita alla sua funzione profetica ed escatologica, per cui, proprio mentre condivide e favorisce la pace di Babilonia, può annunciare e anticipare la pace di Gerusalemme. Nello stesso tempo però essa è chiamata ad esercitare continuamente la sua coscienza critica contro ogni forma di imperialismo e oppressione dell'uomo» ("Introduzione" a *La città di Dio*, Bompiani, Milano 2001, p. 51).

## T 6 LE DUE CITTÀ E I LORO CARATTERI

La dottrina delle due città è esposta da Agostino all'interno della riflessione sulla storia e sul suo significato, presentata nello scritto *La città di Dio*. Dopo aver confutato, nei primi dieci libri dell'opera, le pretese della religione politeistica di costituire «la condizione necessaria alla prosperità delle faccende umane», Agostino espone la propria concezione della storia, che deriva dal riconoscere l'uomo come creatura di Dio alla quale Dio stesso, incarnandosi, ha reso possibile la salvezza, assegnando in tal modo un senso e un fine al divenire storico.

La storia è animata dal conflitto tra due entità: la città di Dio, «di cui ci fa desiderare ardentemente di essere cittadini quell'amore che ci ha ispirato il suo fondatore», e la città terrena, propria di quanti vivono secondo i desideri della carne. Dopo aver analizzato la genesi delle due città, nell'ultimo capitolo (di seguito presentato) del libro XIV Agostino propone una sorta di descrizione conclusiva delle loro diverse caratteristiche, organizzata secondo uno schema di rigide contrapposizioni che si rifanno, da una parte, all'amore per l'uomo e, dall'altra, a quello per Dio.

La scelta dell'umiltà e dell'orgoglio quali elementi che determinano le due differenti città sta a indicare in modo significativo la profonda ispirazione religiosa che attraversa tutto il brano: non a caso anche qui, come nelle *Confessioni*, Agostino sviluppa la propria argomentazione attraverso un continuo richiamo alla Parola della Bibbia, proprio per sottolineare come l'appartenenza di ogni uomo a una delle due città dipenda da un'opzione radicale, che ha nel cuore la propria origine e che solo in seguito viene ad assumere una concretezza storica e comunitaria.

**I due diversi tipi di amore**

Due amori quindi hanno costruito due città: l'amore di sé spinto fino al disprezzo di Dio ha costruito la città terrena; l'amore di Dio spinto fino al disprezzo di sé la città celeste. In ultima analisi, quella trova la gloria in se stessa, questa nel Signore. Quella cerca la gloria tra gli uomini, per questa la gloria più grande è Dio, testimone della coscienza. Questa solleva il capo nella sua gloria, questa dice al suo Dio: «Tu sei mia gloria e sollevi il mio capo»[1]. ▼A

1 *Salmi*, 3, 4.

## CHIAVI DI LETTURA

▶A Le due città si definiscono in relazione all'atteggiamento dei loro membri nei confronti di Dio: dal fatto che essi riconoscano la loro realtà creaturale, oppure si chiudano in un egoistico autocompiacimento che pretende di rompere ogni legame con il loro creatore.

L'una, nei suoi capi e nei popoli che sottomette, è posseduta dalla passione del potere; nell'altra prestano servizio vicendevole nella carità chi è posto a capo provvedendo, e chi è sottoposto adempiendo. La prima, nei suoi uomini di potere, ama la propria forza; la seconda dice al suo Dio: «Ti amo, Signore, mia forza»[2]. ▼B

Nella prima città, perciò, i sapienti, che vivono secondo l'uomo, hanno cercato i beni del corpo o dell'anima o tutti e due; oppure quanti hanno potuto conoscere Dio «non gli hanno dato gloria né gli hanno reso grazie come a Dio, ma hanno vaneggiato nei loro ragionamenti e si è ottenebrata la loro mente ottusa. Mentre si dichiaravano sapienti» (cioè gonfiandosi nella loro sapienza sotto il potere dell'orgoglio), «sono diventati stolti e hanno cambiato la gloria dell'incorruttibile Dio con l'immagine e la figura dell'uomo corruttibile, di uccelli, di quadrupedi e di rettili»[3] (nella pratica di questa idolatria essi sono stati alla testa dei popoli o li hanno seguiti). «Hanno venerato e adorato la creatura al posto del Creatore, che è benedetto nei secoli»[4]. ▼C

Nell'altra città invece non v'è sapienza umana all'infuori della pietà, che fa adorare giustamente il vero Dio e che attende come ricompensa nella società dei santi, uomini e angeli, che «Dio sia tutto in tutti»[5]. ▼D

2 *Salmi*, 18, 2.

**I due diversi tipi di sapienza**

3 *Lettera ai Romani*, 1, 21 ss.

4 *Lettera ai Romani*, 1, 25.

5 *Prima lettera ai Corinti*, 15, 28.

(Agostino, *La città di Dio*, XIV, 28, trad. it. di L. Alici, Bompiani, Milano 2001, pp. 691-692)

▶**B** Il tema della passione per il potere come caratteristica della città terrena era già stato utilizzato da Agostino nei libri precedenti, per evidenziare la malattia mortale che, a suo avviso, aveva corroso l'Impero romano. Si ricordi che le due città agostiniane non vanno interpretate come le raffigurazioni dello Stato e della Chiesa, in quanto, pur trattandosi di città umane, il loro criterio di definizione va al di là della storia ed è offerto dal legame che ciascun membro di esse stringe con la verità rivelata da Cristo. È lo stesso Agostino ad affermare, in diversi passi, che le due società devono piuttosto essere intese «in senso mistico»: questo vuol dire che, se anche si esprimono in istituzioni storiche visibili, esse non coincidono integralmente con tali istituzioni. La Chiesa, in particolare, rispetto alla città di Dio abbraccia un ambito più vasto, perché comprende l'intera comunità di chi a essa aderisce, e non solo quella degli eletti. Lo Stato, a sua volta, indica una realtà che può essere utilizzata da chi ha buone intenzioni anche per fini positivi, mentre la città terrena è sempre intesa da Agostino in senso negativo, come chiusa in se stessa, costituita da chi volge il proprio sguardo al solo mondo sensibile (cfr. S. Cotta, *La città politica di S. Agostino*, Edizioni di Comunità, Milano 1960, pp. 87 ss.).

▶**C** La sapienza umana è caratterizzata dalla ricerca dei beni materiali e dall'incapacità di cogliere Dio nella sua gloria incorruttibile: è chiara in queste parole la polemica contro il paganesimo, motivo che è sotteso a tutta la riflessione agostiniana.

▶**D** La città di Dio è invece caratterizzata dalla «pietà», nella quale il sapere non si ferma a un momento astratto, ma si fa concreto atto di amore, che si apre compassionevole verso i fratelli: a tale città appartengono gli uomini giusti, gli angeli e la comunità celeste dei santi.

## T 7    LE DUE CITTÀ E LA PACE

Pur radicalmente differenti nelle loro motivazioni, le due città si trovano, nella concreta vicenda della storia umana, intrecciate in un'unità che non può venire annullata. Agostino individua nella comune aspirazione alla pace il loro possibile punto di incontro. Nella pace ricercata dalla città terrena vi è infatti un elemento positivo, che può giovare a tutti; d'altro canto, gli abitanti della città di Dio, che è «pellegrina sulla terra», non possiedono pienamente quella pace alla quale aspirano e che devono invocare tramite un'assidua preghiera. È solo al termine della storia, nella "patria" finale in cui la natura «sarà risanata nell'immortalità e nell'incorruttibilità», che la città celeste conoscerà una pace completa, mentre nella città terrena, chiusasi definitivamente alla salvezza, vi sarà un eterno conflitto.

Il cristianesimo si caratterizza così, secondo la felice espressione di Cornelio Fabro, come un'«escatologia storica» (*La storiografia nel pensiero cristiano*), in grado di indicare il senso finale del cammino dell'uomo e di anticipare l'unità della pienezza dei tempi camminando nella contingenza della storia e rivelando nell'amore disinteressato e aperto a tutti l'essenza del messaggio salvifico di Cristo.

**I benefici della pace terrena**

1 *Salmi*, 144, 15.

Come l'anima è la vita della carne, così Dio è allora la vita beata dell'uomo; di Lui dicono le Sacre Scritture degli Ebrei: «Beato il popolo il cui Dio è il Signore[1]». È infelice dunque quel popolo che si estranea da questo Dio. Esso ama pur sempre una propria pace, da non disprezzarsi, che tuttavia non possiederà alla fine, poiché non se ne serve bene prima della fine. Che esso goda della pace durante la vita presente è problema che riguarda anche noi, poiché, finché le due città sono mescolate insieme, anche noi ci serviamo della pace di Babilonia; da Babilonia il popolo di Dio viene liberato per mezzo della fede, perché il cammino fatto accanto ad essa sia provvisorio. ▼A

2 Ci si riferisce qui all'apostolo Paolo.
3 *Prima lettera a Timoteo*, 2, 2.

Per questo, anche l'Apostolo[2] ha invitato la Chiesa a pregare per i re e per gli uomini che stanno al potere in Babilonia, aggiungendo: «Perché possano trascorrere una vita calma e tranquilla con tutta pietà e dignità[3]». Il profeta Geremia, preannunciando all'antico popolo di Dio la schiavitù e trasmettendogli il comando divino di andare docilmente in Babilonia, servendo il proprio Dio anche in questa prova, ha invitato anch'egli a pregare per essa con le parole: «Dal suo benessere dipende il vostro benessere»[4], naturalmente un benessere provvisorio e temporale, comune a buoni e cattivi. ▼B

4 *Geremia*, 29, 7.

**La pace eterna a cui anela la città di Dio**

5 Intendi: degli eletti, di coloro che hanno accolto la rivelazione di Cristo.

La pace che è esclusivamente nostra[5], però, oggi è con Dio per mezzo della fede e nella vita eterna sarà con Lui nella visione. Su questa terra invece, sia la pace che è comune a tutti, sia quella che è esclusivamente nostra, è tale da costituire una consolazione nell'infelicità, più che il gaudio della felicità. ▼C

Anche la nostra stessa giustizia, pur essendo vera a causa del fine vero del bene a cui si riferisce, in questa vita si realizza nella remissione dei peccati, più che nella perfezione della virtù.

# CHIAVI DI LETTURA

▶A La riflessione di Agostino parte dall'affermazione dello stretto legame che unisce anima e corpo (che pure sono di natura tanto diversa) per osservare come, analogamente, tra la città di Dio e quella terrena non vi sia solo un'opposizione irriducibile, ma esistano anche momenti di relazione, in quanto esse nella storia sono «mescolate insieme» (*permixtae*). Se dunque è vero che la città dell'uomo, avendo negato e sciolto il proprio legame con Dio, non conduce l'uomo alla felicità, altrettanto vero è che essa persegue una propria pace. In una prospettiva escatologica tale ricerca non è destinata a produrre risultati effettivi, perché il distacco da Dio su cui si fonda la città terrena condurrà quest'ultima, alla fine dei tempi, a una condizione di perpetuo conflitto; ma nella situazione storica concreta si tratta di una ricerca che riguarda tutti, perché tutti gli uomini hanno bisogno di pace e di benessere, ancorché precari e provvisori. L'espressione «pace di Babilonia» si comprende in riferimento al popolo ebraico, il quale era stato invitato dal profeta Geremia non solo ad accettare la schiavitù in Babilonia con rassegnazione, ma anche a pregare per la prosperità del popolo babilonese, della quale gli Ebrei avrebbero beneficiato. A questo episodio

Agostino fa riferimento anche nelle righe successive.

▶B Anche gli eletti, i membri della città di Dio, devono dunque pregare per la pace che il mondo può offrire, perché dal benessere della città terrena può derivare un vantaggio provvisorio per tutti. In precedenza, al paragrafo 17, Agostino aveva affermato: «Anche la città terrena che non vive secondo la fede, desidera fortemente la pace terrena, e ripone la concordia dei cittadini nel comandare e nell'obbedire, nel far sì che ci sia una certa armonia delle volontà degli uomini riguardo ai problemi che toccano la vita mortale. La città celeste [...] necessariamente si serve anche di questa pace, finché non passi la condizione mortale alla quale tale pace è necessaria».

▶C La pace propria della città celeste, alla quale l'umanità potrà accedere soltanto alla fine dei tempi, è data dalla visione beatifica di Dio, che durante la vita terrena è prefigurata per mezzo della fede. Soltanto questa è vera pace, pienezza totale di felicità, al cui confronto la pace «comune», cioè quella perseguita dalla città terrena, è solo un rimedio contro l'infelicità, non potendo fare altro che alleviare le sofferenze attuali dell'uomo.

Lo attesta la preghiera di tutta la città di Dio, che è pellegrina sulla terra e che grida a Dio con tutte le sue membra: «Rimetti a noi i nostri debiti come noi li rimettiamo ai nostri debitori[6]». […] ▼D

Qui sulla terra la giustizia consiste pertanto nel comando di Dio sull'uomo che obbedisce, dell'anima sul corpo, della ragione sui vizi, anche quelli che le resistono, sottomettendoli o contrastandoli, e nel chiedere a Dio la grazia dei propri meriti e il perdono dei propri peccati, rendendo grazie per i beni che sono stati ricevuti. In quella pace finale, poi, a cui deve tendere questa giustizia, che deve essere rispettata per poter conseguire quella pace, la natura risanata nella immortalità e nella incorruttibilità non avrà più nessuna corruzione e nessuno di noi incontrerà più alcuna resistenza, esterna o interna; non sarà più necessario per questo che la ragione comandi su vizi che ormai non esisteranno più, ma Dio comanderà all'uomo, l'anima al corpo, e sarà dolce e facile l'obbedienza, come felice la vita regale. Tutto ciò lassù sarà eterno, come è certo, in tutti e in ciascuno, e per questo la pace di quella felicità o la felicità di quella pace sarà il sommo bene. ▼E

**6** *Vangelo di Matteo*, 6, 12.

(Agostino, *La città di Dio*, XIX, 28, trad. it. di L. Alici, cit., pp. 985-987)

▶**D**  Ciò che vale per la pace vale anche per la giustizia, che sulla terra non può realizzarsi pienamente e presentarsi come virtù perfetta, ma può solo caratterizzarsi come capacità di perdonare coloro che ci hanno offeso. Si noti che Agostino fa ricorso, in queste righe, a un'immagine molto suggestiva per descrivere la situazione temporale della città di Dio: egli la definisce infatti «pellegrina sulla terra», sottolineando in tal modo come essa sia impegnata a realizzare una conciliazione tra la dimensione del tempo e quella dell'eternità. Tale conciliazione non sarà perfetta se non alla fine dei tempi e richiede quindi un impegno di fede, di amore e, soprattutto, un'intensa preghiera.

▶**E**  La maggior giustizia raggiungibile sulla terra consiste, oltre che nella «remissione dei peccati» di cui Agostino ha appena parlato, nell'armoniosa subordinazione di ciò che è meno perfetto rispetto a ciò che ha maggior perfezione, cioè nella subordinazione del corpo rispetto all'anima e dell'uomo rispetto a Dio. Nella «pace finale» tutto ciò avverrà senza sforzo, perché la natura umana sarà «risanata» dai suoi peccati e troverà in Dio il sommo bene. La città di Dio attualmente presente nel tempo trova solo nel regno escatologico di Cristo la sua eterna pace e la sua piena felicità: nel suo cammino essa prefigura quella pienezza alla quale aspira, che Agostino nelle pagine conclusive del suo scritto definisce come «il sabato supremo che non conoscerà tramonto» e che descrive con queste suggestive parole: «Là riposeremo e vedremo, vedremo e ameremo, ameremo e loderemo. Questo sarà alla fine e non avrà fine» (*La città di Dio*, XXII, 30, 5).

## LE FORME DELLA COMUNICAZIONE FILOSOFICA

### ■ La confessione come racconto di una particolarissima esperienza spirituale

**Il diffondersi del genere autobiografico** Nella società tardo-antica, che si colloca nel periodo compreso tra la fine del III secolo d.C. e la caduta dell'Impero romano d'Occidente, viene ad assumere uno straordinario sviluppo la narrazione autobiografica, che rappresenta un ulteriore frutto di quella centralità data all'individuo a partire dell'epoca ellenistica. In un periodo storico caratterizzato da un crescente disorientamento e da una diffusa inquietudine, l'autobiografia diventa un mezzo particolarmente indicato per riflettere sulla propria vita, in modo da poter chiarire a se stessi e agli altri il senso delle scelte compiute e dei progetti futuri. Così, ad esempio, l'imperatore Giuliano si avvale del racconto del proprio passato, segnato dagli intrighi di una corte nella quale è ormai egemone la religione cristiana, per rafforzare i motivi della sua scelta a favore di un ripristino della tradizione pagana.

**L'autobiografia spirituale e la centralità della conversione** Il genere autobiografico, inteso come racconto puntuale delle proprie esperienze, non aveva avuto fino ad allora un grande sviluppo nella letteratura e nella riflessione greco-latina: solo nei circoli stoici l'introspezione individuale aveva raggiunto il livello di un'attenta analisi psicologica – come si può vedere nei *Pensieri* di Marco Aurelio –, preparando così la strada alla nascita dell'autobiografia spirituale. Una condizione particolarmente favorevole all'instaurarsi di questo specifico genere letterario è costituita dal progressivo diffondersi della concezione cristiana della vita, concezione nella quale la conversione, intesa come atto libero che la singola persona compie e che cambia il corso della sua intera esistenza, diventa il punto centrale del racconto autobiografico. Ecco perché, come dice Christine Mohrmann, autrice di numerosi studi su questa forma espressiva, «la conversione, nel senso più generale della parola, o l'itinerario dell'anima verso Dio, è fin dal principio e resterà nel corso dei secoli l'argomento preferito della autobiografia cristiana» (*Le Confessioni come opera letteraria*, in "Convivium", 1957, XXV, p. 261).

**Le *Confessioni* di Agostino** Le *Confessioni* di Agostino, composte nei primi anni del suo episcopato (397-401), offrono un esempio della perfezione alla quale può essere condotto il genere dell'autobiografia, in quanto esse raccontano con finezza psicologica e con grande varietà di registri stilistici la storia di un'anima che riflette, al cospetto di Dio, sulle vicende del proprio passato, per riconoscere la miseria e il peccato che l'hanno segnato e per lodare la misericordia divina. Le pagine di Agostino sono caratterizzate da accenti di vibrante sincerità e da una vivissima tensione spirituale che accompagnano gli stati d'animo più svariati: dall'entusiasmo della lode e del ringraziamento al rimorso per il peccato che grava sull'anima attraverso il ricordo, dal dolore del cuore per la morte di un amico alla gioia intellettuale per la contemplazione della verità, dalla rigorosa condanna di ogni errore passato alla commozione con cui sono ricordate le figure care, in primo luogo l'amatissima madre. L'introspezione psicologica agostiniana non è volta soltanto a un'esigenza di purificazione morale personale, ma intende offrire alla riflessione dell'intera comunità dei credenti quelle esperienze che sono ritenute in grado di confermare e incoraggiare il cammino di fede di ogni uomo.

**I molteplici significati dell'opera** Lo sguardo di Agostino nelle *Confessioni* ha un triplice orientamento: verso la sua anima, verso Dio e verso i fratelli, e questo spiega il continuo intrecciarsi di piani diversi, che vanno dalla preghiera all'esortazione morale, dal confronto con la propria interiorità al colloquio con Dio, dalla riflessione teorica all'analisi esistenziale. Il tutto espresso con un linguaggio che ora volge al lirismo e ora si impegna nell'indagine razionale, che alterna il rigore di un'esposizione oggettiva al canto di lode, che è di continuo intessuto di citazioni bibliche, quasi a ricercare nella Scrittura la conferma del carattere esemplare dell'esperienza interiore raccontata. Michele Pellegrino, grande studioso della patristica cristiana, ha osservato che nelle *Confessioni* è agevole trovare i moduli tipici della composizione retorica, ma che «la sincerità dello scrittore che medita e si rimprovera e piange, che soprattutto prega – perché la preghiera è l'anima e la vita delle *Confessioni* – è evidente anche là dove si accettano in larga misura schemi espressivi tradizionali; in molte pagine lo scritto raggiunge [...] un inconfondibile accento personale» (*Letteratura latina cristiana*, Studium, Roma 1970, p. 106).

**Il brano** Il brano che viene di seguito proposto intende offrire un esempio del modo con cui Agostino sviluppa la propria riflessione autobiografica, del significato che attribuisce al proprio impegno introspettivo, e dello scopo per il quale egli mette a nudo la propria anima e rievoca le tappe del proprio cammino spirituale. Pur nella sua brevità, esso mostra la notevole varietà di registri utilizzati e consente di osservare come le citazioni bibliche punteggino tutta l'esposizione di Agostino, creando una sorta di "tono di fondo" sul quale si staglia la sua meditazione.

Ti «comprenderò», o tu che mi comprendi; ti «comprenderò come sono anche compreso»[1] da te. Virtù dell'anima mia, entra in essa e adeguala a te, per tenerla e possederla «senza macchia né ruga»[2].

Questa è la mia speranza, per questo parlo, da questa speranza ho gioia ogni qual volta la mia gioia è sana. Gli altri beni di questa vita meritano tanto meno le nostre lacrime, quanto più ne versiamo per essi, e tanto più ne meritano, quanto meno ne versiamo.

«Ecco, tu amasti la verità»[3], poiché «chi l'attua viene alla luce»[4]. Voglio dunque attuarla dentro al mio cuore: davanti a te nella mia confessione, e nel mio scritto davanti a molti testimoni.

A Te, Signore, se ai tuoi occhi è svelato l'abisso della conoscenza umana, potrebbe essere occultato qualcosa in me, quand'anche evitassi di confessartelo? Nasconderei te a me, anziché me a te. Ora però i miei gemiti attestano il disgusto che provo di me stesso, e perciò tu splendi e piaci e sei oggetto d'amore e di desiderio, cosicché arrossisco di me e mi respingo per abbracciarti, e non voglio piacere né a te né a me, se non per quanto ho di te.

🔍 **La conoscenza dell'anima e la conoscenza di Dio**

1 *Prima lettera ai Corinti*, 13, 12.
2 *Lettera agli Efesini*, 5, 27.
3 *Salmi*, 50, 8.
4 *Vangelo di Giovanni*, 3, 21.

🔍 **La natura della confessione di Agostino**

# ANALISI DEL TESTO

🔍 **La conoscenza dell'anima e la conoscenza di Dio**
- È Dio l'interlocutore primo al quale Agostino apre il suo cuore, Colui verso il quale si volgono la sua indagine, la sua preghiera e la sua lode. Le *Confessioni* hanno dunque l'andamento di un colloquio interiore con Dio, nel quale la grazia ha un ruolo di protagonista, in quanto a essa spetta il compito di illuminare e salvare l'uomo. L'impegno stilistico del filosofo è quello di fondere insieme i diversi piani della sua ricerca, che riguarda, in un continuo rimando reciproco, la conoscenza di Dio e la conoscenza di sé: la conoscenza interiore alla quale l'uomo ambisce si trova infatti in una profondità che solo Dio può cogliere pienamente. Ecco allora che il verbo "comprendere", o "conoscere" (dal latino *cognosco*), indica sia lo sforzo di giungere a Dio, sia il modo in cui Dio, definito come colui che comprende (*cognitor*) la creatura, ama la verità.
- La confessione si sviluppa davanti a Dio, ma parla ai fratelli: lo svelamento della propria anima nel racconto autobiografico vuol essere un inno di lode innalzato alla misericordia divina, ma anche un ammaestramento rivolto a tutti gli uomini, perché considerino «da quali profondi abissi dobbiamo innalzare le nostre voci

a Te» (*Confessioni*, II, 3, 5). Agostino "si rivolge a Dio", ma "narra" ai suoi simili.

🔍 **La natura della confessione di Agostino**
- L'atto con cui si mette a nudo la propria anima davanti a Dio non serve a svelare a Lui qualcosa di nascosto (Dio, infatti, come si è detto, conosce fino in fondo il cuore umano), ma serve piuttosto a prendere coscienza della propria situazione di peccato, per volgere lo sguardo a quello che è per l'uomo l'unico degno oggetto di amore e di desiderio. Si noti la nutrita serie di rimandi e di implicanze che si trova in queste righe: tra lo svelare e il nascondere, tra il disgusto e l'amore, tra il respingere e l'abbracciare, tra un amore *di Dio* che è riconoscimento della propria dipendenza da Lui e un amore *di sé* che è illusione di autosufficienza.
- La costruzione delle frasi, in cui spesso il soggetto diventa complemento oggetto e viceversa (come nel caso di: «Nasconderei te a me, anziché me a te»), ha l'intento di immergere il lettore in una struttura circolare, volta a sottolineare come l'uomo possa comprendere veramente se stesso solo alla luce della comprensione che di lui ha Dio.

Dunque, Signore, io ti sono noto con tutte le mie qualità. A quale scopo tuttavia mi confessi a te, già l'ho detto. È una confessione fatta non con parole e grida del corpo, ma con parole dell'anima e grida della mente, che il tuo orecchio conosce. Nella cattiveria è confessione il disgusto che provo di me stesso; nella bontà è confessione il negarmene il merito, «poiché tu», Signore, «benedici il giusto»[5], ma prima lo giustifichi «quando è empio»[6]. Quindi la mia «confessione davanti ai tuoi occhi»[7], Dio mio, è insieme tacita e non tacita. Tace la voce, grida il cuore, poiché nulla di vero dico agli uomini, se prima tu non l'hai udito da me; e tu da me non odi nulla, se prima non l'hai detto tu stesso.

5 *Salmi*, 5, 13.

6 *Lettera ai Romani*, 4, 5.

7 *Salmi*, 95, 6.

(Agostino, *Confessioni*, X, 1-2, trad. it. di C. Carena, in *Opera omnia*, cit., vol. 1, pp. 227-228)

■ La confessione non è un fatto esteriore, ma viene dall'anima e dalla mente, in quanto vuole narrare la storia di un'anima che cerca la salvezza e l'avventura di una mente che vuole comprendere quella verità a cui anela senza posa. Per questo la confessione è insieme "taciuta" (da parte della voce) e "gridata" (da parte del cuore). Essa esprime un disgusto per la propria natura manchevole che non si può esprimere con le parole, e una gratitudine per la misericordia di Dio che deve essere espressa a voce alta, perché riempie il cuore.

■ Agostino non solo dichiara di non voler dire nulla che egli non abbia prima "sentito" da Dio nella propria anima, ma inserisce nella sua confessione diverse citazioni bibliche, che costituiscono l'ordito su cui il filosofo tesse la narrazione. L'espediente stilistico dà luogo a un linguaggio che porta con sé l'eco di una voce che viene da lontano, capace di confermare e avvalorare la sincerità dell'esposizione autobiografica.

# SERCIZI SUI TESTI

## UNITÀ 6 La patristica e Agostino

### Agostino: la rivelazione come punto di partenza e di approdo della ricerca

**Analisi e comprensione**

1 Il brano si apre con due citazioni bibliche: «In principio era il Verbo» e «Io sono colui che sono». Spiega a quale entità si riferiscono e perché Agostino ha scelto un brano dell'Antico e uno del Nuovo Testamento.

2 Agostino ritiene che l'uomo possa giungere ad affermare qual è la principale caratteristica dell'Essere a partire dall'analisi di ciò che egli sperimenta intorno a sé. Ossia come?

3 È possibile che l'uomo, con i mezzi in suo possesso, ovvero con la ragione («le risorse della sua mente»), arrivi a concepire l'Essere?

4 Analizza e spiega la metafora del mare, contenuta nella prima parte del testo, completando la tabella posta al fondo della pagina.

5 In che senso «il legno con cui attraversare il mare» serve «anche se uno ha gli occhi malati» e non vede «la meta del suo cammino»?

6 Chi è l'Apostolo citato più volte nella seconda parte del brano?

7 Nel testo Agostino parla degli errori dei filosofi che lo hanno preceduto. Essi hanno cercato «il Creatore attraverso le creature»: che cosa ha determinato il loro errore?

8 In che cosa consiste la stoltezza di quei filosofi che, pur ritenendosi sapienti, «diventarono stolti»?

9 Nelle battute finali si ritorna alla conclusione della prima parte del brano: che cosa è necessario perché i filosofi siano autenticamente sapienti?

**Sintesi**

10 Quali sono le proprietà dell'Essere secondo Agostino?

11 Qualunque sia il modo di approcciarsi al Creatore (e l'immagine del mare da attraversare propone all'interpretazione tre possibili tipi di navigazione), quale atteggiamento è necessario, secondo Agostino, per essere autentici sapienti nella ricerca?

**Riflessione**

12 Intelligenza, raziocinio, analisi filosofica e sapienza sono i frutti della mente umana, se questa viene ben applicata; ma per Agostino la ragione non può giungere alla perfetta sapienza se non è illuminata dalla luce della fede. Condividi questa appassionata affermazione? Argomenta la tua opinione.

| IMMAGINE METAFORICA | SIGNIFICATO |
|---|---|
| la patria lontana | |
| il mare che ce ne separa | |
| il mezzo per giungervi | |

◄ TABELLA ES. 4

## T 1  L'incontro con la verità avviene nel profondo dell'animo umano

### Analisi e comprensione

1 Che cosa gli uomini non comprendono per ignoranza?

2 Chi si affida alle «cose temporali» sperando di ottenere da queste la felicità, che cosa ne ricava?

3 Chi sono «quelli che credono di non dover adorare nulla» e perché Agostino ritiene che proprio costoro «servano in effetti tutte le cose del mondo»?

4 Perché la «Sapienza di Dio» si esprime anche nella bellezza delle cose del mondo?

5 Dove può l'uomo trovare la «suprema armonia» e perché non è possibile rinvenirla nelle cose del mondo?

6 Perché la verità non può mai essere disgiunta dalla ragione?

7 Perché l'uomo non è la verità?

### Sintesi

8 In che cosa consiste, per Agostino, la felicità autentica e per quale via si raggiunge?

9 Secondo Agostino, l'uomo come può giungere alla verità?

### Riflessione

10 Agostino ci induce a riflettere sul fatto che gli uomini, ignorando la verità, non comprendono che la felicità autentica non si trova nelle "cose": perciò non ne sono mai sazi e le ricercano divenendone dipendenti. Solo quando questa schiavitù diventa un onere troppo pesante, o quando per qualunque motivo le cose gli vengono sottratte, l'uomo comprende la falsità delle proprie credenze. Che cosa ne pensi?

11 Soffermati sulla considerazione agostiniana secondo cui l'armonia è quel "qualcosa" che abbiamo dentro e che ci fa riconoscere la bellezza e la via per la verità.

## T 3  Il tempo e l'anima

### Analisi e comprensione

1 «Cos'è dunque il tempo? Se nessuno m'interroga, lo so; se volessi spiegarlo a chi m'interroga, non lo so»: in che senso, in questa affermazione, è già contenuta la traccia che Agostino seguirà per risolvere il problema del tempo?

2 Che cosa intende Agostino quando afferma che l'uomo non può «parlare con verità di esistenza del tempo, se non in quanto [esso] tende a non esistere»?

3 L'esperienza ci insegna che il tempo si può misurare: dove misuro il tempo e come avviene questa misurazione?

4 Di per sé il passato e il futuro sono tempi inesistenti: che cosa li rende attuali?

5 Quale significato ha l'invocazione a Dio che troviamo nel brano?

6 Agostino intesse una sorta di dialogo con il proprio spirito: perché quest'ultimo «strepita» contro di lui e come risponde il filosofo alle sue obiezioni?

### Sintesi

7 Nella parte finale del brano Agostino tira le fila della propria argomentazione ribadendo qual è il "luogo" in cui il tempo acquista realtà e consistenza e in cui ha senso parlare di presente, passato e futuro: rispondi brevemente il discorso agostiniano.

8 Qual è la "dimensione" più appropriata per parlare del tempo e perché?

9 La percezione del tempo è oggettiva o soggettiva? Motiva la tua risposta.

### Riflessione

10 Agostino ci invita a considerare il tempo come «il presente di quel che è passato, il presente del presente, il presente del futuro». È questa "attenzione presente" che ci permette di "ascoltare" il tempo nel suo fluire. Pensa a quanto tempo "perdiamo" nella mancata attenzione al presente che viviamo, perché tesi verso un futuro che di fatto non è ancora, o perché troppo legati a un passato che non è più. Riporta quindi la tua analisi in proposito.

## T 4    L'origine e la natura del male

### Analisi e comprensione

**1** Qual è la domanda cruciale con la quale si apre il brano, domanda che costituisce quasi una sfida per Agostino come uomo, come filosofo e come credente?

**2** Perché Agostino abbandona la domanda sull'*origine* del male (*unde malum*) per dedicarsi all'indagine sulla sua *natura* (*quid est malum*)?

**3** Completa la tabella riportata di seguito indicando le qualità che secondo Agostino vengono attribuite a Dio e alle cose. Seguendo l'argomentazione agostiniana, rispondi poi alla seguente domanda: da dove proviene il male? Da Dio che ha creato ogni cosa, oppure è proprio delle cose stesse?

| DIO È | LE COSE SONO |
|---|---|
| buono | tutte buone |
| ................................ | ................................ |
| ................................ | ................................ |

**4** Agostino prosegue la propria riflessione con un'altra ipotesi sull'origine del male: «Forse da dove le fece?». Che cosa intende l'autore con questo interrogativo? Se questa ipotesi fosse corretta, che cosa implicherebbe? Perché essa metterebbe in discussione l'onnipotenza di Dio?

**5** Proseguiamo nell'analisi degli interrogativi che lo stesso Agostino si pone: «perché volle trarne qualcosa e non impiegò piuttosto la sua onnipotenza per annientarla del tutto?» A che cosa si riferisce l'autore in queste righe? E quali altri ragionamenti e quesiti partono "a catena" da questo?

**6** Nella seconda parte del brano Agostino passa a trattare delle cose e delle loro caratteristiche essenziali: egli afferma che esse «né esistono del tutto, né non esistono del tutto»: spiega che cosa significa questa affermazione.

**7** Quali sono i «beni» di cui si afferma che Dio non ha bisogno?

**8** Con quali argomenti Agostino dimostra che le «cose corruttibili» sono buone?

**9** Perché il male «non è una sostanza»?

**10** Dall'ammissione della non sostanzialità del male deriva che tutte le cose sono buone. Ma esse, nota Agostino, non tutte sono uguali: quali sono le conseguenze di tale ineguaglianza?

### Sintesi

**11** Riassumi i motivi per cui, secondo Agostino, la materia non può essere la sorgente del male. A quale dottrina si sta opponendo il filosofo?

**12** Se il male non è una sostanza, come ne spiega Agostino l'esistenza?

### Riflessione

**13** Ti sei mai chiesto, come ha fatto Agostino, la ragione della presenza del male nel mondo? Hai provato a dartene una motivazione? Sei ottimista come Agostino, oppure ritieni che la sua sia un'argomentazione poco plausibile? Quali sono stati i tuoi pensieri in seguito alla lettura del brano? Prova a riformularli.

## T 6    Le due città e i loro caratteri

### Analisi e comprensione

**1** Quale occasione storica induce Agostino a riflettere sul tema politico?

**2** Le due città di cui si parla hanno riscontro nella realtà storica?

**3** Quali rapporti intercorrono tra le due tipologie di città?

**4** Alla base della fondazione delle due città ci sono «due amori»: di che cosa si tratta?

**5** Completa la tabella riportata di seguito evidenziando, in un confronto tra le due città, le caratteristiche ad esse attribuite da Agostino.

| CITTÀ TERRENA | CITTÀ CELESTE |
|---|---|
| ................................ | ................................ |
| ................................ | ................................ |
| ................................ | ................................ |
| ................................ | ................................ |

6 Alle due tipologie di città corrispondono altrettante figure di sapienti e concezioni della vera sapienza. Descrivile in breve.

7 Che cosa ha reso «stolti» alcuni sapienti?

## Sintesi

8 Quali sono le due città di cui si parla nel brano e che cosa intende Agostino con i termini «terrena» e «celeste»?

## Riflessione

9 Pensi che nel nostro mondo globalizzato si possa ancora parlare della coesistenza delle due tipologie di città tratteggiate da Agostino?

# TU FILOSOFO

■ La produzione filosofica e teologica di Agostino parte da un presupposto essenziale: Dio è dentro ognuno di noi e lo sforzo che molti compiono per trovarlo al di fuori non può che portare a un incontro sbiadito, velato, confuso o distratto. Confrontati con le affermazioni di Agostino riportate di seguito e fanne oggetto di commento e riflessione personali.

> [...] entrai nell'intimo del mio cuore sotto la tua guida; e lo potei perché divenisti il mio soccorritore.
> (*Confessioni*, VII, 10, 16)

> Ma che amo quando amo te? Non una bellezza corporea, né una grazia temporale: non lo splendore della luce, così caro a questi miei occhi, non le dolci melodie delle cantilene d'ogni tono, non la fragranza dei fiori, degli unguenti e degli aromi, non la manna e il miele, non le membra accette agli amplessi della carne. Nulla di tutto ciò amo, quando amo il mio Dio. Eppure amo una sorta di luce e voce e odore e cibo e amplesso nell'amare il mio Dio: la luce, la voce, l'odore, il cibo, l'amplesso dell'uomo interiore che è in me.
> (*Confessioni*, X, 8)

> Tu eri dentro di me e io fuori. Lì ti cercavo. [...] Eri con me, e non ero con te.
> (*Confessioni*, X, 27)

> [...] non uscire fuori di te, rientra in te stesso, la verità abita nel profondo dell'uomo.
> (*La vera religione*, 39, 72)

■ Il pensiero di Agostino è fortemente attuale, perché parla all'uomo dell'uomo, inducendolo a scavare prima di tutto in se stesso. È quindi l'uomo Agostino, credente e deciso, a comprendere e non solo ad amare Dio, e ad interpellarci: forse sta qui la ragione della sua vicinanza alle nostre ricerche, al nostro bisogno di armonia. Riporta le tue considerazioni in proposito.

■ La ricerca della felicità è una costante nella vita di ogni uomo e costituisce l'oggetto della riflessione di tanti pensatori. Anche oggi, come ai tempi di Agostino e forse ancor di più, il possesso di "beni" e di "cose" ci pare essere veicolo di felicità. A più riprese e con forza Agostino ci mette in guardia di fronte a questa illusione: ritieni, come lui, che le cose rendano schiavi gli uomini, ma non offrano loro la felicità sperata? Argomenta la tua idea a partire dalla posizione agostiniana.

■ Tra i temi affrontati da Agostino, forse ce n'è uno che ha suscitato il tuo interesse e stimolato la tua riflessione in modo particolare: esponi le ragioni per cui ciò è avvenuto e riporta i tuoi pensieri in proposito.

# LA SCOLASTICA: DALLE ORIGINI ALLA DISSOLUZIONE

In questa unità ci occupiamo di quella seconda fase storica del pensiero cristiano che va sotto il nome di "**scolastica**".

## CAPITOLO 1 La scolastica e i rapporti tra fede e ragione

Nel primo capitolo, dopo aver analizzato la funzione del pensiero scolastico nell'ambito della società e della cultura del Medioevo e dopo aver messo in luce come il problema dominante da esso affrontato sia quello del **rapporto tra fede e ragione**, ci soffermiamo sulle origini e sui primi sviluppi di tale filosofia, rappresentati soprattutto da autori come **Anselmo d'Aosta** (il quale propone una nuova dimostrazione dell'esistenza di Dio) e **Abelardo** (uno dei pensatori più brillanti del Medioevo). Particolare rilievo viene dato al **problema degli universali** (tra i più dibattuti dell'epoca), ai caratteri generali della **filosofia islamica** e alla ricezione del **pensiero aristotelico in Occidente**.

## CAPITOLO 2 Tommaso d'Aquino

Nel secondo capitolo ci soffermiamo su quello che molti considerano il maggior filosofo cristiano di tutti i tempi. Rappresentante emblematico della scolastica, Tommaso si impegna a **conciliare fede e ragione** attraverso un'originale rielaborazione del **pensiero aristotelico**, da lui concepito come la **massima espressione della razionalità umana**. Il risultato è la costruzione di una metafisica incentrata sulla concezione di Dio come essere infinito e necessario, da cui dipendono gli esseri finiti e contingenti del creato.

## CAPITOLO 3 La crisi e la fine della scolastica

Nel terzo capitolo seguiamo gli sviluppi dell'aristotelismo nella cultura medievale e la progressiva crisi della scolastica. Oltre che a **Duns Scoto** (che insiste sul carattere teoretico della metafisica, ma sulla natura pratica della teologia) e a **Marsilio da Padova** (che anticipa alcune posizioni della successiva problematica politica e giuridica), particolare attenzione viene riservata a **Guglielmo di Ockham**, figura-ponte tra il Medioevo e l'età moderna, che chiude il ciclo storico della scolastica, iniziato con il progetto di trovare un accordo tra filosofia e rivelazione cristiana, e terminato con la crisi e l'abbandono di tale progetto.

CAPITOLO

# 1

# La scolastica e i rapporti tra fede e ragione

## 1. La scolastica nella società e nella cultura del Medioevo: caratteri generali

### Filosofia e *scholae*

**Scolastica e insegnamento**

La parola "scolastica" designa la filosofia cristiana medievale. Il nome *scholasticus* indicava nei primi secoli del Medioevo l'**insegnante delle arti liberali**, cioè di quelle discipline che costituivano il "**trivio**" (grammatica, logica o dialettica e retorica) e il "**quadrivio**" (geometria, aritmetica, astronomia e musica). In seguito si chiamò *scholasticus* anche il **docente di filosofia o di teologia,** il cui titolo ufficiale era *magister* (*magister artium* o *magister in theologia*) e che teneva le sue lezioni dapprima nella scuola del chiostro o della cattedrale, poi nell'università (*studium generale*). L'origine e lo sviluppo della scolastica si collegano quindi strettamente alla **funzione dell'insegnamento**, la quale determinò anche la forma e il metodo dell'attività letteraria degli scrittori scolastici.

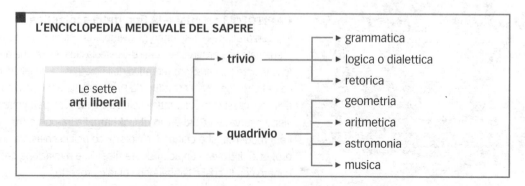

L'ENCICLOPEDIA MEDIEVALE DEL SAPERE

Le sette **arti liberali**
- ▸ **trivio**
  - ▸ grammatica
  - ▸ logica o dialettica
  - ▸ retorica
- ▸ **quadrivio**
  - ▸ geometria
  - ▸ aritmetica
  - ▸ astromonia
  - ▸ musica

Poiché le forme fondamentali dell'insegnamento erano due, la *lectio*, che consisteva nel commento di un testo, e la *disputatio*, che consisteva nell'esame di un problema attraverso la considerazione di tutti gli argomenti che si potevano addurre a favore e contro (*pro* e *contra*) di esso, l'attività letteraria degli scolastici assunse prevalentemente la forma dei "**commentari**" (alla Bibbia, alle opere di Boezio, alla logica di Aristotele e, in seguito, alle *Sentenze* di Pietro Lombardo e alle altre opere di Aristotele) o di **raccolte di questioni**. Raccolte di questo genere erano i *quodlibeta*, che comprendevano le questioni che gli aspiranti alla laurea in teologia dovevano discutere due volte all'anno (prima di Natale e prima di Pasqua) su temi qualsiasi (*de quolibet*). Le *quaestiones disputatae* erano invece il risultato delle *disputationes ordinariae*, che i professori di teologia tenevano durante i loro corsi sui più importanti problemi filosofici e teologici.

La connessione della scolastica con la funzione dell'insegnamento non è un fatto semplicemente accidentale ed estrinseco, ma intimamente legato alla natura stessa di tale filosofia. Ogni movimento filosofico, infatti, è determinato nei suoi tratti essenziali dal problema che costituisce il centro della sua ricerca, e il problema della scolastica era quello di **portare l'uomo alla comprensione della verità rivelata**. E questo era un **problema di "scuola"**, cioè di "educazione": il problema della **formazione dei chierici**.

La coincidenza tipica e totale del problema speculativo con quello educativo giustifica pienamente l'attribuzione del nome "scolastica" alla filosofia medievale e ne spiega i tratti fondamentali. In primo luogo, la scolastica non è, come la filosofia greca, una ricerca autonoma che affermi la propria indipendenza critica nei confronti della tradizione. Anzi, la tradizione religiosa è per il pensiero scolastico il fondamento e la norma della ricerca.

La verità, infatti, è stata rivelata all'uomo attraverso le **sacre scritture**, attraverso le **definizioni dogmatiche** che la comunità cristiana ha posto a fondamento della propria vita storica, e attraverso la **parola dei padri e dei dottori della Chiesa**, ispirati o illuminati da Dio. Si tratta dunque soltanto di accedere a questa verità e di comprenderla, per quanto è possibile, mediante le proprie naturali facoltà e con l'aiuto della grazia divina, per farla propria e assumerla a fondamento della propria vita religiosa. Ma anche in questo compito, che è quello proprio della ricerca filosofica, l'uomo non può e non deve affidarsi alle sole sue forze, ma deve essere aiutato dalla tradizione religiosa, la quale si esprime attraverso gli organi della Chiesa, che costituiscono una guida illuminatrice e una garanzia contro l'errore. In questa prospettiva, la filosofia non costituisce un'opera *individuale*, nella quale l'individuo singolo possa muoversi con autonomia, bensì un'opera *comune*, che può e deve ricorrere all'aiuto degli altri, specialmente di coloro che la Chiesa riconosce come particolarmente ispirati e sorretti dalla grazia divina. Da qui il riferimento costante all'"**autorità**" (*auctoritas*) nella speculazione. *Auctoritates* sono la decisione di un Concilio, un detto biblico, la *sententia* di un padre della Chiesa. Il ricorso all'autorità è la manifestazione tipica del **carattere comune e sovraindividuale della ricerca scolastica**, nella quale il singolo vuole continuamente sentirsi appoggiato e sorretto dall'autorità e dalla tradizione ecclesiastica.

Di qui deriva l'altro carattere fondamentale della ricerca scolastica, la quale non si propone di formulare *ex novo* dottrine e concetti: il suo scopo non è quello di "trovare" la verità, ma piuttosto quello di **comprendere la verità già data nella rivelazione**. Perciò, così come assume dalla tradizione religiosa la norma della ricerca, allo stesso modo la scolastica assume dalla tradizione filosofica gli strumenti e il materiale di tale ricerca, che individua prima

*Scolastica e tradizione religiosa*

*Scolastica e tradizione filosofica*

nella dottrina platonico-agostiniana, e poi in quella aristotelica. La **filosofia** è dunque soltanto un mezzo per i pensatori scolastici: essa è ***ancilla theologiae*** (ancella della teologia). Naturalmente, le dottrine e i concetti filosofici che vengono adoperati dalla scolastica subiscono una trasformazione più o meno radicale del loro significato originario. Ma si tratta di una trasformazione che non è intenzionale e, il più delle volte, neppure consapevole, poiché al pensiero scolastico è estraneo il senso della storicità. Dottrine e concetti vengono tolti "di peso" dai complessi teorici di cui fanno parte e considerati in modo indipendente rispetto ai problemi cui rispondono e alla personalità del filosofo che li ha elaborati. Il Medioevo mette tutto sullo stesso piano e considera anche i pensatori più lontani come pensatori contemporanei, cui è lecito sottrarre i frutti più caratteristici per adattarli alle proprie esigenze.

## Il problema dominante

**Il problema del rapporto tra ragione e fede**

Su questi caratteri è fondata la definizione della filosofia scolastica come "**problema del rapporto tra ragione e fede**", così come sul diverso modo di risolvere tale problema è basata la sua periodizzazione. È chiaro che, dal punto di vista appena delineato, il problema del rapporto tra ragione e fede non è *soltanto* un problema speculativo, ma *anche* un problema speculativo, che è possibile affrontare partendo dal confronto tra testi filosofici e testi religiosi, e dall'analisi delle loro interpretazioni e implicazioni, ma non solo. Infatti si tratta soprattutto del **problema del ruolo che può e deve avere l'iniziativa razionale del singolo uomo nella ricerca della verità** – e quindi nella direzione della vita individuale e associata – e, per contro, del ruolo che in tale ricerca spetta all'ordine cosmico e alle gerarchie che lo rappresentano. In altre parole, si tratta del **problema della libertà che l'uomo può rivendicare per sé e delle limitazioni che tale libertà deve incontrare nelle gerarchie che governano il mondo**. Infine, il problema del rapporto tra ragione e fede è anche il problema dei nuovi campi d'indagine (la natura, la società) che si aprono all'uomo nella misura in cui egli rivendichi per la propria ragione una maggiore autonomia.

**Il carattere non omogeneo della scolastica**

Se inteso in questi termini, il "problema scolastico" può costituire un'agevole chiave di lettura per la continuità, la varietà, le concordanze e le polemiche che percorrono tutto il pensiero medievale. Solo in riferimento a tale problema è possibile rendersi conto del fatto che di tale pensiero fanno legittimamente parte tanto l'ortodossia quanto l'eterodossia religiose, così come le speculazioni politiche e i sopravvissuti o risorgenti interessi per la natura e per la scienza, e che le tendenze eretticali, le ribellioni filosofiche o teologiche o politiche che lo hanno sempre, seppure in varia misura, caratterizzato ne costituiscono aspetti storici fondamentali allo stesso titolo delle grandi sintesi dottrinali in cui l'iniziativa razionale dell'uomo e le esigenze della fede e della gerarchia ecclesiastica sembrano aver trovato un riuscito compromesso.

**Un'interpretazione erronea**

Ciò che il richiamo al "problema scolastico" invece esclude è il tentativo di **considerare la scolastica nel suo insieme come una sintesi dottrinale omogenea**, in cui si siano unificati e fusi i contributi individuali. Questa nozione della scolastica è stata suggerita dalla volontà di privilegiare l'aspetto per cui essa è (o presume di essere) concordanza piena e definitiva di ragione e fede (aspetto caratteristico della sintesi tomistica). Ma una tale scelta non ha alcuna base storica e non avrebbe altro effetto se non quello di escludere dalla scolastica, considerata come la sola filosofia vivente del Medioevo, un buon numero di pensatori. Una preferenza ideologica e storiograficamente insostenibile è alla base di questa scelta, in quanto la filosofia medievale, come la filosofia di qualsiasi altro periodo, può essere descritta e caratterizzata soltanto sulla base del problema in essa dominante, e non di una delle soluzioni che a questo problema furono date.

## La periodizzazione *dall'anno 1000 fino a 1300-1400*

Se la continuità del pensiero scolastico può essere rintracciata solo nell'unitarietà del suo problema, indipendentemente dalla varietà di soluzioni che di questo sono state proposte, la periodizzazione della scolastica può essere effettuata solo sulla base della prevalenza dell'una o dell'altra di tali soluzioni.

La periodizzazione tradizionale distingue quattro fasi della scolastica:

▶ la prima, detta **pre-scolastica**, è quella della rinascenza carolingia, nella quale è presupposta e ammessa senz'altro l'identità di ragione e fede;

▶ nella seconda, detta **alta scolastica**, che va dalla seconda metà dell'XI secolo alla fine del XII, comincia ad affacciarsi il problema del rapporto tra ragione e fede, e ad essere chiaramente affermata la potenziale antitesi dei due termini;

▶ nella terza, che va dal 1200 ai primi anni del 1300, si hanno i grandi sistemi, che costituiscono ciò che si dice la **"fioritura" della scolastica**. In tale periodo ragione e fede, pur continuando a essere considerate distinte, vengono concepite come armonicamente conducenti agli stessi risultati;

▶ nella quarta, che comprende il XIV secolo, si assiste al **dissolvimento della scolastica** per la riconosciuta insolubilità del problema che ne è a fondamento. In questa fase si ritiene che ragione e fede costituiscano domini eterogenei.

Conclusa come periodo storico, la scolastica mantiene tuttavia una certa attualità in quanto espressione di un'esigenza che si ripresenta frequentemente nella storia della filosofia: quella dell'uomo che, vivendo all'interno di una tradizione religiosa e nutrendosi di essa, voglia intenderla e giustificarla razionalmente.

*Le quattro fasi della scolastica*

*L'attualità della scolastica*

# 2. Le origini della scolastica: la rinascenza carolingia e Scoto Eriugena

I secoli VIII e IX vedono il concentrarsi delle forze superstiti della cultura nei grandi imperi dell'Occidente: l'Impero carolingio e l'Impero arabo, ai quali si deve la rinascita intellettuale del periodo.

Per quanto riguarda l'Impero carolingio, fu la necessità di garantirne l'unità e l'amministrazione (che richiedevano l'impiego di numerosi funzionari dotati di una certa cultura) a indurre **Carlo Magno** a promuovere e incoraggiare gli studi. Nel periodo precedente questi erano stati coltivati solo nelle regioni periferiche: da un lato nelle città dell'Italia meridionale – in particolare a Napoli, ad Amalfi e a Salerno – e dall'altro nei monasteri inglesi

*La promozione degli studi da parte di Carlo Magno*

e irlandesi. Nell'epoca carolingia lo **studio** divenne invece il **patrimonio delle grandi abbazie,** che esercitarono la funzione che prima era stata delle città.

**Alcuino di York e l'organizzazione dell'insegnamento**

L'inizio della ricostruzione intellettuale dell'Europa è segnata, alla fine del secolo VIII, dall'opera di Alcuino. Nato nel 730 in Inghilterra, Alcuino si formò nella scuola episcopale di York; nel 781 fu chiamato dall'imperatore Carlo Magno a dirigere la Scuola Palatina e a riordinare gli studi sul territorio dell'impero. Morì nell'804.

Alcuino fu il grande **organizzatore dell'insegnamento nel regno franco.** Da lui gli studi vennero ordinati secondo le **7 discipline del trivio e del quadrivio,** che egli chiamò le «sette colonne della sapienza». La sua opera fu continuata da altri maestri, tra cui ricordiamo Rabano Mauro, Servato Lupo, Pascasio Radberto, Godescalco, Enrico e Remigio di Auxerre. Tutti questi autori non presentano però originalità di pensiero.

**Scoto Eriugena e le quattro nature**

Grande invece è la figura di Giovanni Scoto, detto "Eriugena" dalla sua regione nativa (Eriu, l'attuale Erin, in Irlanda). Nato verso l'810 e posto da Carlo il Calvo a capo della Scuola Palatina, Giovanni tradusse in latino i trattati dello Pseudo-Dionigi l'Areopagita e altri scritti patristici.

L'opera fondamentale di Scoto Eriugena, *La divisione della natura*, rispecchia già nel titolo la metafisica del filosofo, il quale infatti individua **quattro nature fondamentali:**

▶ la prima natura crea e non è creata, ed è la causa di tutto: essa è **Dio Padre;**

▶ la seconda natura è creata e crea, ed è l'insieme delle cause primordiali: essa è il *Lógos* o il **Figlio;**

▶ la terza natura è creata e non crea, ed è l'insieme di tutto ciò che si genera nello spazio e nel tempo: essa è costituita dal **mondo;**

▶ la quarta natura non crea e non è creata, ed è **Dio stesso come fine ultimo della creazione,** come termine finale al quale tutte le cose devono ritornare.

**Il mondo come teofania e la trascendenza di Dio**

Le quattro nature costituiscono il circolo della vita divina, che parte da Dio Padre, muove attraverso il *Lógos* verso il mondo e, infine, ritorna a Dio. Il mondo è dunque considerato come un momento della vita divina: esso è una "teofania", cioè una "manifestazione di Dio". Ci si può chiedere se la dottrina di Scoto, che afferma l'unità sostanziale del mondo e di Dio, non sia un radicale panteismo. In realtà, secondo Scoto Eriugena, **il mondo è assolutamente identico a Dio, ma Dio non è assolutamente identico al mondo.** Dio trascende il mondo e, nonostante viva in esso (che infatti non ha realtà se non come manifestazione divina), non si identifica mai con il mondo stesso. «Dio solo è l'essenza di tutte le cose, perché egli solo è; ma pur essendo tutto in tutte, non cessa di essere tutto al di fuori di tutte» (*La divisione della natura*, IV, 5).

**L'eredità di Scoto Eriugena**

Molti motivi della speculazione di Eriugena verranno ripresi dalla scolastica posteriore e, soprattutto, dal Rinascimento. Quest'ultimo riprenderà in particolare il tema, su cui Scoto Eriugena spesso insiste, della **superiorità dell'uomo su tutte le creature:** l'uomo – dice Scoto – «intende come l'angelo, ragiona come uomo, sente come l'animale irragionevole, vive come il germe, consiste di anima e corpo e non è privo di alcuna cosa creata», considerazioni che saranno riprese da Pico della Mirandola.

Il concetto della **deificazione dell'uomo,** cioè del suo congiungersi con Dio nell'estasi, sarà ripreso dalla mistica medievale, mentre la negazione della tesi aristotelica secondo cui i cieli sono composti di una sostanza ingenerabile e incorruttibile (l'etere) si troverà di nuovo in Niccolò Cusano, nel XV secolo. Infine, il sistema astronomico di Scoto, per il quale la terra sta immobile, ma gli altri pianeti girano intorno al sole, troverà sostenitori anche nel secolo di Copernico.

# 3. Dialettici e antidialettici

La dissoluzione dell'Impero carolingio arrestò quasi interamente, nel X secolo, la ripresa intellettuale dell'Occidente, e il movimento della cultura riprese solo quando, con Ottone il Grande, si ristabilì l'unità dell'impero. È di questo periodo la grande figura di Gerberto di Aurillac, che nel 999 divenne papa con il nome di **Silvestro II** e che morì nel 1003. Gerberto coltivò tutte le scienze, ma soprattutto la meccanica e la matematica, e scrisse numerosi commenti alle opere logiche di Aristotele e di Boezio.

In questi anni la cultura e lo studio cessarono di essere il patrimonio delle abbazie e l'insegnamento cominciò a organizzarsi nella forma che avrebbe assunto nel XIII secolo con le università. Fu allora che nacque la prima e vera "scolastica", dominata dalla **polemica tra dialettici e antidialettici**: i primi si affidavano alla ragione per intendere le verità della fede, mentre i secondi si appellavano all'autorità dei santi e dei profeti, limitando il compito della filosofia alla difesa delle dottrine rivelate.

Tra i dialettici spicca la figura di **Berengario di Tours** (morto nel 1088), il quale affermava che chi non ricorre alla ragione, per la quale l'uomo è immagine di Dio, abbandona la propria dignità e non rinnova in sé di giorno in giorno l'immagine divina.

Tra gli antidialettici si distinse **Pier Damiani**, nato a Ravenna nel 1007 e morto a Faenza nel 1072: egli negava ogni valore al ragionamento e affermava che Dio è superiore non solo alle leggi della natura, ma anche a quelle della logica, e che quindi a Lui è possibile anche ciò che alla ragione appare contraddittorio.

*Gerberto di Aurillac*

*Ragione e autorità*

# 4. Anselmo d'Aosta

## L'accordo tra fede e ragione

Il contrasto esasperato tra fede e ragione non ebbe molta fortuna nel Medioevo, che preferì attenersi al principio della loro possibile armonia. La maggiore figura di questo periodo è quella di Anselmo, il quale, pur insistendo sulla superiorità indiscutibile della fede, riteneva che essa non potesse contrastare con la ragione.

Nato ad Aosta nel 1033, Anselmo fu abate del monastero di Bec, e poi, dal 1093 fino al 1109, anno della morte, arcivescovo di Canterbury. Come tale, si trovò implicato nelle vicende della Chiesa inglese del tempo, che difendeva i suoi privilegi contro le pretese del re. Ma nulla gli impedì mai di dedicarsi alla speculazione. Le sue opere principali sono: il *Monologion* o "soliloquio", il *Proslogion* o "discorso rivolto ad altri", e un gruppo di quattro dialoghi su argomenti vari (*La verità*, *Il libero arbitrio* ecc.).

Il motto di Anselmo è ***credo ut intelligam***, cioè "credo per capire": non si può intendere nulla se non si ha fede. Ma occorre confermare e dimostrare la fede con motivi razionali. Anselmo ritiene insomma l'accordo tra la ragione e la fede intrinseco ed essenziale. Certo, se un contrasto ci fosse, bisognerebbe dar torto alla ragione e rimaner fermi alla fede; ma Anselmo è intimamente persuaso che un tale contrasto non possa manifestarsi, perché anche la ragione, come la fede, deriva dall'illuminazione divina.

*Vita e opere*

*Credo per capire*

# L'esistenza di Dio: la prova *a posteriori* e l'argomento ontologico

La verità fondamentale della religione, l'**esistenza di Dio**, è secondo Anselmo una **pura verità di ragione**, il che significa che la ragione può dimostrarla con le sole sue forze.

**L'argomento dei gradi**

Nel *Monologion* il filosofo dimostra che Dio esiste con l'argomento dei gradi: **vi sono molte cose buone nel mondo**, ma tutte sono buone più o meno, non assolutamente, e dunque **presuppongono un bene assoluto** che sia la loro misura e dal quale possano trarre il grado di bontà che posseggono; **questo bene assoluto è Dio**. Lo stesso ragionamento si può fare per ogni valore o perfezione esistente nel mondo, e anche per l'essere delle cose, che tutte "sono" in grado maggiore o minore e, dunque, presuppongono un essere unico e sommo da cui traggono il loro grado di essere.

**L'argomento ontologico**

Nel *Proslogion* Anselmo ricorre invece a un'argomentazione che **muove dal semplice** *concetto* **di Dio per giungere a dimostrarne l'***esistenza*. Tale argomento, detto "**prova ontologica**", è diretto contro chi nega risolutamente che Dio esista, come fa lo «stolto» del salmo 13, il quale «dice in cuor suo: Dio non c'è». Evidentemente anche lo stolto, per negare l'esistenza di Dio, deve possedere il concetto di Dio, giacché è impossibile negare la realtà di qualcosa che non si pensi. Ora, il concetto di Dio è il concetto di un essere «di cui non si può pensare nulla di maggiore» (*quo maius cogitari nequit*). Ma **ciò di cui non si può pensare nulla di maggiore non può esistere nel solo intelletto**, poiché se fosse nel solo intelletto, lo si potrebbe pensare anche come esistente nella realtà, e cioè come maggiore, ma in tal caso ciò di cui non si può pensare nulla di maggiore sarebbe qualcosa di cui si può pensare qualcosa di maggiore. È dunque impossibile che ciò di cui non si può pensare nulla di maggiore, ovvero Dio, esista nel solo intelletto e non nella realtà.

**I presupposti della prova ontologica**

L'argomento ontologico si fonda su due punti:
▶ sull'assunzione del fatto che ciò che esiste nella realtà sia "maggiore", cioè "più perfetto", di ciò che esiste solo nell'intelletto;
▶ sulla conseguente convinzione secondo cui negare che ciò di cui non si può pensare nulla di maggiore esista nella realtà significhi contraddirsi, perché vorrebbe dire ammettere nello stesso tempo che si può pensarlo maggiore, cioè esistente nella realtà. →**T1**

## L'argomento ontologico nella storia del pensiero

La prova ontologica dell'esistenza di Dio fu rifiutata dalla maggioranza dei filosofi, anche se non mancò un nutrito drappello di pensatori, anche illustri, che la difesero e accettarono.

**L'obiezione di Gaunilone**

Già un contemporaneo di Anselmo, il monaco Gaunilone, del monastero di Marmoutier, nel suo *Libro a difesa dell'insipiente*, affermò sostanzialmente che, anche ammesso di possedere il concetto di Dio come "essere perfettissimo", da questo concetto non può dedursi l'esistenza di Dio più che non possa dedursi dal concetto di un'isola perfettissima la reale esistenza di tale isola.

Anselmo replicò dicendo, nel *Libro apologetico*, che il discorso di Gaunilone non poteva reggere, perché l'idea di un'isola "fortunata" non coincide con quella della perfezione assoluta, che risiede unicamente nell'idea di Dio. In realtà, nella sua risposta, Anselmo "aggira" di fatto il problema, non rendendosi conto che l'obiezione sollevata da Gaunilone è molto più profonda, filosoficamente parlando, di quanto possa sembrare a prima vista. Infatti Gaunilone intendeva dire che **un conto è il piano del pensiero** e delle possibilità logiche, e **un altro conto è il piano della realtà effettiva**, per cui dalla possibilità concettuale dell'esistenza di Dio non deriva, per ciò stesso, la sua realtà.

Le intuizioni di Gaunilone furono svolte da due grandi filosofi come Tommaso d'Aquino e Immanuel Kant. Tommaso (sul cui pensiero si modellò il parere della Chiesa) sostenne ad esempio che l'argomentazione anselmiana era valida solo a patto di presupporre già, "sottobanco", ciò che si intendeva dimostrare, cioè che l'essere perfettissimo esiste: dopo di che, si poteva ben dire che tale essere perfettissimo non può fare a meno di esistere. Ma il problema non è di sapere se l'essere perfettissimo, in quanto tale, non possa fare a meno di esistere, ma di sapere se esso realmente esista.

**Tommaso**

Per chiarire l'argomentazione tomistica: dicendo ad esempio che, se nel Partenone di Atene esiste un quadrato d'oro, esso deve per forza avere quattro lati, è ovvio che non ci si sbaglia. Il vero problema rimane però quello di sapere se tale quadrato d'oro esista realmente. Analogamente, è chiaro che se si fosse già in Paradiso, al cospetto della perfezione assoluta di Dio, si capirebbe che Egli non può non esistere. Il problema, tuttavia, è di sapere se esistano un Dio e un Paradiso.

Anche Kant rifiutò l'argomento ontologico, ritenendolo o *tautologico*, in quanto già presupponente l'esistenza di Dio, oppure *impossibile*, in quanto fondato sulla pretesa di derivare, mediante una specie di "salto mortale" metafisico, una realtà da un'idea.

**Kant**

Alla linea Tommaso-Kant si contrappose un altro filone critico, che, come abbiamo anticipato, era invece favorevole alla prova. Nel Medioevo quest'ultima fu accettata da parecchi dottori (Enrico di Gand, Alberto Magno, Bonaventura ecc.). Nel mondo moderno fu accolta da Cartesio, da Spinoza, da Leibniz e da Hegel. E anche oggi, nell'ambito del pensiero filosofico-teologico, non mancano alcuni tentativi di rivalutazione dell'argomento anselmiano: tentativi che, pur avendo in genere scarso seguito, testimoniano come la questione non possa dirsi completamente chiusa.

**I pensatori favorevoli all'argomento anselmiano**

## Teologia e antropologia

Il pensiero teologico di Anselmo segue da vicino la falsariga agostiniana, arrivando tuttavia ad alcuni importanti chiarimenti.

Significativa, ad esempio, è la terminologia proposta da Anselmo per esprimere il fatto che le proprietà attribuite a Dio assumono, riferite a Lui, un carattere diverso da quello che possiedono quando sono riferite alle cose. Il filosofo sostiene infatti che **le proprietà sono predicate di Dio "quidditativamente", e non "qualitativamente"**: esse, cioè, vanno considerate come **aspetti della *quidditas*, della sostanza divina**. In tal senso si dirà non che Dio è *giusto*, ma che è *la giustizia*, intendendo con ciò che la giustizia fa parte della sua essenza. E così per le altre qualità.

**Le proprietà di Dio**

Da Agostino invece Anselmo si allontana nell'affermare la libertà umana, che egli ritiene sia stata conservata all'uomo nonostante il peccato originale. Per "libertà" Anselmo intende la **capacità positiva di conservare la giustizia originaria** che l'uomo ha ricevuto da Dio. Così come, quando un oggetto scompare alla vista di chi lo guarda, questi conserva la capacità di vederlo, e il fatto che egli non lo veda dipende dalla lontananza

**La libertà umana**

dell'oggetto e non dalla perdita della vista, allo stesso modo la capacità di essere giusto permane nell'uomo anche quando, con il peccato, la giustizia si è allontanata da lui. Evidentemente, in questo caso, l'uomo non può riacquistare la giustizia se non con la grazia divina e perciò **solo la grazia divina restituisce l'uomo all'esercizio effettivo della sua libertà. Ma questa libertà non gli può essere tolta.**

La libertà dell'uomo, secondo Anselmo, non è limitata neppure dalla **prescienza divina.** Dio prevede, è vero, se l'uomo peccherà o non peccherà; ma prevede che egli peccherà o non peccherà senza necessità, e così l'una o l'altra scelta sarà libera, perché questa libertà è prevista da Dio stesso.

Allo stesso modo, Dio non predestina l'uomo alla salvezza facendo violenza sulla sua volontà, ma lascia la salvezza in potere del predestinato: dunque neppure la **predestinazione** toglie o diminuisce la libertà.

**Il programma filosofico di Anselmo**

Da un biografo di Anselmo sappiamo che egli, quando morì, stava cercando di chiarire la natura e l'origine dell'anima. Aveva iniziato la propria speculazione con la ricerca intorno a Dio e la concludeva con la ricerca intorno all'anima, mantenendosi in tal modo fedele al programma agostiniano.

# 5. Il XII secolo: il potere della ragione e la disputa sugli universali

## L'importanza e il significato storico del problema degli universali

A partire dal XII secolo, uno dei più frequenti temi di discussione tra gli scolastici medievali fu il cosiddetto "problema degli universali".

**Che cos'è il problema degli universali**

In filosofia, per "**universali**" si intendono quei concetti generali che possono venir riferiti a più individui o cose, come ad esempio i generi (animale) o le specie (uomo). Per "**problema degli universali**" si intende la questione relativa allo *status* ontologico di tali concetti, cioè al loro ipotetico corrispettivo reale. In altri termini, poiché gli enti che ci circondano sono individuali e i concetti sono universali, sorge il problema della validità e verità di questi ultimi, ossia l'**interrogativo circa l'esistenza o meno di realtà universali.**
La diatriba fu impostata a partire da un passo della *Isagoge* (introduzione) di Porfirio alle *Categorie* di Aristotele e secondo i relativi commenti di Boezio:

> Intorno ai generi e alle specie non dirò qui se essi sussistano oppure siano posti soltanto nell'intelletto; né, nel caso che sussistano, se siano corporei o incorporei, se separati dalle cose sensibili o situati nelle cose stesse ed esprimenti i loro caratteri comuni. (*Isagoge*, 1)

Tra le alternative indicate da Porfirio, una sola non trova riscontro nella storia della disputa: quella secondo la quale gli universali sarebbero realtà corporee. In compenso, i dottori medievali si chiesero:
▶ gli universali esistono come *conceptus mentis*, ossia come concetti, o nozioni, della nostra mente;

▶ oppure esistono anche nella realtà?

E in quest'ultimo caso:

▶ esistono separati dalle cose, in modo analogo alle idee platoniche;

▶ oppure esistono "dentro" le cose, alla maniera delle forme aristoteliche?

Alcuni storici del passato hanno sopravvalutato il problema degli universali, tanto da fare di esso "il" problema per eccellenza della filosofia del Medioevo. Altri studiosi lo hanno invece considerato, per reazione, come qualcosa di secondario, o di marginale. Come succede spesso in questi casi, la verità sta probabilmente nel mezzo. In altri termini, la disputa sugli universali, pur non esaurendo tutta la problematica filosofica del Medioevo, costituisce pur sempre un elemento basilare e imprescindibile di essa.

La nascita, o meglio la formulazione esplicita, del problema degli universali (già implicitamente presente nel pensiero precedente) non derivò semplicemente dal fatto che i testi filosofici a disposizione nel Medioevo erano soprattutto testi di logica, ma da una ragione più profonda, e cioè dal ripiegamento critico della logica su se stessa, ovvero dal passaggio dallo *studio* della logica al *problema* della logica, consistente nella domanda intorno al valore della conoscenza razionale. In altri termini, **interrogarsi sul problema degli universali significa interrogarsi sui poteri stessi della ragione e sulla validità degli strumenti intellettuali di cui essa si serve** per parlare del mondo.

Storicamente parlando, questo atteggiamento può essere assunto come un segno del nuovo spirito che cominciò a pervadere la scolastica a partire dagli ultimi decenni dell'XI secolo. Anteriormente a questo periodo, nessun pensatore aveva potuto dubitare del fatto che i generi e le specie fossero idee archetipe nella mente divina e forme impresse alle cose da questa stessa mente. In questa prospettiva, il problema degli universali non aveva senso. Porlo significava infatti ammettere che esso può essere risolto anche in modo difforme rispetto alle dottrine che la prima scolastica aveva desunto dalla patristica e che erano diventate il patrimonio della speculazione teologica. La formulazione del problema significò pertanto la considerazione di esso da un punto di vista non più solo teologico, ma filosofico, cioè da un punto di vista che vedeva negli universali non più soltanto gli strumenti dell'azione creativa di Dio, ma anche e soprattutto gli strumenti, o le condizioni, delle operazioni conoscitive dell'uomo. La posizione di questo problema costituì pertanto, già di per sé, l'**instaurazione di un punto di vista che guardava più all'uomo che a Dio**.

Anche le innumerevoli sottigliezze cui dette luogo possono essere considerate come l'espressione della nuova libertà con cui l'uomo guardava a sé e ai propri problemi. Questa nuova libertà, che si manifestò anche (come vedremo nel capitolo seguente) attraverso la rinnovata attenzione che i filosofi prestarono al mondo della natura, accompagnò e sorresse la rinascita economica e sociale dell'epoca, che si espresse nella formazione o nel consolidamento delle repubbliche marinare e dei comuni, negli scambi, nei viaggi, nell'economia mercantile e, in generale, nella ripresa di uno spirito laico e intraprendente.

## Le principali soluzioni al problema

Nel corso della plurisecolare disputa sugli universali, le soluzioni proposte, che talora si distinguevano tra loro per un minimo particolare, furono parecchie. Purtroppo, di alcune di esse possediamo soltanto documenti incompleti o ragguagli frammentari, peraltro

*L'importanza del problema degli universali per la filosofia medievale*

*La logica come problema*

*Il significato storico del problema degli universali*

*La nuova intraprendenza dell'uomo*

*Le due soluzioni fondamentali*

di oppositori. Ma, in generale, le soluzioni fondamentali furono quelle del "**realismo**" (o formalismo) e del "**nominalismo**" (o terminismo), la prima delle quali affermava che gli universali esistono in qualche modo fuori dell'anima, mentre la seconda lo negava. Realismo e nominalismo si divisero a loro volta in due tendenze, una moderata e l'altra radicale, secondo lo schema riportato di seguito. →**T9**

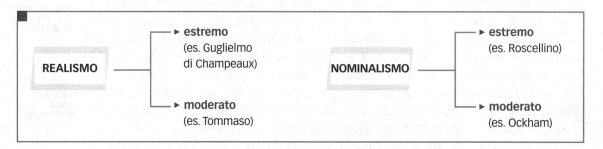

| | |
|---|---|
| **Il realismo estremo** | Per "realismo estremo" si intende la tesi secondo cui gli universali, oltre che sussistere fuori della mente, godono anche di una consistenza ontologica propria, la quale fa sì che essi esistano separatamente (*ante rem*) rispetto alle realtà mutevoli e contingenti di cui sono gli immutabili prototipi. In altri termini, il realismo estremo è la soluzione di tipo platonico-neoplatonico-agostiniana, che identifica gli universali con le idee, o con i **modelli *ante rem* tramite i quali Dio ha creato il mondo**, e che ritiene reali, nel senso metafisicamente forte del termine, soltanto gli universali e non gli individui empirici. |

Nel Medioevo questa posizione fu variamente presente in autori come Scoto Eriugena e Anselmo d'Aosta, e nei pensatori della Scuola di Chartres. Tra l'XI e il XII secolo essa venne ripresa e difesa, in modo originale, da **Guglielmo di Champeaux** (1070-1121), il quale, secondo la testimonianza del suo allievo (e poi fiero avversario) Abelardo, affermava la **realtà "sostanziale" (cioè ontologicamente autonoma) dei generi e delle specie**, scorgendo negli individui la manifestazione accidentale e variabile di una preesistente essenza o entità metafisica per sé sussistente. In altri termini, Guglielmo riteneva che, ad esempio, la specie "uomo" rappresentasse una realtà essenzialmente identica per tutti gli uomini, i quali erano moltiplicati e diversificati tra loro solo da qualità accidentali. Guglielmo, anche per effetto delle critiche di Abelardo, finì ben presto per abbandonare tale concezione, a favore di una prospettiva realistico-moderata più consona allo spirito dei tempi, ormai propensi a una rivalutazione filosofica e sociale degli individui.

**Il realismo moderato** — Per "realismo moderato" si intende invece la dottrina secondo cui gli universali, pur avendo una certa consistenza, non esistono *ante rem*, ma soltanto ***in re***, ossia individualizzati e incorporati nelle cose singole, a titolo di **principi organizzatori immanenti** (nel senso aristotelico). In altre parole, per il realismo moderato i generi e le specie non esistono "separatamente" rispetto agli individui, ma soltanto come loro forma o essenza intrinseca. Di conseguenza, a differenza di quello estremo, **il realismo moderato riconosce pienamente la realtà degli individui**, pur scorgendo in essi la presenza di un'essenza universale.

**Aristotelismo e platonismo** — Se il realismo estremo caratterizza soprattutto la prima fase della scolastica (cioè i secoli IX-XII, dominati dal verbo di Platone), il realismo moderato impronta soprattutto la seconda fase di essa (il XIII secolo, dominato dal verbo di Aristotele). Perciò la transizione di Guglielmo di Champeaux dal realismo estremo a quello moderato non è riconducibile a un semplice voltafaccia personale, ma esprime in modo emblematico un **cambiamento di concezione effettivamente avvenuto nella scolastica del Medioevo in seguito a una maggiore conoscenza di Aristotele**.

La vittoria del realismo moderato e dell'aristotelismo non coincise tuttavia con la totale sconfitta del realismo estremo e del platonismo. Infatti i realisti moderati, pur credendo che gli universali, nel nostro mondo, esistessero soltanto *in re*, nel contempo ritennero che essi, nella mente di Dio, esistessero sotto forma di idee archetipe *ante rem*: tali pensatori conciliarono in tal modo le istanze più profonde dell'aristotelismo con quelle del platonismo.

Al realismo estremo si oppone, quale antitesi radicale, il "nominalismo estremo". Infatti, se il primo ai concetti universali fa corrispondere realtà universali, il secondo afferma che **l'essere esiste soltanto in forma individuale** (*nihil est praeter individuum*) e che i cosiddetti "universali" sono soltanto dei "nomi" privi di qualunque corrispettivo reale.

*Il nominalismo estremo*

Tale posizione viene tradizionalmente riferita a **Roscellino** (1050-1120). Sembra infatti che quest'ultimo, secondo quanto ci dice il suo avversario Anselmo d'Aosta, avesse ridotto gli universali a semplici *flatus vocis*, cioè a pure emissioni fisiche di voce, rifiutandosi di riconoscere ad essi qualsiasi altro valore. Purtroppo, le poche (e per di più tendenziose) notizie che possediamo riguardo al pensiero di Roscellino non ci consentono di attribuire un significato preciso e incontrovertibile alla tesi da lui sostenuta, tesi che in ogni caso sembra mettere in discussione non solo la realtà ontologica degli universali, ma anche la loro consistenza logico-mentale.

Infine, per "nominalismo moderato" si intende la dottrina secondo cui gli universali non esistono nelle cose, ma soltanto *in intellectu*, essendo nient'altro che **"segni" mentali**, atti a raccogliere in una stessa classe una serie di individui aventi tra loro caratteristiche affini. Questa soluzione, che è sostanzialmente una ripresa della teoria cinico-stoica del concetto (attinta il più delle volte da Boezio e da Cicerone), afferma che l'universale, pur non possedendo consistenza ontologica, manifesta una specifica **validità logico-gnoseologica**.

*Il nominalismo moderato*

La più compiuta espressione di tale dottrina, già embrionalmente presente in Enrico di Auxerre (841-876) e alimentata dalla traduzione dall'arabo del *De aspectibus* di Alhazen (Ibn Al Haitham, 965-1039) si deve, alla fine della scolastica, a Guglielmo di Ockham (v. p. 645).

## I tentativi di compromesso tra realismo e nominalismo: da Abelardo a Scoto

La disputa tra realisti e nominalisti dette luogo, nel Medioevo, ad alcuni tentativi di compromesso tra le due posizioni. Il più caratteristico di tali tentativi fu il **"concettualismo" di Abelardo** (v. p. 599), il quale delineò **una sorta di "terza via"** tra le istanze del nominalismo estremo e quelle del realismo moderato.

Secondo Abelardo, **il concetto, o l'universale, non può essere una realtà**, giacché una realtà non può essere il predicato di un'altra realtà. **Non può essere** neppure, come voleva Roscellino, **un puro nome**, perché anche il nome è una realtà particolare e non può essere il predicato di un'altra. Esso **è piuttosto un *sermo*, un discorso**, ovvero qualcosa che implica sempre un riferimento alla cosa significata, ossia che tende a significare o a indicare qualche cosa. La scolastica posteriore chiamerà "**intenzionalità**" questo riferirsi

*L'intenzionalità del concetto e la sua "oggettività"*

del concetto alla cosa significata e, di conseguenza, chiamerà il concetto stesso "**intenzione**" (*intentio*).

C'è tuttavia un elemento oggettivo che giustifica, secondo Abelardo, il riferimento di un concetto a un gruppo di cose particolari piuttosto che a un altro. Ad esempio, se il concetto "uomo" viene adoperato a indicare gli uomini e non gli asini, ciò accade perché gli uomini hanno in comune il loro "essere uomini". Questo *status*, che non denota una realtà sostanziale o un'essenza comune, ma la **condizione uniforme** in cui si trovano tutti gli enti individuali designati da un unico concetto, è ciò che costituisce la **realtà oggettiva del concetto** stesso e che giustifica la sua validità.

**Tommaso e Duns Scoto**

Un altro tentativo di compromesso tra realismo e nominalismo estremi è quello di Tommaso d'Aquino (v. p. 622), il quale, all'interno del proprio realismo moderato, sostiene che l'universale è *in re*, ossia nella cosa, come sostanza di essa; *post rem*, dopo la cosa, come concetto elaborato sulla base dell'esperienza; *ante rem*, prima della cosa, nella mente divina, a titolo di idea, o modello, delle cose create.

Un po' meno noto, ma non meno importante, è invece il tentativo di Duns Scoto (v. p. 639), il quale identifica l'universale con una «**natura comune**» **che non è né un'entità autonoma** (realismo estremo), **né un puro** *sermo* **della mente** (nominalismo), bensì una **sostanza che da un lato si individualizza nei singoli esseri e dall'altro si universalizza nel concetto**.

**La strutturale inconciliabilità di realismo e nominalismo**

Di fronte a queste soluzioni di compromesso, nelle quali l'apparente opposizione sembra risolversi in una sostanziale conciliazione, ottenuta tramite una graduazione armonica delle diverse posizioni, alcuni storici (si pensi ad esempio a Guido De Ruggiero) sono giunti a considerare la "lotta" tra realisti e nominalisti come un semplice "equivoco" di cui sarebbero responsabili gli stessi dottori medievali. Questi, infatti, avrebbero unilateralmente accentuato, secondo il loro gusto platonico o aristotelico, questa o quella tesi, trascurando di porla in relazione con le altre. In realtà, un'ipotesi interpretativa di questo tipo tradisce una grave incomprensione della strutturale inconciliabilità tra la via realistica e quella nominalistica, le quali, al di là dei tentativi di giustapposizione, partono non solo da **differenti presupposti teorici** (platonico-aristotelici da un lato e cinico-stoici dall'altro), ma conducono anche a **risultati profondamente diversi**.

## Le conseguenze della disputa sugli universali

Quella che all'inizio poté sembrare un'innocua questione linguistico-grammaticale relativa ai termini generali, si rivelò ben presto un problema di notevole portata gnoseologica, logica e metafisica, tale da investire (come si è già accennato) il valore e il fondamento della conoscenza stessa. Esso, inoltre, portò a una serie di conseguenze inaspettate anche nel campo più strettamente teologico.

**Le conseguenze gnoseologiche**

Come sappiamo, sul piano gnoseologico e logico la soluzione dominante della **filosofia greca** era stata quella di tipo realistico, basata sul presupposto secondo cui **il pensiero è** sostanzialmente **la riproduzione dell'essere, o della realtà**. Solo la linea sofistico-scettica aveva radicalmente messo in discussione tale postulato, ma nel mondo antico non aveva avuto molta fortuna. Tant'è vero che la nuova filosofia cristiana aveva continuato per secoli a pensare in un **orizzonte totalmente realistico**.

Il problema degli universali tornava dunque ad agitare la vecchia questione sollevata per la prima volta dai sofisti: **il pensiero e il linguaggio hanno davvero la prerogativa di rispecchiare l'essere e le sue strutture reali?** I nostri concetti e i nostri termini sono davvero la controparte logico-linguistica delle essenze metafisiche delle cose?

Ovviamente, un problema di questo tipo aveva un'inevitabile ripercussione anche in campo ontologico-metafisico, poiché il realismo, sottintendendo un sostanziale parallelismo tra *voces* e *res*, ovvero una stretta **corrispondenza tra pensiero, linguaggio e realtà**, implicava la possibilità, da parte del pensiero, di porsi come "fotografia" della realtà, ovvero di coglierne le forme o strutture, e quindi di far metafisica. Al contrario, il nominalismo, rifiutando la sostanzialità delle forme e assimilando i concetti generali a simboli astratti di realtà puramente individuali, sottintendeva un potenziale divorzio tra il pensiero e la realtà, destinato a mettere in forse la validità dello stesso discorso metafisico.

Analogamente, mentre il realismo, grazie ai concetti di sostanza, specie, atto ecc., si prestava a giustificare filosoficamente sia il dogma trinitario sia il discorso teologico nella sua globalità, il nominalismo sembrava minare entrambe le cose. La portata antimetafisica e antiteologica del nominalismo diventerà esplicita soprattutto nella tarda scolastica, allorquando Ockham, riducendo il pensiero astratto a pura catalogazione dell'esperienza e anteponendo alla ragione la conoscenza sensibile (empirismo), finirà per minare la possibilità di qualsiasi discorso meta-empirico, cioè condotto oltre i limiti dell'esperienza immediatamente accessibile.

*Le conseguenze metafisico-teologiche*

Tutto ciò portò l'antagonismo tra realismo e nominalismo, o tra la "via antica" e la "via moderna", a tradursi ben presto, al di là della sottigliezza delle dispute e della consapevolezza degli stessi autori, in un **antagonismo di fondo** capace di far "saltare" qualsiasi tentativo di composizione. Infatti, mentre le correnti realistiche della scolastica continuarono a difendere la tradizionale concezione metafisica e teologica del mondo, quelle nominalistiche finirono per schierarsi contro la metafisica e contro la teologia, pervenendo in alcuni casi anche a concezioni ardite, che costituirono l'annuncio, o la preparazione, delle concezioni rinascimentali e moderne. In conclusione, la posta in gioco nella disputa sugli universali si rivelò, a lungo andare, la sopravvivenza della scolastica stessa.

*L'inconciliabilità dell'opposizione*

# 6. Abelardo

## Ragione e autorità

Quella di Abelardo è una delle più grandi figure del Medioevo. Nacque nel 1079 presso Nantes; insegnò dapprima dialettica in varie località della Francia, e poi, dal 1113, teologia presso la scuola cattedrale di Parigi. Dotato di grande potenza comunicativa, convinto del valore altissimo della ricerca filosofica, egli ottenne come maestro un enorme successo, che per tutta l'epoca successiva contribuì alla celebrità della scuola di Parigi e dette il primo grande impulso all'Università che doveva nascere da essa. L'avventura con la giovane Eloisa, la vivacità dialettica e l'intemperanza polemica gli procurarono persecuzioni e condanne: la sua dottrina trinitaria, in particolare, fu condannata nel Concilio di Soissons (1120). Abelardo morì a 63 anni, nel 1142, e fu sepolto nell'oratorio detto il

*La vita*

"Paracleto" (o Spirito Santo) presso Nogent-sur-Seine, dove aveva per molti anni insegnato; accanto a lui fu sepolta Eloisa.

**Le opere** Le sue opere principali sono: il *Sì e no*, il *Trattato sull'Unità e Trinità divina*, l'*Introduzione alla teologia*, la *Teologia cristiana* e l'*Etica*, o *Conosci te stesso*. Notevoli anche le *Lettere* sue e di Eloisa, con la quale il filosofo ebbe la storia d'amore più famosa del Medioevo: una di esse porta il titolo "Storia delle mie disgrazie" ed è la sua autobiografia.

***Intelligo ut credam*** Abelardo è un assertore risoluto dei diritti della ragione. Egli ritiene che non si possa credere se non a ciò che si intende (*intelligo ut credam*) e che in ogni caso si debba **discutere sull'opportunità o meno di prestar fede a qualcosa**, giacché se non si dovesse discutere su ciò che si deve o non si deve credere, non rimarrebbe che prestar fede sia a quelli che dicono il vero, sia a quelli che dicono il falso. All'autorità bisogna aderire solo finché non si è scoperto il motivo razionale, o la dimostrazione, di ciò che essa insegna; ma essa diventa inutile quando la ragione ha modo di accertare da sé la verità. →**T2**

**Il metodo del *sic et non*** La ricerca filosofica è impostata da Abelardo per la prima volta su nuove basi. Nella sua opera *Sì e no* egli raccoglie le opinioni dei padri della Chiesa e le ordina in modo da mettere in luce come, a uno stesso problema, esse diano spesso risposte contrarie. Lo scopo di Abelardo è quello di mostrare la necessità di **adoperare la ragione per risolvere il contrasto delle opinioni**.

Il metodo di Abelardo diventerà in seguito proprio di tutti gli scolastici e si manterrà fino alla fine della scolastica stessa. Esso consiste nello stabilire una *quaestio*, nell'enunciare gli **argomenti favorevoli e contrari** sia alla risposta positiva sia a quella negativa e, infine, nello **scegliere una delle due soluzioni**, confutando la soluzione opposta.

**La rivalutazione della filosofia greca** L'importanza che Abelardo assegna alla ricerca razionale lo inclina ad attribuire il massimo valore ai filosofi pagani, i quali hanno anch'essi cercato e trovato la verità: perciò Abelardo è convinto che tra il loro insegnamento e quello del cristianesimo debba esserci un accordo fondamentale. A tale proposito, Abelardo sottolinea come i filosofi greci avessero già conoscenza della Trinità: Platone, in particolare, aveva riconosciuto che l'Intelligenza divina nasce da Dio ed è a Lui coeterna, e aveva considerato l'Anima del mondo come una terza "persona", che procede da Dio ed è per il mondo vita e salvezza. Dunque Dio, Intelligenza e Anima del mondo, che costituiscono anche la Trinità cristiana.

## Le dottrine teologiche e l'antropologia

**La Trinità e i suoi attributi** Le dottrine teologiche di Abelardo si fondano sul seguente presupposto: egli ritiene che la distinzione delle tre persone divine sia fondata sulla distinzione dei loro attributi. Perciò con il nome di "Padre" si indica la **potenza** della maestà divina, per la quale essa può fare tutto ciò che vuole; con il nome di "Figlio", o "Verbo", si designa la **sapienza** di Dio, per la quale Egli può conoscere tutto con assoluta verità; con il nome di "Spirito Santo" si esprime la **carità**, o benignità, divina, per la quale Dio vuole che tutto sia disposto nel modo migliore e indirizzato al miglior fine.

Questa interpretazione di Abelardo fu combattuta da Bernardo di Chiaravalle, al quale pareva compromettere la realtà delle persone divine, ridotte ad "aspetti", o "modi" (modalismo) di una divinità unica: di qui derivò la condanna di Abelardo.

Per quanto riguarda **l'azione di Dio nel mondo**, essa per Abelardo **è necessaria**, perché è sempre quale deve essere e tutto ciò che deve essere. Poiché Dio non può volere che il bene, e il bene non può essere in alcun caso tralasciato da Lui, tutto ciò che Dio fa è quello che Egli poteva fare. Ammettere che Dio avrebbe potuto fare altrimenti da come ha fatto e che anche agendo altrimenti avrebbe fatto bene significherebbe infatti togliere all'azione di Dio ogni fondamento e alla sua scelta ogni motivo, perché in tal caso non ci sarebbe alcuna ragione del fatto che Dio ha creato il mondo in questo modo anziché in un altro e la volontà divina sarebbe un cieco arbitrio.

Di qui Abelardo deriva il proprio ottimismo metafisico: **tutto ciò che accade**, poiché accade per volontà di Dio, il quale non può volere altro che il bene, **è bene**. Anche il tradimento di Giuda rientra nell'ordine provvidenziale, perché senza di esso non sarebbe stata possibile la redenzione dell'umanità. E, come il tradimento di Giuda, tutti i mali del mondo hanno la loro ragione e la loro finalità, anche se l'una e l'altra rimangono nascoste.

L'uomo porta in sé l'**immagine della Trinità** divina. Ciò che nella Trinità è la persona del Padre, nell'anima è la **sostanza**; ciò che nella Trinità è il Figlio, nell'anima è **virtù e sapienza**; ciò che nella Trinità è lo Spirito Santo, nell'anima è la **capacità di vivificare**.

L'uomo è libero, perché può agire in base a un giudizio razionale. Non è libero quando l'azione non è determinata da un giudizio di questo genere, ma è imposta da una forza estranea, per esempio da un istinto, come negli animali. Nella libertà così intesa si radica l'azione morale: Abelardo concepisce la vita morale dell'uomo come una continua **lotta della volontà razionale contro l'inclinazione naturale**. L'uomo pecca quando, invece di combattere con la ragione questa inclinazione, acconsente ad essa e vi dà libero corso. Basta l'*intenzione* a determinare il peccato; l'*azione* peccaminosa che ne segue non aggiunge nulla all'atto con cui l'uomo cede all'inclinazione e disprezza il volere divino.

# 7. Un'altra via verso Dio: la mistica

Mentre la scolastica cerca di avvicinare l'uomo a Dio mediante la speculazione filosofica, la mistica cerca di portare l'uomo a Dio attraverso l'esercizio dei poteri a lui conferiti direttamente dalla grazia divina. La mistica è dunque lo **sforzo di "transumanarsi"**, cioè di vincere, o annullare, la finitezza della natura umana per congiungersi a Dio.

Nel Medioevo, la via mistica e la ricerca scolastica sono perlopiù ritenute complementari e dirette a perseguire lo stesso scopo, sebbene per strade diverse. Talvolta, però, la mistica viene polemicamente contrapposta alla ricerca dottrinale, accusata di smarrirsi in sottigliezze e di sopravvalutare le deboli forze della ragione. In ogni caso, la via mistica è quella in cui l'uomo si affida, più che alla ragione, allo **slancio d'amore verso Dio**.

Il fondatore della mistica medievale è Bernardo di Chiaravalle, nato in Francia nel 1091 e morto nel chiostro di Clairvaux nel 1153. A Bernardo la ricerca scolastica appare inutile: egli definisce le discussioni dei filosofi come «loquacità piena di vento» e individua l'obiettivo più alto della filosofia nel «conoscere Gesù e la sua crocifissione». Tale conoscenza si raggiunge soltanto percorrendo la via mistica, la quale presenta vari gradi:

▶ il primo grado è quello della «**considerazione**», cioè dell'*intenzione* dell'anima di avvicinarsi alla verità;

▶ il secondo grado è quello della «**contemplazione**», cioè dell'*intuizione* vera e certa della verità da parte dell'anima.

Il momento della contemplazione si articola a sua volta in due gradi:

▶ l'**ammirazione** della maestà divina;

▶ l'**estasi**, o *excessus mentis*, in cui l'anima umana si perde in Dio così «come una piccola goccia d'acqua caduta nel vino si dissolve e assume il sapore e il colore del vino». L'estasi è un processo di **deificazione**, per il quale l'uomo dimentica completamente il proprio corpo e la propria umanità.

Se Bernardo contrappone la via mistica alla ricerca scolastica, Ugo e Riccardo di San Vittore, che dopo di lui furono i più famosi mistici medievali, la considerano invece come fondamentalmente in accordo con il pensiero razionale.

# 8. Aspetti della filosofia islamica ed ebraica

## La cultura islamico-araba

Tra le condizioni che più efficacemente stimolarono l'attività culturale dell'Occidente nel XII secolo bisogna ricordare i rapporti con il mondo orientale e, soprattutto, con gli Arabi.

*I punti di forza della cultura araba*

Il mondo arabo aveva infatti già assimilato, nei secoli precedenti, l'**eredità della filosofia e della scienza greche**, che invece rimanevano ancora in gran parte ignote alla cultura occidentale. Quest'ultima conosceva di esse solo quanto aveva potuto "filtrare" attraverso l'opera degli autori latini e dei padri della Chiesa. Inoltre, e forse appunto per questo, la filosofia araba appariva ai pensatori occidentali come la manifestazione stessa della ragione e quindi come una **possibile via di liberazione dalle pastoie della tradizione**. Adelardo di Bath, ad esempio, non esitava a contrapporre ciò che egli aveva appreso «dai maestri arabi, sotto la guida della ragione» alla «cavezza dell'autorità» da cui erano trascinati coloro che seguivano la tradizione (*Questioni naturali*, 6). In terzo luogo, la filosofia occidentale aveva in comune con le filosofie orientali la natura del problema dominante: anche la filosofia araba era infatti una **scolastica**, cioè costituiva il tentativo di trovare una via d'accesso razionale alla verità rivelata, e la verità rivelata cui cercava di accedere, quella stabilita nel Corano, presentava molti caratteri di somiglianza con quella cristiana. Infine, così come la filosofia cristiana, anche la scolastica araba viveva "a spese" della filosofia greca, specialmente del neoplatonismo e dell'aristotelismo.

Se questi aspetti spiegano l'influenza e la penetrazione profonda del pensiero arabo nei confronti della scolastica tra il XIII e il XIV secolo, ve ne sono però altri che mettono in luce l'inconciliabilità delle due culture.

*Le tendenze fondamentali della filosofia araba*

La cultura araba aveva cominciato a svilupparsi a partire dal califfato di Haroun El Rashid (785-809) con la traduzione (il più delle volte dal siriaco) di numerose opere di scienziati e filosofi greci. Tra l'XI e il XII secolo essa ebbe una grande fioritura, durante la quale apportò contributi originali alla scienza e alla filosofia.

Nella filosofia araba si possono distinguere **due tendenze fondamentali**: quella **neopla-**

tonica e quella **aristotelica**. Della prima il massimo rappresentante è **Avicenna**; della seconda **Averroè**. Ma il neoplatonismo, prima di Avicenna, ebbe altri notevoli rappresentanti, tra i quali ricordiamo Al Kindi (morto nell'873) e Al Farabi (morto nel 905).

**Avicenna.**    Ibn-Sina, che gli scolastici latini conobbero con il nome di Avicenna, era persiano e fu famoso come medico, oltre che come filosofo. Il suo *Canone di Medicina* fece testo per molto tempo. Morì a 57 anni, nel 1037. La sua opera principale è il *Libro della guarigione* (diviso in quattro parti: logica, fisica, matematica e metafisica), del quale nel XII secolo furono tradotte la *Logica*, la *Fisica* e la *Metafisica*.

È Avicenna a formulare nel modo più chiaro, che diverrà il modo "classico", il principio che caratterizza la filosofia araba nel suo insieme, vale a dire l'affermazione della necessità dell'essere, cioè l'affermazione che **tutto ciò che è o accade, è o accade necessariamente** e non potrebbe essere o accadere in modo diverso. La formulazione tipica trovata da Avicenna per questo principio è la seguente:

> Se una cosa non è necessaria in rapporto a se stessa, bisogna che sia *possibile* in rapporto a se stessa, ma *necessaria* in rapporto a una cosa diversa.
>
> (*Metafisica*, II, 1, 2)

*Il principio della necessità dell'essere*

L'essere che è necessario in rapporto a se stesso è Dio; l'essere che è possibile in rapporto a se stesso, ma necessario rispetto ad altro, cioè rispetto a Dio, è la natura. Le cose naturali, in quanto esistono, sono necessarie perché derivano necessariamente da Dio, essere necessario. Perciò **la creazione non è un atto libero, ma un processo che ha la sua prima origine in Dio e che si svolge necessariamente**. Tutto quello che esiste nel mondo naturale è quindi necessitato a esistere.

*La necessità del mondo naturale*

Tutti i filosofi arabi si interessarono al problema, derivante dalla dottrina aristotelica, dell'intelletto attivo, che essi in generale identificarono con Dio e dal quale perciò distinsero altre specie di intelletto. Già Al Kindi aveva distinto l'**intelletto attivo**, cioè quello divino; l'**intelletto potenziale o materiale**, che è quello umano e che riceve dal primo i principi in base ai quali può ragionare e dedurre; e l'**intelletto acquisito**, che è quello che ragiona e astrae i concetti dalle immagini, producendo così l'insieme delle conoscenze umane.

*La dottrina dell'intelletto e il problema dell'immortalità dell'anima*

Questa dottrina, derivante dai commentatori antichi di Aristotele e in particolare da Alessandro di Afrodisia, viene riprodotta da Avicenna. Essa interessò molto gli scolastici latini, perché sembrava mettere in dubbio l'immortalità dell'anima, in quanto poneva come **immortale il solo intelletto attivo**, che non ha bisogno del corpo per funzionare, mentre sia l'intelletto potenziale sia l'intelletto acquisito hanno bisogno del corpo, perché operano mediante immagini che derivano dalla sensibilità. Lo stesso Avicenna affermò che l'anima dell'uomo, dopo la morte, ritorna all'intelletto universale ed è quindi immortale solamente come attività intellettuale.

**Averroè.**    Il più celebre dei filosofi arabi è Ibn-Rashid, che gli scolastici chiamarono Averroè. Nacque a Cordova, in Spagna, nel 1126; subì l'esilio per le sue idee filosofiche e morì il 10 dicembre del 1198, all'età di 72 anni. Averroè compose un *Commento grande*, un *Commento medio* e una parafrasi delle opere di Aristotele. Egli scrisse anche una confutazione dell'opera di Al Gazali (1059-1111) intitolata *La distruzione dei filosofi*. Questa era diretta contro Avicenna, e in generale contro tutti i filosofi, in difesa dell'idea della libertà della creazione e, quindi, della non necessità del mondo. Lo scritto di risposta redatto da Averroè si intitola *La distruzione della distruzione dei filosofi di Al Gazali*.

**La dottrina di Aristotele come espressione della verità**

Per Averroè, Aristotele è «la regola e l'esemplare che la natura creò per dimostrare l'ultima perfezione umana»: **la dottrina di Aristotele è la verità stessa** e Averroè non si propone che di esporla e chiarirla. Egli è convinto che la filosofia aristotelica sia in **fondamentale accordo con la religione musulmana** e che anzi non faccia che esprimere meglio, cioè in forma scientifica e dimostrativa, la verità che la religione insegna nella forma semplice e primitiva adatta agli uomini incolti.

**L'ordine necessario del mondo**

L'insegnamento fondamentale di Aristotele è per Averroè la necessità di tutto ciò che esiste. Il mondo è necessario perché creato necessariamente da Dio. Questi è perfetto, e dunque tutto ciò che fa deve seguire in modo necessario dalla sua perfezione. Ecco perché il mondo non può aver avuto un inizio, ma deve essere eterno come Dio stesso. Inoltre, per la sua necessità, il mondo è tale che tutto ciò che in esso accade *deve* accadere proprio nel modo in cui accade. **L'ordine del mondo non può essere modificato, o infranto, ma dirige la stessa azione dell'uomo,** il quale pertanto non ha alcuna libertà di iniziativa.

Questo principio della necessità dell'ordine del mondo si rivelerà importante per l'indagine scientifica, la quale nel Rinascimento (come vedremo) verrà incoraggiata proprio dalla fiducia di poter scoprire, in tutti i fatti naturali, un ordine necessario.

**L'eternità del mondo**

Un corollario della dottrina della necessità dell'essere è la dottrina dell'eternità del mondo. Averroè ammette, come Avicenna, che il mondo è stato creato, giacché l'essere del mondo è un essere possibile, che non verrebbe alla realtà senza l'azione creativa di Dio. Ma egli vede nella **creazione** non un atto libero di Dio, bensì una sua necessaria manifestazione, che, come tale, non ha avuto inizio nel tempo. Dacché c'è Dio, cioè *ab aeterno*, ci deve essere il mondo, perché **il mondo deriva dalla natura stessa di Dio come sua manifestazione necessaria.**

**La dottrina dell'intelletto**

Oltre a quelle della necessità dell'essere e dell'eternità del mondo, la terza dottrina tipica dell'averroismo è quella dell'intelletto. Già la precedente filosofia araba, da Al Kindi ad Avicenna, aveva separato l'intelletto attivo dall'uomo, attribuendolo a Dio. Averroè separa dall'uomo anche l'intelletto potenziale (che per i pensatori precedenti costituiva l'anima razionale), per la ragione che, se l'intelletto potenziale può trasformarsi in intelletto attivo, è perché ne condivide la natura. **L'uomo**, quindi, **non fa che *partecipare* dell'intelletto divino**: da tale partecipazione nasce la disposizione umana ad astrarre le forme intelligibili dalle cose, formando i concetti e i principi di cui è costituita la conoscenza.

Per illustrare la propria dottrina, Averroè riprende e modifica la metafora aristotelica della luce e dei colori: così come il sole illumina l'aria, portando all'atto i colori delle cose, allo stesso modo l'intelletto attivo illumina l'intelletto potenziale, disponendo in tal modo l'anima umana (che partecipa di quest'ultimo) ad astrarre dalle rappresentazioni sensibili i concetti e le verità universali. **L'intelletto è quindi unico per tutti gli uomini, ed è separato dalla loro anima.**

**La doppia verità**

Le due dottrine dell'eternità del mondo (che ne escludeva la libera creazione da parte di Dio) e della separazione dell'intelletto dall'anima (che escludeva l'immortalità dell'anima) erano in evidente contrasto sia con le credenze maomettane, sia con quelle cristiane. A questo proposito, Averroè affermava che è l'attività razionale del filosofo a dover costituire la sua fede, mentre le sue credenze religiose rappresentano un sostituto di tale attività. In ogni caso, verità filosofica e verità religiosa, pur essendo diverse per quanto concerne la forma (poiché l'una rimanda alla dimostrazione e l'altra al Corano), non sono tra loro in contrasto. Questa convinzione fu (erroneamente) interpretata dagli scolastici cristiani come dottrina della "doppia verità": una **verità di ragione**, cui l'uomo giunge con la filosofia, e una **verità di fede**, rivelata e imposta dall'autorità religiosa. In seguito parecchi filosofi del Medioevo e del Rinascimento fecero appello a questa dottrina.

## La filosofia ebraica

La filosofia ebraica del Medioevo è rappresentata da un lato dalla Cabala, dall'altro da interpretazioni personali della dottrina platonico-aristotelica.

La Cabala (termine che letteralmente significa "tradizione") è una dottrina segreta che fu prima trasmessa oralmente e poi esposta da alcuni rabbini in un certo numero di trattati di cui due ci sono giunti interi, o quasi: il *Libro della creazione* e il *Libro dello splendore*. Questi trattati espongono una dottrina emanatistica simile a quella dei neoplatonici e dei neopitagorici dei primi secoli.

La speculazione ebraica vera e propria comincia con Isacco, vissuto in Egitto tra l'845 e il 940, che però è un puro compilatore. Figura assai più notevole è invece quella di Avicebron. Ibn-Gebirol, detto Avicebron, nacque a Malaga tra il 1020 e il 1021 e fu celebre anche come poeta. La sua opera, intitolata *Fons vitae* e tradotta in latino nel XII secolo, è scritta in forma di dialogo.

Il principio fondamentale del pensiero di Avicebron è quello della **composizione ilomorfica universale**: tutto ciò che esiste è composto di materia e forma. Ma, a differenza di Aristotele, Avicebron ritiene che tutte le materie costituiscano un'unica materia e tutte le forme costituiscano un'unica forma. La materia, infatti, per Avicebron non è soltanto corpo, in quanto esiste una materia anche delle sostanze spirituali: sicché essa è in generale la sostanza, cioè la prima delle dieci categorie aristoteliche. La forma unica e universale è invece costituita dalle altre nove categorie aristoteliche. La materia e la forma tendono a unirsi l'una all'altra grazie a un desiderio, o amore, reciproco comunicato ad esse dallo stesso creatore.

Il maggiore dei filosofi ebrei è Mosè Ben Maimoun, detto Maimonide. Nato a Cordova il 30 marzo 1135, fu famoso come medico e morì in Egitto il 13 dicembre 1204. La sua opera fondamentale è la *Guida dei perplessi*, indirizzata a coloro che respingono tanto l'irreligiosità quanto la fede cieca, e che pertanto restano dubbiosi tra le esigenze della fede e quelle della ragione.

La filosofia di Maimonide è un ingegnoso tentativo di eliminare quella necessità che l'aristotelismo arabo aveva introdotto nella concezione del mondo. Maimonide ritiene che la tesi della necessità e dell'eternità del mondo non sia stata dimostrata e che, anzi, abbia migliori ragioni a suo favore la tesi opposta, che ammette la contingenza e l'inizio nel tempo del mondo. Il filosofo è convinto di poter mostrare che **l'azione creatrice di Dio non è necessaria**, cioè rigorosamente determinata, ma contingente e libera. Infatti come si spiega la grande varietà degli esseri che esistono nel mondo naturale? I filosofi arabi l'attribuivano all'azione delle sfere celesti. Ma quest'azione è uniforme e quindi non può spiegare ciò che è variabile e molteplice. Di questa varietà non si può addurre altra causa che la volontà di Dio. Ma ciò vuol dire che **la volontà di Dio agisce liberamente e contingentemente**, e che se essa crea in un modo le cose, ciò non esclude che potrebbe benissimo crearle in un altro modo o in tanti altri modi diversi.

**La Cabala**

**Avicebron e la composizione ilomorfica dell'universo**

**Mosè Maimonide e il rifiuto del necessitarismo**

# 9. Aristotele in Occidente

## Le prime reazioni

A partire dal XII secolo, le opere filosofiche e fisiche di Aristotele (del quale prima si conosceva soltanto la logica) e quelle dei suoi commentatori arabi e giudaici cominciarono a essere tradotte in latino e ad essere studiate e commentate nelle università.

**L'iniziale rifiuto di Aristotele**

**La prima reazione verso l'aristotelismo fu di ostilità.** Gli interpreti arabi, dai quali in un primo tempo non venne sufficientemente distinta la dottrina originale dello Stagirita, avevano accentuato quei caratteri dell'aristotelismo che lo facevano apparire contrario alle credenze fondamentali del cristianesimo. Tali erano le dottrine della necessità e dell'eternità del mondo, che risultavano contrarie alla credenza nella creazione e nella libertà dell'uomo. E tale era la tesi dell'unità dell'intelletto, che pareva escludere l'immortalità dell'anima umana. Il primo degli scolastici a prendere posizione contro l'aristotelismo fu Guglielmo di Alvernia, che fu maestro di teologia all'Università di Parigi e vescovo della stessa città, e che morì nel 1249.

**Il mantenimento delle posizioni platonico-agostiniane**

Ma l'aristotelismo si diffondeva sempre più tra gli studiosi e a nulla valevano le proibizioni delle autorità ecclesiastiche. Il primo effetto di questa crescente diffusione fu l'irrigidirsi della scolastica nella sua posizione tradizionale, che era quella platonico-agostiniana. Su questa posizione gli scolastici cercarono di innestare alcuni principi dell'aristotelismo, ma respinsero l'insieme del sistema, rimanendo in tal modo fedeli all'indirizzo agostiniano che era stato fino ad allora dominante. Tale fu il compito che si assunse **Alessandro di Hales**, inglese, nato tra il 1170 e il 1180, che fu il primo rappresentante dell'ordine francescano nell'Università di Parigi. La sua *Somma di tutta la teologia* è un'opera vastissima, che ha la pretesa di riassumere l'intera tradizione della scolastica latina per farne un argine contro le nuove correnti aristoteliche.

**Roberto Grossatesta**

Il **ritorno all'agostinismo** come metodo per conservare e riformare la tradizione originaria della scolastica contro l'aristotelismo fu utilizzato anche da Roberto Grossatesta. Roberto nacque nel 1175 in Inghilterra; fu maestro e cancelliere dell'Università di Oxford e poi vescovo di Lincoln; morì nel 1253.

La parte più originale dell'opera di Roberto è quella che concerne la filosofia naturale. Egli afferma che **lo studio della natura deve essere fondato sulla matematica** e riduce l'intera fisica a una **teoria della luce.** La luce è la forma prima dei corpi, cioè la loro stessa essenza corporea. Poiché si diffonde da sé in tutte le direzioni, essa si identifica con la corporeità, la quale è appunto l'estensione della materia nelle tre dimensioni dello spazio.

## Bonaventura

**Vita e opere**

Il ritorno ad Agostino culmina nella dottrina di Bonaventura da Bagnoregio. Giovanni Fidanza, detto Bonaventura nell'ordine francescano, nacque a Bagnoregio (Viterbo) nel 1221. Fu maestro presso l'Università di Parigi e amico di Tommaso. Morì nel 1274. Il suo scritto fondamentale è il *Commentario alle Sentenze di Pietro Lombardo*, mentre il suo capolavoro mistico è l'*Itinerario della mente verso Dio*.

Contro Aristotele, Bonaventura afferma che **non tutte le conoscenze derivano dai sensi**: infatti l'anima conosce Dio e se stessa senza l'aiuto della sensibilità. Dai sensi derivano le specie, o similitudini, delle cose, che di queste sono "immagini", o "pitture". Ma di tali specie sensibili l'anima non potrebbe fare uso, se non le fosse dato da Dio un lume direttivo che la guida nell'organizzarle. Bonaventura accetta così la **dottrina agostiniana dell'illuminazione divina**.

La dottrina della conoscenza

Così come è la norma della conoscenza umana, Dio è pure la norma dell'essere delle cose, delle quali infatti costituisce il modello. L'idea, o l'esemplare, di una cosa nella mente di Dio si identifica con l'essenza divina e si moltiplica solo in riferimento alle cose create, ma non in Dio stesso.

Per ciò che riguarda l'esistenza di Dio, Bonaventura accetta l'**argomento ontologico** di Anselmo. «La verità dell'essere divino – egli dice – è tale che non si può credere effettivamente che egli non sia, se non per ignoranza di ciò che il suo stesso nome significa» (*Commentario*, I).

L'esistenza di Dio

Per quanto riguarda l'eternità del **mondo**, Bonaventura afferma che questo, essendo stato creato dal nulla, **non può essere eterno**, perché prima di essere era appunto nulla. Ritenendo impossibile affermare l'eternità del mondo, Bonaventura riconosce invece valore dimostrativo a quegli argomenti che Maimonide (come poi Tommaso) considera solo probabili.

La non eternità del mondo

**L'anima** è per Bonaventura il motore del corpo. Essa non è pura forma (come volevano gli aristotelici), ma ha una materia sua propria; quindi **è sostanza**, nel senso perfetto del termine: **separabile dal corpo, incorruttibile e immortale**.

L'anima e la libertà d'azione

Così come riconosce all'uomo la capacità di iniziativa nel campo della conoscenza, allo stesso modo Bonaventura gli riconosce la libertà nel campo dell'azione, e così come la conoscenza è guidata dalla luce divina, da questa stessa luce è guidata la condotta dell'uomo. La luce che guida l'uomo è la «sinderesi», cioè una "scintilla" nella coscienza: un criterio naturale di giudizio che orienta l'uomo al bene, esattamente come i principi dell'intelletto, che derivano anch'essi dall'azione illuminatrice di Dio, lo orientano alla verità.

Nell'*Itinerario della mente verso Dio* Bonaventura distingue (con Ugo di San Vittore) **tre "occhi" o facoltà della mente**, o dell'anima, umana: quello rivolto alle cose esterne, che è la **sensibilità**; quello rivolto a se stesso, che è lo **spirito**; quello rivolto al di sopra di sé, che è la **mente**. Ognuna di queste facoltà può vedere Dio *per speculum*, cioè attraverso l'immagine che le cose hanno in sé di Dio, o *in speculo*, cioè nell'orma che le cose hanno dell'essere e della bontà di Dio. Si hanno così **sei "potenze" dell'anima**, a seconda di quale facoltà dell'anima e di quale modalità di "visione" si prendano in considerazione: **senso e immaginazione, ragione e intelletto, intelligenza e sinderesi**, che costituisce il culmine della conoscenza umana.

Gli "occhi" dell'anima e i sei tipi di "visione"

A queste sei potenze dell'anima corrispondono sei gradi dell'ascesa verso Dio:

I gradi dell'ascesa verso Dio

▶ la considerazione dell'ordine e della bellezza delle cose;

▶ la considerazione delle cose quali sono nell'anima umana, che nell'apprenderle le astrae dalle condizioni sensibili;

▶ la contemplazione dell'immagine di Dio attraverso i poteri naturali dell'anima: memoria, intelletto e volontà;

▶ la contemplazione di Dio nell'anima illuminata e perfezionata dalla fede, dalla speranza e dalla carità;

▶ la contemplazione di Dio direttamente nel suo primo attributo, che è l'essere;
▶ la contemplazione di Dio nella sua massima potenza, che è il Bene, per il quale Dio si diffonde e si articola nella Trinità.

**L'estasi**  Dopo questo sesto grado bisogna abbandonare le operazioni intellettuali e affidarsi alla grazia, perché sollevi l'anima a Dio. **Attraverso la grazia l'anima raggiunge l'estasi**, definita da Bonaventura come uno stato di «ignoranza dotta», nel quale l'oscurità dei poteri umani diventa luce soprannaturale.

## Alberto Magno

Di fronte all'aristotelismo, giunto nel mondo latino attraverso la filosofia araba, l'irrigidirsi degli scolastici sulle posizioni platonico-agostiniane della tradizione non rappresenta che una delle due risposte possibili. L'uomo che sa dare alla filosofia aristotelica il diritto di cittadinanza nella scolastica latina è Alberto Magno (1193-1280).

**L'aristotelismo come filosofia perfetta**  Egli dichiara di non voler far altro che esporre le opinioni di Aristotele e dei peripatetici, esprimendo con questo atteggiamento la convinzione che la **filosofia di Aristotele** sia senz'altro "la" filosofia, cioè **l'opera più perfetta cui la ragione umana è potuta giungere**. Egli distingue nettamente la ricerca filosofica dalla teologia. La filosofia deve servirsi esclusivamente della ragione e procedere per via di dimostrazioni necessarie. La teologia invece si serve di principi ammessi per fede.

## Indicazioni bibliografiche

### OPERE SULLA FILOSOFIA MEDIEVALE

■ J.R. Weinberg, *Introduzione alla filosofia medievale*, Il Mulino, Bologna 1985 ■ U. Eco, *Arte e bellezza nell'estetica medievale*, Bompiani, Milano 1987 ■ M.T. Fumagalli Beonio Brocchieri, M. Parodi, *Storia della filosofia medievale*, Laterza, Roma-Bari 1989 ■ A. Ghisalberti, *Medioevo teologico*, Laterza, Roma-Bari 1990 ■ B. Mondin, *Storia della filosofia medievale*, Urbaniana University Press, Roma 1991[2] ■ A. De Libera, *Storia della filosofia medievale*, Jaca Book, Milano 1995 ■ R. Evans Gillian, *Tra fede e ragione. Breve storia del pensiero medievale da Agostino a Cusano*, ECIG, Genova 1996 ■ J. Le Goff, *Gli intellettuali nel Medioevo*, Mondadori, Milano 1984.

### OPERE DI ANSELMO

■ S. Vanni Rovighi (a cura di), *Opere filosofiche*, Laterza, Roma-Bari 1969 ■ I. Biffi, C. Marabelli (a cura di), *Priore e abate del Bec. Lettere*, Jaca Book, Milano 1988 ■ I. Biffi, C. Marabelli (a cura di), *Arcivescovo di Canterbury. Lettere 1*, Jaca Book, Milano 1990 e *Lettere 2*, Milano 1993 ■ I. Biffi e C. Marabelli (a cura di), *Orazioni e meditazioni*, Jaca Book, Milano 1995 ■ I. Sciuto (a cura di), *Proslogion*, Rusconi, Milano 1996.

### OPERE SU ANSELMO

■ S. Vanni Rovighi, *Introduzione a Sant'Anselmo d'Aosta*, Laterza, Roma-Bari 1987 ■ M. Parodi, *Il conflitto dei pensieri*, Lubrina, Bergamo 1988 ■ I. Biffi, C. Marabelli (a cura di), *Anselmo d'Aosta figura europea*, Jaca Book, Milano 1989 ■ G. Colombo, *Invito al pensiero di sant'Anselmo*, Mursia, Milano 1990 ■ I. Sciuto, *La ragione della fede. Il Monologion e il programma filosofico di Anselmo d'Aosta*, Marietti, Genova 1991 ■ C. Vigna (a cura di), *Dio e la ragione. Anselmo d'Aosta, l'argomento ontologico e la filosofia*, Marietti, Genova 1993 ■ A. Staglianò, *La mente umana alla prova di Dio. Filosofia e teologia nel dibattito contemporaneo sull'argomento di Anselmo d'Aosta*, EDB, Bologna 1996 ■ F. Tomatis, *L'argomento ontologico. L'esistenza di Dio da Anselmo a Schelling*, Città Nuova, Roma 1997.

### OPERE SULLA LOGICA MEDIEVALE E SUL PROBLEMA DEGLI UNIVERSALI

■ B. Maioli, *Gli universali. Alle origini del problema*, Bulzoni, Roma 1973 ■ B. Maioli, *Gli universali. Storia antologica del problema*, Bulzoni, Roma 1974 ■ L. Gentile, *Roscellino di Compiègne ed il problema degli universali*, Itinerari, Lanciano 1975 ■ L. Urbani Ulivi (a cura di), *Gli universali e la formazione dei concetti*, Edizioni di Comunità, Milano 1981 ■ AA. VV., *Linguistica medievale*, Adriatica, Bari 1983 ■ G. Manetti, *Le teorie del segno nell'antichità classica*, Bompiani, Milano 1987 ■ L. Pozzi, *Introduzione alla logica medievale*, Grafo, Brescia 1992.

### OPERE DI ABELARDO

■ F. Alessi (a cura di), *Scritti*, La Goliardica, Milano 1967 ■ M. Dal Pra (a cura di), *Scritti di logica*, La Nuova Italia, Firenze 1969 ■ M. Dal Pra (a cura di), *Conosci te stesso o Etica*, La Nuova Italia, Firenze 1976 ■ C. Scerbanenco (a cura di), *Lettere di Abelardo e Eloisa*, Rizzoli, Milano 1996 ■ M. Rossini (a cura di), *Teologia del sommo bene*, Rusconi, Milano 1996.

### OPERE SU ABELARDO

■ G. Allegro, *La teologia di Pietro Abelardo fra letture e pregiudizi*, Officina Studi Medievali, Palermo 1990 ■ G. Ballanti, *Pietro Abelardo. La rinascita scolastica del XII secolo*, La Nuova Italia, Firenze 1995 ■ J. Jolivet, *Abelardo. Dialettica e mistero*, Jaca Book, Milano 1996.

### OPERE SULLA FILOSOFIA ARABA

■ H. Corbin, *Storia della filosofia islamica*, Adelphi, Milano 1989 ■ C. Baffioni, *Storia della filosofia islamica*, Mondadori, Milano 1991 ■ O. Leaman, *La filosofia islamica medievale*, Il Mulino, Bologna 1991 ■ C. D'Ancona Costa, *La casa della sapienza. La trasmissione della metafisica greca e la formazione della filosofia araba*, Guerini e Associati, Milano 1996 ■ C. Baffioni, *Filosofia e religione in Islam*, NIS, Roma 1997 ■ G. Quadri, *La filosofia araba nel suo fiore*, La Nuova Italia, Firenze 1997.

### OPERE SULLA FILOSOFIA EBRAICA

■ C. Sirat, *La filosofia ebraica medievale secondo i testi editi e inediti*, Paideia, Brescia 1990 ■ I. Kajon (a cura di), *La storia della filosofia ebraica*, Cedam, Padova 1993 ■ M.R. Hayoun, *I filosofi ebrei nel Medioevo*, Jaca Book, Milano 1994 ■ M. Zonta, *La filosofia antica nel Medioevo ebraico*, Paideia, Brescia 1996.

### OPERE DI BONAVENTURA

■ AA.VV. (a cura di), *Opere*, Città Nuova, Roma 1990, 22 voll. ■ M. Letterio (a cura di), *Itinerario dell'anima a Dio*, Rusconi, Milano 1996.

### OPERE SU BONAVENTURA

■ V.C. Bigi, *Studi sul pensiero di san Bonaventura*, Porziuncola, Perugia 1988 ■ J.G. Bougerol, *Introduzione a san Bonaventura*, LIEF, Vicenza 1988 ■ É. Gilson, *La filosofia di san Bonaventura*, Jaca Book, Milano 1995 ■ M. Sgarbossa, *Bonaventura. Il teologo della perfetta letizia*, Città Nuova, Roma 1997.

### OPERE DI ALBERTO MAGNO

■ A. Taravocchia Canavero (a cura di), *Il bene. Trattato sulla natura del bene. La fortezza, la prudenza, la giustizia*, Rusconi, Milano 1987.

### OPERE SU ALBERTO MAGNO

■ G. Wilms, *Sant'Alberto Magno*, ESD, Bologna 1992 ■ A. Caparello, *Senso e interiorità in Alberto Magno*, Herder, Roma 1993 ■ J. Weisheipl, *S. Alberto Magno e le scienze*, ESD, Bologna 1993.

CAPITOLO

# 2

# Tommaso d'Aquino

## ✗ 1. Vita e opere

**L'importanza e l'originalità dell'opera di Tommaso**

L'opera di Tommaso d'Aquino segna una tappa decisiva nella storia della scolastica. Il lavoro iniziato da Alberto Magno trova nella speculazione tomistica la propria continuazione e il proprio compimento. L'**aristotelismo**, con Tommaso, diventa flessibile e docile alle esigenze del **pensiero cristiano**, e non per mezzo di espedienti occasionali o di adattamenti artificiosi (secondo il metodo di Alberto), ma in virtù di una riforma radicale dell'intero sistema filosofico-teologico. Tale riforma non esclude peraltro l'apporto di altre fonti (da Platone agli arabi) e presenta, complessivamente considerata, una sua indubbia originalità.

**La vita**

Tommaso dei conti d'Aquino nacque a Roccasecca (presso Cassino) nel 1225 o 1226. Ricevette la sua prima educazione nel chiostro di Montecassino. Nel 1243 entrò, a Napoli, nell'ordine dei domenicani e di lì fu mandato a Parigi, dove divenne scolaro di Alberto. Nel 1248, quando Alberto passò a insegnare a Colonia, Tommaso lo seguì e non ritornò a Parigi che nel 1252; allora commentò la Bibbia e le *Sentenze*. Il successo del suo insegnamento si profilò subito. Ma nel frattempo i maestri secolari dell'Università parigina avevano iniziato la lotta contro i frati mendicanti, ritenuti «falsi apostoli precursori dell'anticristo», e pretendevano che fosse loro negata la facoltà di insegnare. Contro il loro libello *Sui pericoli degli ultimi tempi* e contro il loro organizzatore Guglielmo di Sant'Amore, Tommaso scrisse l'opuscolo *Contro coloro che contrastano il culto e la religione di Dio*. Il papa sembrò dapprima dar ragione ai maestri secolari, ma in seguito risolse la disputa in favore degli ordini mendicanti. Tommaso fu allora nominato, insieme con il suo amico Bonaventura, maestro presso l'Università parigina (1257), mentre il libro di Guglielmo fu condannato.

Nel 1259 Tommaso lasciò Parigi e ritornò in Italia, dove nel 1265 gli fu affidato l'incarico di ordinare gli studi dell'ordine domenicano a Roma. A questo periodo di permanenza in Italia risalgono le sue opere maggiori: la *Somma contro i Gentili*, il secondo *Commentario alle Sen-*

*tenze*, la prima e la seconda parte della *Somma teologica*. Nel 1269 tornò a Parigi, dove per un triennio tenne la cattedra di maestro di teologia. Nuove polemiche lo tennero occupato in questi anni: i professori secolari, con Gerardo di Abeville e Nicola di Lisieux, avevano ripreso la lotta contro gli ordini mendicanti ed egli compose allora *Sulla perfezione della vita spirituale*. Inoltre, contro il diffondersi dell'aristotelismo averroistico, per opera soprattutto di Sigieri di Brabante, scrisse *Sull'unità dell'intelletto contro gli averroisti*. Le *Questioni su temi vari*, che risalgono appunto a questo periodo, dimostrano l'attività polemica di Tommaso anche contro l'altra corrente della scolastica, l'agostinismo.

Nel 1272 Tommaso ritornò in Italia per insegnare all'Università di Napoli. Ma nel gennaio 1274, designato da Gregorio X, partì per recarsi al Concilio di Lione. Durante il viaggio si ammalò. Si fece trasportare nel chiostro cistercense di Fossanova (presso Terracina) e qui morì il 7 marzo 1274.

Di Tommaso d'Aquino abbiamo tre antiche biografie; della sua vita si occupò ampiamente il suo scolaro Bartolomeo da Lucca; e dagli atti del processo di canonizzazione (18 luglio 1323) si possono ricavare numerose testimonianze sul carattere e sulla vita del santo. Tommaso era grande, bruno, un po' calvo e aveva l'aria pacifica e mite dello studioso sedentario. Per il suo carattere chiuso, a Parigi lo chiamavano il "bue muto". Alberto Magno, parlando di lui con profetica consapevolezza, disse: «Questi, che noi chiamiamo bue muto, un giorno muggirà così forte da farsi sentire nel mondo intero». Guglielmo di Tocco lo definì «*vir modo contemplativus*», ed effettivamente **Tommaso dedicò all'attività intellettuale l'intera sua vita.**

**La personalità: il "bue muto"**

Alla sua morte, Tommaso aveva solo 48 o 49 anni, ma la sua opera era già vastissima. Gli atti del processo per la sua canonizzazione ci offrono un catalogo di scritti che enumera 36 opere e 25 opuscoli; ma con tutta probabilità questo catalogo non è completo. Al periodo della prima permanenza di Tommaso a Parigi appartengono *Dell'ente e dell'essenza* (1254-1256), il *Commentario alle Sentenze* e altri scritti. Ma l'attività principale è quella che Tommaso svolse negli anni del ritorno in Italia e della seconda permanenza a Parigi (1259-1272): a questo periodo appartengono il *Commentario ad Aristotele*, il *Commentario al Libro sulle cause*, il *Commentario a Boezio* e le opere maggiori: la *Somma della verità della fede cattolica contro i Gentili* (1259-1264), il *Secondo commentario alle Sentenze* e la *Somma teologica*, il suo capolavoro.

**Gli scritti**

A queste opere vanno aggiunte le *Questioni*, che riflettono specialmente l'attività politica di Tommaso contro gli averroisti e i teologi agostiniani. Tra i numerosissimi opuscoli, i più famosi sono il già citato *Sull'unità dell'intelletto contro gli averroisti* e *Sul governo dei principi*. Il secondo può essere attribuito a Tommaso solo per quanto riguarda il I libro e i primi 4 capitoli del II libro: il resto è opera di Bartolomeo da Lucca.

# ✗ **2.** Ragione e fede

Il sistema tomistico ha la propria base nella determinazione rigorosa del rapporto tra la ragione e la rivelazione. All'uomo, che ha come proprio fine ultimo Dio, il quale eccede la comprensione razionale, **non basta la sola ricerca filosofica fondata sulla ragione.** Infatti, quelle stesse verità cui la ragione può giungere da sola, non a tutti è dato di rag-

**Il rapporto tra ragione e rivelazione**

giungerle, e la via che conduce a esse non è scevra di errori. Per questo **è stato necessario che l'uomo fosse** convenientemente e con più certezza **istruito dalla rivelazione divina**. Ma la rivelazione non annulla né rende inutile la ragione: «la grazia non elimina la natura, ma la perfeziona».

**I "servizi" che la ragione può rendere alla fede**

La ragione naturale si subordina alla fede, come nel campo pratico l'inclinazione naturale si subordina alla carità. Certo, la ragione non può dimostrare ciò che è di pertinenza della fede, perché se così fosse la fede perderebbe ogni merito. Ma può servire alla fede in tre modi diversi:

▶ in primo luogo **dimostrando i preamboli della fede**, cioè quelle verità la cui dimostrazione è necessaria alla fede stessa. In particolare, non si può credere a ciò che Dio ha rivelato, se non si sa che Dio c'è: perciò la ragione naturale dimostra che Dio esiste, che è uno, e che ha quei caratteri e quegli attributi che possono essere ricavati dalla considerazione delle cose da Lui create;

▶ in secondo luogo **chiarendo mediante similitudini** le verità della fede;

▶ in terzo luogo **controbattendo le obiezioni** mosse alla fede, dimostrando che sono false o, almeno, che non hanno forza dimostrativa.

**Ragione e fede non possono contraddirsi**

È pur vero che **la ragione ha una propria verità**. I principi che le sono intrinseci, e che sono verissimi in quanto è impossibile pensare che siano falsi, le sono stati infusi da Dio stesso, che è l'autore della natura umana. Questi principi derivano dunque dalla sapienza divina e sono costitutivi di essa. Per questo la verità di ragione non può venire in contrasto con la verità rivelata: la verità non può contraddire la verità. E quando si manifesta un contrasto, è segno che non si tratta di verità razionali, ma di conclusioni false, o almeno non necessarie: **la fede è la regola del corretto procedere della ragione**. →**T3** ▪**T4**

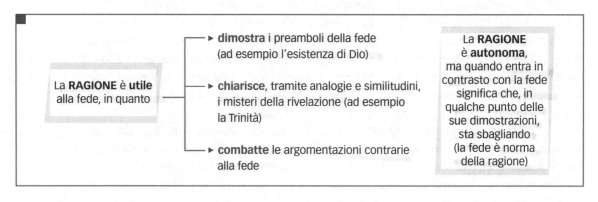

La **RAGIONE** è **utile** alla fede, in quanto

▶ **dimostra** i preamboli della fede (ad esempio l'esistenza di Dio)

▶ **chiarisce**, tramite analogie e similitudini, i misteri della rivelazione (ad esempio la Trinità)

▶ **combatte** le argomentazioni contrarie alla fede

La **RAGIONE** è **autonoma**, ma quando entra in contrasto con la fede significa che, in qualche punto delle sue dimostrazioni, sta sbagliando (la fede è norma della ragione)

# 3. La metafisica

## Ente, essenza ed esistenza

Il pensiero di Tommaso si configura come una **filosofia dell'essere** che si colloca nell'ambito di una tradizione di pensiero che va dai Greci agli Arabi. Il centro architettonico di tale sistema si trova esposto nell'opuscolo giovanile *Dell'ente e dell'essenza*. In tale scritto[1], composto tra il 1254 e il 1256, Tommaso si propone di mettere a fuoco alcuni termini molto utilizzati dai pensatori di quel periodo (specialmente in seguito alla traduzione della *Metafisica* realizzata da Avicenna), termini che rischiavano di essere usati con significati diversi e di essere perciò forieri di equivoci. Tali erano in particolare i concetti di "ente" ed "essenza".

L'**ente** (*ens*) e l'**essenza** (*essentia*), afferma Tommaso rifacendosi ad Avicenna, «sono **le prime cose che l'intelletto concepisce**» (Proemio). L'ente può essere **reale** o **logico**. Nel primo caso, l'ente è ciò che è presente nella realtà e che si divide nelle dieci categorie enumerate da Aristotele. Nel secondo caso, l'ente è tutto ciò che viene espresso, tramite la copula, in una proposizione affermativa, «anche se questa non pone alcunché nella realtà» (*etiam si illud in re nichil ponat*, *Dell'ente e dell'essenza*, cap. I), ossia senza che alla proposizione debba necessariamente corrispondere qualcosa di reale, come quando ad esempio diciamo che la cecità è nell'occhio, mentre è chiaro che non esiste la cecità, ma solo occhi non vedenti.

*[margine: Ente reale ed ente logico]*

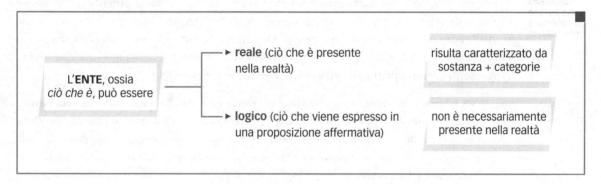

L'**ENTE**, ossia *ciò che è*, può essere
- **reale** (ciò che è presente nella realtà) — risulta caratterizzato da sostanza + categorie
- **logico** (ciò che viene espresso in una proposizione affermativa) — non è necessariamente presente nella realtà

Lasciando da parte il significato logico del termine "ente", Tommaso si sofferma sull'ente reale, a proposito del quale soltanto ha senso parlare di "essenza". L'*essentia* è ciò che una cosa è, ovvero la sua ***quidditas***, ciò che risponde alla domanda *quid est?*, "che cos'è?". L'essenza, che Tommaso chiama anche «**natura**», comprende non solo la forma, ma anche la materia delle cose, giacché comprende tutto ciò che è espresso nella **definizione** della cosa. Ad esempio, l'essenza dell'uomo, definito "animale ragionevole", comprende non solo la "ragionevolezza" (**forma**), ma anche l'"animalità" (**materia**).

*[margine: L'essenza]*

Dall'essenza così intesa si distingue l'essere (***esse***) o l'atto d'essere (***actus essendi***), ovvero, come si può tradurre, l'**esistenza** (v. "Glossario"). Infatti, puntualizza Tommaso, noi possiamo ad esempio comprendere «che cosa è l'uomo o la fenice, e tuttavia non sapere se esistano in natura» (*Dell'ente e dell'essenza*, cap. IV). Sostanze come l'uomo e la fenice risultano perciò composte di essenza e di esistenza, le quali, pur essendo tra loro inseparabili, risultano realmente distinte l'una dall'altra.

*[margine: L'essere, o atto d'essere, ovvero l'esistenza]*

Negli esseri finiti, essenza ed esistenza stanno tra loro in un **rapporto di potenza e atto**, in quanto l'esistenza rappresenta l'atto grazie a cui le essenze, che hanno l'essere solo in potenza, di fatto esistono.

*[margine: Essenza ed esistenza negli esseri finiti]*

---

1 Cfr. V.G. Galeazzi (a cura di), *"L'ente e l'essenza" di Tommaso d'Aquino e il rapporto fede-ragione nella scolastica*, Paravia, Torino 1991.

Negli esseri finiti, l'essenza sta all'esistenza come la potenza all'atto

**Gli esseri finiti e contingenti postulano un Essere infinito e necessario**

Ora, ogni realtà in cui si distinguano l'essenza e l'esistenza, ossia ogni realtà che *abbia* l'essere ma non *sia* l'essere (e tale, come abbiamo detto, è la condizione degli esseri finiti e contingenti), deve per forza aver ricevuto l'essere da altro, e precisamente da un essere che, non derivando la propria esistenza da altro, sia esso stesso l'Essere: tale è la condizione dell'essere infinito e necessario, cioè di Dio. In altri termini, quegli esseri che hanno la vita, ma non sono la vita, devono averla ricevuta da un Essere che sia la Vita e che perciò rappresenti la causa prima di tutte le vite e di tutte le esistenze.

> Necessariamente dunque ogni realtà, il cui essere è altro dalla sua natura, riceverà l'essere da un'altra realtà. E poiché tutto ciò che è per mezzo di un'altra realtà si riporta a ciò che è per sé come alla causa prima, dovrà esservi una qualche realtà che sia causa dell'essere per tutte le cose, in quanto essa stessa è essere soltanto; diversamente si andrebbe all'infinito nella ricerca delle cause.     (*Dell'ente e dell'essenza*, cap. IV)

In altre parole, l'**"aggiunta" dell'esistenza all'essenza**, cioè il passaggio, da parte delle cose finite, dalla potenza all'atto, **esige l'intervento creativo di un Essere** che, avendo l'esistenza per essenza o natura, risulti in grado di renderne partecipi altri esseri. Tale è il caso specifico di **Dio**, il quale, secondo la nota definizione che Egli stesso ha dato di sé nel libro dell'*Esodo* («Io sono colui che sono», *Ego sum qui sum*), si configura come **l'essere per antonomasia**.

**Un breve riepilogo**

Riepilogando, vi sono due modi in cui l'essenza può essere nelle sostanze:
▶ nella sostanza divina l'essenza è la medesima esistenza. Dio è perciò necessario ed eterno, ovvero esistente per definizione da sempre;
▶ nelle sostanze finite l'esistenza è "aggiunta" dall'esterno e il loro essere è quindi creato e contingente.

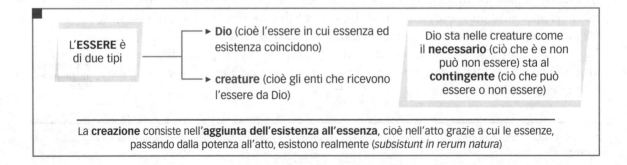

La **creazione** consiste nell'**aggiunta dell'esistenza all'essenza**, cioè nell'atto grazie a cui le essenze, passando dalla potenza all'atto, esistono realmente (*subsistunt in rerum natura*)

Nella condizione delle sostanze finite si trovano non solo gli uomini e le cose del mondo, ma anche gli angeli. Infatti, secondo Tommaso, in quelle sostanze che sono pura forma senza materia (come le intelligenze angeliche) manca evidentemente la composizione di materia e forma, ma non quella di essenza ed esistenza. Pertanto anche il loro essere risulta il frutto di una creazione divina.

**I vari tipi di sostanze**

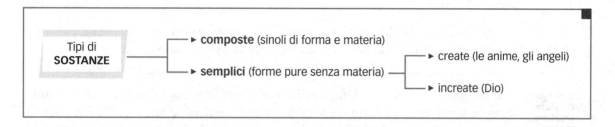

```
                    ┌──► composte (sinoli di forma e materia)
  Tipi di           │
  SOSTANZE ─────────┤                                              ┌──► create (le anime, gli angeli)
                    │                                              │
                    └──► semplici (forme pure senza materia) ──────┤
                                                                   └──► increate (Dio)
```

## Tommaso, Aristotele e gli Arabi

La distinzione tra essenza ed esistenza rappresenta il principio riformatore di cui Tommaso si serve per accordare l'aristotelismo con la visione cristiana del mondo. Infatti Aristotele, identificando l'esistenza in atto con la forma, aveva stabilito che dovunque c'è forma c'è realtà in atto, e che perciò la forma è di per sé indistruttibile e ingenerabile, e quindi necessaria ed eterna come Dio stesso. Con ciò egli garantiva la necessità e l'eternità della struttura formale dell'universo (generi, specie, forme e, in generale, sostanze). Dall'universo aristotelico erano quindi esclusi sia la creazione, sia qualunque intervento attivo da parte di Dio nella costituzione delle cose. Per questo motivo il sistema di Aristotele appariva (e di fatto era) irriducibilmente contrario al cristianesimo e poco adatto a esprimerne i dogmi fondamentali. Affermando il principio della **distinzione tra essenza ed esistenza**, Tommaso fa invece scaturire l'**esigenza della creazione** dalla stessa costituzione delle sostanze finite.

**La riforma tomistica dell'aristotelismo**

Tale principio, tuttavia, non è una "scoperta" di Tommaso, ma deriva, come si è già accennato, dalla filosofia araba. Ciò non toglie che, anche su questo punto, Tommaso sia pervenuto a esiti più consoni alle credenze cristiane. In primo luogo, contro Avicenna (ma forse il rilievo vale più per Maimonide) Tommaso afferma che l'**esistenza** non rappresenta un "accidente" accessorio dell'essenza, ma una **perfezione** che, accanto all'essenza, è **costitutiva dell'ente**:

**Il raffinamento dell'eredità araba**

> L'essere di una cosa, pur non essendo la sua essenza, non va considerato qualcosa di sopraggiunto alla maniera degli accidenti, ma va posto al livello dei principi dell'essenza.

In secondo luogo, mentre in Avicenna il principio della distinzione tra essenza ed esistenza serviva a ribadire nella forma più rigorosa la necessità di tutto l'essere (anche di quello finito) e a sostenere la derivazione-emanazione causale e necessaria delle cose da Dio, in Tommaso esso ha la funzione di **motivare metafisicamente il concetto di creazione**. Del resto, ragiona il filosofo cristiano, l'emanazione, implicando un rapporto necessario tra Dio e il mondo, renderebbe Dio dipendente dal mondo. Ma un Dio che dipende dal mondo non sarebbe più Dio, cioè la causa prima e incondizionata del mondo stesso.

## Partecipazione e analogia

**La partecipazione**    Dire che gli esseri finiti sono stati "creati" da Dio equivale a dire, secondo la filosofia tomistica, che essi hanno la loro esistenza per "partecipazione". Con questo termine (v. "Glossario"), Tommaso intende l'atto con cui **le creature, grazie a Dio, «prendono parte» all'essere**:

> allo stesso modo che quanto è infocato e non è fuoco, è infocato (*ignitum*) per partecipazione, così ciò che ha l'essere e non è l'essere, è ente per partecipazione.
>
> (*Somma teologica*, I, q. 3, a. 4)

**L'analogia dell'essere delle creature rispetto all'essere di Dio**    La dottrina della partecipazione implica che il termine "essere", riferito alle creature, abbia un significato non identico, ma solo simile o corrispondente a quello dell'essere di Dio. È questo il **principio dell'analogicità dell'essere**, che Tommaso desume da Aristotele, ma che acquista in lui un valore del tutto diverso.

Aristotele, lo ricordiamo, aveva distinto vari significati dell'essere, ma solo rispetto alle categorie, e li aveva poi riportati tutti all'unico significato fondamentale della sostanza (*ousía*), cioè dell'essere in quanto essere, oggetto della metafisica. Egli perciò non distingueva né poteva distinguere tra l'essere di Dio e l'essere delle altre cose: per lui, ad esempio, Dio e la mente erano sostanze proprio nello stesso senso.

Tommaso, invece, in virtù della distinzione tra essenza ed esistenza, può distinguere l'**essere delle creature**, separabile dall'essenza e quindi creato e contingente, e l'**essere di Dio**, identico con l'essenza e quindi necessario. Questi due significati dell'essere non sono "univoci", cioè identici, e neppure "equivoci", cioè semplicemente diversi: sono "analoghi", cioè simili, ma di proporzioni diverse. **Dio solo è l'essere per essenza, le creature hanno l'essere per partecipazione**: esse, in quanto sono, sono simili a Dio, che è il primo principio universale di tutto l'essere; ma Dio non è simile ad esse. Questo rapporto è l'analogia.

Il rapporto analogico si estende a tutti i predicati che si attribuiscono nello stesso tempo a Dio e alle creature, perché è evidente che nella causa prima devono sussistere in modo indivisibile e semplice quei caratteri che negli effetti sono divisi e moltiplicati. →**T6**

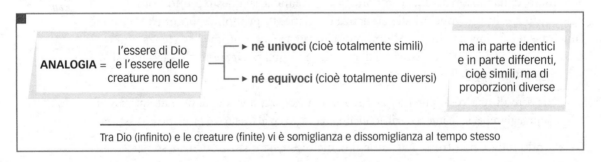

**ANALOGIA** = l'essere di Dio e l'essere delle creature non sono ⟶ **né univoci** (cioè totalmente simili) / **né equivoci** (cioè totalmente diversi) ⟶ ma in parte identici e in parte differenti, cioè simili, ma di proporzioni diverse

Tra Dio (infinito) e le creature (finite) vi è somiglianza e dissomiglianza al tempo stesso

**Il rifiuto del panteismo**    La tesi della diversità, pur nella somiglianza, tra l'essere del mondo e l'essere di Dio consente a Tommaso di salvare l'**assoluta trascendenza di Dio rispetto al mondo** e di **tagliare la via a ogni forma di panteismo** che in qualche modo identifichi l'essere di Dio con l'essere del mondo. A due forme di panteismo, apparse alla fine del XII secolo, allude esplicitamente, per confutarle, Tommaso. La prima è quella di **Amalrico di Bène**, il quale considera Dio come «il principio formale di tutte le cose», cioè come l'essenza o la natura di tutti gli esseri creati. La seconda è quella di **Davide di Dinant**, che identifica Dio con la materia prima. A questa seconda forma di panteismo, come alla prima, di origine stoica, secondo cui Dio è l'Anima del mondo, Tommaso oppone il principio per cui **Dio non può essere in alcun modo un elemento, o un componente, delle cose del mondo.**

## L'essere come perfezione e la dottrina dei trascendentali

Come si è visto, l'ontologia tomistica implica un esplicito primato dell'esistenza (o dell'*actus essendi*) rispetto all'essenza: «Prima di avere l'essere, l'essenza è un puro nulla» (*De potentia*, 3, 5, ad 3 q.)[1]. Anzi, **l'esistenza, o l'essere,** configurandosi come quella «**spinta vittoriosa mediante la quale anche la più umile cosa trionfa sul nulla**» (Maritain), appare a Tommaso come una perfezione, e precisamente come la **perfezione massima**. Su questo punto – che secondo alcuni interpreti odierni (cfr. ad esempio gli studi di B. Mondin) rappresenterebbe la parte più originale di tutta la metafisica tomistica – i testi sono particolarmente eloquenti:

L'esistenza è la perfezione massima

> Fra tutte le cose l'essere è la più perfetta (*esse est inter omnia perfectissimum*).
>
> (*De potentia*, 7, 2, ad 9)

> Ciò che chiamo essere è l'attualità di tutti gli atti, e quindi la perfezione di tutte le perfezioni.
>
> (*De potentia*)

> Tra le cose, l'essere è la più perfetta, perché verso tutte sta in rapporto di atto. Niente infatti ha l'attualità se non in quanto è: perciò l'essere stesso è l'attualità di tutte le cose, anche delle stesse forme.
>
> (*Somma teologica*, I, 4, 1 ad 3)

> L'essere [...] è ciò che nelle cose vi è di più intimo e di più profondamente radicato, poiché [...] l'essere è l'elemento formale rispetto a tutti i principi e i componenti che si trovano in una data realtà.
>
> (*Somma teologica*, I, 8, 1)

Questa concezione dell'essere, che Tommaso cerca di evidenziare con dei superlativi ottenuti tramite dei sostantivi, secondo lo stile ebraico (si pensi ad esempio all'espressione *esse est actualitas omnium actuum*), costituisce anche il presupposto della dottrina dei «**trascendentali**». Mentre le categorie sono gli aspetti che distinguono l'essere in diversi generi (qualità, quantità ecc.), i trascendentali sono invece **quei caratteri che, trascendendo le stesse categorie, qualificano l'essere in quanto tale** e che per ciò stesso competono a ogni ente. Tommaso enumera cinque proprietà trascendentali: *res, unum, aliquid, verum, bonum.* Tuttavia, poiché *res* non significa se non l'essere preso assolutamente e *aliquid* implica l'*unum*, i trascendentali si riducono a tre: ***unum*** («l'uno»), ***verum*** («il vero»), ***bonum*** («il bene»).

La dottrina dei trascendentali

---

1 Questo primato dell'esistenza sull'essenza ha spinto alcuni studiosi a parlare, a proposito di Tommaso, di «ontologia esistenziale» (Gilson) e di «esistenzialismo *sui generis*» (Maritain).

**Ogni ente è uno**

Dire che ogni ente è uno significa dire che **ogni ente è indiviso in sé e distinto da qualsiasi altro**. In altri termini, secondo Tommaso «una realtà in tanto può dirsi realtà, ente, in quanto ha una certa unità e quindi tanto più è reale (ente) quanto più è una. Ad esempio, un mucchio di sassi in tanto può dirsi una realtà, un ente, in quanto ha una certa indivisione in sé (è *un* mucchio, i sassi son dunque riuniti) e una certa distinzione dalle altre cose che lo circondano. Se, in quel mucchio, considerassi solo la pluralità, i tanti sassi, senza considerare la loro, sia pur labile, unione, non potrei più parlare del mucchio di sassi come di una realtà» (S. Vanni Rovighi).

**Ogni ente è vero**

Dire che ogni ente è vero significa dire che **ogni ente corrisponde all'intelletto divino che lo ha creato** (o progettato) e risulta quindi intrinsecamente intelligibile e razionale (verità ontologica), cioè in grado di farsi cogliere da un'intelligenza e di configurarsi come fondamento dell'adeguatezza del pensiero (verità logica o gnoseologica).

**Ogni ente è buono**

Dire che ogni ente è buono significa dire che **ogni ente corrisponde a una ben precisa volontà divina**, o ad un ben preciso progetto divino, e in quanto tale costituisce una perfezione appetibile o desiderabile anche dall'uomo:

> ogni ente, in quanto ente, è in atto, e in qualche modo perfetto [...]. Ora, il perfetto ha ragione di appetibile e di bene.
>
> (*Somma teologica*, I, q. 5, a. 3, 4)

**Il rapporto tra essere, verità e bontà**

L'essere, secondo Tommaso, presenta quindi un indubbio primato metafisico rispetto al vero e al bene. Tant'è che la verità e la bontà di un ente risultano proporzionali al grado di essere che esso possiede (fino ad arrivare al caso di Dio, che è somma Verità e sommo Bene in quanto sommo Essere). Ciò non toglie, tuttavia, che il vero e il bene siano così inseparabili dall'essere da convertirsi con l'essere stesso. Infatti, per Tommaso, **non c'è nulla, nell'essere, che non sia vero e buono**, esattamente come **non c'è alcuna verità**, né **alcun bene**, **che non sia essere.** Ciò che le nozioni di vero e di bene contengono in più rispetto alla nozione di essere è la relazione all'intelletto e alla volontà: «La convenienza dunque dell'essere con l'appetito è espressa dal nome *bene* e la convenienza dell'essere con l'intelletto è espressa dal nome *vero*» (*Sulla verità*, q. 1, a. 1).

**L'ottimismo metafisico di Tommaso**

Da questa teoria dei trascendentali – che scorge ovunque perfezione, verità e bene – scaturisce **una delle più radicali forme di ottimismo metafisico della storia.**

## ✕ Le cinque «vie»

Sebbene la filosofia dell'essere di Tommaso sia *tutta* una dimostrazione dell'esistenza di Dio, egli raccoglie e articola le sue prove in *cinque* argomenti di fondo, che chiama «vie».

**L'esistenza di Dio va dimostrata a posteriori**

Secondo Tommaso, se Dio è primo nell'ordine dell'essere, non lo è nell'ordine delle conoscenze umane, che cominciano dai sensi. Una **dimostrazione dell'esistenza di Dio** è dunque **necessaria**, e deve muovere da ciò che è primo per l'uomo, cioè dagli effetti sensibili: essa sarà dunque *a posteriori.* Tommaso respinge esplicitamente la prova ontologica di Anselmo: anche se si intende Dio come «ciò di cui non si può pensare nulla di maggiore» non ne segue che egli esista nella realtà (*in rerum natura*) e non solo nell'intelletto.

Le vie di Tommaso, già esposte nella *Somma contro i Gentili*, trovano la loro formulazione classica nella *Somma teologica*.

La prima via è la **prova cosmologica**, desunta dalla *Fisica* e dalla *Metafisica* di Aristotele. Essa parte dal principio secondo cui "tutto ciò che si muove è mosso da altro". Ora, se ciò da cui è mosso a sua volta si muove, bisogna che anch'esso sia mosso da un'altra cosa, e questa a sua volta da un'altra. Ma non è possibile procedere così all'infinito, altrimenti non ci sarebbe un motore primo e, dunque, neppure gli altri muoverebbero (esattamente come, ad esempio, il bastone non muove se non è mosso dalla mano). È quindi necessario giungere a un primo motore che non sia mosso da null'altro: e per esso tutti intendono Dio. Questo argomento era stato ripreso nella scolastica latina per la prima volta da Adelardo di Bath; vi avevano poi insistito Maimonide e Alberto Magno.

*La via ex motu*

La seconda via è la **prova causale**. Nell'ordine delle cause efficienti non si può risalire all'infinito, altrimenti non vi sarebbe una causa prima, o ultima, e, quindi, neppure tutte le cause intermedie: vi deve essere dunque una causa efficiente prima, che è Dio. Questa prova, desunta da Aristotele, era stata riesposta da Avicenna.

*La via ex causa*

La terza via è desunta dal **rapporto tra possibile e necessario**. Le cose possibili esistono solo in virtù delle cose necessarie: ma queste hanno la causa della loro necessità o in sé o in altro. Quelle che hanno la causa in altro rinviano a quest'altro, e poiché non è possibile procedere all'infinito, bisogna risalire a qualcosa che sia necessario di per sé e sia causa della necessità di ciò che è necessario per altro: questo è Dio. Questa prova è desunta da Avicenna.

*La via ex possibili et necessario*

La quarta via è quella dei **gradi**. Si trova nelle cose il "meno" e il "più" del vero, del bene e di tutte le altre perfezioni: vi sarà dunque anche il grado massimo di tali perfezioni e sarà esso la causa dei gradi minori, come il fuoco, che è massimamente caldo, è la causa di tutte le cose calde. Ora, la causa dell'essere, della bontà e di ogni perfezione è Dio. Questa prova, di origine platonica, è desunta da Aristotele.

*La via ex gradu*

La quinta via è quella che si desume dal **governo delle cose**. Le cose naturali, sebbene siano prive di intelligenza, appaiono tuttavia dirette a un fine, e questo non potrebbe accadere se non fossero governate da un essere dotato di intelligenza, come la saetta non può essere diretta al bersaglio se non dall'arciere. Vi è dunque un essere intelligente dal quale tutte le cose naturali sono ordinate a un fine: questo è Dio. In questa prova, che è la più antica e venerabile tra tutte, l'esposizione tomistica segue probabilmente Giovanni Damasceno e Averroè. →**T5**

*La via ex fine* (teleologica)

ESISTENZA DI DIO RAZIONALE

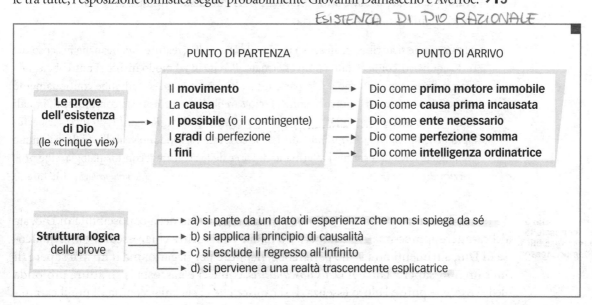

| | PUNTO DI PARTENZA | PUNTO DI ARRIVO |
|---|---|---|
| **Le prove dell'esistenza di Dio** (le «cinque vie») | Il **movimento** | Dio come **primo motore immobile** |
| | La **causa** | Dio come **causa prima incausata** |
| | Il **possibile** (o il contingente) | Dio come **ente necessario** |
| | I **gradi** di perfezione | Dio come **perfezione somma** |
| | I **fini** | Dio come **intelligenza ordinatrice** |

**Struttura logica** delle prove
- a) si parte da un dato di esperienza che non si spiega da sé
- b) si applica il principio di causalità
- c) si esclude il regresso all'infinito
- d) si perviene a una realtà trascendente esplicatrice

## Gli attributi di Dio e il metodo analogico

Le cinque vie pervengono a qualificare Dio come motore immobile, causa prima, essere necessario, perfezione somma e intelligenza ordinatrice. Procedendo su questa strada, la ragione può arrivare a scoprire anche altri attributi, sia per via negativa, sia per via positiva.

**La via negativa, o della rimozione**

La via negativa (o *via remotionis*) consiste nel **negare riguardo a Dio tutte le imperfezioni delle creature**, giungendo in tal modo all'idea della semplicità, dell'unità, della spiritualità ecc. come attributi divini.

**La via positiva: causalità ed eminenza**

La via positiva consiste invece nel **conoscere Dio attraverso le «perfezioni che egli comunica alle creature**; le quali perfezioni si ritrovano in Dio in grado ben più eminente che nelle creature» (*Somma teologica*, I, q. 13, a. 3). In concreto, la via positiva si articola nella *via causalitatis* e nella *via eminentiae*. La prima consiste nel derivare dall'effetto, cioè dal mondo, qualche informazione circa la causa che lo ha prodotto (ad esempio, dall'ordine finalistico del creato si deduce che il creatore ha l'attributo dell'intelligenza). La seconda consiste nel liberare l'attributo in questione dai limiti che esso possiede nelle creature e nel pensarlo al superlativo, cioè secondo una modalità compatibile con l'essere perfetto di Dio (ad esempio, si dirà che il creatore è intelligenza somma e sempre in atto, che conosce tutto in modo simultaneo).

**Gli attributi del mondo sono analoghi agli attributi di Dio**

Ora, poiché tali attributi sono affermati da Dio in modo eminente, essi non sono predicati di Dio e delle creature in modo univoco. D'altra parte, poiché ogni perfezione mondana (come si è visto) ha un rapporto di partecipazione e di somiglianza con Dio, essi non sono neppure predicati in modo puramente equivoco, cioè ponendo sotto lo stesso nome realtà completamente differenti. Imboccando una terza strada tra l'univocità assoluta (che, trascurando la distanza tra creatore e creature, conduce all'antropomorfismo e al panteismo) e l'equivocità pura (che, trascurando le affinità tra creatore e creature, conduce all'agnosticismo e allo scetticismo, minando alla base la possibilità stessa del discorso teologico), Tommaso sostiene che tra gli attributi delle creature e quelli di Dio esiste **analogia**, ossia **parziale somiglianza e parziale dissomiglianza**. →T6

Ecco un testo emblematico in materia:

> nessun nome si attribuisce in senso univoco a Dio e alle creature. Ma neanche in senso del tutto equivoco, come alcuni hanno affermato. Perché in tal modo niente si potrebbe conoscere o dimostrare intorno a Dio partendo dalle creature; ma si cadrebbe continuamente nel sofisma chiamato "equivocazione". E ciò sarebbe in contrasto sia con i filosofi, i quali dimostrano molte cose su Dio, sia con l'Apostolo, il quale in *Romani* 1, 20 dice: «le perfezioni invisibili di Dio, comprendendosi dalle cose fatte, si rendono visibili». Si deve dunque concludere che tali termini si affermano di Dio e delle creature secondo analogia, cioè proporzione.
>
> (*Somma teologica*, I, q. 13, a. 5)

**Dio è conoscibile e inconoscibile al tempo stesso**

La teoria di Tommaso cerca in tal modo di dar ragione sia della conoscibilità di Dio, sia del carattere approssimativo e imperfetto di tale conoscenza chiaro-scura: «**si sa qualcosa di Dio**, altrimenti non se ne parlerebbe, neppure per negarlo; **ma il nostro sapere di lui è un non-sapere**: Dio è il *Deus absconditus*, come ci è nascosta la struttura profonda delle cose, che pure è la loro essenza. E si capisce che ci sia chi accentua di più il carattere di *sapere* e chi accentua di più quello di *non-sapere*, anche fra gli interpreti di Tommaso» (S. Vanni Rovighi).

In ogni caso, secondo Tommaso, è certo che l'uomo, di fronte a Dio, si trova pur sempre (per usare una metafora aristotelica) alla stregua di un animale notturno di fronte alla luce accecante del sole. Del resto si racconta che Tommaso, poco prima di morire, all'amico Reginaldo che lo esortava a terminare la stesura della sua *Summa*, abbia detto: «non posso, poiché tutto ciò che ho scritto mi sembra paglia» (*non possumus, quia omnia quae scripsi videntur mihi paleae*). Questa frase non è, probabilmente, da intendersi nel senso di una sconfessione paradossale della fatica teologica e filosofica compiuta (fatica in cui Tommaso credette tutta la vita), ma nel senso di un'**esasperata consapevolezza del mistero ultimo di Dio**.

# 4. La teoria della conoscenza

La teoria tomistica della conoscenza è ricalcata su quella aristotelica. Il suo tratto più originale è rappresentato dal rilievo attribuito al **carattere astrattivo del processo della conoscenza** e, quindi, dalla "teoria dell'astrazione".

Commentando il passo del *De anima* in cui Aristotele dice che «l'anima è in qualche modo tutte le cose» (perché tutte le conosce), Tommaso dice: «Se l'anima è tutte le cose, è necessario che essa o sia le *cose stesse*, sensibili o intelligibili – nel senso in cui Empedocle affermò che noi conosciamo la terra con la terra, l'acqua con l'acqua e così via – o sia le *specie* delle cose stesse. Ma certo l'anima non è le cose, giacché, ad esempio, nell'anima non c'è la pietra ma la specie della pietra». Ora, la specie (*éidos*) è la forma della cosa. Dunque «l'**intelletto** è una **potenza ricettiva di tutte le forme intelligibili** e il **senso** è una **potenza ricettiva di tutte le forme sensibili**». Sicché il principio generale della conoscenza è *cognitum est in cognoscente per modum cognoscentis* (l'oggetto conosciuto è nel soggetto conoscente conformemente alla natura del conoscente).

L'oggetto conosciuto è conforme al soggetto conoscente

Il processo attraverso il quale il soggetto conoscente riceve l'oggetto è l'astrazione. Tra i sensi corporei – che conoscono la forma unita alla materia delle cose particolari – e gli intelletti angelici – che conoscono la forma separata dalla materia –, l'intelletto umano tiene una via di mezzo. Esso è una virtù dell'anima, che è forma del corpo: può dunque conoscere le forme delle cose solo in quanto sono unite ai corpi, e non (come voleva Platone) in quanto ne sono separate. Ma nell'atto di conoscerle, le astrae dai corpi stessi: il **conoscere** è quindi un **astrarre la forma dalla materia individuale**, un trarre fuori l'universale dal particolare, la specie intelligibile dalle singole immagini sensibili («fantasmi»).

Il processo astrattivo

Nello stesso modo in cui possiamo considerare il colore di un frutto prescindendo dal frutto, ma senza con ciò affermare che esso esista separato dal frutto, così possiamo conoscere le forme, o specie universali, dell'uomo, del cavallo, della pietra, prescindendo dai principi individuali a cui vanno unite, ma senza pretendere che esse esistano separatamente da questi. Dunque **l'astrazione non falsifica la realtà**. Essa non afferma la reale separazione della forma dalla materia individuale, ma consente di considerarle separatamente l'una dall'altra, e in questo tipo di considerazione sta la conoscenza intellettuale umana.

**La distinzione tra materia comune e materia individuale**

Si noti però che per Tommaso l'intelletto umano considera la realtà separando la forma dalla materia individuale, non dalla materia in generale, perché altrimenti non potrebbe intendere che l'uomo o la pietra o il cavallo sono costituiti anche di materia.

> La materia è duplice, cioè comune, e *signata*, o individuale; comune, come la carne e le ossa; signata, come *questa* carne e *queste* ossa. L'intelletto astrae la specie della cosa naturale dalla materia sensibile individuale, ma non dalla materia sensibile comune. Ad esempio, astrae la specie dell'uomo da queste carni e da queste ossa, che non appartengono alla natura della specie ma sono parti dell'individuo e dalle quali quindi si può prescindere. Ma la specie dell'uomo non può essere astratta per opera dell'intelletto dalle carni e dalle ossa in generale.
>
> (*Somma teologica*, I, q. 85, a. 1)

**Il *principium individuationis***

Di conseguenza, per Tommaso il *principium individuationis*, ovvero **ciò che determina il carattere proprio di ciascun individuo**, e quindi la sua diversità dagli altri, **non è la materia comune** (tutti gli uomini hanno carne e ossa, e pertanto non è questo che li diversifica), **ma la materia *signata***, o, come anche dice il filosofo, la «materia **considerata sotto determinate dimensioni**». Un uomo è diverso da un altro uomo non perché è unito a un corpo, ma perché è unito a un *determinato* corpo, differente per *dimensioni* (cioè per la sua situazione nello spazio e nel tempo) da quello degli altri uomini.

**Gli universali**

Da questa dottrina risulta anche che **l'universale non sussiste "fuori" delle cose singole**, ma è reale solo in esse. Esso è dunque *in re* (come forma delle cose) e *post rem* (nell'intelletto); è invece *ante rem* solo nella mente divina, come principio o modello (idea) delle cose create.

**L'intelletto attivo, o agente**

L'intelletto che astrae le forme dalla materia individuale è l'intelletto agente. L'intelletto umano è un intelletto finito, che, a differenza dell'intelletto angelico, non conosce in atto tutti gli intelligibili, ma ha solo la potenza (o possibilità) di conoscerli; è dunque un intelletto possibile. Ma poiché «nulla passa dalla potenza all'atto se non per opera di ciò che è già in atto», la possibilità di conoscere propria del nostro intelletto diventa conoscenza effettiva per l'azione di un intelletto agente, o attivo, il quale **fa passare all'atto gli intelligibili astraendoli dalle condizioni materiali e agendo** (secondo il paragone aristotelico) **come la luce sui colori**.

Contro Averroè e i suoi seguaci, Tommaso afferma esplicitamente l'**unità di questo intelletto con l'anima umana**. Se l'intelletto agente fosse separato dall'uomo, non sarebbe l'uomo a intendere, ma il preteso intelletto separato a intendere l'uomo e le immagini che sono in lui: l'intelletto deve dunque fare parte essenziale dell'anima umana. E per questo stesso motivo l'intelletto attivo non è uno solo, ma **ci sono tanti intelletti attivi quante sono le anime umane**: contro la tesi dell'unicità dell'intelletto, quale era sostenuta dagli averroisti, è diretto il famoso opuscolo di Tommaso intitolato *De unitate intellectus contra Averroistas*.

**La verità come *adaequatio intellectus et rei***

Il procedimento astrattivo dell'intelletto garantisce la verità della conoscenza intellettuale perché garantisce che **la specie esistente nell'intelletto è la forma stessa della cosa** e che perciò vi è corrispondenza (*adaequatio*) tra l'intelletto e la cosa. Riprendendo la definizione data da Isacco nel suo *Liber de definitionibus*, Tommaso definisce infatti la **verità** come «l'**adeguazione dell'intelletto alla cosa**». In questa prospettiva le cose naturali sono la *misura* del nostro intelletto, giacché quest'ultimo possiede la verità solo in quanto si conforma ad esso.

Queste sono invece *misurate* dall'intelletto divino, nel quale sussistono le loro forme nel modo in cui le forme delle cose artificiali sussistono nell'intelletto dell'artefice. «L'intelletto divino è misurante, ma non misurato; la cosa naturale è misurante (rispetto all'uomo) e misurata (rispetto a Dio); ma il nostro intelletto è misurato, e non misura le cose naturali, ma solo quelle artificiali» (*Sulla verità*, q. 1, a. 1). **Dio** dunque **è la verità suprema**, in quanto il suo intendere è la misura di tutto ciò che è e di ogni altro intendere (*Somma teologica*, I, q. 16, a. 5). La scienza che Egli ha delle cose è la causa di esse, esattamente come la scienza che l'artefice ha della cosa artificiale è la causa di questa. **In Dio l'essere e l'intendere coincidono**: intendere le cose significa in Dio comunicare ad esse l'essere, posto che all'intendere sia congiunta la volontà creativa.

Essere e conoscenza in Dio

Ciò stabilisce una differenza radicale tra l'intelletto divino e quello umano, tra la scienza divina e quella umana. **Dio intende ogni cosa mediante la semplice intelligenza della cosa stessa**: con un solo atto egli afferra (e, volendo, crea) l'essenza totale e completa della cosa, anzi di tutte le cose nella loro totalità e compiutezza. Il nostro intelletto, invece, non attinge con un unico atto la conoscenza perfetta di una cosa, ma apprende di essa dapprima qualche elemento (ad esempio l'essenza, che è l'oggetto primo e proprio dell'intelletto), per poi passare a intendere le proprietà, gli accidenti e tutte le disposizioni o i comportamenti che sono propri della cosa. Di qui deriva che **la conoscenza intellettuale umana si svolge per atti successivi**, che si seguono nel tempo: atti di composizione o di divisione, cioè affermazioni o negazioni, che esprimono mediante proposizioni ciò che l'intelletto via via conosce della cosa stessa.

Conoscenza divina e conoscenza umana

Il procedere dell'intelletto da una composizione o divisione ad altre successive composizioni o divisioni, cioè da una proposizione all'altra, è il "ragionamento"; la scienza si va quindi costituendo per successivi e concatenati atti di affermazione o di negazione: essa è scienza discorsiva. La **conoscenza umana** è dunque **conoscenza razionale** e la **scienza umana scienza discorsiva**: tali caratteri non possono invece attribuirsi alla conoscenza e alla scienza di Dio, il quale intende tutto simultaneamente in se stesso, con atto semplice e perfetto di intelligenza.

La discorsività della scienza umana

# 5. La teoria antropologica: l'anima

«La conoscenza del *De anima* di Aristotele poneva ai cristiani del XIII secolo questo problema: è possibile **pensare aristotelicamente**, cioè come forma sostanziale del corpo, **l'anima di cui parla il Vangelo**, l'anima che si salverà o si perderà in eterno, l'anima che Agostino ha insegnato a concepire come una sostanza spirituale? Più o meno tutti si posero questo problema […] Alberto Magno non meno di Bonaventura, anche se non tutti diedero la medesima risposta » (S. Vanni Rovighi).

La disputa sull'anima

Intervenendo nella disputa, Tommaso afferma che la natura dell'uomo è costituita di anima e di corpo, giacché egli, oltre che intendere, sente e il sentire non è operazione dell'anima sola. **L'anima è** (secondo la dottrina di Aristotele) **l'atto del corpo**: è il principio vitale che fa sì che l'uomo conosca e si muova. Tuttavia, pur essendo naturalmente destinata a fungere da forma del corpo, **l'anima possiede un suo essere proprio**, che non

La natura autonoma e incorporea dell'anima

riceve né dal corpo, né dalla sua unione con il corpo, ma direttamente da Dio («*Anima habet esse per se*», «*Anima habet esse subsistens*»).

La natura autonoma e incorporea dell'anima intellettiva (che nell'uomo compie anche le funzioni sensitive e vegetative) è dimostrata, secondo Tommaso, dalla sua capacità:

▶ di conoscere tutti **i corpi** (ciò non avverrebbe se essa fosse un corpo);

▶ di attingere **le realtà immateriali e i concetti universali**;

▶ di configurarsi come **autocoscienza**.

Argomenta infatti Tommaso: «niente può operare per se stesso se non sussiste per se stesso» (*Somma teologica*, I, q. 75, a. 2).

**L'immortalità dell'anima**

In quanto forma pura o sostanza per sé sussistente, l'anima è anche immortale. Infatti, noi diciamo che qualcosa si corrompe quando la materia di cui è costituita perde la sua forma per acquistarne un'altra. Invece, **l'anima, in quanto forma, non può separarsi da se medesima e, quindi, corrompersi** (né di per sé, né accidentalmente), ma partecipa in modo costitutivo alla vita. Inoltre, lo stesso desiderio che l'anima ha di esistere è un indice (*signum*) della sua immortalità. L'intelletto, che conosce l'essere assolutamente, desidera naturalmente essere sempre; e un desiderio naturale non può essere vano.

**L'anima e la resurrezione dei corpi**

Ma com'è possibile che l'anima conservi, dopo la sua separazione dal corpo, quella individualità che le viene appunto dal corpo? Tommaso risponde che l'anima intellettiva è unita al corpo per il suo stesso essere (*esse*); distrutto il corpo, questo essere rimane, e rimane proprio com'era nella sua unione con il corpo, cioè individuale e singolo. La **persistenza dell'individualità nell'anima separata dal corpo** è anche ciò che, nel giorno della resurrezione dei corpi, consente a ogni anima di riprendere la materia nelle dimensioni determinate che le erano proprie e di ricostituire così il proprio corpo.

# 6. L'etica

## L'agire e l'essere

**Agere sequitur esse**

Alla base dell'etica tomistica sta la convinzione che «**l'agire segue l'essere**» (*agere sequitur esse*), essendovi una **correlazione necessaria tra la natura di un ente e il suo modo di agire**, come suggeriscono altri due aforismi scolastici: «quale il modo di essere, tale il modo di operare» (*qualis modus essendi talis modus operandi*) e «il modo di operare segue il modo di essere» (*modus operandi sequitur modum essendi*).

**La fondazione onto-teologica dell'etica**

Ora, poiché l'uomo, come si è visto in sede metafisica, è una creatura di Dio, egli non potrà fare a meno di operare in modo "creaturale", ossia di tendere al creatore (causa prima e fine ultimo di tutte le cose). Infatti – argomenta Tommaso con una serie di ragionamenti che partono da Aristotele, ma che vanno oltre Aristotele – il fine ultimo cui tende l'uomo è la **felicità**, la quale, tuttavia, non può consistere in qualche bene finito (come le ricchezze, la fama, il piacere, il sapere ecc.), ma soltanto in Dio. In Tommaso abbiamo quindi una fondazione onto-teologica dell'etica, cioè un **sistema morale che pone l'essere come norma dell'agire** e fa di Dio (cioè dell'Essere per eccellenza) il fine ultimo dell'umano operare. ➔**T7**

# Provvidenza, prescienza e libertà

Secondo Tommaso tutte le cose e tutti gli uomini sono soggetti alla provvidenza e al governo divino. Ma l'esistenza di un disegno provvidenziale non implica che tutto avvenga di necessità, né esclude la libertà dell'uomo, giacché quel disegno stabilisce non solo *che* le cose accadano, ma anche *come* accadono. Esso, pertanto, preordina le **cause necessarie delle cose che devono accadere necessariamente** e le **cause contingenti delle cose che devono accadere contingentemente**. Ecco in che senso **l'azione libera dell'uomo fa parte della provvidenza divina**.

Libertà e provvidenza

La libertà dell'uomo non è compromessa, secondo Tommaso, neppure dalla predestinazione alla beatitudine eterna. A questa beatitudine, che consiste nella visione di Dio, l'uomo non può giungere con le sole sue forze naturali, ma deve esservi indirizzato da Dio stesso. Ciò non significa, tuttavia, che Dio necessiti l'uomo, perché **della predestinazione**, che è un aspetto della provvidenza, **fa parte anche il fatto che l'uomo attinga liberamente quella beatitudine a cui Dio liberamente lo ha volto.**

Libertà e predestinazione

Provvidenza e predestinazione implicano la prescienza divina, con la quale **Dio prevede i futuri contingenti, cioè le azioni dovute alla libertà umana**. La prescienza divina è certa e infallibile, perché a essa sono presenti anche le cose future: Dio dunque vede svolgersi in atto quelle azioni libere che, non essendo necessitate dalle loro cause, sono per l'uomo imprevedibili. Ciò si spiega considerando come in Dio, che è l'eternità stessa, sia presente tutto il tempo, e quindi anche le azioni future degli uomini. Egli le vede, ma con il vederle non toglie a esse la libertà, come non la toglie chi vi assiste nel momento in cui esse si compiono.

La prescienza divina

La volontà umana è dunque un **libero arbitrio** che non è eliminato né diminuito dall'ordinamento finalistico del mondo, né dalla prescienza divina, né dalla grazia, la quale è un aiuto straordinario e gratuito di Dio.

Il libero arbitrio

> Dio muove tutte le cose nel modo che è proprio di ciascuna di esse. Così nel mondo naturale egli muove in un modo i corpi leggeri, in altro modo i corpi pesanti, per la diversa natura di essi. Perciò muove l'uomo alla giustizia secondo la condizione propria della natura umana. L'uomo ha, per propria natura, il libero arbitrio. E in quanto ha libero arbitrio, il movimento verso la giustizia non è prodotto da Dio indipendentemente dal libero arbitrio: e Dio infonde il dono della grazia giustificante in modo da muovere, insieme con esso, il libero arbitrio ad accettare il dono della grazia.

Al libero arbitrio dell'uomo è dovuta la presenza del male nel mondo. Tommaso ammette la dottrina platonico-agostiniana della **non sostanzialità del male**: il male non è che mancanza di bene. Tutto ciò che è, è bene; ed è bene nel grado e nella misura in cui è; ma poiché l'ordine del mondo richiede la realtà anche dei gradi inferiori dell'essere e del bene, i quali appaiono (e sono) deficienti e quindi cattivi rispetto ai gradi superiori, allora può dirsi che **l'ordine stesso del mondo richiede il male**.

Il male come mancanza di bene

Quest'ultimo è di due specie: colpa e pena. **La pena è la deficienza della forma** (o realtà, o atto), cioè di una parte che è richiesta dall'integrità di una cosa: ad esempio, la cecità è la mancanza della vista. **La colpa è la deficienza di un'azione**, che non è stata fatta o non è stata fatta nel modo dovuto. Poiché tutto nel mondo è sottoposto alla provvidenza divina, il male come mancanza o deficienza di integrità è sempre pena. Ma il male maggiore è la colpa, che la provvidenza cerca di eliminare o di correggere con la pena. La

Il male come pena e come colpa

colpa, o il peccato, è l'atto con cui l'uomo sceglie deliberatamente il male, cioè agisce in modo difforme rispetto all'ordine della ragione e della legge divina.

**La sinderesi**

L'uomo è dotato della capacità di scorgere il bene e di tendere al bene. Infatti, così come in lui c'è la disposizione (*habitus*) naturale a intendere i principi speculativi, dai quali dipendono tutte le scienze, allo stesso modo c'è la disposizione naturale a intendere i principi pratici, dai quali dipendono tutte le azioni buone. Questo *habitus* naturale pratico è la **sinderesi**, che **ci dirige al bene e ci distrae dal male**; la facoltà che deriva da questa disposizione e che consiste nell'applicare i principi generali dell'azione a un'azione particolare è la **coscienza**.

## Le virtù

Sull'*habitus* generale dell'intelletto pratico sono fondate le virtù.

**La virtù come *habitus***

A questo proposito, Tommaso chiarisce il carattere di indeterminazione e di libertà che è proprio dell'*habitus*. Le **potenze naturali** (o facoltà naturali) sono determinate ad agire in un unico modo: esse non hanno possibilità di scelta, né libertà, ma agiscono in modo costante e infallibile. Le **potenze razionali**, invece, che sono proprie dell'uomo, non sono determinate in un unico senso, ma possono agire in più sensi, a seconda della loro libera scelta; tale scelta produce una disposizione costante, ma non necessaria né infallibile: questa è l'*habitus*. In questa prospettiva, le virtù sono *habitus*, cioè **disposizioni pratiche a vivere rettamente e a rifuggire dal male**.

**La classificazione delle virtù**

Tommaso accoglie da Aristotele la distinzione tra virtù **intellettuali** e virtù **morali**; tra queste ultime le principali, o cardinali, alle quali tutte le altre si riducono, sono: giustizia, temperanza, prudenza e fortezza. Le virtù intellettuali e morali sono virtù **umane**: esse conducono a quella felicità che l'uomo può conseguire in questa vita con le forze naturali. Ma per conseguire la beatitudine eterna queste virtù non bastano; sono necessarie le virtù **teologiche**, direttamente infuse da Dio nell'uomo: fede, speranza e carità.

# **7.** Il diritto e la politica

**La legge naturale e le inclinazioni dell'uomo**

Il fondamento della dottrina politica di Tommaso è quella **teoria del diritto naturale** che costituisce una delle maggiori eredità lasciate dallo stoicismo alla storia della filosofia e che nell'epoca di Tommaso era stata assunta a fondamento dello stesso diritto canonico. Secondo Tommaso c'è una **legge eterna**, cioè una ragione che governa tutto l'universo e che esiste nella mente divina. Di questa legge eterna la **legge di natura**, che è negli uomini, è un riflesso, o una "partecipazione".

La legge di natura si concretizza in tre fondamentali inclinazioni:

▶ quella che l'uomo ha in comune con tutti gli esistenti (ad esempio l'inclinazione a perseverare nell'essere);

▶ quella che l'uomo ha in comune con gli animali (ad esempio l'inclinazione del maschio e della femmina a unirsi per procreare);

▶ quella che è propria dell'uomo (ad esempio l'inclinazione a conoscere la verità, a vivere in società ecc.).

Oltre a questa legge eterna, che è per l'uomo legge di natura, ci sono due altre specie di leggi: quella **umana**, «inventata dagli uomini e per la quale si dispone in modo particolare delle cose cui già si riferisce la legge di natura» (*Somma teologica*, II, 1, q. 91, a. 3), e quella **divina**, che è necessaria per indirizzare l'uomo al suo fine soprannaturale. Tommaso afferma, conformemente alla teoria del diritto naturale, che non è legge quella che non è giusta e che perciò «dalla legge naturale, che è la prima regola della ragione, deve essere derivata ogni legge umana» (*ibidem*, q. 95, a. 2). ➔**T8**

**Legge umana e legge divina**

Spetta alla «**collettività**» (*multitudo*), secondo Tommaso, il compito di ordinare le leggi:

**Bene comune e monarchia**

> La legge ha come suo fine primo e fondamentale il dirigere al bene comune. Ora ordinare qualcosa in vista del bene comune è proprio dell'intera collettività o di chi fa le veci dell'intera collettività. Stabilire le leggi appartiene dunque all'intera collettività o alla persona pubblica che ha cura dell'intera collettività, giacché in tutte le cose può dirigere verso il fine solo colui al quale il fine stesso appartiene.

In questo modo Tommaso afferma esplicitamente l'**origine popolare delle leggi**. Tuttavia egli ritiene che tra le forme di governo enunciate da Aristotele la migliore sia la **monarchia**, in quanto è quella che meglio delle altre **garantisce l'ordine e l'unità dello Stato** e che è più simile allo stesso governo divino del mondo.

Ma lo Stato, se può indirizzare gli uomini alla virtù, non può invece indirizzarli alla fruizione di Dio, che è il loro fine ultimo. E tale "governo spirituale" spetta solo a Cristo, cioè a quel re che non è soltanto uomo, ma anche Dio. E poiché il fine meno alto si subordina al fine più alto e supremo, è evidente che **il governo civile deve subordinarsi al governo religioso**, che è proprio di Cristo e che da Cristo fu affidato non ai re terreni, ma al papa.

**La soggezione dell'autorità politica a quella religiosa**

> A lui, come allo stesso Signore Gesù Cristo, devono essere soggetti tutti i re del popolo cristiano. Giacché a colui cui spetta la cura del fine ultimo debbono essere soggetti quelli ai quali spetta la cura dei fini subordinati; costoro debbono essere diretti dal comando di quello.
>
> (*Sul governo dei principi*, I, 14)

Tuttavia, come si eserciti di fatto questa "soggezione" dell'autorità politica a quella religiosa «è argomento che Tommaso non ha perfettamente definito, limitandosi a formulare delle soluzioni suscettibili di interpretazioni diverse» (C. Vasoli).

# 8. L'estetica

Occasionalmente, Tommaso espone anche un nucleo di dottrine estetiche desunte dallo Pseudo-Dionigi, e dunque di ispirazione neoplatonica.

Il bello è, secondo Tommaso, identico al bene, in quanto il bene è ciò che tutti desiderano e, quindi, è un fine, e lo stesso vale per il bello. Ma del bello ciò che si desidera è la visione (*aspectus*), o la conoscenza: a differenza del bene, il bello è pertanto in rapporto con la facoltà conoscitiva. Perciò **la bellezza concerne solo**, tra i sensi, quelli che hanno

**Il bello**

maggior valore conoscitivo, cioè **la vista e l'udito**, che servono alla ragione: infatti diciamo "belle" le cose visibili e i suoni, ma non i sapori e gli odori. Nella bellezza, ciò che piace non è l'oggetto, ma l'apprensione (*apprehensio*) dell'oggetto.

**I caratteri del bello**

Seguendo lo Pseudo-Dionigi, Tommaso attribuisce al bello tre caratteri, o condizioni fondamentali:

▶ l'**integrità**, o la perfezione, perché ciò che è diminuito o incompiuto è brutto;
▶ la **proporzione**, o la congruenza, delle parti;
▶ la **chiarezza**.

**Bellezza sensibile e bellezza spirituale**

Questi caratteri si ritrovano non solo nelle cose sensibili, ma anche in quelle spirituali, le quali perciò hanno anch'esse una loro bellezza: se diciamo "bello" un corpo quando è proporzionato nelle sue membra e ha il dovuto colore, analogamente diciamo "bello" o "bella" un discorso o un'azione che siano ben proporzionati e abbiano la spirituale chiarezza della ragione. Ed è "bella" anche la virtù, perché modera con la ragione le faccende umane.

Un'immagine, poi, si dice "bella" se rappresenta perfettamente il proprio oggetto, anche se è brutto. E in questo senso **Tommaso**, seguendo Agostino, **vede la perfetta bellezza nel Verbo di Dio**, che è l'immagine perfetta del Padre.

# 9. Tommaso nella storia

**Un filosofo pericolosamente innovatore**

Genio della chiarezza e della profondità speculativa, con il tempo Tommaso finirà per apparire a molti come il maggior pensatore del Medioevo e come il più grande filosofo cristiano della storia. Tuttavia, prima di essere esplicitamente riconosciuto come tale e di assumere il ruolo di filosofo ufficiale della Chiesa, passeranno secoli. Presso i suoi contemporanei, infatti, Tommaso non trova un'accoglienza molto favorevole, poiché quasi a tutti sembra ardito e pericolosamente innovatore, e a molti perfino eretico (si ricordi che nel 1277 l'Università di Parigi condanna alcune sue tesi).

Nonostante l'avvenuta canonizzazione dell'Aquinate (nel 1323) e la sempre più diffusa percezione della sua notevole statura filosofica, il tomismo, fino alla seconda metà del XV secolo, rimane circoscritto all'ordine domenicano, nell'ambito del quale trova i primi appassionati interpreti. Solo nel XVI secolo cominciano a comparire i primi seguaci non domenicani di Tommaso, tra i quali spiccano gli agguerriti gesuiti spagnoli, il cui massimo rappresentante è il filosofo e teologo Francesco Suarez (1548-1617).

**Il "tomismo statico"**

I secoli successivi vedranno una decadenza del tomismo come filosofia militante, anche se la sua autorità e la sua influenza all'interno della Chiesa andranno sempre più rafforzandosi. Lo stesso Concilio di Trento si servirà del pensiero di Tommaso per esprimere in limpide formule concettuali alcuni contenuti di fede. Il tomismo vivrà allora quasi esclusivamente all'ombra delle scuole ecclesiastiche, arroccato in posizioni di rifiuto intransigente del pensiero moderno: per questo si è parlato tra i critici di "tomismo statico".

**Il neotomismo**

La rinascita del tomismo e l'affermazione del neotomismo si avranno solo nel XIX secolo, quando vari pensatori, in diverse nazioni ma soprattutto in Italia, si faranno promotori di un ritorno a Tommaso, concepito come il portatore dell'unica filosofia vera. Tale movimento di idee troverà la propria sanzione ufficiale e suprema nell'enciclica *Aeterni Patris* di Leone XIII (1879), che vedrà nel tomismo la dottrina che meglio si presta a esprimere speculativamente la visione cristiana del mondo. Ciò sarà ribadito in modo più marcato da un'altra enciclica papale, la *Pascendi* di Pio X (1907), che indicherà nel tomismo la «filosofia perenne» e l'arma filosofica per contrastare gli «errori» del mondo moderno.

Tale fioritura del neotomismo, soprattutto nel Novecento, fungerà da stimolo per una ripresa dello studio dei testi della scolastica, da cui trarrà giovamento l'intero settore della storia della filosofia medievale. Essa si concretizzerà in numerose università cattoliche e in centri di studi internazionali, non solo in Europa, ma anche in America e in Asia.

Sebbene una parte consistente della cultura cattolica del nostro secolo non si identifichi con il tomismo, la Chiesa ha continuato a proporre Tommaso come il filosofo cristiano per eccellenza, tanto che il Codice di diritto canonico del 1917, riconfermato di fatto dal Concilio Vaticano II, ha reso obbligatorio lo studio del tomismo nelle scuole ecclesiastiche. Tutte queste scelte sono motivate dal fatto che il tomismo appare alla Chiesa cattolica come una filosofia capace di conciliare in modo rigorosamente consono al cristianesimo Dio e mondo, trascendenza e immanenza, eternità e tempo, infinito e finito, monismo e pluralismo, ragione e sensi, spirito e corpo, vocazione spirituale e impegno terreno ecc.

**Il tomismo come filosofia ufficiale della Chiesa**

---

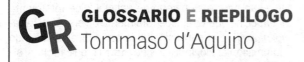

# **GR** GLOSSARIO E RIEPILOGO
## Tommaso d'Aquino

### Ragione e fede

■ **Ragione e fede** Pur affermando la *distinzione* tra ragione e fede, Tommaso crede in una loro *armonica collaborazione*. La ragione può infatti servire alla fede in tre modi diversi: in primo luogo dimostrando i «preamboli della fede», cioè quelle verità la cui dimostrazione è necessaria alla fede stessa (come l'esistenza di Dio e la Sua unità); in secondo luogo illustrando, mediante similitudini, le verità della fede; in terzo luogo combattendo le obiezioni mosse alla fede.

### Metafisica

■ **Ente** Quella di "ente" (*ens*) è una nozione generale e indefinibile, di cui Tommaso si serve per indicare «ciò che ha l'essere» (*id quod habet esse*) o in modo *reale* o in modo *logico*. Nel primo caso, l'ente è ciò che è presente nella realtà, secondo le varie modalità specificate dalle categorie. Nel secondo caso, l'ente è tutto ciò che viene espresso, tramite la copula, in una proposizione affermativa (senza che a quest'ultima corrisponda necessariamente qualcosa di reale).

■ **Essenza** Per "essenza" (*essentia*), Tommaso intende la *quidditas*, o la "natura" di una cosa. L'essenza comprende non solo la forma, ma anche la materia delle cose composte, giacché comprende tutto ciò che è espresso nella definizione di una cosa. Per Tommaso, negli esseri creati l'essenza non si identifica con l'esistenza (v.) ma è *realmente* distinta da essa, anche se si tratta della distinzione «non già di due enti propriamente, bensì di due princìpi di uno stesso ente di loro natura inseparabili» (A. Gazzana).

■ **Esistenza, o essere, o atto d'essere** Per "essere" (*esse*) o "atto d'essere" (*actus essendi*) Tommaso intende l'"esistenza", cioè l'atto grazie al quale le essenze, che hanno l'essere solo in potenza, di fatto esistono. Negli esseri finiti (v.) e contingenti (v.) essenza ed esistenza stanno tra loro in un rapporto di potenza e atto, mentre nell'essere infinito (v.) e necessario (v.) di Dio sono la stessa cosa, in quanto Dio è l'Essere per essenza. In Tommaso il concetto di essere si identifica con quello di "perfezione" (v. la voce "atto").

N.B. Il termine "esistenza", con cui vengono solitamente tradotti i termini *esse* e *actus essendi*, presenta un'in-

▶

dubbia funzionalità linguistica e didattica, anche se è bene tener presente: 1. che il termine non è tomistico; 2. che l'*esse* di cui parla il filosofo cristiano non è uno statico e bruto *fatto*, ma un dinamico *atto* che contiene un implicito riferimento al concetto di creazione; 3. che il termine "esistenza", pur essendo comunemente applicato anche a Dio, vale propriamente solo per gli esseri finiti. Dio è, non *esiste*: infatti *ex-sistere* significa venir fuori da qualcosa d'altro (dal lat. *ex-sisto*, *sisto ex*, "sono da"), come accade appunto alle creature finite.

■ **Atto e potenza** Per "atto" (*actus*) Tommaso intende ciò che indica realizzazione, completezza e perfezione, mentre per "potenza" intende ciò che indica incompletezza e imperfezione. Per Tommaso la perfezione massima, e perciò l'atto di tutti gli atti, è l'essere (v.).

■ **Possibile** Il "possibile" di cui parla Tommaso nel corso delle prove dell'esistenza di Dio è ciò che può essere e non essere, ossia ciò la cui essenza non implica l'esistenza. Il possibile è detto anche "contingente" (v.).

■ **Contingente** Per "contingente" (dal lat. *contingere*, "toccare", "accadere") si intende ciò che, pur esistendo attualmente, potrebbe anche non esistere, per cui, se di fatto esiste, è perché qualcosa di necessario (v.) gli ha dato l'esistenza. Il contingente è quindi associato all'idea di una dipendenza causale estrinseca, ossia al concetto di una realtà etero-dipendente (qual è appunto, secondo la scolastica cristiana, quella delle creature).

■ **Necessario** "Necessario", per Tommaso, è ciò che è e non può non essere, in quanto la sua essenza implica la sua esistenza. Tale è il modo di essere di Dio, grazie a cui gli enti contingenti di fatto esistono.

■ **Infinito/finito** L'"infinito" è per Tommaso ciò il cui essere non dipende da altro e non è ristretto nei limiti di una determinata natura. L'infinito coincide quindi con Dio, inteso come «l'essere totale senza limitazioni di sorta» (Tito Sante Centi), ossia come quell'Essere al quale, secondo la cosiddetta "metafisica dell'*Esodo*" abbozzata da Agostino e ripresa da Tommaso, ben si adatta l'espressione: «Io sono colui che sono» (*Es*, 3, 14). Viceversa, per "finito" Tommaso intende ciò che riceve l'essere da altro e risulta circoscritto nei limiti di una determinata natura o essenza.

■ **Partecipazione** Per "partecipazione" Tommaso intende l'atto con cui le creature, grazie a Dio, "prendono parte" alla perfezione dell'essere. *Est autem participare quasi capere partem*, scrive Tommaso, precisando che

«quando qualcosa riceve in parte ciò che ad altri appartiene universalmente (cioè in modo totale) si dice che vi partecipa. Ad esempio, si dice che l'uomo partecipa all'animalità, perché non esaurisce il concetto dell'animalità in tutta la sua estensione» (*Boëthii De hebdomadibus*, c. 2).

N.B. Quando si dice che le creature, partecipando dell'essere, partecipano di Dio (o dell'Essere) non si intende dire che esse prendono parte dell'essenza di Dio (poiché in questo caso si tratterebbe di panteismo), ma che esse realizzano in misura limitata e imperfetta, cioè per somiglianza parziale, ciò che in Dio è dato in modo illimitato e perfetto. In altri termini, «gli enti non partecipano all'Essere come le fette di una torta alla torta intera. Se così fosse, l'Essere e gli enti sarebbero della stessa natura. Invece gli enti partecipano dell'Essere come una copia partecipa del proprio modello. È una partecipazione di somiglianza, non una partecipazione di essenza» (B. Mondin).

■ **Analogia** Quello di "analogia" è un concetto di cui si serve Tommaso per *distinguere* e nello stesso tempo *connettere* l'essere di Dio e l'essere delle creature, i quali, a suo parere, non sono né *univoci*, cioè totalmente *identici*, né *equivoci*, cioè totalmente diversi, bensì *analoghi*, ovvero in parte simili e in parte diversi. Secondo Tommaso, l'analogia si estende a tutti i predicati che si attribuiscono nello stesso tempo a Dio e alle creature, e rappresenta la condizione grazie alla quale risulta possibile il discorso teologico (v. par. "Partecipazione e analogia", p. 616).

■ **Trascendenti, o trascendentali** Per "trascendenti", o "trascendentali" (come si dirà in seguito), Tommaso intende quei predicati che appartengono in modo universale a ogni ente e che perciò trascendono (per generalità) le categorie. I trascendentali individuati da Tommaso si riducono fondamentalmente a tre: l'*uno*, il *vero* e il *bene* (v. par. "L'essere come perfezione e la dottrina dei trascendentali", p. 617). A questa lista alcuni studiosi posteriori aggiungeranno il *bello*.

## Teoria della conoscenza

■ **Astrazione** Con il termine "astrazione" (dal lat. *abstrahere*, "trarre via da") si indica il processo attraverso cui il soggetto conoscente ricava le forme, o specie (sensibili o intelligibili), delle cose, "astraendole" dai corpi con i quali sono unite. Per Tommaso l'astrazione si riferisce soprattutto alla conoscenza intellettuale, la quale è un astrarre la forma dalla materia individuale, ossia un "trarre fuori" l'universale dal particolare, la specie intelligibile dalle immagini singole, cioè dal cosiddetto "fantasma" (v.).

■ **Fantasma** Per "fantasma" si intende la riproduzione dell'oggetto sensibile nell'immaginazione. Il fantasma, essendo qualcosa di sensibile e di individuale, non va confuso con il "concetto", il quale è invece universale e intelligibile.

■ **Materia** Il processo astrattivo non consiste nel separare la forma dalla materia *in generale* (poiché altrimenti non potremmo intendere che l'uomo o il cavallo sono costituiti "anche" di materia), bensì dalla materia *individuale*. In altri termini, la materia è duplice, cioè *comune* (come la carne e le ossa in generale), oppure *signata* o individuale (come *questa* carne e *queste* ossa particolari). L'intelletto, conoscendo, non astrae la forma dalla materia sensibile comune, ma solo dalla materia sensibile individuale.

■ *Principium individuationis* Secondo Tommaso il *principium individuationis*, ossia ciò che determina il carattere proprio di ciascun individuo, e quindi la sua diversità rispetto agli altri, non è né la forma (giacché ogni individuo appartiene alla specie "uomo") né la materia comune (poiché tutti gli individui sono fatti di carne e di ossa), bensì la materia *signata*. Infatti ogni individuo è unito a un "determinato" corpo, diverso per "dimensioni spazio-temporali" da quello degli altri uomini.

■ **Intelletto** Per "intelletto" Tommaso intende la facoltà dell'*intus legere* (leggere dentro), cioè del penetrare fino alle essenze delle cose: si tratta di una «facoltà conoscitiva superiore che è del tutto inorganica, che cioè esercita le sue funzioni indipendentemente dalla materialità di un organo corporeo» (Tito Sante Centi).

■ **Intelletto agente, o attivo** L'intelletto agente, o intelletto attivo, è la facoltà che astrae le forme intelligibili dalla materia individuale, permettendo all'intelletto possibile, o potenziale, di esprimerle nei concetti. Contro Averroè e i suoi seguaci, i quali sostenevano l'unicità di tale intelletto e la sua separazione rispetto agli intelletti individuali, Tommaso sostiene che esso coincide con l'anima stessa e che ci sono quindi tanti intelletti agenti quante sono le anime umane.

■ **Verità** Per "verità" Tommaso intende l'adeguazione della cosa e dell'intelletto (*adaequatio rei et intellectus*, *Sulla verità*, q. 1, 1 e *S. teol.*, I, q. 16, aa. 1-2). Il filosofo ritiene che tale formula sia in grado di esprimere «i due aspetti della verità», cioè sia l'aspetto *logico-gnoseologico*

di essa, consistente nella corrispondenza tra l'intelletto umano e le cose, sia l'aspetto *ontologico-trascendentale*, consistente nel fatto che ogni ente si adegua all'intelletto divino che lo ha creato, e risulta quindi intrinsecamente intelligibile e razionale. Alcuni studiosi successivi cercheranno di rendere linguisticamente più chiaro e funzionale il discorso di Tommaso, usando la formula *adaequatio rei et intellectus* solo per la verità in senso ontologico, preferendo invece, per la verità in senso logico-gnoseologico, la formula *adaequatio intellectus et rei*. In modo ancor più esplicito, si può parlare, in relazione alla verità ontologica, di *adaequatio rei ad intellectum divinum* e, in relazione alla verità logico-gnoseologica, di *adaequatio intellectus nostri ad rem*.

### Antropologia, etica, diritto e politica

■ **Anima** Pur essendo naturalmente destinata a fungere da forma di un corpo, l'anima possiede, secondo Tommaso, un suo essere proprio (*anima habet esse per se*), che non riceve né dal corpo, né dalla sua unione con il corpo, ma direttamente da Dio. La natura autonoma e incorporea dell'anima intellettiva è provata dalla sua capacità di operare indipendentemente dal corpo. In quanto sostanza per sé sussistente, l'anima è anche immortale (v. par. "La teoria antropologica: l'anima", p. 623).

■ *Agere sequitur esse* Il principio secondo cui "l'operare segue l'essere" sta alla base dell'etica tomista e deriva dal primato che Tommaso riconosce all'essere. Con tale assioma, il filosofo intende sottolineare la presenza di una correlazione necessaria tra la natura di un ente e il suo modo di agire. In concreto, se l'uomo è una creatura di Dio, ne segue che la creaturalità (e quindi il rapporto di dipendenza da Dio) per lui non è solo un *dato* ontologico, ma anche un *dover-essere* morale.

■ **Provvidenza** Per "provvidenza" Tommaso intende il governo divino del mondo. La provvidenza, come la prescienza divina (v.), non esclude, ma implica, nel suo ordine, la libertà umana (v.).

■ **Prescienza** La "prescienza" è l'atto con cui Dio prevede (o meglio "vede", in quanto il creatore ha tutto simultaneamente presente) i futuri contingenti, cioè le azioni dovute alla volontà e alla libertà dell'uomo.

■ **Volontà** Per "volontà" Tommaso intende «la facoltà con la quale si tende a raggiungere il bene conosciuto dall'intelletto». Il volere umano, pur non potendo fare a meno di tendere alla felicità, che è il suo fine necessario, si accompagna alla libertà (v.).

▶

■ **Libertà** Per "libertà" Tommaso intende quella specifica situazione di immunità dell'uomo da costrizioni esterne o interne che si concretizza nel cosiddetto "libero arbitrio". Secondo Tommaso la libertà presuppone sia la volontà, sia la ragione (che giudica sul da farsi): *radix libertatis est voluntas sicut subiectum, sed sicut causa est ratio*.

■ **Sinderesi** Con il termine "sinderesi" Tommaso indica la disposizione naturale a intendere i principi pratici dai quali dipendono le azioni buone. Tale disposizione era chiamata da san Girolamo *scintilla conscientiae*.

■ **Coscienza** La "coscienza" è l'atto che deriva dalla sinderesi (v.) e che consiste nell'applicare i principi *generali* dell'agire a un'azione *particolare*.

■ **Virtù** Le virtù morali sono per Tommaso degli «abiti», cioè delle disposizioni costanti a vivere rettamente e a rifuggire dal male.

■ **Legge** La legge (*lex*), scrive Tommaso, «è una regola o misura dell'agire, in quanto uno viene da essa spinto all'azione, o viene stornato da quella. *Legge* deriva da *legare*, poiché obbliga ad agire» (*S. teol.*, I-II, q. 90, a. 1). Tommaso distingue vari tipi di legge: la *legge eterna* (*lex aeterna*) è «il piano con il quale Dio, come principe dell'universo, governa le cose» (*S. teol.*, I-II, q. 91, a. 1);

la legge naturale (*lex naturalis*) è la «partecipazione della legge eterna nella creatura ragionevole» (*S. teol.*, I-II, q. 91, a. 2), ovvero la legge che prescrive alla volontà umana come deve agire «per accordarsi di fini essenziali e necessari dell'essere umano» (Maritain); la legge umana (*lex humana*) è la legge civile positiva, per la quale «si dispone in modo particolare delle cose cui già si riferisce la legge naturale». Tale legge deve sempre essere fondata sulla legge naturale, la quale, come si è detto, si fonda sulla legge eterna. In altri termini, il diritto positivo, secondo Tommaso, presuppone il diritto naturale e si basa su di esso; la *legge divina* (*lex divina*) è la legge positiva divina, che comprende la legge mosaica (*lex vetus*), la legge evangelica (*lex nova*) e la legge ecclesiastica che ne segue.

■ **Politica** Per quanto concerne la politica, Tommaso, pur affermando l'origine *popolare* delle leggi, ritiene che la *monarchia* rappresenti la migliore forma di governo, in quanto è quella che meglio garantisce l'unità e l'ordine dello Stato e che più si avvicina al tipo di governo che Dio esercita sul mondo. Per quanto concerne i rapporti tra autorità civile e autorità religiosa, Tommaso, pur *distinguendo* le reciproche zone di competenza, ritiene che i re del popolo cristiano siano *subordinati* al pontefice, secondo le linee di una «moderata soluzione teocratica» (C. Vasoli) sulla cui interpretazione vige tuttora, tra gli studiosi, una certa disparità di vedute.

## Indicazioni bibliografiche

### OPERE DI TOMMASO

■ T.S. Centi (a cura di), *Somma contro i Gentili*, UTET, Torino 1975 ■ T.S. Centi (a cura di), *La politica dei principi cristiani (De regimine principum)*, Cantagalli, Siena 1981 ■ A. Tognolo (a cura di), *L'uomo e l'universo. Opuscoli filosofici*, Rusconi, Milano 1982 ■ *Somma teologica*, Edizioni Studio Domenicano, Roma 1984, 35 voll. ■ L. Perotto (a cura di), *Scritti politici*, Massimo, Milano 1985 ■ *De regimine principum ad regem Cypri et de regimine iudaeorum ad ducissam Brabantiae*, Marietti, Genova 1986[5] ■ P. Orlando (a cura di), *De ente et essentia. L'essenza dell'esistente*, EDB, Bologna 1988[2] ■ A. Lobato (a cura di), *Opuscoli filosofici*, Città Nuova, Roma 1989 ■ P. Porro (a cura di), *Ente ed essenza*, Rusconi, Milano 1995.

### OPERE SU TOMMASO

■ B. Mondin, *Il sistema filosofico di Tommaso d'Aquino*, Massimo, Milano 1985 ■ A. Campodonico, *Alla scoperta dell'essere. Saggio sul pensiero di Tommaso d'Aquino*, Jaca Book, Milano 1986 ■ M. Grabmann, *S. Tommaso d'Aquino. Introduzione alla sua personalità e al suo pensiero*, Libreria Editrice Vaticana, Roma 1988[6] ■ J.E. Gratsch, *Manuale introduttivo alla Somma Teologica di Tommaso d'Aquino*, Piemme, Casale Monferrato 1988[2] ■ F. Riva, *L'analogia metaforica. Una questione logico-metafisica nel tomismo*, Vita e Pensiero, Milano 1989 ■ G. Galeazzi (a cura di), *"L'ente e l'essenza" di Tommaso d'Aquino e il rapporto fede-ragione nella Scolastica*, Paravia, Torino 1991 ■ G. Invitto, *La Città dell'uomo. Il pensiero politico di san Tommaso*, Capone, Lecce 1991 ■ I. Biffi, *San Tommaso d'Aquino. Il teologo, la teologia*, Jaca Book, Milano 1992 ■ I. Biffi, *I misteri di Cristo in Tommaso d'Aquino*, vol. 1, Jaca Book, Milano 1994 ■ O.H. Pesch, *Tommaso d'Aquino. Limiti e grandezza della teologia medievale. Una introduzione*, Queriniana, Brescia 1994 ■ J.A. Weisheipl, *Tommaso d'Aquino. Vita, pensiero, opere*, Jaca Book, Milano 1994[3] ■ I. Biffi, *La costruzione della teologia*, vol. 3, *Teologia, storia e contemplazione in s. Tommaso d'Aquino*, Jaca Book, Milano 1995 ■ L.J. Elders, *La filosofia della natura di san Tommaso d'Aquino*, Libreria Editrice Vaticana, Roma 1996 ■ I. Andereggen, *Introduzione alla teologia di s. Tommaso*, EDB, Bologna 1996 ■ M. Sgarbossa, *Tommaso d'Aquino. L'epoca, la vita, il pensiero*, Città Nuova, Roma 1996 ■ C. Fabro, *Introduzione a san Tommaso. La metafora tomista e il pensiero moderno*, Ares, Milano 1997[2] ■ S. Vanni Rovighi, *Introduzione a Tommaso d'Aquino*, Laterza, Roma-Bari 2002 ■ G. Samek Lodovici, *La felicità del bene. Una rilettura di Tommaso d'Aquino*, Vita e Pensiero, Milano 2002 ■ J.-P. Torrell, *La "Summa" di San Tommaso*, Jaca Book, Milano 2003.

# 3 La crisi e la fine della scolastica

## 1. Gli sviluppi dell'aristotelismo nella seconda metà del XIII secolo

### L'averroismo latino e la polemica intorno al tomismo

La dottrina di **Tommaso** era sostanzialmente diretta a stabilire un accordo tra la fede e la ragione mediante la delimitazione dei rispettivi campi: la ragione era il dominio delle verità dimostrate, la fede quello delle verità rivelate. Ma Tommaso affermava anche che non ci può essere, tra questi due tipi di verità, alcuna contraddizione, proprio perché sono **entrambe verità**, e la verità, per definizione, non può escludere un'altra verità, ma solo il falso.

**Ragione e fede per Tommaso e per Averroè**

Tale dottrina costituiva un'importante innovazione rispetto all'aristotelismo arabo, e soprattutto rispetto ad **Averroè**, il quale riteneva che si dovesse ammettere solo ciò che è dimostrabile (perché in ciò doveva consistere la religione dell'autentico filosofo) e che la **religione rivelata** fosse **solo un modo approssimativo e imperfetto di avvicinarsi alla verità** per chi non è capace di intraprendere la via della scienza e della dimostrazione. Questo stesso punto di vista fu sostenuto nel XIII secolo da vari maestri dell'Università parigina, le opere dei quali, per le condanne ecclesiastiche cui furono sottoposte, non ci sono pervenute o sono state parzialmente ritrovate solo in tempi moderni.

Il maggiore tra gli aristotelici averroisti fu **Sigieri di Brabante**, la cui nascita è stata fissata con una certa probabilità intorno al 1235. Maestro presso la facoltà delle arti dell'Università di Parigi, nel 1277 Sigieri fu accusato di eresia dall'inquisitore di Francia; internato presso la corte papale, morì a Orvieto tra il 1281 e il 1284.

**Sigieri di Brabante e la dottrina della doppia verità**

Sigieri affermava la necessità e l'eternità del mondo: egli riteneva infatti che tutte le cose percorressero un ciclo che dipende dal movimento dei corpi celesti e che tutti gli eventi del mondo, comprese le azioni umane, fossero determinati necessariamente da tale movimento. Sigieri negava, in tal modo, la libertà dell'uomo; ma poiché si trattava di una tesi in contrasto con i contenuti della fede cristiana, dichiarava anche che se, come filosofo, doveva giungere a quelle conclusioni, come cristiano accettava le verità della fede. Questa dottrina, che fu chiamata della "**doppia verità**", è con ogni evidenza direttamente **contraria al punto di vista tomistico**, il quale ammetteva la perfetta armonia tra fede e ragione.

Le stesse tesi di Sigieri furono sostenute da un suo scolaro, il danese Boezio di Dacia, la cui opera *Sull'eternità del mondo* è stata scoperta recentemente.

La dottrina della doppia verità doveva diventare, nel XIII secolo e in quello successivo, una scappatoia molto comune tra i filosofi del tempo.

**La reazione all'aristotelismo di Tommaso**

Anche nella forma che aveva ricevuto da Tommaso, l'aristotelismo suscitò opposizione da parte di quei filosofi che preferivano seguire il tradizionale indirizzo agostiniano della scolastica, e diffidenza e condanne da parte delle autorità ecclesiastiche. Il 7 marzo 1277 il vescovo di Parigi Stefano Tempier condannò, tra molte proposizioni averroistiche, anche alcune proprie di Tommaso.

Pensatori di ispirazione agostiniana – come **Giovanni Peckam**, inglese, **Matteo di Acquasparta**, italiano, e altri minori – difesero contro Tommaso la **dottrina agostiniana dell'illuminazione**: l'uomo non conosce la verità attraverso i procedimenti dimostrativi della ragione, ma attraverso una specie di illuminazione che il suo intelletto riceve direttamente da Dio.

**Enrico di Gand** (morto nel 1293) criticò l'intellettualismo di Tommaso e affermò che la volontà non segue necessariamente il giudizio della ragione, ma che questa si limita a proporre gli oggetti tra i quali la volontà fa poi la sua scelta. Inoltre la volontà è superiore all'intelletto, perché la sua disposizione è rivolta all'amore, mentre quella dell'intelletto è rivolta alla sapienza, e l'amore è superiore alla saggezza.

**La difesa domenicana del tomismo**

Il tomismo fu invece difeso, di regola, dall'ordine domenicano, cioè dai confratelli di Tommaso. Tra essi si può ricordare **Egidio Romano** (Colonna), morto nel 1316, il quale tra l'altro sosteneva la superiorità del potere papale su quello temporale dei principi della terra.

## La "via moderna" della logica

Quando, verso la metà del Duecento, la **logica** cominciò a essere concepita in rapporto strettissimo con la grammatica e, quindi, come **dottrina dei termini**, cioè delle **parole**, considerate a loro volta come **segni convenzionali delle cose**, questa concezione venne detta *via moderna* e contrapposta alla concezione tradizionale della logica, designata come *via antiqua*.

**La logica terministica di Pietro Ispano**

Il sistematore della nuova logica fu Pietro Ispano, nato a Lisbona nel secondo decennio del XIII secolo e divenuto papa con il nome di Giovanni XXI. Le *Piccole somme di logica* di Pietro Ispano – che non sono la traduzione, come per molto tempo è stato creduto, bensì l'originale della *Sinossi della logica aristotelica*, che, scritta in greco e attribuita al filosofo bizantino Psello, è in realtà una traduzione dell'opera di Pietro risalente al XV secolo – sviluppano, accanto alle parti più generali della logica aristotelica, la **logica ter-**

**ministica, o nominalistica, di derivazione stoica e di ispirazione empiristica**.

Questa ispirazione si rivela soprattutto nella **dottrina della supposizione** (*suppositio*), cioè del rapporto tra la parola e l'oggetto da questa significato. Pietro Ispano dice che in una proposizione come "l'uomo è mortale" il termine "uomo" non si riferisce a una natura universale o ad una forma di tipo aristotelico, ma sta per (*supponit pro*) Socrate, Platone o uno qualsiasi degli uomini. In altri termini, la logica della *suppositio* è nominalistica: essa non ammette forme o realtà universali, ma soltanto cose o esseri individuali, quali sono conosciuti nell'esperienza. A tale logica si rifarà l'empirismo del secolo successivo, a partire da Ockham.

Nella storia della logica medievale occupa un posto a parte Raimondo Lullo, nato a Palma di Maiorca nel 1232 o 1235, e morto nel 1315. Lullo scrive poemi, romanzi filosofici, opere di logica e di metafisica, trattati mistici. Contro i filosofi arabi, e specialmente contro l'averroismo, egli ritiene che tutte le credenze della fede possano essere dimostrate razionalmente.

*L'arte combinatoria di Raimondo Lullo*

La sua maggiore originalità è rintracciabile nella concezione, esposta nel trattato intitolato *Ars magna et ultima* (L'arte grande e ultima), della **logica come scienza universale**, fondamento di tutte le scienze. Poiché ciascuna scienza ha principi propri, diversi dai principi delle altre scienze, vi deve essere una scienza generale, nei cui principi i principi delle scienze particolari siano impliciti e contenuti, come il particolare è contenuto nell'universale, e mediante la quale le altre scienze possano facilmente essere apprese.

Questa scienza non può essere la metafisica, giacché non considera l'essere, ma soltanto quei termini dalla cui composizione risultano i principi di tutte le scienze. Lullo enumera questi termini, che sono parole di significato generale (ad esempio bontà, grandezza, differenza, concordanza, Dio, angelo, uomo ecc.), dalle quali dovrebbero risultare, mediante composizione, tutte le verità naturali cui l'intelletto umano può giungere. L'*ars magna* è dunque veramente l'**arte della combinazione dei termini semplici**, volta alla scoperta sintetica dei principi delle scienze. Questo concetto dell'arte combinatoria suscitò nel Rinascimento entusiasti seguaci, tra i quali Giordano Bruno. Lo stesso Leibniz, più tardi, riprese il concetto lulliano di un'arte combinatoria come fondamento di una logica "inventiva", cioè diretta a scoprire, per via sintetica, le verità delle scienze.

## La filosofia della natura e Ruggero Bacone

Il XIII secolo vede una grande fioritura della filosofia della natura. Contribuisce a determinarla la diffusione dell'aristotelismo, che, presentandosi come una sorta di enciclopedia del sapere, svincola l'attività speculativa dalla considerazione unilaterale dei problemi teologici e la avvia a quella dei problemi concernenti il **mondo fisico**, riconosciuto come **dominio dell'indagine autonoma della ragione**.

*La diffusione dell'aristotelismo e l'impulso alla ricerca naturale*

Ma l'aristotelismo non fa che portare alla luce del sapere ufficiale quelle ricerche dirette a carpire i segreti del mondo naturale che non erano mai venute meno nel Medioevo, ma che costituivano un'attività d'eccezione, riservata ad alchimisti, maghi e simili dottori diabolici. Con il nuovo spirito aristotelico, la cui influenza non si restringe a coloro che rimangono più aderenti alla lettera del sistema aristotelico, ma investe l'intero campo della cultura, **la ricerca sperimentale cessa di essere lavoro segreto riservato agli ini-**

**ziati e diventa un aspetto fondamentale della ricerca filosofica**, assumendo così un posto ufficiale nell'enciclopedia delle scienze.

Già **Alberto Magno** aveva insistito sull'importanza della ricerca sperimentale, che però fu coltivata soprattutto dai francescani inglesi, tra i quali in particolare **Roberto Grossatesta**, grande iniziatore di tale indirizzo

**Ruggero Bacone: vita e opere**

Il massimo rappresentante dello sperimentalismo del XIII secolo è Ruggero Bacone. Detto "dottore mirabile" (*doctor mirabilis*) per la sua vasta cultura, Ruggero Bacone nacque in Inghilterra tra il 1210 e il 1214; fu scolaro di Roberto Grossatesta e appartenne all'ordine francescano. Morì poco dopo il 1292. Le sue opere principali sono intitolate *Opera maggiore*, *Opera minore* e *Opera terza*.

**Esperienza esterna ed esperienza interna**

Bacone afferma che le fonti della conoscenza sono due, la ragione e l'esperienza, ma che solo quest'ultima «acqueta l'anima nell'intuito della verità», mentre la ragione non arriva mai a eliminare del tutto il dubbio. Ora l'esperienza, secondo Bacone, è di due specie: l'**esperienza esterna** è quella che ci è data attraverso i sensi; l'**esperienza interna** è quella che ci è data attraverso l'illuminazione divina. Bacone àncora quindi il proprio sperimentalismo al caposaldo della tradizione agostiniana, la **teoria dell'illuminazione**.

Dall'esperienza esterna derivano le verità naturali, dall'esperienza interna le verità soprannaturali. Tuttavia anche alcune verità naturali, quelle di cui l'uomo è in possesso fin dall'origine, derivano da un'illuminazione "generale" comune a tutti gli uomini, diversa dall'illuminazione "straordinaria" della grazia, che Dio concede ai santi e ai profeti.

**Il particolare sperimentalismo baconiano e il suo valore**

L'esperienza interna è per Bacone la **via mistica**, il cui più alto grado è la **conoscenza estatica**. Lo sperimentalismo di Bacone si conclude così nel misticismo: non c'è quindi da meravigliarsi se, anche nel dominio della ricerca sperimentale, le sue ricerche siano cariche del carattere magico e religioso che gli alchimisti attribuivano alla loro scienza. Egli chiedeva alla scienza sperimentale l'invenzione di fatti sorprendenti e la scoperta di nuove meraviglie da aggiungere ai tesori dell'alchimia e della magia naturale.

Tuttavia, si deve riconoscere a questa strana figura di frate francescano, alchimista e mistico, sperimentatore e teologo, il carattere di precursore della scienza moderna: sia perché ha dato il massimo valore alla **ricerca sperimentale**, sia perché ha riconosciuto nella **matematica** il fondamento e la guida di tale ricerca.

**Witelo**

La filosofia della natura nel Duecento conta un altro notevole sostenitore in Witelo, studioso polacco autore di un trattato di ottica intitolato *Prospettiva* che fu composto probabilmente intorno al 1270.

## L'aristotelismo di Duns Scoto

Il "dottor sottile".   Dopo una prima svolta, imposta alla scolastica da Tommaso, se ne deve una seconda a Duns Scoto. Si tratta di una svolta decisiva, che condurrà rapidamente la scolastica alla fine del proprio ciclo e all'esaurirsi della propria funzione storica.

**La funzione dell'aristotelismo in Duns Scoto**

Anche la posizione di Duns Scoto è determinata dall'aristotelismo, inteso però come lo "spirito" di un sistema, e non come il sistema stesso. In altre parole, se per Tommaso l'aristotelismo è una dottrina che bisogna correggere e riformare, per Duns Scoto esso è "la" filosofia, che bisogna riconoscere e far valere in tutto il suo rigore per circoscrivere il dominio della scienza umana nei suoi giusti limiti; se per Tommaso si tratta di far servire l'aristotelismo alla spiegazione della fede cattolica, per Duns Scoto si tratta di farlo valere come principio che restringe la fede nel dominio che le è proprio, ovvero quello pratico. L'ideale di una **scienza assolutamente necessaria**, cioè interamente fondata sulla dimostrazione, e il **procedimento critico, analitico e dubitativo** costituiscono l'espressione della fedeltà di Duns allo spirito dell'aristotelismo.

L'appellativo che Duns ebbe dai suoi contemporanei, ***doctor subtilis***, esprime pertanto solo il carattere esteriore del suo filosofare: la tendenza a distinguere e a suddistinguere, l'incontentabilità analitica che cerca la chiarezza nell'enumerazione completa delle alternative possibili.

Giovanni Duns Scoto nacque nel 1266 o (secondo altri) nel 1274 a Maxton (oggi Littledean), in Scozia. Studiò a Oxford e a Parigi e in entrambe queste Università fu maestro. Morì l'8 settembre del 1308 a Colonia. Visse dunque solo quarant'anni circa, ma questo breve spazio di vita fu occupato da un'attività intensa, anche a giudicare dalle opere che gli si possono attribuire con certezza.

*Vita e opere*

Tali opere sono: *Il primo principio*; *Questioni di metafisica*; *Opera di Oxford*, che è il suo primo commento alle *Sentenze* di Pietro Lombardo, tenuto a Oxford; *Appunti delle lezioni parigine*, che è il suo commento alle *Sentenze* tenuto a Parigi. Poco probabile è l'autenticità de *Il principio delle cose* e dei *Teoremi*, la cui attribuzione a Scoto non risulta dai manoscritti più antichi e che presentano un'accentuazione della sua tendenza a ridurre il numero delle proposizioni teologiche ritenute dimostrabili.

## Il teoretico e il pratico.

*Il primo principio* si apre con una preghiera a Dio che è nello stesso tempo la professione dell'ideale scientifico di Duns:

*Dio come «vero essere»*

> Tu sei il vero essere, Tu sei tutto l'essere; questo io credo, questo, se mi fosse possibile, vorrei conoscere. Aiutami, o Signore, nel ricercare quella conoscenza del vero essere, cioè di Te, che la nostra ragione naturale può attingere.
> (*Il primo principio*, 1, n. 1)

Duns non chiede a Dio un'illuminazione soprannaturale, una conoscenza "compiuta" per verità ed estensione, ma solo quella conoscenza che è propria della ragione umana naturale. Anche se limitata, questa è la sola conoscenza possibile, la sola scienza per l'uomo.

*La distinzione tra verità metafisiche e verità di fede*

> Oltre gli attributi che di Te i *filosofi* dimostrano, spesso i *cattolici* Ti lodano come onnipotente, immenso, onnipresente, vero, giusto e misericorde, provvidente per tutte le creature e specialmente per quelle intelligenti. Ma di questi attributi parlerò in un altro trattato, nel quale saranno esposti gli oggetti di fede (*credibilia*), ai quali viene accattivato l'assenso della ragione e che tuttavia sono, per i cattolici, tanto più certi in quanto si fondano non sul nostro intelletto miope e vacillante, ma sulla tua solidissima verità.
> (*Il primo principio*, 4, n. 37)

In queste righe è evidente il contrasto tra le verità della metafisica, che sono proprie della ragione umana e quindi valide per tutti gli uomini, e le verità della fede, alla quale la ragione può essere soltanto "accattivata" e che ha una certezza solidissima solamente per i cattolici. Per Duns Scoto **la fede non ha nulla a che fare con la scienza**, in quanto appartiene interamente al dominio pratico.

> La fede non è un abito speculativo, né il credere è un atto speculativo, né la visione che segue al credere è una visione speculativa, ma pratica.
> (*Opera di Oxford*, prol., q. 3)

**Necessità e libertà**

Da ciò scaturiscono la separazione e l'antitesi, che dominano tutto il pensiero di Duns, tra il teoretico e il pratico. **Il teoretico è il dominio della necessità**, quindi della dimostrazione razionale e della scienza. **Il pratico è il dominio della libertà**, quindi dell'impossibilità di ogni dimostrazione e della fede. La metafisica è la scienza teoretica per eccellenza, la teologia è la scienza pratica per eccellenza.

**Il carattere pratico della teologia**

Lo scopo della teologia non è quello di fugare l'ignoranza, ma di **persuadere l'uomo ad agire per la propria salvezza**. Il suo fine, in altri termini, non è contemplativo, ma educativo. Essa ripete di frequente i propri insegnamenti affinché l'uomo sia indotto più efficacemente a metterli in pratica.

Se per "conoscenza pratica" si intende quella che condiziona necessariamente e precede la volizione retta, l'intera teologia deve essere riconosciuta come **conoscenza pratica**, in quanto **condiziona e determina la volontà e l'azione retta dell'uomo**. Anche quelle verità che apparentemente non hanno riferimento all'azione sono in realtà pratiche. Infatti, se consideriamo ad esempio "Dio è trino" e "il Padre genera il Figlio", la prima di queste verità include virtualmente la conoscenza del retto amore che l'uomo deve a Dio, amore che deve dirigersi a tutte e tre le persone divine, perché se si rivolgesse a una sola di esse escludendo le altre (come appunto accade nel caso degli infedeli) non sarebbe il retto amore di Dio; la seconda affermazione include invece la conoscenza della regola per la quale l'amore dell'uomo deve dirigersi verso il Padre e il Figlio, secondo il rapporto che essa appunto determina tra loro.

**Il carattere teoretico della metafisica**

Di fronte al carattere pratico della teologia, che perciò solo impropriamente e in senso molto specifico è "scienza", sta il carattere teoretico della metafisica, che è scienza nel senso più alto.

> Sono per eccellenza oggetto di scienza o le cose che si conoscono prima di tutte le altre e senza le quali le altre non possono essere conosciute, o quelle che si conoscono con la massima certezza. L'oggetto della metafisica possiede al massimo grado questo duplice carattere: la metafisica è dunque scienza nel massimo grado.

Duns Scoto desume da Aristotele e dai suoi interpreti arabi l'ideale di una **scienza necessaria**, costituita interamente da **principi evidenti** e da **dimostrazioni razionali**. Ma per primo egli si avvale di questo ideale per restringere e limitare il dominio della conoscenza umana.

**Le proposizioni indimostrabili della fede**

Una volta ammessa la dottrina secondo cui tutto ciò che non è dimostrabile razionalmente è puro oggetto di fede (cioè "regola pratica", senza fondamento necessario), la ricerca scolastica, che da secoli rinnovava il proprio tentativo di ridurre a compattezza di dottrina logica le verità della fede, cominciò ad apparire chimerica. I *Theoremata* presentano un impressionante elenco di **proposizioni indimostrabili**, che come tali entrano a far parte del dominio pratico della fede: non si può dimostrare che Dio è vivo (XIV, n. 1); che è sapiente o intelligente (*ibidem*, n. 2); che è dotato di volontà (*ibidem*, n. 3); che è la prima causa efficiente (XV); che è necessario alla conservazione della natura creata (XVI, n. 5); che coopera con le creature nella loro attività (*ibidem*, n. 6); che è immutabile e immobile (*ibidem*, nn. 11 e 13); che è privo di grandezza e di accidenti (*ibidem*, nn. 14-16); che è infinito nel senso della potenza (*ibidem*, n. 17). Duns ritiene **impossibile dimostrare tutti gli attributi di Dio** e, come vedremo, anche l'immortalità dell'anima umana. La certezza di queste proposizioni è dunque "pratica", cioè fondata esclusivamente sulla libera accettazione di esse da parte dell'uomo. L'ideale aristotelico della scienza dimostrativa conduce Scoto a respingere definitivamente, come estranei alla ricerca filosofica, gli assunti fondamentali della religione cattolica. La scolastica si avvia così a svuotare di ogni contenuto il suo stesso problema.

### Conoscenza intuitiva e dottrina della sostanza.
Duns parte da una distinzione fondamentale: quella tra conoscenza intuitiva e conoscenza astrattiva. La **conoscenza intuitiva** è la conoscenza dell'oggetto presente nella sua esistenza reale; la **conoscenza astrattiva** astrae (cioè prescinde) dall'esistenza reale dell'oggetto.

Sulla conoscenza intuitiva è fondata la metafisica. Ma che cos'è l'essere, o la sostanza, che è l'oggetto della metafisica? Duns Scoto presenta un'interpretazione della teoria aristotelica della sostanza che costituisce la parte più sottile e originale del suo sistema. Posto che nella realtà non esistono che cose individuali e che l'universale esiste solo nell'intelletto, Scoto si preoccupa di trovare il **fondamento comune dell'individualità della cosa reale e dell'universalità della cosa pensata**, e riconosce questo fondamento nella **sostanza**, che costituisce la **natura comune** degli esseri individuali. La sostanza "uomo", ad esempio, è la natura comune di tutti gli uomini. E questa natura comune è il fondamento sia degli uomini singoli, che sono numericamente molti, sia dell'universale, o concetto, "uomo" con cui noi pensiamo gli uomini stessi.

Dalla sostanza comune nascono quindi, da un lato, la cosa individuale che è nella realtà e, dall'altro, il concetto universale che è nell'intelletto. In che modo? **La sostanza comune non è** veramente **né individuale né universale**: essa è di per sé indifferente a entrambi gli aspetti. Ma proprio grazie a questa indifferenza, non ripugna né alla cosa individuale, né al concetto universale: può così acquistare, come oggetto dell'intelletto, quell'universalità che ne fa un concetto e, come realtà fisica, quell'individualità che ne fa una cosa esterna all'anima.

Ora, questa **sostanza comune** è l'**oggetto proprio della conoscenza intuitiva**. Mentre il senso coglie la realtà individuale esterna e l'intelletto astrattivo coglie l'universale, **la conoscenza intuitiva coglie la sostanza prima dell'universo**, che è indifferente all'universalità e all'individualità, ma che nello stesso tempo costituisce il fondamento di entrambe.

Dalla sostanza comune nasce la cosa reale esterna attraverso un processo di **individualizzazione**, cioè di specificazione e determinazione, mediante il quale la sostanza comune si delimita e si concretizza in una cosa singola. Questa delimitazione della sostanza nell'individuo è chiamata da Duns *haecceitas* (da *haec*, il pronome con cui si indica la cosa singola). E dalla sostanza comune nasce l'universale, che è nell'intelletto, mediante un processo di **astrazione** e **universalizzazione** dovuto al concetto, o *species*. Duns dice che l'intelletto e la specie concorrono a formare l'universale come il padre e la madre concorrono a formare la prole.

Gli altri aspetti della dottrina di Duns sono sviluppi dei punti fondamentali ora accennati. Scoto **respinge il principio dell'analogia dell'essere** affermato da Tommaso, perché ritiene che l'essere di Dio e l'essere delle creature abbiano un significato fondamentalmente unico, sul quale poi s'innestano le rispettive differenze. Queste differenze fanno sì che l'essere proprio di Dio sia diverso dall'essere proprio delle creature, e tale diversità risiede nel carattere fondamentale dell'essere di Dio: l'infinità. **L'infinità è il solo attributo intrinseco di Dio**, il che significa che Dio trascende, nella sua perfezione, tutte le creature.

*La sostanza aristotelica per Scoto*

*La sostanza comune non è né individuale, né universale*

*Individualizzazione e astrazione*

*Il rifiuto dell'analogia tra creatore e creature*

**L'immortalità dell'anima non è dimostrabile**

**Antropologia ed etica.**  Così come molti attributi di Dio cadono nell'ambito della fede (cioè si possono credere, ma non dimostrare), lo stesso vale per l'**immortalità dell'anima**, che è **indimostrabile**.

L'anima, infatti, è una sostanza, ma questo non significa che sia indistruttibile, giacché, se lo fosse, non potrebbe essere creata o distrutta neppure da Dio. Né vale a dimostrare l'immortalità dell'anima l'aspirazione di questa a una beatitudine eterna e ad una giustizia che remuneri il bene e il male in un'altra vita, giacché non si può dimostrare che la beatitudine eterna sia il fine proprio dell'uomo, e giacché si può dire che ognuno trova la prima remunerazione della propria bontà nella bontà stessa e la prima pena per il proprio peccato nel peccato medesimo.

**Volontà umana e volontà divina**

L'altro fondamentale assunto dell'antropologia di Duns Scoto, nonché della sua etica, è la libertà della volontà dell'uomo. Questa non è determinata neppure dalle valutazioni dell'intelletto: non è l'intelletto che sceglie il bene al quale la volontà deve dirigersi, ma è **la volontà** che **liberamente si determina per questa o quella cosa, che conseguentemente appare buona all'intelletto**.

Per la volontà umana, l'unica legge è la volontà divina: fare il bene, per l'uomo, significa infatti fare ciò che la volontà divina gli prescrive. **La volontà divina**, invece, **non ha alcuna legge sopra di sé**, perché essa stabilisce ogni legge.

**L'amore di Dio**

Tutta la **vita morale** dell'uomo si riduce perciò all'**obbedienza ai voleri divini**: obbedienza che, nella sua manifestazione più alta, consiste nell'**amore di Dio**. È questa la sola azione umana che non può mai essere moralmente cattiva, così come l'odio di Dio è il solo atto veramente cattivo che in nessuna circostanza può essere buono. Ogni altro atto può invece essere buono o cattivo, a seconda delle circostanze. All'amore dell'uomo verso di Lui, Dio risponde con la grazia, che è l'atto con il quale Dio ama colui che lo ama.

# 2. La crisi storica e culturale del Trecento: la polemica giuridico-politica

## Verso il dissolvimento della scolastica

**Dall'impero...**

La crisi del XIV secolo costituisce ancora oggi un ampio argomento di ricerca e di dibattito tra gli studiosi. Rimandando alle lezioni di storia per l'analisi specifica dei suoi aspetti strutturali e delle sue dinamiche, in questa sede ricordiamo come il Trecento – «l'**autunno del Medioevo**» di cui parla lo storico Johan Huizinga – veda il tramonto delle sue due maggiori istituzioni: il papato e l'impero. Sebbene Bonifacio VIII, a cavallo dei due secoli, tenti di restaurare integralmente la teocrazia pontificia celebrando il fastoso giubileo del 1300, e sebbene Enrico VII di Lussemburgo, nei primi decenni del secolo, cerchi di conservare all'impero l'ultima parvenza di prestigio, il fallimento di entrambi i tentativi sanziona l'**irrimediabile decadenza dei due pilastri dell'ordine politico medievale**.

I veri protagonisti e le forze trainanti della nuova storia ormai tendono a essere le **grandi monarchie nazionali europee**, che proprio nel Trecento procedono a un rafforzamento istituzionale, militare e burocratico delle proprie strutture.

... alle monarchie nazionali

Contemporaneamente si assiste all'ascesa dei ceti mercantili e finanziari protocapitalisti e protoborghesi, operanti nelle città italiane e negli Stati transalpini. Sebbene queste classi, per il momento, non esercitino funzioni di dirigenza politica ad alto livello e non presentino ancora una propria definita visione del mondo – il che accadrà solo nel Rinascimento –, la loro influenza sulla vita politica, come su quella delle idee, diviene di anno in anno più rimarchevole. Tant'è che gli intellettuali di queste classi, che cominciano a contrastare il monopolio ecclesiastico della cultura, appaiono portatori di una **tendenziale concezione laica della vita**, che li rende insofferenti alla prospettiva prevalentemente religiosa delle *scholae*. E se la loro opposizione alla vecchia cultura appare più evidente nel dibattito politico circa la natura e gli scopi della società e circa il rapporto Stato-Chiesa, essa non tarda a manifestarsi anche nel campo più strettamente speculativo, sotto forma di **contrasto tra filosofia e teologia**, e di **antitesi tra interessi naturalistico-scientifici e interessi religioso-metafisici**.

La laicizzazione della cultura

Tutto ciò contribuisce ad accelerare il processo di decadenza interna della scolastica iniziato con Duns Scoto.

Tra la morte di Duns Scoto e l'inizio dell'attività filosofica di Ockham (di cui parleremo tra poco) intercorrono solo pochi anni. Ma in questi anni la coscienza dei limiti che la ricerca scolastica incontra da ogni parte nel tentativo di spiegare i dogmi cattolici fa passi da gigante, rafforzandosi e approfondendosi in tutti i modi.

La progressiva dissoluzione dell'armonia tra ragione e fede

Per la prima volta Duns Scoto aveva fatto valere l'aristotelismo come norma di una **rigorosa scienza dimostrativa**, e quindi come criterio limitativo e negativo della ricerca scolastica. Per la prima volta egli aveva affermato l'**eterogeneità della teologia rispetto alla scienza speculativa** e aveva riconosciuto il carattere pratico, cioè arbitrario, di ogni affermazione dogmatica. Tra i due domini che la scolastica aveva cercato di avvicinare e di fondere armonicamente si profilava così una scissione sempre più profonda. Una schiera di pensatori, nessuno dei quali presenta una personalità di prim'ordine e che perciò non fanno che esprimere l'atmosfera dominante del tempo, individua e scopre nuovi motivi di contrasto tra la ricerca filosofica e le esigenze della spiegazione dogmatica. Alcuni filosofi relativamente indipendenti (come Durando di Pourçain e Pietro Aureolo) e alcuni discepoli di Scoto (come Francesco Mayrone e Tommaso Bradwardine) accentuano il carattere arbitrario delle affermazioni dogmatiche. Il nominalismo, che si profila netto nei primi due, mina ulteriormente le basi della spiegazione dogmatica e avvia a un riconoscimento del valore dell'esperienza che porterà con Ockham al capovolgimento delle posizioni tradizionali. La reviviscenza dell'averroismo fa riaffiorare quella dottrina della doppia verità che diventerà il vessillo dello scetticismo teologico del periodo successivo. Dietro l'accentuazione pura e semplice della verità di fede, si nascondono la sfiducia nel tentativo di intenderla razionalmente e la convinzione che la ricerca filosofica non debba neppure proporsi questo compito impossibile, ma debba piuttosto scegliere altre vie. Infine, le discussioni giuridiche e politiche della prima metà di questo secolo, che culminano nell'opera di Marsilio da Padova, aprono la strada a un concetto razionale e positivo del diritto e dello Stato.

## La filosofia giuridico-politica del Medioevo

La prima metà del XIV secolo è caratterizzata, oltre che dalla libertà e dalla spregiudica-tezza delle discussioni teologiche e metafisiche, anche dalla libertà e dalla spregiudicatezza delle discussioni giuridico-politiche. Se si dà uno sguardo al campo di queste discussioni (che si sono occasionalmente menzionate nelle pagine precedenti), vi si scorgono due punti costanti di riferimento, l'uno dottrinale e l'altro problematico: la teoria del **diritto naturale** e il problema dei rapporti tra **potere ecclesiastico e potere civile**.

**La teoria del diritto naturale**

La teoria del diritto naturale è il quadro generale entro cui si muovono tutte le discus-sioni giuridiche e politiche della scolastica. Elaborata dagli stoici, divulgata da Cicerone e incorporata nel diritto romano, questa teoria costituisce il fondamento di quella nuova creazione giuridica, caratteristica del Medioevo, che è il diritto canonico.

Nella forma più completa e matura che questa dottrina ha assunto in Tommaso, **la legge di natura è la stessa legge divina**, che regola con perfetta razionalità l'ordine e il corso del mondo e alla quale devono ispirarsi sia le leggi civili sia la legge religiosa che indiriz-za l'uomo al suo fine soprannaturale. Accogliendo ecletticamente le due alternative che la teoria del diritto naturale aveva di volta in volta seguito (entrambe reperibili negli stoici), Tommaso ritiene che la legge di natura sia nello stesso tempo **istinto e ragione**, perché comprende sia le inclinazioni che l'uomo ha in comune con gli altri esseri natu-rali, sia l'inclinazione razionale, specifica dell'uomo.

**Potere ecclesiastico e potere civile**

In una forma o nell'altra, la dottrina della legge naturale non viene mai messa in dubbio lungo il Medioevo (e non lo sarà ancora per parecchi secoli), tanto da costituire, come abbiamo detto, lo sfondo comune di tutte le discussioni politiche dell'epoca. La discus-sione verte invece sull'autorità che incarna meglio, o più direttamente, o eminentemen-te, la legge naturale, cioè sul problema se questa autorità sia quella del papa o quella del-l'imperatore. Su questo punto **la polemica filosofica segue le vicende della grande lotta politica tra il papato e l'impero**. Dalla teoria delle "due spade", della quale verso la fine del V secolo si era servito papa Gelasio I per rivendicare l'autonomia della sfera religiosa nei confronti dell'autorità politica, il papato era passato gradualmente a sostenere la tesi della superiorità assoluta del potere papale su quello politico e della dipendenza di ogni autorità mondana da quella ecclesiastica, ritenuta la sola direttamente ispirata e sorretta dalla legge divina.

**I sostenitori del primato della Chiesa...**

Fu soprattutto con **Innocenzo III** (1198-1216), la cui opera ebbe in tutta l'Europa un'in-fluenza enorme, che cominciò ad affermarsi in tutto il suo rigore la tesi della **superiorità del potere ecclesiastico**: da quel momento in poi le discussioni filosofiche sull'essenza del diritto e dello Stato s'imperniarono sul tema della superiorità dell'uno o dell'altro dei due poteri.

All'inizio del XIV secolo tali discussioni diventarono particolarmente vive e accanite: in questo periodo la teoria del potere ecclesiastico di **Egidio Romano**, della famiglia dei Colonna, costituisce la migliore espressione della **tesi curialistica**, nella sua accezione più estesa. Non solo l'autorità politica, ma ogni bene o possesso deriva dalla Chiesa, e la Chiesa si identifica con il papa, il quale diventa perciò la causa unica e assoluta di tutti i poteri e di tutti i beni della terra.

**... e i suoi oppositori**

Negli stessi anni **Giovanni di Parigi** (1269-1306) ne *Il potere regio e papale* nega il pieno potere del papa e rivendica agli individui il diritto di proprietà, attribuendo al pontefice soltanto la funzione di un amministratore responsabile dei beni ecclesiastici. Alcuni anni più tardi, ne *La monarchia*, **Dante Alighieri** si preoccupa soprattutto di difendere l'**indipendenza del potere imperiale** di fronte a quello papale. Nella conclusione dell'opera, Dante afferma infatti:

> Così dunque è chiaro che l'autorità del monarca temporale, senza alcun intermediario, discende a lui dalla fonte dell'autorità universale: la quale, unica com'è nella rocca della sua semplicità, fluisce in molteplici alvei per l'abbondanza della sua eccellenza.
>
> (*La monarchia*, III, 16)

Il complesso imponente delle opere politiche di **Guglielmo di Ockham** mira invece a disgiungere il concetto di "Chiesa" da quello di "papato" e a identificare la **Chiesa** con la **comunità storica dei fedeli**, attribuendo a essa il privilegio di stabilire e difendere le verità religiose, e abbassando quindi il **papato a "principato" istituito esclusivamente per garantire ai fedeli la libertà che la legge di Cristo ha portato agli uomini**.

Ognuno di questi scrittori anticurialisti ha una propria caratteristica, consistente nell'interesse specifico che intende difendere: per Giovanni di Parigi si tratta essenzialmente di un interesse economico-sociale; per Dante di un interesse politico; per Ockham di un interesse filosofico-religioso. Ma il complesso di questi interessi costituisce quello più generale della nuova **classe borghese**, la quale **difende la propria libertà d'iniziativa contro il monopolio del potere rivendicato dal papa**, appoggiandosi di volta in volta all'autorità civile che si dimostra più aperta o meno esigente nei suoi confronti.

*L'affermarsi della nuova classe borghese*

## Nuove teorie politiche: Marsilio da Padova

L'opera di Marsilio da Padova presenta invece un carattere più radicale, poiché riesce a mettere tra parentesi anche il fondamento comune di tutte le dispute politiche del Medioevo, cioè la dottrina del diritto naturale divino.

Marsilio Mainardini nacque a Padova tra il 1275 e il 1280. Fu rettore dell'Università di Parigi dal 1312 al 1313 e partecipò alla lotta tra Ludovico il Bavaro e il papato avignonese come consigliere politico ed ecclesiastico di Ludovico. Terminò di scrivere *Il difensore della pace* nel 1324 e più tardi, durante il suo soggiorno in Germania alla corte di Ludovico, compose un compendio di quest'opera con il titolo *Il difensore minore*. La sua morte avvenne tra la fine del 1342 e i primi mesi del 1343.

*Vita e opere*

L'originalità dell'opera di Marsilio consiste nel **carattere positivo del concetto di "legge"**, che egli prende a fondamento della propria discussione giuridico-politica, dalla quale esclude esplicitamente la concezione della legge come inclinazione naturale, o come abito produttivo, o come prescrizione obbligante in vista della vita futura. Marsilio si limita infatti a considerare la legge come «la scienza o la dottrina o il giudizio universale di quanto è giusto e civilmente vantaggioso e del suo opposto» (*Il difensore della pace*, I, 10, 3).

*La positività del concetto di legge*

Ma anche nell'ambito di questo concetto ristretto, la legge può essere considerata, secondo Marsilio, o come ciò che mostra quel che è giusto e ingiusto, vantaggioso o nocivo, e in questo senso costituisce la scienza o dottrina del diritto, oppure come un «**precetto coattivo legato a una punizione o a una ricompensa da attribuire in questo mondo**» (*ibidem*, I, 10, 4), e solo in questo secondo senso essa è propriamente detta "legge".

Le caratteristiche di questa dottrina, che è alla base dell'intera opera di Marsilio, sono dunque due:

▶ l'idea che **ciò che è giusto o ingiusto**, vantaggioso o nocivo per la comunità umana non è suggerito da un istinto infallibile posto nell'uomo da Dio, né dalla stessa ragione divina, ma **viene giudicato dalla ragione umana**, creatrice della **scienza del diritto**. Si può osservare in questo aspetto del pensiero di Marsilio un primo accenno del passaggio dal vecchio al nuovo giusnaturalismo, che segnerà il XVII secolo e che attribuirà alla ragione umana il giudizio su ciò che è vantaggioso o nocivo per la comunità;

▶ la limitazione del concetto di "**legge**" non al semplice giudizio della ragione (che di per sé costituisce solo una scienza o dottrina), ma a quel **giudizio che è diventato precetto coattivo perché è stato collegato a una sanzione**. Questo secondo aspetto della dottrina di Marsilio fa di lui un precursore di quello che oggi si chiama "positivismo giuridico".

**Il popolo come legislatore**

Questi presupposti fondamentali limitano il compito di Marsilio alla considerazione «di quelle sole leggi e governi che derivano immediatamente dall'arbitrio della mente umana» (*Il difensore della pace*, I, 12, 1). Da un tale punto di vista, **il solo legislatore è il popolo**: considerato o come «l'intero corpo dei cittadini» o come la «parte prevalente» (*pars valentior*) di esso, che esprime la propria volontà nell'assemblea generale e che comanda che «qualcosa sia fatto o non fatto nei riguardi degli atti civili umani sotto la minaccia di una pena o punizione temporale».

Si noti che con l'espressione "parte prevalente" Marsilio intende riferirsi non solo alla *quantità*, ma anche alla *qualità* delle persone che hanno il compito di istituire la legge: ciò significa che la funzione legislativa può essere deferita a una o più persone, per quanto mai in senso assoluto, ma solo relativamente e fatta salva l'autorità del legislatore primo, che è il popolo.

**I limiti del potere papale**

Alla legge così stabilita tutti sono ugualmente sottoposti, anche i chierici.

> Il fatto che uno sia o non sia sacerdote non ha nei confronti del giudice maggiore importanza che se fosse contadino o muratore, come non ha valore nei confronti del medico che chi può ammalarsi e guarire sia o non sia un musico. (*Il difensore della pace*, II, 8, 7)

Pertanto la **pretesa del papato di assumere la funzione legislativa** e la pienezza del potere non è che un **tentativo di usurpazione** che non produce e non può produrre altro che scissione e conflitti. Analogamente, per la definizione delle dottrine che riguardano la materia di fede (definizione indispensabile in tutti quei casi lasciati dubbi dalle Scritture), per evitare scissioni e contrasti nel seno dei fedeli l'autorità legittima deve essere riconosciuta non al papa, ma al concilio convocato nelle debite forme, cioè in modo che sia in esso presente, o direttamente o per delega, la «parte prevalente della cristianità» (*Il difensore della pace*, II, 20, 2 ss.).

**La modernità del *Defensor pacis***

È facile rendersi conto della validità e della modernità delle tesi del *Difensore della pace*. In base a esse, **il compito dello Stato viene limitato** (secondo il principio che più tardi fu reintrodotto da Hobbes) **alla difesa della pace tra i cittadini**, cioè all'eliminazione dei conflitti, e conseguentemente **il dominio della legge, come precetto coattivo, viene ristretto agli atti esteriori** degli individui (restrizione importantissima, perché garantisce la libertà di coscienza). Il diritto inoltre viene inteso come norma razionale puramente formale, secondo un indirizzo che è diventato sempre più prevalente nelle concezioni moderne.

# 3. Guglielmo di Ockham e la fine della scolastica

## La figura e l'opera di Ockham

Guglielmo di Ockham è l'ultima grande figura della scolastica e nello stesso tempo la prima figura dell'età moderna. Dichiarando **impossibile l'accordo tra la ricerca filosofica e la verità rivelata**, Ockham per la prima volta svuota di ogni significato il problema fondamentale da cui la scolastica era sorta e della cui incessante elaborazione aveva vissuto. Con ciò la scolastica medievale chiude il proprio ciclo storico e **la ricerca filosofica si apre alla considerazione di altri problemi**, primo tra tutti quello della natura, cioè del mondo al quale l'uomo appartiene e che può conoscere con le sole forze della ragione. In altre parole, l'impossibilità della soluzione del problema scolastico implica immediatamente l'apertura di un problema diverso, nel quale la ricerca filosofica possa riconoscere il proprio specifico dominio.

L'apertura della ricerca filosofica a un nuovo problema

Guglielmo di Ockham, detto "**dottore invincibile**", nacque verso il 1290 a Ockham, nel Surrey, in Inghilterra. Nel 1324 fu citato a comparire dinanzi alla corte papale di Avignone per rispondere di alcune tesi sospette contenute nelle sue opere. Una commissione di sei dottori censurò, nel 1326, 51 articoli desunti dai suoi scritti. Nel maggio del 1328, Guglielmo fuggì da Avignone insieme con Michele da Cesena, generale dell'ordine dei francescani e sostenitore della tesi (ritenuta eretica dal papato) della povertà di Cristo e degli apostoli. Rifugiatosi a Monaco presso l'imperatore Ludovico il Bavaro, che era in lotta con il papato avignonese, Ockham vi rimase probabilmente fino alla morte, avvenuta tra il 1348 e il 1349. La prima e fondamentale opera di Ockham è il *Commentario alle Sentenze*. Egli scrisse anche trattati di fisica e di logica (tra i quali è di grande importanza la *Somma dell'intera logica*), e sette libri di *Quodlibeta*. In difesa dell'imperatore e contro la pretesa di supremazia politica del papato Ockham compose numerose e vastissime opere, le più notevoli delle quali sono il *Dialogo fra maestro e discepolo*, e *Sul potere degli imperatori e dei pontefici*.

La vita e le opere

## Empirismo e nominalismo

Per limitare, o addirittura negare, la possibilità di spiegare razionalmente i dogmi di fede, Duns Scoto si era servito dell'ideale aristotelico della scienza. Per lo stesso scopo Ockham si serve del rimando all'esperienza. Il suo punto di vista è quello di un empirismo radicale: **tutto ciò che oltrepassa i limiti dell'esperienza non può essere conosciuto né dimostrato dall'uomo**. Le verità teologiche, che per l'appunto concernono ciò che è al di là dell'esperienza (il mondo soprannaturale e Dio), cadono perciò al di fuori della ricerca filosofica. Proprio in quanto si fonda sull'esperienza, la conoscenza umana si apre invece al **mondo della natura**, verso il quale si indirizza l'interesse prevalente di Ockham.

Il fondamento dell'intera dottrina di Ockham è una teoria dell'esperienza che egli espone utilizzando la distinzione di Duns Scoto tra conoscenza intuitiva e conoscenza astrattiva.

L'empirismo radicale e l'indagine del mondo naturale

**Conoscenza intuitiva e conoscenza astrattiva**

La **conoscenza intuitiva** è quella mediante la quale si conosce con tutta evidenza se la cosa c'è o non c'è e che consente all'intelletto di giudicare immediatamente della realtà o dell'irrealtà di un oggetto. La conoscenza intuitiva, inoltre, è quella che fa conoscere l'inerenza di una cosa a un'altra, la distanza spaziale e qualsiasi altro rapporto tra le cose particolari.

> In generale, qualsiasi conoscenza semplice di un termine o di più termini, di una cosa o di più cose, in virtù della quale si può conoscere con evidenza una verità contingente, concernente specialmente un oggetto presente, è conoscenza intuitiva.
>
> (*Commentario alle Sentenze*, q. 1 Z)

La conoscenza intuitiva perfetta, che costituisce il principio dell'arte e della scienza, è l'**esperienza che ha per oggetto una realtà attuale e presente**. Ma la conoscenza intuitiva può anche essere imperfetta e concernere l'oggetto di un'**esperienza passata**. Tra la conoscenza intuitiva perfetta e quella imperfetta c'è un **rapporto di derivazione**, in quanto ogni conoscenza intuitiva imperfetta deriva da un'esperienza attuale.

Lo stesso rapporto di derivazione c'è tra la conoscenza intuitiva e la **conoscenza astrattiva**, la quale prescinde dalla realtà o dall'irrealtà del suo oggetto. La conoscenza astrattiva deriva da quella intuitiva, nel senso che si può avere solo di ciò di cui si è precedentemente avuto una conoscenza intuitiva.

**Conoscenza intuitiva sensibile e intellettuale**

La conoscenza intuitiva può essere sia sensibile, sia intellettuale. Infatti **la funzione dell'intelletto non è puramente astrattiva**, secondo Ockham: esso può conoscere intuitivamente anche quelle **cose singole che sono oggetto della conoscenza sensibile**, giacché, se non le conoscesse, non potrebbe formulare intorno a esse alcun giudizio determinato. Intuitivamente, l'intelletto conosce anche i propri atti e, in generale, tutti i **moti immediati dello spirito**, come il piacere, il dolore, l'amore, l'odio e via dicendo. Esso infatti conosce la "realtà" di questi atti spirituali e non può conoscerla se non attraverso la conoscenza intuitiva.

**Gli universali come segni di più cose particolari**

In quanto rapporto immediato con la realtà, la conoscenza intuitiva non ha bisogno di alcuna *species* che faccia da intermediaria: in ciò Ockham è d'accordo con altri pensatori dello stesso periodo, e specialmente con Pietro Aureolo, un francescano morto nel 1322 che aveva criticato la dottrina aristotelico-tomistica della *species*, ritenendo questo concetto inutile per spiegare il rapporto tra l'intelletto e la cosa. Come lo stesso Pietro Aureolo, Ockham afferma che **la realtà è sempre individuale** e che fuori dell'anima non c'è nulla di universale.

**L'universale esiste solo nell'intelletto umano** ed è considerato da Ockham, che riprende su questo punto la dottrina stoica, come il **segno di una classe di cose particolari**, cioè come un segno che sta in luogo delle cose in tutti i discorsi in cui ricorre.

## La teoria della supposizione

**Che cos'è la supposizione**

La funzione del segno, cioè del concetto, consiste nello "stare in luogo di", ovvero in ciò che Ockham, come i grammatici e i logici del tempo, chiama «**supposizione**» (*suppositio*). La supposizione è quindi per Ockham (e in generale per tutta la logica nominalistica del XIII secolo) la **dimensione semantica dei termini nelle proposizioni**, ovvero il riferirsi dei termini a oggetti diversi dai termini stessi, che possono essere o cose, o persone, o altri termini.

Questi oggetti non possono essere entità o sostanze universali e metafisiche (come la "bianchezza", l'"umanità" e via dicendo): gli oggetti cui la *suppositio* si riferisce devono infatti avere un modo d'esistenza determinato: o come realtà empiriche (cose o persone), o come concetti mentali, o come segni scritti. La **supposizione personale** si ha quando i termini stanno per le cose da loro significate; la **supposizione semplice** si ha quando il termine sta per il concetto, ma non assunto nel suo significato (come quando si dice "l'uomo è una specie"; la **supposizione materiale** si ha quando il termine non viene assunto nel suo significato, ma come segno verbale o scritto (come quando si dice "l'uomo è un nome").

Poiché gli oggetti cui la supposizione si riferisce devono avere un modo d'essere determinato, quando si formulano proposizioni intorno a oggetti inesistenti, si ottengono proposizioni false, perché i loro termini non stanno in luogo di niente. Ockham ritiene perciò che siano false anche alcune proposizioni tautologiche, cioè alcune di quelle proposizioni che in virtù della loro forma sarebbero invece certe (come ad esempio "la chimera è una chimera", poiché la chimera non esiste: cfr. *Somma dell'intera logica*, II, 14).

Ockham non nega che il concetto abbia una realtà mentale, cioè che esista soggettivamente (sostanzialmente o realmente) nell'anima. Ma questa realtà mentale non è altro che l'atto dell'intelletto, e non una specie, né un *idolum* o un *fictum*, cioè un'immagine o una funzione che sia distinta dall'atto intellettuale. Questa realtà soggettiva del concetto è, come ogni realtà, determinata e singola. L'universalità del concetto consiste dunque non nella realtà dell'atto intellettuale, ma nella sua **funzione significante**, per la quale esso è un'*intentio*. Il termine *intentio* esprime appunto la funzione per la quale l'atto intellettuale tende a una realtà significata. **Come *intentio* il concetto è un segno (*signum*) delle cose**, e come tale sta in luogo di esse in tutti i giudizi e in tutti ragionamenti nei quali ricorre.

Ockham si preoccupa tuttavia di garantire la validità del concetto. Se il concetto di "uomo" serve a indicare gli uomini, e non ad esempio gli asini, esso deve avere con gli uomini una **somiglianza** effettiva, e tale somiglianza deve essere riscontrabile anche tra gli uomini, se questi possono essere rappresentati da un unico concetto.

Ciò non implica però alcuna realtà oggettiva dell'universale. La somiglianza stessa, secondo Ockham, è un concetto, come è un concetto qualsiasi relazione: ad esempio, la somiglianza tra Socrate e Platone significa soltanto che Socrate è bianco e Platone pure, ma non è una "realtà" che si aggiunga a quelle dei due filosofi. In altre parole, il fatto che un concetto rappresenti un determinato gruppo di oggetti e non un altro non è cosa che possa avere un fondamento nel rapporto di questi oggetti tra loro e con il concetto, giacché un rapporto non è esso stesso che un concetto privo di realtà oggettiva. La validità del concetto non consiste dunque nella sua realtà oggettiva.

**Ockham abbandona** qui (ed è la prima volta nel Medioevo) **il criterio platonico dell'oggettività**, per affermare che il valore del concetto, il suo rapporto intrinseco con la realtà che esso simboleggia, è nella sua genesi: **il concetto è il «segno naturale» della cosa stessa**. A differenza della parola, che è un segno istituito per convenzione arbitraria tra gli uomini, il concetto è un segno naturale predicabile di più cose. Esso significa la realtà «al modo in cui il fumo significa il fuoco, il gemito dell'infermo il dolore e il riso l'interiore letizia» (*Somma dell'intera logica*, I, 14).

Questa "naturalità" del segno esprime semplicemente la sua dipendenza causale dalla realtà significata. Esso è prodotto nell'anima da quella realtà stessa: la sua capacità di rappresentare l'oggetto non significa altro. È questo senza dubbio il tratto più spiccatamente empiristico della teoria del concetto di Ockham: il rapporto del concetto con la cosa viene da lui non giustificato metafisicamente, ma empiricamente spiegato con la **derivazione del concetto dalla cosa** stessa, che da sé produce nella mente umana il segno che la rappresenta. **→ T10**

## La dissoluzione del problema scolastico: l'indimostrabilità della teologia

**La radicale eterogeneità di scienza e fede**

Un atteggiamento di così radicale empirismo doveva condurre a un netto rifiuto del problema scolastico fin nella sua impostazione. Poiché per Ockham l'unica forma possibile di conoscenza è l'esperienza (dalla quale deriva la stessa conoscenza astrattiva) e poiché l'unica realtà conoscibile è quella che l'esperienza rivela, cioè la natura, **ogni realtà che trascenda l'esperienza non può raggiungersi per via naturale e umana.**

Ockham afferma così la **radicale eterogeneità di scienza e fede**, che costituiscono due atteggiamenti che non possono sussistere insieme: anche quando la fede sembra seguire la scienza, come nel caso in cui si crede a una conclusione di cui si è dimenticata la dimostrazione, non si tratta veramente di fede, perché si mantiene ferma la conclusione solo in quanto si sa che è fondata su una dimostrazione. Ma non è questo il caso della **fede religiosa**, la quale **potrebbe essere dimostrata solo se si avesse una conoscenza intuitiva di Dio e della realtà soprannaturale**, cosa che all'uomo è impossibile.

Anche i miracoli e la predicazione, se possono produrre la fede, non possono affatto produrre la conoscenza evidente delle sue verità. L'evidenza, infatti, non può andar congiunta con il falso, eppure il saraceno è convinto, dai miracoli e dalla predicazione, dell'evidenza della legge di Maometto, che tuttavia è falsa. La conclusione di tutto ciò è tratta in un passo della *Logica* (III, I):

> Gli articoli di fede non sono principi di dimostrazione né conclusioni e non sono neppure probabili, giacché appaiono falsi a tutti o ai più o ai sapienti: intendendo per sapienti quelli che si affidano alla ragione naturale, giacché solo in tal modo si intende il sapiente nella scienza e nella filosofia.

**La teologia non è una scienza**

Non potrebbe essere concepita esclusione più totale della verità rivelata dal dominio della conoscenza umana: le verità di fede non sono di per sé evidenti come i principi di una dimostrazione; non sono dimostrabili come le conclusioni di una dimostrazione; non sono probabili, perché possono apparire, come appaiono, false a coloro che si servono della ragione naturale. In tal modo Ockham dichiara insolubile il problema scolastico e lo svuota di ogni significato. **La teologia cessa di essere scienza** e diviene un puro coacervo di nozioni pratiche e speculative, del tutto sprovviste di evidenza razionale e di validità empirica.

**La confutazione delle "prove" dell'esistenza di Dio**

Le stesse prove dell'esistenza di Dio non hanno, per Ockham, alcun valore dimostrativo. Infatti **l'esistenza di una realtà qualsiasi è rivelata all'uomo soltanto dalla conoscenza intuitiva**, cioè dall'esperienza, e la conoscenza intuitiva di Dio non è data all'uomo *viator*, cioè "viandante", su questa terra.

Per quanto riguarda l'**argomento ontologico**, Ockham sostiene che, poiché l'esistenza e l'essenza vanno congiunte (in quanto si conosce l'essenza solo di ciò di cui si conosce intuitivamente l'esistenza), l'uomo in verità non conosce né l'esistenza né l'essenza di Dio. La proposizione "Dio esiste" non è evidente. L'esistenza, infatti, non si predica solo di Dio, ma anche di ogni altra cosa reale, e non può quindi essere parte dell'essenza di Dio, né esserle intrinseca. La prova ontologica è così respinta.

Né possiede valore dimostrativo quella **prova cosmologica** che l'aristotelismo aveva introdotto nella scolastica latina e che era creduta la più forte. Ockham nega il valore dei due principi su cui la prova si fonda: non è vero in senso assoluto che tutto ciò che si muove è mosso da altro, poiché l'anima e l'angelo si muovono da sé, e così il peso, che tende al basso; né è vero in senso assoluto che è impossibile risalire all'infinito nella serie dei movimenti, poiché nelle grandezze continue il movimento si trasmette necessariamente dall'una all'altra delle infinite parti che le compongono. Quanto alla **prova desunta dal principio causale**, essa viene impugnata da Ockham nel suo stesso fondamento, giacché egli ritiene che non si possa dimostrare che Dio è causa efficiente, totale o parziale, dei fenomeni e che le sole cause naturali siano sufficienti per spiegare i fenomeni stessi.

La conclusione è che tali prove, non avendo valore apodittico, possono determinare nell'uomo solo una **ragionevole persuasione**, tutt'al più sostenuta dalla seguente considerazione: se Dio non esercitasse alcuna azione nel mondo, a che scopo se ne affermerebbe l'esistenza? In sostanza, l'azione di Dio nel mondo è un semplice postulato della fede, sprovvisto di valore razionale.

Neppure si possono dimostrare gli attributi fondamentali di Dio. In primo luogo, **non si può stabilire con certezza che vi sia un unico Dio**: nessun inconveniente deriverebbe dall'ammettere una pluralità di cause prime, perché, potendo ognuna di esse voler solo l'ottimo, non si troverebbero mai discordanti tra loro e governerebbero il mondo con unanime accordo. In secondo luogo, **non si può dimostrare l'immutabilità di Dio**, la quale sembra negata dal fatto che Dio ha assunto, con l'incarnazione, una natura inferiore alla propria, per poi lasciarla. In terzo luogo, **non possono essere attribuite a Dio per via di dimostrazione né l'onnipotenza né l'infinità**, e a proposito di quest'ultima Ockham confuta gli argomenti di Duns Scoto.

*L'indimostrabilità degli attributi di Dio*

Di Dio, conclude il filosofo, non si può avere se non un concetto composto di elementi desunti per astrazione dalle cose naturali.

Nello scritto *Cento proposizioni teologiche* Ockham sviluppa una serie di conclusioni che egli stesso definisce «**incredibili**» e che perciò dichiara di esporre a titolo di mero **esercizio logico**. Queste conclusioni costituiscono una **riduzione all'assurdo dell'ipotesi della creazione**.

*Le Cento proposizioni teologiche*

Poiché nell'eternità, come Agostino aveva insegnato, non c'è né un "prima" né un "dopo", non è necessario ammettere che Dio esiste "prima" della creazione, né che esiste "dopo". Affermare l'**eternità di Dio** significa soltanto affermare che la sua esistenza non ha alcuna causa, e che dunque il suo essere non ha né inizio né fine; ma questo non conferisce a Dio una durata al di là dei limiti temporali del mondo, essendo il concetto stesso di durata estraneo alla natura divina.

Ockham indugia anche sulle conseguenze paradossali di questa conclusione, come pure sull'assoluta irrazionalità del dogma cristiano della **Trinità**:

> Che un'unica essenza semplicissima sia tre persone realmente distinte è cosa di cui nessuna ragione naturale può persuadere ed è affermata dalla sola fede cattolica, come ciò che supera ogni senso, ogni intelletto umano e quasi ogni ragione.
>
> (*Cento proposizioni teologiche*, 55)

Il disconoscimento, da parte di Ockham, della possibilità dell'interpretazione razionale della verità rivelata è così totale e reciso da segnare la tappa finale della scolastica. Così, dopo Ockham, il problema scolastico continuerà in qualche modo a sopravvivere nelle scuole, ma sarà la sopravvivenza di un residuo, tagliato fuori dal circolo vitale della filosofia, che oramai si alimenterà di altri problemi.

## La critica alla metafisica tradizionale: il "rasoio" di Ockham e il volontarismo teologico

**Il principio di economia**

La metafisica di Ockham è sostanzialmente una critica della metafisica tradizionale. Oltre che sull'empirismo, essa si basa sul "**principio di economia**", ossia su quel procedimento metodologico che verrà chiamato "**rasoio**" **di Ockham**, secondo il quale **è dannoso e inutile moltiplicare gli enti**, creando realtà in sovrannumero rispetto a quelle da spiegare (come quando, per voler intendere l'uomo, si ricorre ad esempio all'idea platonica dell'"umanità"). Questo principio di economia, connesso a quello empiristico, porta Ockham a rifiutare gran parte delle nozioni metafisiche, ritenute inverificabili o inutili.

**La critica della nozione di sostanza**

Per ciò che concerne la sostanza, Ockham anticipa la critica che di questo concetto farà Locke nel XVII secolo. Ciò che **noi conosciamo della sostanza** sono **soltanto le sue qualità**, manifestateci nell'esperienza sensibile. Ma dalla conoscenza delle qualità noi non possiamo risalire alla conoscenza della sostanza che le possiede, la quale rimane perciò inconoscibile e può essere indicata solo negativamente, come **ciò che non è qualità**.

**La critica della nozione di causa**

Ancora più importante è la critica del concetto di causa, che precorre Hume. Ockham insiste sulla **radicale diversità tra causa ed effetto**, per cui dalla conoscenza dell'effetto non si può in alcun modo risalire alla conoscenza della causa. Neppure si può discendere dalla conoscenza della causa a quella dei possibili effetti, se questi effetti non sono stati conosciuti per esperienza. In altri termini, a Ockham pare che **l'unico fondamento possibile del legame tra causa ed effetto** sia **l'esperienza**, la quale ci dimostra che due fatti sono legati l'uno all'altro in modo tale che quando si verifica il primo, anche il secondo tende a verificarsi.

**La critica della nozione di causa finale**

Ma il distacco di Ockham dalla metafisica aristotelica è segnato in modo ancora più evidente dalla sua **critica della causa finale**. Il fine costituisce una causa in quanto amato o desiderato dall'agente; ma che il fine sia amato e desiderato non significa che esso agisca effettivamente, in un qualsiasi modo: **la causalità del fine è** dunque **metaforica, non reale**. Non è possibile dimostrare né mediante proposizioni evidenti né empiricamente che un qualsiasi effetto abbia una causa finale, poiché gli agenti naturali agiscono in modo uniforme e necessario, e perciò escludono ogni elemento contingente e mutevole, quale appunto sarebbe l'amore o il desiderio del fine.

Non è dimostrabile neppure la causalità teleologica di Dio, giacché gli agenti naturali, privi come sono di conoscenza, producono i loro effetti indipendentemente dalla conoscenza di Dio.

La questione *propter quid* non ha dunque spazio negli avvenimenti naturali: non ha senso chiedere per qual fine il fuoco si generi, dal momento che, perché l'effetto si riproduca, non si richiede l'esistenza di un fine. Questa critica di Ockham, che prelude a quella famosa di Spinoza, è animata dallo stesso spirito: il suo presupposto è la convinzione che gli **avvenimenti naturali** si verificano in virtù di **leggi necessarie, che ne garantiscono l'uniformità ed escludono ogni arbitrio o contingenza**.

Il fondamento ultimo della polemica antimetafisica di Ockham, che si estende a tutto l'armamentario teorico-concettuale dei filosofi, non è costituito soltanto dall'empirismo e dal principio di economia, ma anche dal cosiddetto "volontarismo teologico", cioè dalla convinzione che **il mondo procede dalla volontà misteriosa e sovrarazionale di Dio**, il quale crea l'universo a suo arbitrio, senza sottostare ad alcuna regola logica preesistente. Tant'è vero, secondo Ockham, che Dio avrebbe potuto creare il cosmo in modo totalmente diverso e dotarlo di leggi completamente dissimili da quelle vigenti. Avrebbe potuto decidere di incarnarsi in un asino o in una pietra, e ciò non sarebbe stato tanto più assurdo o meta-razionale che nascere nel grembo di una donna e morire deriso su una croce. Le conseguenze filosofiche del volontarismo teologico sono evidenti: siccome il mondo, procedendo da un'impenetrabile volontà divina, non è stato costruito secondo dei "perché" logici (nel senso umano), **ai filosofi non resta che prender atto della realtà così com'è, senza pretendere di spiegarne le ragioni metafisiche**. In tal modo tutti i millenari sforzi della filosofia greca e cristiana per scoprire le cause ultime del mondo si rivelano vani. L'unica cosa che rimane da fare al ricercatore è **abbandonare la pretesa di capire l'*essenza* o il *fine* dei fenomeni e sforzarsi di descrivere come essi avvengono**. Il rigetto occamista della metafisica apre dunque le porte alla fisica nel senso moderno del termine.

## La critica alla fisica tradizionale e preludi di una nuova concezione del cosmo

Da ciò che si è detto, emerge come in Ockham il disimpegnarsi della ricerca rispetto al problema teologico coincida con l'impegnarsi di essa nel **problema della natura**. Lo stesso empirismo conduce Ockham a una considerazione approfondita del mondo naturale, in quanto la natura non è che l'oggetto dell'esperienza sensibile.

Ockham considera la natura come il dominio proprio della conoscenza umana: l'**esperienza** cessa, per lui, di avere il carattere iniziatico e magico che ancora conservava in Bacone, e diventa un **campo di indagine aperto a tutti gli uomini** in quanto tali. Questo atteggiamento consente a Ockham la massima libertà di critica nei confronti della fisica aristotelica, e attraverso tale critica si aprono numerosi spiragli verso quella **nuova concezione del mondo** che la filosofia del Rinascimento farà propria e difenderà. Le possibilità scoperte da Ockham diventeranno infatti, nel Rinascimento, affermazioni risolute, e costituiranno il fondamento della scienza moderna.

Per la prima volta, Ockham mette in dubbio la diversità, stabilita dalla fisica aristotelica e mantenuta da tutta la filosofia medievale, tra la natura dei **corpi celesti** e quella dei **corpi sublunari**. Gli uni e gli altri sono **formati della stessa materia**: è il principio metodologico dell'economia che vieta a Ockham di ammettere la diversità delle sostanze dei due mondi, giacché tutto ciò che si spiega ammettendo che la materia dei corpi celesti è distinta da quella degli elementi sublunari si può spiegare anche ammettendo che le due materie sono della stessa natura.

Non solo gli oppositori, ma anche alcuni seguaci di Ockham non mantennero su questo punto la posizione del maestro: si dovette giungere fino a Niccolò Cusano per trovare di nuovo negata, e questa volta definitivamente, la diversità della sostanza celeste rispetto alla sostanza sublunare.

**La possibilità di più mondi**

Contro Aristotele, inoltre, Ockham ammette e difende la **possibilità di più mondi**. L'argomentazione aristotelica secondo cui, se ci fosse un mondo diverso dal nostro, la terra di esso si muoverebbe naturalmente verso il centro e si congiungerebbe con la nostra, e così tutti gli altri elementi si ricongiungerebbero alla propria sfera formando un unico mondo, è combattuta da Ockham mediante la **negazione delle determinazioni assolute dello spazio** ammesse da Aristotele. Un mondo diverso dal nostro avrebbe per Ockham un altro centro, un'altra circonferenza, un alto e un basso diversi, e i movimenti dei suoi elementi sarebbero diretti verso sfere diverse e non si verificherebbe la congiunzione prevista da Aristotele. Questa **relatività delle determinazioni spaziali dell'universo** sarà uno dei caposaldi della fisica del Rinascimento.

Ad ammettere la pluralità dei mondi, secondo Ockham, induce anche la considerazione dell'**infinità della potenza divina**. Dio può produrre altra materia, oltre quella che costituisce il nostro mondo, e può produrre infiniti individui delle stesse specie esistenti nel nostro mondo: nulla vieta dunque che, con tale materia e con tali individui, Egli formi uno o più mondi diversi dal nostro.

**La possibilità dell'infinito reale**

Ma la pluralità dei mondi implica la **possibilità dell'infinito reale**, peraltro già aperta dalla negazione delle determinazioni spaziali assolute. Nell'infinito, come si dirà nel Rinascimento, il centro può essere dappertutto, dal momento che Dio può creare una quantità di materia sempre nuova da aggiungere a quella già esistente, estendendo in tal modo la grandezza del mondo.

**L'infinita divisibilità dell'universo**

All'obiezione addotta da Ruggero Bacone, secondo cui l'infinito non può essere reale, poiché in esso la parte sarebbe identica al tutto, Ockham risponde che **il principio per il quale il tutto è maggiore della parte vale per un tutto finito, non per un tutto infinito**. Dovunque sussistono infinite parti, il principio non vale: così in una fava ci sono tante parti quante ce ne sono nell'intero universo, perché le parti della fava sono infinite. Accanto all'infinità di grandezza, Ockham ammette dunque l'infinita divisibilità. Ogni grandezza continua è infinitamente divisibile e **non esistono entità indivisibili**. Ogni grandezza continua può avere lo stesso numero di parti del cielo, sebbene non della stessa grandezza assoluta.

**La possibilità dell'eternità del mondo**

Infine Ockham ammette e difende la possibilità che il **mondo** sia stato **prodotto *ab aeterno***. Anche in questo caso il filosofo non afferma esplicitamente questa tesi, ma si limita a sgombrarle la via dalle possibili obiezioni. All'obiezione che se il mondo fosse eterno si sarebbe già verificato un numero infinito di rivoluzioni celesti, il che è impossibile perché un numero reale non può essere infinito, Ockham risponde che, così come in un continuo ogni parte, aggiunta all'altra, forma un tutto finito pur essendo le parti stesse infinite, allo stesso modo ciascuna rivoluzione celeste, aggiunta alle altre, forma sempre un numero finito, sebbene nel loro insieme le rivoluzioni celesti siano infinite.

Ockham è consapevole che **l'eternità del mondo implica la sua necessità**, poiché ciò che è eterno non può essere che prodotto necessariamente. Egli sa pure che l'eternità del mondo **esclude la creazione**, perché questa implica la non esistenza della cosa anteriormente all'atto della sua produzione. Ma ritiene, ciò nonostante, che l'eternità dell'universo sia altamente probabile, anche in considerazione della difficoltà di concepire l'inizio del mondo nel tempo.

La pluralità dei mondi, la loro infinità e la loro eternità costituiscono dunque altrettante "possibilità" che per opera di Ockham si aprono alla ricerca filosofica. Qualche secolo dopo, nel Rinascimento, queste possibilità diverranno certezze, e quella che in Ockham era una semplice *visione* del mondo sarà riconosciuta come la *realtà* stessa.

## Antropologia ed etica

Nel campo della psicologia, la critica di Ockham investe il concetto di "anima" come forma immateriale e incorruttibile. Mediante l'esperienza noi conosciamo i nostri pensieri, le nostre volizioni, i nostri stati interiori; ma nulla sappiamo di una pretesa forma incorruttibile che ne costituisca il sostrato. Né ad ammettere l'esistenza di un tale sostrato può valere il ragionamento, perché ogni dimostrazione in questo senso è dubbia e poco conclusiva. L'analogia con quella che sarà la critica di Hume è evidente: Ockham, come Hume, afferma sulla base dell'esperienza l'**impossibilità di risalire dalla varietà degli stati psichici all'esistenza di una sostanza permanente a questi "sottostante"**.

Eliminata l'anima come forma o sostrato, Ockham elimina anche l'intelletto attivo, intorno al quale si era tanto affaticato l'aristotelismo arabo e latino. È inutile ammettere un intelletto attivo, perché **nessuna funzione può essere riconosciuta a tale intelletto** nel meccanismo della conoscenza. La conoscenza intuitiva è prodotta dalla realtà stessa, e la conoscenza astrattiva, quella fatta di concetti o simboli, è prodotta dalla conoscenza intuitiva. Nessuna funzione ha dunque l'intelletto attivo, che pertanto è inesistente.

**La volontà umana è libera**, nel senso che può determinarsi indipendentemente da qualsiasi motivo. La vita morale dell'uomo consiste nel sottoporsi al comando divino, che è la sola norma morale possibile. D'altronde, Dio salva soltanto coloro che Egli stesso sceglie, e nulla vieta che Egli scelga tra i suoi eletti quelli che sono privi della disposizione soprannaturale alla carità e che vivono solo secondo i dettami della ragione, non credendo a nulla che non sia dalla ragione stessa dimostrato. In tal modo, dalla perfetta arbitrarietà del comando e della scelta divina, Ockham trae le possibilità del riconoscimento, da parte di Dio, dei meriti di coloro che sono privi di fede e che vivono nella pura ricerca filosofica.

## Il pensiero politico

Insieme con Marsilio da Padova, Ockham è nella sua epoca il maggiore avversario della supremazia politica del papato. Ma mentre Marsilio da Padova, giurista e politico, muove dalla considerazione della natura dei regni e degli Stati in generale alla soluzione del problema dei rapporti tra Stato e Chiesa, **Ockham mira a rivendicare contro l'assolutismo papale la libertà della coscienza religiosa e della ricerca filosofica**.

La legge di Cristo è, secondo Ockham, legge di libertà, e al papato non appartiene il potere assoluto né in materia spirituale né in materia politica. Il potere papale fu istituito per il vantaggio dei sudditi, non perché a essi fosse tolta quella libertà che la legge di Cristo era venuta a perfezionare.

La critica dell'anima come sostanza dei nostri atti interiori

L'intelletto attivo non esiste

La libertà della volontà

La negazione del potere assoluto del papa

**Chiesa e verità**

Né il papa né il Concilio hanno la capacità di stabilire una verità che tutti i fedeli debbono accettare, poiché **l'infallibilità del magistero religioso appartiene soltanto alla Chiesa**, che è «**la moltitudine di tutti i cattolici che furono dai tempi dei profeti e degli apostoli sino ad ora**» (*Dialogo fra maestro e discepoli*, I, tract. I, c. 4, ed. Goldast, II, 402). La Chiesa è, in altri termini, la libera comunità dei fedeli, la quale riconosce e sanziona, nel corso della propria storia, le verità che costituiscono la sua stessa vita e il suo stesso fondamento.

**Chiesa e papato**

In virtù di questo ideale di Chiesa, **Ockham combatte il papato avignonese**. Un papato ricco, autoritario e dispotico, che tende a subordinare a sé la coscienza religiosa dei fedeli e ad esercitare un potere politico assoluto, affermando la propria superiorità su tutti i prìncipi e su tutti i poteri della terra, appare infatti a Ockham come la negazione dell'ideale cristiano della Chiesa quale comunità libera, aliena da ogni preoccupazione mondana e in cui l'autorità del papa sia solo il presidio della libera fede dei suoi membri. L'ideale di Ockham animò l'ordine francescano nella sua lotta contro il papato avignonese, e la tesi della povertà di Cristo e degli apostoli fu l'arma di cui l'ordine si servì per difendere questo ideale. Non solo Cristo e gli apostoli non vollero un regno temporale, ma non vollero neppure avere alcuna proprietà, né comune, né individuale. Essi costituirono invece una comunità che, non avendo di mira se non la salute spirituale dei propri membri, rinunciò a qualunque preoccupazione mondana e a qualunque strumento di materiale dominio.

**L'infallibilità della Chiesa e la fallibilità del papa e del Concilio**

Tale è pure la preoccupazione polemica di Ockham. Le parole che, secondo qualche antico scrittore, Ockham rivolge a Ludovico il Bavaro quando si rifugia presso di lui – «O imperatore, difendimi con la spada e io ti difenderò con la parola» – non esprimono l'essenza dell'opera politica di Ockham. Questa infatti, più che soffermarsi a difendere l'imperatore, contrappone la Chiesa al papato e difende i diritti della prima contro l'assolutismo papale, che pretende di erigersi ad arbitro della coscienza religiosa dei fedeli.

La **Chiesa** è per Ockham una **comunità storica**, che vive come tradizione ininterrotta attraverso i secoli e che in questa tradizione **rafforza e arricchisce il patrimonio delle proprie verità fondamentali**. Il papa può errare e cadere in eresie, così come può cadere in eresie il Concilio, che è formato di uomini fallibili. Non può invece cadere in eresie quella comunità universale che nessuna volontà umana può sciogliere e che, secondo la parola di Cristo, durerà fino alla fine dei secoli.

**L'opposizione al papato avignonese e la difesa del potere imperiale**

Da questo punto di vista, la tesi sostenuta dal papato avignonese – secondo cui l'autorità imperiale si origina da Dio solo attraverso il papa e soltanto il papa possiede l'assoluta autorità sia nelle cose spirituali sia nelle cose temporali – doveva apparire come eretica. Tale infatti appare a Ockham, il quale ne mostra l'infondatezza osservando che **l'impero non è stato istituito dal papa, giacché esso esisteva prima ancora dell'avvento di Cristo**. Esso fu fondato dai Romani, che ebbero dapprima i re e poi i consoli, e che da ultimo elessero l'imperatore perché dominasse su tutti senza ulteriori mutamenti. Dai Romani l'impero fu trasferito a Carlo Magno e, in seguito, dai Franchi alla nazione tedesca. I Romani dunque, e i popoli ai quali essi, direttamente o indirettamente, trasferirono il loro potere, avevano e hanno il diritto di elezione imperiale. Ockham difende la tesi, affermata dalla dieta di Rense del 1338, secondo cui la sola elezione da parte dei prìncipi di Germania è sufficiente a fare dell'eletto il re e l'imperatore dei Romani.

Ogni autorità del papato sull'impero è esclusa: infatti, circa il rapporto tra l'impero e il papato, Ockham ammette sostanzialmente la teoria dell'**indipendenza reciproca dei due poteri**, teoria che, affermata per la prima volta da papa Gelasio I (492-496), domina quasi tutto il Medioevo. Ockham riconosce tuttavia un certo potere dell'impero sul papato, soprattutto per ciò che riguarda l'elezione del papa: egli è infatti convinto che in qualche caso lo stesso interesse della Chiesa richieda che il papa sia eletto dall'imperatore o da altri laici.

## Ockham nella storia

Pur essendo meno noto di Tommaso d'Aquino, Ockham è uno dei più grandi filosofi del Medioevo e della storia. La sua importanza è stata decisiva per la **transizione dalla scolastica al pensiero rinascimentale** e per la formazione di quella **mentalità empiristica** che caratterizzerà fortemente il mondo moderno.

Le dottrine di Ockham incontreranno dapprima opposizioni e condanne ufficiali, ad esempio da parte dell'Università di Parigi (1339-1340). Ciò nonostante, come vedremo tra poco, attorno al suo pensiero si formerà una vera e propria "scuola occamista", i cui filosofi, di preferenza logici e naturalisti, saranno determinanti non solo per il definitivo **trionfo dei *nominales* sui *reales*** (cioè dei nominalisti sui realisti), ma anche per la diffusione di quell'**indirizzo sperimentalistico e teso alle ricerche fisiche** da cui sorgerà la scienza moderna. | *La scuola occamista*

L'influsso di Ockham sarà presente anche nei filosofi della natura del Rinascimento (**Telesio, Bruno e Campanella**), che deriveranno da lui l'esigenza di un contatto più diretto con i fenomeni dell'esperienza e della realtà. | *L'età del Rinascimento e della Riforma*

Sul versante religioso, Ockham influirà soprattutto su **Lutero e Calvino**, poiché il suo volontarismo teologico costituirà il presupposto-chiave delle tesi protestanti circa l'imperscrutabilità e la meta-razionalità della grazia divina.

Ockham giocherà un ruolo notevole anche nella filosofia moderna, in particolare nell'**empirismo inglese del Seicento e del Settecento** (e lo stesso razionalismo mostrerà di condividere la critica occamistica agli universali). Infatti lo spirito antimetafisico, critico e sperimentalistico di Ockham vivrà nuovamente in **Locke, Berkeley e Hume**, le cui sottili indagini sui concetti metafisici di "sostanza" e di "causa" riprenderanno, talora in modo puntuale, le analisi critiche del filosofo inglese del Trecento. | *La filosofia moderna*

Nel secolo scorso, a partire soprattutto dagli anni Trenta, Ockham ha cominciato a essere studiato in modo organico e approfondito da vari studiosi, che sono andati rilevando sempre di più l'importanza e la modernità delle sue concezioni filosofiche. | *Il Novecento*

## La scuola occamistica

Dopo Ockham, la scolastica non esprime più grandi personalità, né grandi sistemi. Si contendono il campo il **tomismo**, lo **scotismo** e l'**occamismo**, che difendono polemicamente le dottrine dei loro capostipiti. Abbiamo visto come, di fronte al tomismo e | *L'ultima scolastica* allo scotismo, che rappresentano la *via antiqua*, l'occamismo rappresenti la *via moderna*, cioè la critica e l'abbandono della tradizione scolastica.

Dopo alcune condanne e proibizioni ecclesiastiche, **l'occamismo si afferma nelle grandi università**, e con esso si afferma anche l'**interesse per la ricerca naturale**, riconosciuta come più adatta alle forze naturali dell'intelletto umano rispetto alla speculazione teologica, i cui problemi vengono in gran parte dichiarati insolubili.

**Nicola di Autrecourt**

Tra i primi scolari di Ockham merita menzione Nicola di Autrecourt, che insegnò a Parigi e che morì nel 1350. Nicola riprende la **critica occamistica ai concetti di sostanza e di causa**, ribadendo che questi concetti sono fondati soltanto sull'esperienza e non hanno quindi necessità rigorosa. Nicola riprende altresì alcune tesi della fisica occamistica e accenna a un suo nuovo sviluppo ammettendo la realtà degli **atomi** e riducendo ogni evento del mondo a movimento di atomi.

**Giovanni Buridano**

Le intuizioni fisiche di Ockham, che costituiscono il punto di partenza della meccanica e dell'astronomia moderna, vengono riprese da un certo numero di suoi seguaci. Uno di questi è Giovanni Buridano, maestro e rettore dell'Università di Parigi di cui si ha notizia fino al 1358 e di cui si ignora l'anno della morte.

Buridano è il primo a rendersi conto della **forza di inerzia**, per la quale i corpi perseverano nel loro movimento quando non trovano ostacoli; egli spiega con questa forza i movimenti dei cieli, ritenendo quindi inutili quelle intelligenze motrici di cui si erano avvalsi Aristotele e tutta la fisica medievale.

Buridano ritiene che la **volontà** segua le valutazioni dell'intelletto e che nel caso di due beni valutati come equivalenti dall'intelletto la volontà non sappia come decidersi. Questa dottrina venne ridicolizzata con l'esempio dell'asino che, non sapendo quale scegliere tra due fasci di fieno uguali, muore di fame. In realtà per Buridano la volontà può sospendere o addirittura impedire il giudizio dell'intelletto, riconquistando così la propria libertà.

**Nicola di Oresme**

Importante è poi l'opera di Nicola di Oresme, morto nel 1382, il quale compose in francese vari trattati di politica e di economia, un *Trattato della sfera* e un commentario ai libri *Del cielo* e *Del mondo* di Aristotele, nonché alcuni trattati di fisica in latino. La sua importanza è notevole nel campo dell'economia politica del XIV secolo, ma è ancora maggiore nel campo dell'**astronomia**, in cui egli precorre Copernico. A dimostrazione di ciò, basti riportare i titoli dei quattro capitoli del suo commentario al *De coelo*:

I. Che non si potrebbe provare con nessuna esperienza che il cielo si muove di movimento diurno e la terra no.

II. Che non si potrebbe provare neppure con il ragionamento.

III. Diverse belle ragioni per mostrare che la terra si muove di movimento diurno e il cielo no.

IV. Come queste considerazioni sono utili per la difesa della nostra fede.

**Alberto di Sassonia**

Alberto di Sassonia, detto anche *Albertus parvus*, insegnò prima a Parigi e poi nell'Università di Vienna, che era stata fondata proprio in quegli anni. Morì nel 1390.

La sua originalità è scarsa. Da Buridano deriva la teoria dell'*impetus*, di cui si serve per spiegare il movimento dei cieli, ritenendo quindi inutili le intelligenze motrici ammesse da Aristotele. Da Nicola di Oresme desume probabilmente la sua teoria della **gravità** e la determinazione della legge di **caduta dei gravi**. Si allontana invece da quest'ultimo nel tener ferma la teoria tolemaica dell'**immobilità della terra**.

La scuola occamistica continuò anche gli studi logici, che nel Trecento raggiunsero un alto grado di perfezione nel dominio di quella che si chiamò **logica "terministica" o "nominalistica"** perché negava la realtà dei concetti e li riduceva a "termini", o a "nomi", cioè a segni con un significato.

La logica terministica

# 4. Il misticismo tedesco

Nel periodo aureo della scolastica, la cosiddetta "**via mistica**" era stata considerata come la continuazione e il completamento della ricerca razionale. Ma nell'ultimo periodo della scolastica la possibilità di dimostrare o di intendere con la ragione le verità di fede era stata messa in dubbio, o addirittura negata. I poteri naturali dell'uomo erano stati ritenuti incapaci di giungere, da soli, anche alle prime e fondamentali verità della fede. Bisognava dunque **trovare un nuovo fondamento per la fede** e giustificare la fede in se stessa, al di fuori dei termini tradizionali della ricerca scolastica, pur utilizzandone, fin dove era possibile, gli stessi concetti.

Il nuovo obiettivo della "via mistica"

Questa fu la via tenuta dal misticismo tedesco, il cui maggiore rappresentante è Giovanni Eckhart, nato verso il 1260 e morto nel 1327, il quale appartenne all'ordine domenicano e insegnò nelle Università di Strasburgo e di Colonia.

Le dottrine di Eckhart

Eckhart vuol giustificare la fede trovando la saldatura tra l'uomo e Dio, giacché la fede sarebbe impossibile se l'uomo non potesse instaurare in se stesso un **rapporto diretto con Dio**. Ma per intessere questo rapporto l'uomo deve negare se stesso e la propria natura di creatura finita, per rinascere come elemento della vita divina: «Noi non possiamo vedere Dio – dice Eckhart – se non vediamo tutte le cose e noi stessi come un puro nulla». L'uomo deve far morire in sé ciò che appartiene alla creatura, per far vivere in sé Dio: **la morte dell'essere creaturale dell'uomo è la nascita, in lui, dell'essere divino**. Quando è giunto a questo, l'uomo diventa *uno* con Dio, e soltanto una linea sottilissima lo divide da lui: **l'uomo è Dio per grazia, Dio è Dio per natura**.

Per quel che concerne la natura divina, poiché Dio è la negazione di ogni cosa finita, la sua natura non può che essere determinata negativamente, cioè attraverso la negazione di quegli attributi di Dio che, in quanto concepibili dall'uomo, sono per Dio inadeguati. Eckhart si serve ampiamente della **teologia negativa** di Dionigi l'Areopagita, secondo la quale a Dio non si possono riferire che attributi negativi. Dio è un'«essenza superessenziale» e un «nulla superessente», una «quiete deserta» in cui non ci sono né molteplicità né mutamento, ma solo unità. In tal modo Eckhart utilizza concetti attinti dalla tradizione scolastica, ma li trasfigura in una dottrina che ha lo scopo di giustificare la fede. Quest'ultima, infatti, è ormai l'unica via per accedere a Dio, dacché la ragione naturale è stata dichiarata incapace di farlo.

Il misticismo di Eckhart, che verrà continuato nel XIV secolo da Giovanni Taulero ed Enrico Susone, costituisce in buona sostanza una sorta di "elemento complementare" della tarda scolastica, ormai disinteressata ai problemi del soprannaturale, dichiarati insolubili, e volta a quelli della natura.

**La parabola della scolastica** Al termine della trattazione può essere utile il seguente riepilogo visivo, che evidenzia le tappe salienti del problema fondamentale della scolastica.

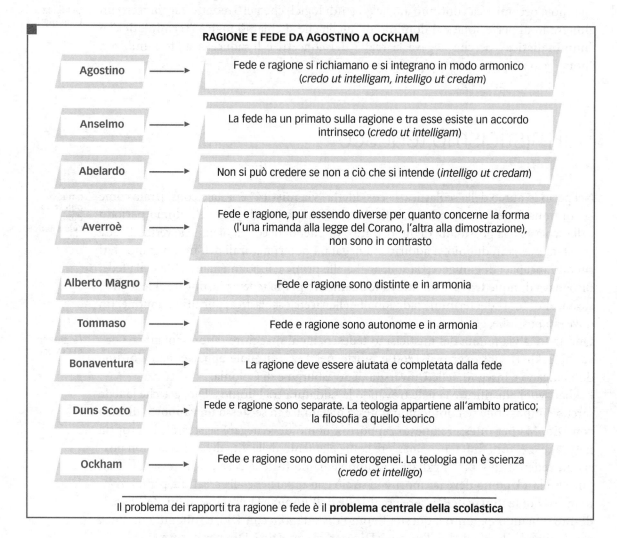

### RAGIONE E FEDE DA AGOSTINO A OCKHAM

**Agostino** → Fede e ragione si richiamano e si integrano in modo armonico (*credo ut intelligam, intelligo ut credam*)

**Anselmo** → La fede ha un primato sulla ragione e tra esse esiste un accordo intrinseco (*credo ut intelligam*)

**Abelardo** → Non si può credere se non a ciò che si intende (*intelligo ut credam*)

**Averroè** → Fede e ragione, pur essendo diverse per quanto concerne la forma (l'una rimanda alla legge del Corano, l'altra alla dimostrazione), non sono in contrasto

**Alberto Magno** → Fede e ragione sono distinte e in armonia

**Tommaso** → Fede e ragione sono autonome e in armonia

**Bonaventura** → La ragione deve essere aiutata e completata dalla fede

**Duns Scoto** → Fede e ragione sono separate. La teologia appartiene all'ambito pratico; la filosofia a quello teorico

**Ockham** → Fede e ragione sono domini eterogenei. La teologia non è scienza (*credo et intelligo*)

Il problema dei rapporti tra ragione e fede è il **problema centrale della scolastica**

## Indicazioni bibliografiche

**OPERE SU RUGGERO BACONE**

■ F. Alessio, *Introduzione a Ruggero Bacone*, Laterza, Roma-Bari 1995[2].

**OPERE DI DUNS SCOTO**

■ P. Scapin (a cura di), *Il primo principio degli esseri*, Liviana, Padova 1973 ■ D. Scaramuzzi (a cura di), *Summula. Scelta di scritti coordinati in dottrina*, Libreria Editrice Fiorentina, Firenze 1990[3] ■ A. Ghisalberti (a cura di), *Filosofia e teologia*, Biblioteca Francescana, Milano 1995.

**OPERE SU SCOTO**

■ W. Pannenberg, *La dottrina della predesti-*

*nazione di Duns Scoto nel contesto dello sviluppo della dottrina scolastica*, Biblioteca Francescana, Milano 1995 ■ O. Todisco, *Giovanni Duns Scoto filosofo della libertà*, EMP, Padova 1996.

**OPERE DI MARSILIO DA PADOVA**

■ *Il difensore della pace*, UTET, Torino 1975 ■ C. Vasoli (a cura di), *Il difensore minore*, Guida, Napoli 1975.

**OPERE SU MARSILIO DA PADOVA**

■ V. Omaggio, *Marsilio da Padova. Diritto e politica nel "Defensor pacis"*, Editoriale Scientifica, Napoli 1996.

**OPERE DI OCKHAM**

■ A. Siclari (a cura di), *Il problema della scienza*, Liviana, Padova 1965 ■ A. Coccia (a cura di), *Filosofia, teologia, politica*, Andò, Palermo 1966 ■ A. Ghisalberti (a cura di), *Scritti filosofici*, Bietti, Milano 1974 ■ A. Ghisalberti (a cura di), *Scritti filosofici*, Nardini, Firenze 1991 ■ P. Muller (a cura di), *Logica dei termini*, Rusconi, Milano 1992 ■ S. Simonetta (a cura di), *La spada e Lo scettro. Due scritti politici*, Rizzoli, Milano 1996.

**OPERE SU OCKHAM**

■ A. Ghisalberti, *Introduzione a Guglielmo di Ockham*, Laterza, Roma-Bari 1991[2].

## La scolastica e i rapporti tra fede e ragione (Capitolo 1)

1 Che cosa si intende con il termine "scolastica"?

2 Spiega le ragioni della stretta connessione tra scolastica e insegnamento.

3 Completa la tabella a fondo pagina evidenziando la posizione della scolastica rispetto ai quattro temi citati.

4 Qual è il problema dominante della scolastica e per quale motivo, alla fine del XIV secolo, si arriva ad affermarne l'insolubilità?

5 Considera la teoria delle quattro nature di Scoto Eriugena e spiega in che senso egli afferma che il mondo è una "teofania".

### Anselmo d'Aosta

6 Analizza il motto di Anselmo d'Aosta *credo ut intelligam* e rispondi alle domande riportate di seguito.
a) Nell'ambito della coppia ragione-fede, quale delle due ha la preminenza?
b) È utile la ragione per la fede? (motiva la tua risposta)

c) È possibile un contrasto tra ragione e fede?

7 Nel *Proslogion* Anselmo dimostra l'esistenza di Dio mediante il famoso argomento "ontologico":
a) elenca i passaggi concettuali di questa prova;
b) esponi il presupposto di base sul quale si fonda.

8 In riferimento alla filosofia di Anselmo, indica se le seguenti affermazioni sono vere o false.
a) L'uomo è libero, malgrado il peccato originale    V   F
b) La libertà dipende dalla grazia divina    V   F
c) Dio prevede se l'uomo peccherà o non peccherà    V   F
d) La prescienza divina riguardo all'uomo è necessitante    V   F
e) Dio determina la salvezza dell'uomo    V   F
f) La predestinazione alla salvezza dipende unicamente dalla volontà di Dio    V   F
g) La predestinazione alla salvezza non diminuisce la libertà dell'uomo    V   F

◀ TABELLA ES. 3

| | |
|---|---|
| **INDIVIDUALITÀ** | |
| **AUTORITÀ** | |
| **FILOSOFIA** | |
| **STORICITÀ** | |

## La disputa sugli universali

**9** Dopo aver chiarito che cosa sono gli universali, riporta sinteticamente i contenuti del problema degli universali.

**10** Perché si può affermare che dalla discussione sugli universali doveva dipendere la sopravvivenza o la fine della scolastica?

**11** Esponi sinteticamente in che cosa consistono le soluzioni proposte dai realisti e dai nominalisti al problema degli universali.

**12** Considera la posizione di Abelardo riguardo alla questione degli universali: che cosa legittima l'uso di un concetto piuttosto di un altro per definire molti oggetti?

## Abelardo e la mistica

**13** Che cosa intende Abelardo con l'espressione *intelligo ut credam*?

**14** In che cosa consiste il metodo del *sic et non*?

**15** Su che cosa si fonda l'ottimismo metafisico di Abelardo?

**16** In che cosa consiste la "via mistica" abbracciata da alcuni pensatori medievali e quali sono le tappe che Bernardo di Chiaravalle, suo fondatore, individua in essa?

## Filosofia islamica e filosofia ebraica

**17** Elenca brevemente i punti di contatto che la filosofia occidentale del Medioevo scoprì di avere con la filosofia orientale.

**18** In che cosa consiste il principio della necessità dell'essere enunciato da Avicenna?

**19** Quali caratteri presenta l'intelletto attivo secondo i filosofi arabi, da Al Kindi fino ad arrivare ad Avicenna?

**20** Quale rapporto intercorre tra fede e ragione secondo Averroè?

**21** Alla luce di quanto hai studiato sulla filosofia ebraica, indica se le seguenti affermazioni sono vere o false.

a) Per Avicebron tutto ciò che esiste è composto di materia e forma  V  F

b) Ogni sostanza ha una propria materia e una propria forma  V  F

c) La tendenza di materia e forma a unirsi è dovuta a un tipo di necessità voluto dal creatore  V  F

d) Maimonide accoglie il concetto della necessità dell'essere introdotto dall'aristotelismo arabo  V  F

e) Per Maimonide si può affermare che il mondo ha avuto inizio nel tempo  V  F

f) L'azione di Dio nel mondo è necessitata  V  F

g) L'azione dell'uomo è libera e determinata dalla volontà  V  F

## Aristotele e l'Occidente

**22** Quale fu la prima reazione della scolastica nei confronti dell'aristotelismo?

**23** Elenca alcune delle tesi di Bonaventura da Bagnoregio contro la filosofia aristotelica.

**24** Che cosa si intende con l'espressione "dotta ignoranza"?

**25** Definisci i seguenti concetti:

a) *doppia verità:* ...............................................................

b) *cabala:* ........................................................................

c) *necessitarismo:* ..........................................................

# Tommaso d'Aquino (Capitolo 2)

**26** Come si pone la speculazione tomistica nei confronti della tradizione scolastica e dell'aristotelismo?

**27** Per Tommaso la ragione è utile alla fede: in che senso?

## La metafisica

**28** Tommaso riprende la tradizione speculativa che va dal pensiero greco antico (e in particolare da Aristotele) fino a quello arabo. Ricostruisci la filosofia dell'essere di Tommaso completando lo schema riportato a fianco.

▼ SCHEMA
ES. 28

L'**ente** è .................. → nella realtà → .............
→ .................. → .............

L'**essenza** è .................. → quiddità
→ ..................................
→ ..................................

L'**esistenza** è .................................................

29 Completa le frasi riportate di seguito.
Negli esseri finiti Tommaso distingue tra ....................
e ...................... , che stanno tra loro in un rapporto di
....................... . Nell'essere di Dio l'essenza è ...................... .

30 La speculazione tomistica ha "piegato" la dottrina aristotelica al cristianesimo. Completa la tabella riportata a fondo pagina costruendo un parallelo tra Aristotele e Tommaso.

31 Che cosa sono i trascendentali secondo Tommaso?

32 In che cosa consiste il primato metafisico dell'essere affermato da Tommaso?

33 Perché, se Dio è primo nell'ordine dell'essere, occorre dimostrare la sua esistenza?

34 In riferimento alla struttura argomentativa delle cinque «vie» di Tommaso, rispondi alle seguenti domande.
a) Qual è il punto di partenza?
b) Qual è il principio su cui si basa l'argomentazione?
c) Che cosa si esclude nel procedimento?
d) Che cosa spiega la realtà trascendente a cui si perviene?

## La teoria della conoscenza

35 Per Tommaso che cosa significa conoscere?

36 In che cosa consiste il *principium individuationis*?

37 Che cos'è per Tommaso l'universale?

38 In che modo, secondo Tommaso, si può affermare che ciò che l'intelletto conosce è vero?

## Antropologia, etica, diritto e politica

39 Tra le seguenti affermazioni, scegli quelle che risultano corrette in riferimento alla filosofia tomistica.
(4 risposte esatte)

a L'anima è il principio vitale dell'uomo

b La natura dell'uomo è costituita da un'anima separata e distinta dal corpo

c L'anima intellettiva è autonoma e incorporea

d L'anima è la forma del corpo

e L'anima ha un essere congiunto al corpo

◄ TABELLA ES. 30

| ARISTOTELE | TOMMASO |
|---|---|
| **essere** | |
| Identifica la forma con l'atto d'essere. | ............................................................ ............................................................ ............................................................ ............................................................ |
| **creazione** | |
| Nega la creazione del mondo perché, per sua stessa struttura, l'essere in atto è indistruttibile, ingenerato, necessario ed eterno. | ............................................................ ............................................................ ............................................................ ............................................................ |
| **esseri finiti** | |
| Afferma che sono un composto di materia e forma. | ............................................................ ............................................................ ............................................................ ............................................................ |
| **Dio** | |
| Afferma che è primo motore immobile, atto puro, incorporeo, eterno, causa finale, oggetto d'amore, pensiero di pensiero. | ............................................................ ............................................................ ............................................................ ............................................................ |

[f] L'anima possiede un essere proprio

**40** Come viene dimostrata da Tommaso l'immortalità dell'anima?

**41** Che cosa intende dire Tommaso quando afferma che «l'agire segue l'essere»?

**42** Qual è il fine ultimo a cui tende l'agire umano?

**43** Se per Tommaso ogni cosa è soggetta alla divina provvidenza, allora tutto avviene per necessità, oppure l'uomo è libero di agire?

**44** Indica se, nella prospettiva tomistica, le seguenti affermazioni sono vere o false.

a) La legge ha come fine il bene comune                    [V] [F]

b) Le leggi devono essere stilate da chi ha più esperienza nella comunità                 [V] [F]

c) Tommaso afferma l'origine oligarchica delle leggi                                        [V] [F]

d) La forma di governo migliore è la monarchia             [V] [F]

e) Lo Stato e le sue leggi possono indirizzare gli uomini alle virtù e a Dio             [V] [F]

f) Il governo spirituale degli uomini appartiene solo a Cristo                              [V] [F]

g) Autorità politica e autorità religiosa hanno pari dignità                               [V] [F]

# La crisi e la fine della scolastica (Capitolo 3)

## La seconda metà del XIII secolo

**45** L'averroismo latino prese le mosse dall'aristotelismo arabo di stampo averroistico, secondo il quale bisognava ammettere solo quelle verità che la filosofia può dimostrare. Vari maestri dell'Università di Parigi condivisero tale opinione. Il maggiore tra questi fu Sigieri di Brabante. Completa la tabella posta a fondo pagina mettendo a confronto gli spunti speculativi degli averroisti latini (o aristotelici averroisti) con quelli propri della filosofia tomistica.

**46** In che cosa consiste la "via moderna" intrapresa dai filosofi del Duecento?

**47** Studioso e sistematore della nuova logica fu Pietro Ispano, al quale si deve la dottrina della "supposizione": qual è il suo contenuto?

**48** Per Raimondo Lullo la logica è l'*ars magna*, nonché l'arte della combinazione: che cosa si intende con queste definizioni?

**49** La diffusione dell'aristotelismo sollecitò la speculazione sulla natura, un tema nuovo rispetto a quelli affrontati dalla scolastica. Secondo Ruggero Bacone, quali sono le fonti della conoscenza?

**50** Quali caratteristiche ha l'esperienza per Bacone e in che senso la ricerca sperimentale conduce alla "via mistica"?

**51** In riferimento al pensiero di Duns Scoto, spiega le seguenti definizioni:

a) *il teoretico è il dominio della necessità:*

.........................................................................

.........................................................................

b) *il pratico è il dominio della libertà:*

.........................................................................

.........................................................................

TABELLA ▶
ES. 45

| TOMMASO | | ARISTOTELICI AVERROISTI |
|---|---|---|
| riguarda le verità dimostrate | ⇐ **la ragione** ⇒ | .........................................<br>......................................... |
| riguarda le verità rivelate | ⇐ **la fede** ⇒ | .........................................<br>......................................... |
| è accordo tra fede e ragione | ⇐ **la verità** ⇒ | .........................................<br>......................................... |

**52** Quali conseguenze comporta l'affermazione di Duns Scoto secondo cui tutto ciò che è oggetto di fede riguarda il dominio pratico dell'esperienza umana?

**53** Quali sono le caratteristiche attribuite da Duns Scoto alla teologia e alla metafisica?

**54** Seguendo la teoria aristotelica, Duns Scoto considera in modo originale il concetto di sostanza. Esponi la sua interpretazione.

**55** Duns Scoto accetta il principio di analogia con cui Tommaso definisce il rapporto tra l'essere di Dio e quello delle creature? Motiva la tua risposta.

**56** In riferimento al pensiero di Duns Scoto, indica se le seguenti affermazioni sono vere o false.

a) L'infinità è il solo attributo intrinseco di Dio  ☐V ☐F

b) Gli attributi di Dio sono dimostrabili attraverso la funzione astrattiva dell'intelletto  ☐V ☐F

c) Non si può dimostrare l'immortalità dell'anima  ☐V ☐F

d) La volontà umana è determinata dalla valutazione dell'intelletto  ☐V ☐F

e) La volontà umana riconosce sopra di sé la legge divina  ☐V ☐F

f) Dio concede la sua grazia indipendentemente dalla fede degli uomini  ☐V ☐F

## Il Trecento

**57** Definisci i termini dei due seguenti problemi, dominanti nel XIV secolo:

a) il diritto naturale;

b) la preminenza del papato sull'impero.

**58** L'opera di Marsilio da Padova presenta alcuni spunti nuovi rispetto alle diatribe giuridico-politiche del suo tempo. In che cosa consiste tale originalità?

**59** Quali sono gli aspetti che secondo Marsilio caratterizzano la legge e a chi spetta il compito di legiferare?

**60** Nella polemica circa l'autorità del papato, quale posizione assume Marsilio da Padova?

## Guglielmo di Ockham

**61** Nel formulare la propria teoria dell'esperienza, Guglielmo di Ockham parte dalla distinzione tra due tipi di conoscenza. Dopo aver individuato quali sono, definiscili e spiega quale rapporto intercorre tra essi.

**62** Illustra il legame tra empirismo e nominalismo in Ockham.

**63** In che cosa consistono per Ockham la *funzione* e la *validità* di un concetto?

**64** La teoria della supposizione studia gli aspetti semantici dei termini delle proposizioni. Completa la tabella riportata in basso individuando le caratteristiche peculiari di ogni tipo di *suppositio*.

**65** Quali aspetti della filosofia di Ockham preludono al netto rifiuto, da parte del filosofo, del problema scolastico?

**66** La critica di Ockham alla metafisica si basa su un procedimento che i discepoli del filosofo chiamarono il "rasoio" di Ockham: che cosa indica questa espressione?

| TIPI DI SUPPOSIZIONE | CARATTERISTICHE | ESEMPI |
|---|---|---|
| .................................... | .................................... | un *uomo* corre |
| .................................... | .................................... | *uomo* è una specie animale |
| .................................... | .................................... | *uomo* è di quattro lettere |

◄ TABELLA ES. 64

**67** Una volta abbandonata la pretesa di accedere al campo metafisico, alla speculazione filosofica si prospetta la possibilità di investigare altri contesti, e in particolare il mondo naturale. L'indagine di Ockham sulla natura prelude a una nuova concezione di essa che aprirà la via alla scienza del Rinascimento. L'innovazione sta nei presupposti della speculazione, che si fondano sulla critica alla fisica aristotelica. Completa la tabella riportata più in basso individuando, per ogni voce indicata, i principali contenuti di tale critica.

**68** Indica se, nella prospettiva occamistica, le seguenti affermazioni sono vere o false.

a) Attraverso l'esperienza l'uomo
   può conoscere i propri stati emotivi     V  F

b) L'anima è una sostanza     V  F

c) L'intelletto attivo contribuisce
   alla conoscenza     V  F

d) La volontà umana è libera     V  F

e) Dio può elargire la propria grazia
   anche a chi non ha la fede     V  F

f) Il potere del papa è assoluto     V  F

g) La Chiesa è la libera comunità dei fedeli     V  F

h) Ockham contrappone la Chiesa al papato     V  F

**69** Che cosa indica l'espressione "teologia negativa"?

TABELLA ▶
ES. 67

| FISICA ARISTOTELICA | CRITICA DI OCKHAM |
|---|---|
| Diversità di natura tra mondo celeste e mondo sublunare | .............................................................. .............................................................. |
| Unicità del mondo | .............................................................. .............................................................. |
| Infinito ideale | .............................................................. .............................................................. |
| Necessità dell'eternità del mondo | .............................................................. .............................................................. |

## RIFLETTI E CONFRONTA

**Trattazione sintetica di argomenti (15-20 righe per ogni risposta)**

■ La cultura islamico-araba presenta alcuni aspetti che ne fanno una "scolastica" per certi versi parallela a quella cristiano-occidentale e per altri assolutamente inconciliabile con essa. Elenca tali aspetti ed esponi le tue riflessioni in proposito.

■ Alcuni elementi della filosofia di Aristotele vengono accolti e ripresi dalla speculazione scolastica: ciò costituisce una vera e propria fortuna per l'aristotelismo, ritenuto dal pensiero medievale quanto di più perfetto la ragione umana possa attingere. Esamina gli elementi in questione ed esponi le tue considerazioni in proposito.

■ Il libero arbitrio nell'uomo e la presenza del male nel mondo: esponi e analizza questi due aspetti, tra loro correlati, dell'etica tomista.

■ Analizza le motivazioni concettuali e storico-culturali che determinarono la dissoluzione del problema della scolastica.

# PERCORSI ANTOLOGICI

## UNITÀ 7 La scolastica: dalle origini alla dissoluzione

I testi che costituiscono questa antologia presentano i capisaldi del pensiero dei principali esponenti della scolastica. Si parte così dalla soluzione proposta da Anselmo, Abelardo e Tommaso al problema costitutivo della scolastica stessa, quello del rapporto tra fede e ragione, per giungere all'esposizione di alcuni altri nodi fondamentali del tomismo: la dimostrazione dell'esistenza di Dio, la dottrina dell'analogia tra l'essere divino e quello umano, la natura della felicità e il concetto di legge. L'ultimo percorso è dedicato al problema degli universali e a Gugliemo di Ockham, che con la soluzione nominalistica da lui data a tale problema e con l'impostazione empiristica del suo pensiero si contrappone alle concezioni precedenti, segnando il punto di arrivo della parabola della scolastica e aprendo la strada a nuovi ambiti di ricerca, maggiormente rivolti al mondo naturale. Ecco quindi i contenuti della sezione antologica:

## INCONTRO CON...

### ■ Bonaventura: la domanda su Dio come problema filosofico fondamentale

**La specificità della speculazione scolastica**
Le moltissime pagine che la riflessione medievale dedica al tema delle prove dell'esistenza di Dio, alla riflessione sugli attributi divini e alla ricerca della via più sicura per unirsi a Lui rivelano come essa si ponga in un orizzonte teologico che la specifica e le conferisce una sua propria modalità. Essa, infatti, procede con una struttura argomentativa rigorosa, che si ispira in modo esplicito alla filosofia classica, ma che al tempo stesso si inserisce in una prospettiva più ampia: la rivelazione cristiana, intesa come compimento delle possibilità razionali umane e come ammonimento a non esaurire nei dati della sola ricerca filosofica l'intero orizzonte di senso della realtà. La tensione verso l'Assoluto viene dunque reinterpretata dalla riflessione scolastica a partire dall'annuncio della vicenda di un Dio che crea il mondo con un atto libero della sua volontà, e che per amore dell'uomo si incarna e accetta di vivere l'esperienza della debolezza e della morte, prima di manifestarsi nella gloria della resurrezione. La domanda su Dio viene così a presentarsi con tratti innovativi, confrontandosi insieme con le grandi scuole filosofiche del mondo classico, con la tradizione ebraica, recepita attraverso un'attenta meditazione delle pagine dell'Antico Testamento, e con le riflessioni provenienti dall'Oriente arabo. Questo porta alla nascita di concezioni originali, che riguardano non soltanto la natura di Dio, ma anche la natura dell'uomo, inteso come creato da Dio e a Lui destinato, e la natura del mondo, inteso come la casa che è stata affidata all'uomo e che l'uomo deve conoscere e custodire.

**Il rigore della filosofia al servizio della fede** A proposito della scolastica, così leggiamo nelle *Lezioni sulla storia della filosofia* tenute da Hegel nei suoi corsi berlinesi negli anni Venti dell'Ottocento: «L'essenziale, unico oggetto della teologia, come dottrina di Dio, è la natura di Dio; e questo contenuto è per sua natura essenzialmente speculativo, e i teologi che lo indagano non possono non essere filosofi. La scienza di Dio non è che filosofia. Pertanto anche qui filosofia e teologia furono riguardate come una sola e medesima scienza». Proprio da tale intimo legame deriva l'importanza attribuita alle prove dell'esistenza di Dio, che rappresentano un modello tipico del procedimento della scolastica: esse sono condotte con assoluto rigore razionale, ma nello stesso tempo costituiscono una forma di preghiera attraverso cui la ragione prepara e apre all'uomo lo spazio nel quale si colloca la rivelazione cristiana, la rivelazione cioè di quella verità che va oltre le capacità conoscitive naturali ed è insieme guida nella ricerca e parola vera.

Il testo che segue è tratto dall'*Itinerario dell'anima in*

*Dio* di Bonaventura da Bagnoregio, la cui speculazione rappresenta appunto un'originale sintesi tra le esigenze della razionalità filosofica e quelle della mistica. Bonaventura è infatti preoccupato di edificare una «sapienza cristiana» in grado di indicare all'anima umana la via dell'unione con Dio, e per conseguire questo risultato sviluppa una preliminare indagine sulle "tracce" terrene dell'esistenza di Dio, tracce che hanno un valore oggettivo e che dunque non possono non ottenere l'assenso della ragione: «L'esistenza di Dio è un vero indubitabile, poiché, sia che l'intelletto entri in se stesso, sia che esca fuori di sé, se procede razionalmente conosce con certezza e indubitabilmente l'esistenza di Dio» (*Quaestiones disputatae de Mysterio Trinitatis*, q. 1, a. 1 resp.). È quindi la riflessione filosofica che, portando a conoscere Dio come causa prima e come fine ultimo di tutte le cose, e ad intendere la realtà come manifestazione della perfezione divina, apre la strada al rapimento mentale, o mistico, in cui «si dà pace all'intelletto e l'affetto trapassa totalmente in Dio».

---

**Il ruolo della preghiera**

1 *Salmi*, 83, 6-7.

2 Bonaventura fa qui riferimento all'opera *Sulla teologia mistica* dello Pseudo-Dionigi, filosofo cristiano del V secolo che per lungo tempo fu confuso con il primo vescovo di Atene e che per questo si trova frequentemente citato come "l'Areopagita".

3 *Salmi*, 85, 11.

«Felice l'uomo il cui sostegno è in Te! Egli ha disposto le sue vie per risalire da questa valle di lacrime al luogo in cui Dio ha la sua dimora.»[1] [...] Ora, l'aiuto di Dio soccorre coloro che lo invocano di tutto cuore, con umiltà e devozione; coloro cioè che a Lui anelano in questa valle di lacrime per mezzo di un'ardente preghiera. La preghiera, pertanto, è la fonte e l'origine del nostro elevarci a Dio. Per questo, Dionigi, nella sua opera *De Mystica Theologia*[2], proponendosi di indicarci i mezzi per giungere all'abbandono dell'estasi, pone al primo posto la preghiera. Preghiamo, dunque, e diciamo al Signore Dio nostro: «Conducimi, Signore, sulla tua via ed entrerò nella tua verità, gioisca il mio cuore, perché io tema il tuo nome»[3]. ▼A

Così pregando, la nostra anima viene illuminata in modo da conoscere le tappe che le permettono di ascendere a Dio. Infatti, per noi uomini, nella nostra attuale condizione, l'intera realtà costituisce una scala per ascendere a Dio. Ora, tra le cose, alcune sono vestigio di Dio, altre sua immagine; alcune sono corporee, altre spirituali; alcune sono temporali, altre sono immortali; e, pertanto, alcune sono al di fuori di noi, altre invece in noi. ▼B

---

## CHIAVI DI LETTURA

▶A Bonaventura inizia il proprio *Itinerario* con la preghiera a Dio, fonte di ogni illuminazione: anche se è persuaso della dignità del sapere filosofico, che nel campo di propria competenza si muove in modo autonomo, considera tale sapere come un momento della sapienza cristiana, che ha bisogno di essere integrato dalla luce della rivelazione.

▶B È proprio l'atteggiamento di preghiera che permette di intendere la realtà, tanto nei suoi aspetti materiali quanto in quelli spirituali, come costituita di «vestigia» (tracce, impronte) e di «immagini» di Dio, che in seguito al peccato l'uomo non riesce più a cogliere come tali: soltanto la fede indirizza la ragione a riconoscere l'universo come una «scala» che conduce alla visione beatifica di Dio.

**Le tre tappe del cammino verso Dio**

Di conseguenza, se vogliamo pervenire alla considerazione del primo Principio, che è puro spirito, eterno e trascendente, è necessario che passiamo prima attraverso la considerazione delle sue vestigia che sono corporee, temporali ed esterne a noi, e questo significa essere condotti sulla via di Dio. È necessario, poi, che rientriamo nella nostra anima che è immagine di Dio, immortale, spirituale ed in noi, e questo significa entrare nella verità di Dio. È necessario, infine, che ci eleviamo a ciò che è eterno, puro spirito e trascendente, fissando con attenzione lo sguardo sul primo Principio, e questo significa allietarsi nella conoscenza di Dio e nell'adorazione della sua maestà. ▼C

**L'intelletto umano e la nozione di Dio**

[...] Ora, dato che le deficienze e le manchevolezze di una realtà possono essere conosciute soltanto per mezzo dei suoi aspetti positivi, il nostro intelletto non può analizzare pienamente la nozione di un qualsiasi essere creato se non per mezzo della nozione dell'essere totalmente puro, in atto, completo ed assoluto, che è l'essere semplicemente, l'essere eterno in cui sussistono, nella loro purezza, gli archetipi intelligibili di tutte le cose. Come, infatti, l'intelletto potrebbe sapere che questo essere determinato è manchevole e incompleto, se non avesse alcuna nozione dell'essere assolutamente perfetto? [...] ▼D

L'intelletto, poi, comprende veramente il significato delle proposizioni quando sa con certezza che sono vere. Questo è vero sapere, perché l'intelletto non può ingannarsi quando conosce in questo modo. Sa, infatti, che quella verità non può configurarsi in maniera diversa; sa, pertanto, che quella verità è immutabile. Ma dato che la nostra mente è per sua natura mutevole, non può vedere quella verità che riluce in maniera immutabile se non per mezzo di una luce che risplende in maniera immutabile, e che non può essere, quindi, una realtà creata, soggetta al mutamento. L'intelletto, pertanto, conosce in quella luce «che illumina ogni uomo che viene in questo mondo»[4], che è la vera luce, «il Verbo che è fin dal principio presso Dio»[5]. [...] ▼E

4 *Gv*, 1, 9.
5 *Gv*, 1, 1.

►C Bonaventura illustra le tre tappe del cammino che l'uomo deve percorrere per cogliere Dio: l'osservazione delle cose esterne (che recano in sé le tracce dell'opera del loro artefice), l'analisi della propria esperienza interiore (che riproduce la vita divina), la riflessione sulla nozione stessa di Dio, principio primo e trascendente di tutto ciò che esiste. L'esigenza di fornire la "prova" dell'esistenza di Dio trae origine dalla mancata considerazione da parte dell'uomo degli innumerevoli segni che, fuori e dentro di lui, nella sua anima e nel suo intelletto, ne attestano l'esistenza in modo immediato ed evidente: l'azione della ragione sarà pertanto quella di un "chiarimento", che permette di cogliere come tutto rimandi a Dio, e la filosofia costituirà la «via ad altre scienze», cioè alla teologia e alla mistica.

►D In queste righe, attraverso la riflessione sulle modalità del funzionamento dell'intelletto umano, si mette in luce come esso non potrebbe conoscere alcun «essere creato» se non possedesse una nozione dell'«essere totalmente puro», cioè di Dio. L'operare dell'intelletto consiste infatti, per Bonaventura, nel definire i termini che costituiscono le proposizioni utilizzate nei ragionamenti, ed è possibile definire il significato di un termine soltanto facendo riferimento a un altro termine più generale, che lo comprenda e che a sua volta rimandi a un altro termine ancor più generale, fino a giungere alla nozione dell'essere assoluto. Ecco perché, per cogliere il significato di un qualunque essere determinato, ovvero «manchevole e imperfetto», l'intelletto deve possedere la nozione dell'«essere assolutamente perfetto». Si noti come in questa affermazione si riprenda un elemento platonico-agostiniano, che innerva tutta la speculazione filosofica di Bonaventura. Nel prosieguo dell'analisi Bonaventura sottolinea come l'essere assolutamente puro non possa essere pensato come non esistente, in quanto la sua nozione implica la totale esclusione del non essere.

►E Oltre a comprendere il significato dei termini che costituiscono le proposizioni, l'intelletto deve stabilire la verità di tali proposizioni. Ma noi non possiamo conoscere nulla come vero se non in riferimento a un criterio immutabile di verità. E tale criterio, non potendo provenire dalla nostra mente, che è limitata e mutevole, deve coincidere con Dio stesso, o meglio con Cristo, Verità incarnata.

Da ciò appare in modo manifesto che il nostro intelletto è congiunto con la stessa Verità eterna, proprio nel momento in cui non può afferrare in modo certo nulla di vero se essa stessa non glielo insegna. Pertanto, puoi vedere da te la Verità che ti ammaestra, purché i desideri e le immagini sensibili non te lo impediscano, interponendosi come nubi fra te e il raggio della Verità. ▼F

(Bonaventura da Bagnoregio, *Itinerario dell'anima in Dio*, I, 1-2 e III, 3, trad. it. di M. Letterio, Rusconi, Milano 1985, pp. 355-356 e 377-379)

▶F Sono gli stessi limiti dell'intelletto, che non può conoscere nulla in modo autonomo, a rivelarne l'intima unione con la Verità: solo superando le "nubi" delle cose sensibili e orientando il proprio sguardo verso la "luce" divina, l'uomo può scoprire la propria grandez-za. Queste riflessioni porteranno Bonaventura a esclamare: «Desta meraviglia la cecità del nostro intelletto, che non considera ciò che vede prima di ogni altra cosa e senza del quale non può conoscere nulla» (V, 4).

# PERCORSO 1

**❝** *Dunque, o Signore, tu che dai l'intelligenza alla fede, concedimi di comprendere, per quanto sai che mi possa giovare, che tu esisti come crediamo e che sei quello che noi crediamo.* **❞**
(Anselmo, *Proslogion*)

## ■ La razionalità della fede in Anselmo e in Abelardo

Gli scritti di Anselmo d'Aosta, membro della famiglia benedettina e priore ed abate del monastero di Bec in Normandia, mostrano come agli albori dell'XI secolo anche la cultura monastica, che era stata spesso sospettosa nei confronti dell'uso della dialettica, cioè di un'indagine puramente razionale in questioni di fede, venga ad assumere un atteggiamento nuovo. L'affermazione di papa Gregorio Magno, secondo cui «l'agire divino, se è compreso dalla ragione, non è ammirabile, né la fede ha merito, quando la ragione umana porta la prova» (*Omil.*, II, 26, 1) è completamente ribaltata da Anselmo, il quale fonda le proprie opere sulla convinzione del valore intrinseco della ragione, che è in grado di percorrere la «vasta regione della Verità» e di dire «secondo necessità» ciò che l'intelligenza umana può esprimere riguardo all'essere di Dio. Rifiutando di presentarsi come un «presuntuoso innovatore», Anselmo riconosce che ciò che è dedotto dalla ragione, quando non è avvalorato dall'autorità della rivelazione, va inteso come solo «provvisoriamente necessario», ma è pienamente convinto che il seguire la pura evidenza razionale non comporti alcun pericolo per la verità rivelata.

Nel prologo del *Monologion* il filosofo racconta di come alcuni monaci dell'abbazia di Bec gli avessero rivolto la richiesta di esporre loro, in veste di priore, tutte le verità concernenti l'essenza divina, seguendo non l'autorità della Scrittura, a tutti ben nota, ma soltanto la «necessità della ragione» e la «chiarezza della verità», e di come inoltre lo avessero pregato di esprimersi «in uno stile semplice e con argomenti comuni». Dopo essersi a lungo sottratto a tale richiesta, Anselmo aveva infine acconsentito a mostrare ai propri monaci non tanto la "ragionevolezza" della fede e il suo accordo con la ragione, quanto il fatto che tutti i fondamentali contenuti di fede si possono ottenere tramite un'analisi puramente razionale. Solo a partire da tali presupposti si può intendere l'impegno che il filosofo prende nel *Proslogion*, da cui è tratto il primo dei brani che seguono, di riuscire a trovare una prova unica (*unum argumentum*) che dimostri l'esistenza di Dio.

Nonostante la diversità di temperamento e il modo più critico e disinvolto con cui si accosta alla tradizione, Abelardo, personaggio di spicco di quella nuova cultura che all'inizio del XII secolo trova nella città il proprio punto di riferimento privilegiato, riprende la strada inaugurata da Anselmo. Egli esalta infatti il ruolo della ragione, e in particolare della logica, nei cui procedimenti la *ratio* rivela il proprio effettivo potere speculativo. La dialettica, che Anselmo identifica con la logica classica sviluppata dal pensiero greco, costituisce per lui la strada che permette di stabilire la verità di un discorso: le differenti tesi devono dunque essere accolte non in forza dell'autorità di chi le propone, ma in base alla sostenibilità degli argomenti addotti a loro supporto. Questo comporta una grande fiducia nel ruolo costruttivo del dubbio, che, da una parte, apre la via attraverso la quale si intraprende la ricerca della verità, e, dall'altra, esprime l'esigenza di accostarsi all'oggetto esaminato con un'indagine attenta e accurata (*interrogatio*).

A partire da questi intendimenti metodologici, Abelardo sottopone – come si vede nel secondo dei testi proposti, tratto dal *Sic et non* – lo studio della Scrittura e dei documenti dei padri della Chiesa al vaglio critico della ragione, al fine di rendere più comprensibile il mistero cristiano e di sottrarlo a ogni accusa di assurdità o di incongruenza. Come già per Anselmo, anche per Abelardo è la rivelazione divina a presentare i contenuti che occorre chiarire ed esplicitare, ed è in forza della grazia di Dio che l'uomo può penetrare nel profondo del mistero; ma Abelardo non nutre più la stessa fiducia di Anselmo nella capacità della ragione di fornire spiegazioni definitive. Come dice Marie-Dominique Chenu, grande teologo del Novecento, Anselmo e Abelardo sono gli autentici «creatori della scolastica», perché rappresentano i due comportamenti essenziali della scuola: «Anselmo, il più bel frutto della teologia monastica, ne scavalca, anche nelle procedure, il metodo e la cornice [...] il maestro Abelardo non abita evidentemente il monastero del Bec, tuttavia la dialettica del suo *Sic et non* ha di fatto recuperato le *rationes necessariae* di Anselmo, in un incrocio fecondo di curiosità e di contemplazione da cui nascerà la teologia del XIII secolo» (*La teologia nel XII secolo*).

## T 1    LA PROVA *A PRIORI* DI ANSELMO

Nelle pagine introduttive del *Proslogion* Anselmo descrive le circostanze che lo hanno portato alla composizione dell'opera: la ricerca di un «argomento unico» che fosse «da solo sufficiente a stabilire che Dio esiste veramente» aveva impegnato per diverso tempo il suo pensiero, in un alternarsi di momenti in cui la soluzione sembrava quasi raggiunta e di successive disillusioni. Il filosofo aveva ormai deciso di abbandonare l'impresa, quando «nel conflitto stesso dei pensieri – come racconta egli stesso – mi si presentò ciò di cui avevo disperato»: così, grazie a questa illuminazione improvvisa, una ricerca incominciata nell'inquietudine trova compimento nella gioia.

Dopo aver messo per scritto quanto è balenato alla sua mente, Anselmo decide di procedere alla stesura di un piccolo trattato, volto a rendere partecipi dei suoi risultati quanti sono impegnati nello stesso tipo di ricerca. Nasce così il *Proslogion*, che presenta una dimostrazione dell'esistenza di Dio di eccezionale rilevanza filosofica, tanto che ancor oggi non ha cessato di essere analizzata e

dibattuta. Si tratta di una dimostrazione *a priori*, che parte dalla definizione di Dio come «ciò di cui non si può pensare nulla di più grande» e ne deriva l'impossibilità di pensarlo come non esistente, salvo contraddirsi, cioè cadere in un errore logico. L'argomento occupa solo tre brevi capitoli dell'opera (dal secondo al quarto, dei quali si riportano di seguito ampie parti) ed è preceduta e seguita da due momenti di preghiera, intesi a sottolineare come la ricerca umana si compia attraverso un dialogo – *Proslogion* significa appunto "colloquio" – che non riguarda solo la propria anima, ma che, in quanto volto alla contemplazione della realtà divina, interpella direttamente Dio.

Scritto in una prosa essenziale, intenta ad esporre in un modo il più possibile oggettivo il movimento del pensiero, l'argomento anselmiano richiede, per essere compreso a fondo, una costante attenzione: esso è davvero, secondo una felice definizione di Étienne Gilson, il «trionfo della dialettica pura operante su una definizione».

> Dunque, o Signore, tu che dai l'intelligenza alla fede, concedimi di comprendere, per quanto sai che mi possa giovare, che tu esisti come crediamo e che sei quello che noi crediamo. ▼A

## Chiavi di lettura

▶A Il capitolo si apre con un'invocazione a Dio, pregato di concedere quell'«intelligenza della fede» che sola consente all'uomo di comprendere più in profondità le verità rivelate e di avvicinarsi alla "visione" di Dio. Anselmo è infatti convinto che la comprensione razionale debba aggiungersi alla fede: non a caso alla fine del capitolo precedente esprime il senso della propria ricerca con la formula «credo per conoscere» (*credo ut intelligam*). L'intelligenza, che deve essere sviluppata in modo autonomo, si pone quindi tra il dono divino della fede, che non è

frutto del ragionamento, e la visione della perfezione di Dio, che peraltro non pretende di essere completa, né di annullare il mistero e la trascendenza. Per essere davvero giovevole, lo slancio della fede verso la comprensione razionale deve situarsi entro questo limite, affinché non si traduca in un atto di superbia intellettuale e non annulli così la distinzione tra la finitezza dell'intelletto umano e la profondità della natura divina. Entro tale ambito trovano spazio la dimostrazione dell'esistenza di Dio e la conoscenza della Sua natura.

E davvero noi crediamo che tu sia qualcosa di cui non si possa pensare nulla di più grande. ▼B

**La definizione di Dio**

O forse non vi è una tale natura, perché «disse l'insipiente in cuor suo: Dio non esiste»[1]? Ma certamente quel medesimo insipiente, quando ascolta ciò che dico, cioè «qualcosa di cui non si può pensare nulla di più grande», comprende ciò che ode; e ciò che comprende è nel suo intelletto, anche se egli non intende che quella cosa esista. Altro, infatti, è che una cosa sia nell'intelletto, e altro è intendere che quella cosa esista. Quando il pittore, infatti, prima pensa a ciò che sta per fare, ha certamente nell'intelletto ciò che ancora non ha fatto, ma non intende ancora che questo esista. Quando invece lo ha già dipinto, non solo ha nell'intelletto ciò che ha già fatto, ma intende anche che esso esista. Anche l'insipiente, dunque, deve convenire che, almeno nell'intelletto, vi sia qualcosa di cui non si può pensare nulla di più grande, perché quando sente questa espressione la intende, e tutto ciò che si intende è nell'intelletto. ▼C

Ma, certamente, ciò di cui non si può pensare qualcosa di più grande non può essere nel solo intelletto. Se infatti è almeno nel solo intelletto, si può pensare che esista anche nella realtà, il che è maggiore. Se dunque ciò di cui non si può pensare il maggiore è nel solo intelletto, quello stesso di cui *non si può* pensare il maggiore è ciò di cui *si può* pensare il maggiore. Ma evidentemente questo non può essere. Dunque ciò di cui non si può pensare il maggiore esiste, senza dubbio, sia nell'intelletto sia nella realtà. ▼D

Tutto ciò è talmente vero, che non si può neppure pensare che Dio non esista. Infatti si può pensare che vi sia qualcosa di cui non si possa pensare che non esiste; e questo è maggiore di ciò che si può pensare non esistente. Quindi, se ciò di cui non si può pensare il maggiore può essere pensato non esistente, quello stesso di cui non si può pensare il maggiore *non* è ciò di cui non si può pensare il maggiore; ma questo è contraddittorio. Dunque ciò di cui non si può pensare il maggiore esiste così veramente che non si può neppure *pensare* non esistente. ▼E

1 Anselmo sta citando il primo versetto del salmo 13.

«Non si può neppure pensare che Dio non esista»

---

▶B L'argomento di Anselmo parte dalla definizione di Dio come «ciò di cui non si può pensare nulla di più grande»: questa nozione è l'oggetto del credere e al tempo stesso utilizza termini puramente razionali, in quanto esprime ciò che la mente umana pensa di Dio. Una formula del genere era già presente in Seneca, nelle *Naturales quaestiones* (I, praef., 13), dove si legge: «Che cos'è Dio? [...] una grandezza [...] di cui nulla di maggiore può essere pensato» (*Quid est deus?* [...] *magnitudo* [...] *qua nihil maius cogitari potest*).

▶C Il fatto che l'insipiente che nega l'esistenza di Dio comprenda il significato della propria affermazione implica che nel suo intelletto esista «qualcosa di cui non si può pensare nulla di più grande». Con il termine "insipiente", Anselmo non intende indicare colui che dice cose filosoficamente irrilevanti, ma chi, nonostante varie dimostrazioni, non vuole convincersi dell'*esistenza* di Dio.

▶D Essendo l'esistenza reale evidentemente superiore rispetto a quella puramente concettuale, è contraddittorio negare a Dio la caratteristica dell'esistenza reale, in quanto, se Egli esistesse solo nell'intelletto, si potrebbe pensare a qualcosa di maggiore rispetto a Lui, ovvero a qualcosa di esistente anche nella realtà, il che va contro la definizione iniziale di Dio. Si noti come l'esistenza sia intesa qui come una "perfezione", cioè come un predi-

cato che "aggiunge" qualcosa al concetto: proprio questo punto sarà oggetto della critica mossa da Kant, alla fine del Settecento, all'argomento anselmiano.

▶E L'affermazione della non esistenza di Dio non può neppure essere pensata: vi è una contraddizione logica nell'atto stesso di pensare che non esista qualcosa che è quanto di maggiore sia pensabile. Anche questa esclusione, come la precedente, è fondata sull'evidenza assoluta della definizione di partenza. Si noti che in queste righe l'esistenza non va intesa (come nelle righe precedenti) come un predicato che si aggiunge alla natura divina, perfezionandola, ma piuttosto come una necessità intrinseca di Dio, che, in quanto perfezione assoluta, è anche esistenza necessaria. Come è stato ben analizzato da Italo Sciuto (*Genesi e struttura dell'argomento anselmiano*, in AA.VV., *Dio e la ragione*, Marietti, Genova 1993), vi sono due momenti nella dimostrazione di Anselmo: nel primo si afferma che è contraddittorio limitare all'ambito del solo intelletto la perfezione assoluta; nel secondo si afferma che è impossibile concepire una perfezione assoluta che non comprenda in sé necessariamente l'esistenza. L'affermazione secondo cui Dio esiste «veramente» (*vere*) nasce dall'impossibilità stessa di pensare Dio come non esistente. Essa non fa quindi riferimento, come avveniva nella precedente tradizione di tipo agostiniano, all'immutabilità dell'essere di Dio, ma al fatto che Dio è l'essere assolutamente necessario.

**Il ringraziamento al Signore**

E questo sei tu, Signore Dio nostro. Dunque tu esisti così veramente, Signore Dio mio, che non puoi neppure essere pensato non esistente. E giustamente. Se infatti una qualche mente potesse pensare qualcosa migliore di te, la creatura si eleverebbe al di sopra del Creatore e sarebbe giudice del Creatore; il che sarebbe grandemente assurdo. ▼**F**

In verità, di tutto ciò che è, all'infuori di te solo, si può pensare che non sia. Tu solo dunque hai l'essere nel modo più vero, e perciò massimo, rispetto a tutte le cose, perché qualsiasi altra cosa non è in modo così vero e, quindi, ha un essere minore. ▼**G**

Perché dunque «l'insipiente ha detto in cuor suo: Dio non esiste», quando è così evidente ad una mente razionale che tu sei più di tutte le cose? Per quale motivo, se non perché è stolto e insipiente? ▼**H**

(Anselmo, *Proslogion*, I, 2-3, trad. it. di I. Sciuto, Bompiani, Milano 2002, pp. 317-319)

---

▶**F** Dopo il momento della rigorosa dimostrazione razionale, condotta con argomenti logici che solo in un caso – quello della similitudine con il pittore – fanno ricorso a immagini, il discorso di Anselmo assume ora un tono più disteso e lirico, e si rivolge a Dio in forma di colloquio, quasi a ringraziarlo per l'evidenza che la Sua esistenza reca con sé. Dio non viene più definito solo come ciò di cui non si può pensare nulla di "maggiore" (*maius*), ma anche come ciò di cui non si può pensare nulla di "migliore" (*melius*): si sottolinea in tal modo come la comparazione tra il creatore e le creature si istituisca sul piano del valore, e non su quello della *quantità*. Qualcosa di analogo accade in un passo del *Monologion*, in cui Anselmo parla di Dio come di un ente che è «sommamente grande» per valore, in quanto «è migliore o più degno» (I, 2).

▶**G** Dio ha «l'essere nel modo più vero» in quanto, come si è dimostrato in precedenza, è l'essere che esiste necessariamente, mentre le creature "sono" perché sono create da Dio, rispetto al quale hanno dunque una perfezione inferiore dal punto di vista ontologico.

▶**H** Al termine della dimostrazione l'insipiente è definito anche come «stolto», perché l'evidenza razionale dell'argomento proposto è tale, secondo Anselmo, che ostinarsi a rifiutarla non significa soltanto "non sapere", ma scegliere di porsi al di fuori dell'orizzonte razionale che accomuna tutti gli uomini.

---

**T 2**   IL *SIC ET NON* DI ABELARDO

L'impostazione critica che accompagna e connota tutta la riflessione di Abelardo trova nel *Sic et non*, di cui di seguito vengono proposti alcuni brani tratti dalla prefazione, un esplicito esempio. A partire dalla considerazione, costante in tutte le sue opere, secondo cui lo studio della logica appartiene alla filosofia e, quindi, ha come oggetto le realtà più alte, egli sottolinea la necessità di applicare le regole della logica a ogni ambito della realtà, senza lasciarsi intimidire dal peso della tradizione. Per questo rivendica il diritto di un'analisi critica, concernente in primo luogo il significato e l'uso dei termini, in relazione alla stessa scrittura sacra. Ciò significa che il filosofo propone un utilizzo della ragione volto non tanto a fare sfoggio di sapienza e di abilità, quanto a rendere più comprensibile il mistero cristiano, senza con ciò degradarlo, né pretendere di esaurirne il contenuto, che eccede pur sempre in ampia misura i limiti della ragione umana. In questa prospettiva deve essere inteso l'accostamento delle affermazioni sulla libertà di interpretazione dei differenti testi alla sottolineatura della necessità, per comprendere in profondità la verità rivelata, dell'illuminazione della grazia divina. Ciò che Abelardo intende evidenziare è l'importanza del momento razionale per evitare che la fede si riduca a una sequenza di parole vuote o all'accettazione di un insieme di formule volte solo a ottenere la benevolenza di Dio. L'indagine razionale diventa così lo strumento che permette di sollevarsi dal piano delle realtà puramente umane al mondo divino e che corrode con una continua inquietudine tutte le soluzioni parziali alle quali l'uomo è tentato di arrestarsi nella comprensione del mistero.

[...] È proprio infatti dell'uso del parlare comune che molte cose, secondo il giudizio dei sensi, vengono dette diverse da come in realtà sono. Mentre, infatti, non esiste in tutto il mondo un luogo del tutto vuoto – che non sia pieno di aria o di altro corpo – tuttavia diciamo del tutto vuota un'arca[1] comune nella quale non vediamo nulla. Colui che giudica le cose secondo la vista, dice il cielo ora stellato ora no, e il sole ora caldo e ora no, e che la luna ora splende più e ora meno e a volte anche è del tutto priva di luce; mentre tuttavia queste cose che a noi appaiono in modo diverso rimangono in realtà immutate. Cosa c'è dunque di strano se anche da parte dei santi Padri molte cose sono affermate o scritte più secondo opinione che secondo verità? [...] Ma si troverà facilmente la soluzione delle controversie e si potranno giustificare le varie parole usate in diversi sensi da diversi autori. ▼A

Il lettore diligente tenderà dunque a risolvere le contraddizioni negli scritti dei santi in tutti questi modi suddetti. E se mai una controversia fosse così manifesta da non potere essere risolta con la ragione, bisogna rivolgersi agli autori e bisogna credere in quello che è di maggior peso e di miglior sicurezza. [...] ▼B

Tuttavia, per non negare ad essi[2] un posto e non sottrarre ai posteri l'esercizio, preziosissimo per la lingua e per lo stile, di trattare e discutere questioni difficili, l'autorità canonica del Vecchio e del Nuovo Testamento è stata distinta dai libri posteriori. In quelli[3], se una cosa colpisse quasi fosse assurda, non è lecito dire «l'Autore di questo libro non ha seguito la verità», ma dovrà dirsi che il codice è corrotto o che ha errato l'interprete o che sei tu a non comprendere. Ma nelle opere posteriori che sono contenute in innumerevoli scritti, se mai si pensasse che certe cose si allontanano dalla verità, perché non sono intese da noi come lì son dette, il lettore o l'ascoltatore hanno in questo caso libertà di giudizio sicché approvino quel che condividono e respingano quel che non li convince, e pertanto tutti gli scritti del genere – se non siano difesi in modo sicuro e con quella autorità canonica, onde si dimostra che sia assolutamente così o che così possa essere quel che viene detto o discusso – nel caso in cui non convincano qualcuno o questi non voglia credere, non lo si può riprendere. [...] ▼C

**L'analisi del linguaggio comune**

1 Cioè uno scrigno, un forziere.

**I limiti e le caratteristiche di un'indagine critica**

2 Cioè agli scritti di tutti i padri della Chiesa.

3 Cioè nell'Antico e nel Nuovo Testamento.

## CHIAVI DI LETTURA

▶A Il riferimento al linguaggio che usiamo comunemente è il punto di partenza di un'analisi che vuole portare chiarezza nell'interpretazione dei testi sacri, che intende cioè risolvere il problema delle affermazioni tra loro contraddittorie dei diversi padri della Chiesa e chiarire eventuali brani oscuri della Scrittura stessa. Anche i padri della Chiesa – afferma infatti Abelardo – hanno talvolta utilizzato un linguaggio che noi potremmo definire "figurato", che può dare adito a interpretazioni differenti. Ecco perché, per la soluzione delle controversie, è importante analizzare il modo in cui le differenti parole sono state usate dai vari autori. In questa stessa opera Abelardo afferma:«L'intelligenza di un testo può essere ostacolata dall'uso inconsueto di un termine, come dalla pluralità e variabilità dei significati degli stessi termini».

▶B Compito di un lettore attento è quindi quello di affrontare le diverse interpretazioni proposte dai padri con atteggiamento critico e razionale: laddove neppure con questo metodo si dovesse conseguire un risultato decisivo, la strada migliore è quella di accordare maggiore credibilità all'autore che nel complesso della sua produzione risulta più convincente.

▶C Pur convinto che solo l'applicazione di un metodo critico, basato sull'indagine dei significati dei termini, possa conferire verità e precisione all'analisi dei differenti scritti religiosi, Abelardo distingue tra i testi della Scrittura e quelli dei padri della Chiesa. Nel primo caso non si tratta di rilevare una falsità sostenuta dall'autore (che infatti è Dio stesso, attraverso i vari scrittori sacri), ma di supporre o un errore di trascrizione del testo, o una nostra incapacità di comprensione. Piena libertà di giudizio si ha invece per le opere dei padri della Chiesa, nei confronti delle quali deve essere lecito esprimere il proprio dissenso. Anche a questo riguardo Abelardo individua tuttavia un caso-limite, che si presenta quando un testo viene difeso dall'«autorità canonica»: tale difesa non deve poter essere revocata in dubbio in alcun modo, e quando si giunge a una situazione del genere, viene a cessare il motivo stesso che ha dato origine all'indagine critica.

Prese in considerazione queste cose, abbiamo voluto raccogliere – come abbiamo stabilito – vari detti dei santi Padri, quando alla nostra memoria se ne sono presentati alcuni i quali, per qualche discordanza che sembrino avere, suscitino un problema e incoraggino i lettori inesperti al massimo sforzo di ricerca della verità e li rendano più acuti con la loro ricerca. ▼D
Questa è ritenuta come prima chiave della sapienza: la continua, frequente interrogazione; questa Aristotele, filosofo di tutti il più sottile, esorta gli studiosi ad accogliere con pieno amore. Col dubbio, infatti, giungiamo alla ricerca, e ricercando troviamo la verità, secondo quello che la Verità stessa[4] dice: «Cercate e troverete; bussate e vi sarà aperto» (*Mt*, 7). E questa Verità, volendo anche istruirci moralmente col suo stesso esempio, intorno al dodicesimo anno di età si fece trovare seduta a disputare coi dottori, mostrandosi a noi piuttosto in forma di discepolo che interroga che non in forma del maestro che predica, pur essendo nella piena e perfetta sapienza di Dio. Anzi, quando si riportano dei passi delle Scritture, tanto più esse eccitano l'interesse dei lettori e attraggono alla ricerca della verità, quanto più è rispettata l'autorità della Scrittura. ▼E

4 Cioè Dio stesso, nella persona del Figlio, Verbo incarnato.

(Abelardo, *Sic et non*, "Prefazione", in *Storia antologica dei problemi filosofici*, diretta da U. Spirito, Sansoni, Firenze 1965, *Teoretica*, vol. 1, pp. 594-595)

▶D L'impegno di Abelardo è quello di presentare alcuni detti dei padri che affermano tesi diverse, al fine di esercitare l'"acutezza" dei «lettori inesperti» nella ricerca della verità. Secondo le parole di Antonio Crocco, attento studioso del metodo di Abelardo, quest'ultimo rappresenta «l'altro versante del Medioevo [...] che tenta di sottrarsi, sia nell'ambito delle discipline umano-filosofiche che nella sfera ben più rilevante della problematica religioso-teologica, e della *fides*, ai condizionamenti delle chiuse e immobili strutture culturali e delle rigide concezioni tradizionali, per aprirsi una nuova e autonoma via di ricerca» (*Abelardo. L'altro versante del Medioevo*, Liguori, Napoli 1979).

▶E Abelardo è attento ad avvalorare la propria scelta metodologica con un fermo riferimento alla Scrittura, oltre che ai testi dei filosofi: perciò propone l'immagine di Cristo che, pur essendo suprema Verità, assume i tratti del discepolo che interroga, più che quelli del maestro che predica, e in tal modo indica esplicitamente all'uomo la «prima chiave della sapienza». Questa, infatti, consiste nel continuo esercizio del dubbio, nell'assiduo domandare e confrontarsi, nella ricerca mai soddisfatta. Tale atteggiamento è stimolato secondo Abelardo dalla Scrittura stessa, la cui autorità è maggiormente rispettata quando i suoi passi più controversi non sono "forzati" da un'unica interpretazione, ma vengono lasciati, nella loro "multiforme" intelligibilità, alla sensibilità del credente.

## PERCORSO 2

" *Sebbene la verità della fede cristiana superi la capacità della ragione, tuttavia i principi naturali della ragione non possono essere in contrasto con codesta verità.* "

(Tommaso, *Somma contro i Gentili*)

### ■ Tommaso: un medesimo orizzonte di verità per la ragione e la fede

Sulla scorta delle riflessioni sviluppate nei secoli precedenti, Tommaso d'Aquino giunge a delineare il rapporto tra fede e ragione come una forma di pacifica coesistenza, basata sul fatto che la verità rivelata e la verità naturale hanno in comune lo stesso fondamento e la stessa origine, cioè Dio stesso, e non possono quindi essere in opposizione tra loro. Come si legge nel primo dei brani proposti, la rivelazione divina non può contenere alcuna verità che contraddica la ragione naturale, e d'altra parte la ragione umana non può pretendere di esaurire con la propria indagine tutto l'ambito della verità, che ha un'estensione maggiore rispetto alle sue possibilità conoscitive. Infatti, non tutte le verità, e in particolare non quelle riguardanti la natura divina, possono essere comprese con la sola ragione: «l'intelletto umano non può arrivare a conoscere l'essenza di Dio mediante le sue capacità naturali, essendo costretto nella vita presente a iniziare la conoscenza dai sensi» (*Somma contro i Gentili*, I, 3). Tuttavia, anche nei confronti di quelle verità di cui non possono darsi dimostrazioni necessarie, la ragione ha un proprio compito specifico: essa deve infatti porre in evidenza la loro "probabilità" e la loro "non contraddittorietà", cercando di trovare delle "analogie" che permettano all'uomo, se non di comprenderle nella loro pienezza, per lo meno di accostarvisi con una certa approssimazione.

Secondo Tommaso, pertanto, esiste un unico orizzonte razionale, che al proprio interno individua due diverse modalità conoscitive: quella della ragione e quella della fede. Come si legge nel secondo dei brani presentati di seguito, la ragione si basa sull'evidenza intrinseca della verità e sulla considerazione delle cose in se stesse e in rapporto alle loro cause immediate, mentre la fede si fonda sull'autorità di Dio, in rapporto al quale considera sia le cose, sia le loro cause. Perciò, come è stato acutamente osservato da Étienne Gilson, la saldatura tra teologia naturale e teologia rivelata comporta in Tommaso la necessità «che la filosofia resti razionale per poter essere utilizzata dalla teologia e che la teologia resti se stessa per poterla utilizzare» (*Il filosofo e la teologia*, Morcelliana, Brescia 1966, p. 106).

## T 3     PRINCIPI NATURALI E VERITÀ DI FEDE

La *Somma contro i Gentili*, da cui è tratto il brano proposto di seguito, è un'opera in cui Tommaso non si limita a presentare i *preambula fidei*, cioè quelle verità che preparano alla fede e che la ragione è in grado di dimostrare, ma analizza l'insegnamento della fede nella sua interezza, facendone risaltare il contrasto e l'incompatibilità con gli errori dei filosofi pagani e di quelle forme religiose – eretiche, scismatiche o addirittura estranee al cristianesimo, come il musulmanesimo – di cui lo stesso Tommaso aveva avuto modo di venire a conoscenza. Lo scopo dell'opera è dunque quello di «esporre, secondo le nostre capacità, la verità professata dalla fede cattolica, respingendo gli errori contrari» (I, 2) e

il metodo utilizzato prevede di «distinguere tra due serie di verità riguardo alle cose di Dio: la prima è raggiungibile dalla ragione, mentre la seconda trascende qualsiasi capacità dell'ingegno umano» (I, 4).

Tra i principi naturali dimostrabili dalla ragione e le verità rivelate vi è una stretta correlazione, perché, nota Tommaso, anche l'assenso alle cose di fede «non è un atto di leggerezza»: occorre quindi evitare contrapposizioni immotivate, da un lato distinguendo le due forme di conoscenza senza per questo dividerle, e dall'altro lato unendole senza per questo identificarle. È la via del "distinguere per unire", che anima tutta l'impostazione teoretica tomistica.

Sebbene la verità della fede cristiana superi la capacità della ragione, tuttavia i principi naturali della ragione non possono essere in contrasto con codesta verità. ▼A

**La verità come orizzonte comune di ragione e fede**

## Chiavi di lettura

▶A Tommaso muove dalla convinzione che ragione e fede parlino delle stesse cose – di Dio, dell'uomo e del mondo – e che i principi di entrambe abbiano piena validità, per cui il contrasto tra le due forme di sapere non è possibile. L'affermazione secondo cui la verità della fede "supera" le capacità della ragione va pertanto intesa

non nel senso che la prima annulli la ragione umana, bensì nel senso che la perfeziona e la orienta verso quei contenuti di fede – come l'unità e la trinità di Dio – ai quali essa da sola non può giungere, allo stesso modo in cui la grazia divina non vanifica la libertà dell'uomo, bensì la orienta verso il bene autentico.

Infatti:

1. I principi così innati nella ragione si dimostrano verissimi: al punto che è impossibile pensare che siano falsi. E neppure è lecito ritenere che possa esser falso quanto si ritiene per fede, essendo confermato da Dio in maniera così evidente. Perciò essendo contrario al vero solo il falso, com'è evidente dalle loro rispettive definizioni, è impossibile che una verità di fede possa essere contraria a quei principi che la ragione conosce per natura. ▼B

2. Inoltre, le idee che l'insegnante suscita nell'anima del discepolo contengono la dottrina del maestro, se costui non ricorre alla finzione; il che sarebbe delittuoso attribuire a Dio. Ora, la conoscenza dei principi a noi noti per natura ci è stata infusa da Dio, essendo egli l'autore della nostra natura. Quindi anche la sapienza divina possiede questi principi. Perciò quanto è contrario a tali principi è contrario alla sapienza divina; e quindi non può derivare da Dio. Le cose dunque che si tengono per fede, derivando dalla rivelazione divina, non possono mai essere in contraddizione con le nozioni avute dalla conoscenza naturale. ▼C

3. In più, ragioni contrarie legano l'intelletto nostro al punto da non poter procedere alla conoscenza della verità. Perciò se Dio ci infondesse conoscenze contrastanti, impedirebbe al nostro intelletto di conoscere la verità. Il che non si può pensare di Dio.

4. Inoltre, ciò che è naturale non può essere mutato finché permane la natura. Ora, opinioni contrastanti non sono compatibili nel medesimo soggetto. Dunque non è possibile che Dio infonda nell'uomo un'opinione, o una fede, incompatibile con la sua conoscenza naturale. Di qui le parole dell'Apostolo[1]: «Il messaggio è vicino a te, nella tua bocca e nel tuo cuore, cioè il messaggio della fede che vi predichiamo» (*Rom*, X, 8). Ma poiché le verità di fede superano la ragione, alcuni sono portati a considerarle come ad essa contrarie; il che è impossibile. Ciò è confermato da quelle parole di S. Agostino: «Quanto viene manifestato dalla verità in nessun modo può essere in contrasto sia col Vecchio, che col Nuovo Testamento» (2 *Super Gen. ad litt.*, c. 18). ▼D

Da ciò si ricava con chiarezza che tutti gli argomenti addotti contro gli insegnamenti della fede non derivano logicamente dai principi primi naturali noti per se stessi. E quindi essi

1 Cioè san Paolo.

---

►B Affermare l'esistenza di un contrasto tra le verità di fede e i principi della ragione umana significherebbe ammettere una contraddizione in Dio stesso, che è autore tanto delle prime quanto dei secondi. Al contrario, affermare la conciliabilità di fede e ragione significa supporre un orizzonte razionale comune a entrambe, dal quale soltanto è possibile partire per costruire un discorso filosofico in grado di inserire, sui risultati razionali raggiunti, un approfondimento di tipo teologico.

►C È Dio stesso ad aver infuso nell'uomo la conoscenza dei principi primi ai quali la ragione fa riferimento, in quanto Egli è l'autore della natura umana. Perciò si può affermare che anche tali principi sono posseduti da Dio e fanno parte della sua sapienza: non vi può quindi essere contrasto tra ciò che Dio ha infuso nell'uomo e ciò che gli ha rivelato attraverso Cristo, a meno di non supporre una contraddizione in Dio. Si noti come da questa tesi derivi la convinzione secondo cui la ragione costituisce il presupposto comune che permette a un credente di discutere con un non credente.

►D La necessità che la verità sia ben presente davanti agli occhi degli uomini, per dirigere verso il bene il loro comportamento, rappresenta un ulteriore motivo per cui non vi può essere contrasto tra principi naturali e verità di fede. Lo stesso individuo non potrebbe, infatti, essere ispirato da due differenti criteri di verità, pena una scissione nel suo io. L'unità dell'orizzonte dell'essere, che è essere per essenza (Dio) ed essere per partecipazione (gli enti), è il fondamento dell'unità dell'orizzonte comune di fede e ragione, tra le quali rende impossibile il contrasto.

non hanno valore di dimostrazioni; ma, o sono ragioni solo dialettiche, o addirittura sofistiche, e quindi si possono sempre risolvere. ▼E

Si deve notare che le cose sensibili, dalle quali la ragione umana desume la conoscenza, conservano in sé un certo vestigio della causalità divina, però così imperfetto da essere del tutto insufficiente a manifestare la natura stessa di Dio. Poiché gli effetti conservano in una certa misura la somiglianza con la loro causa, perché ogni agente produce una cosa a sé somigliante; ma l'effetto non sempre raggiunge una perfetta somiglianza. Perciò la ragione umana nel conoscere le verità di fede, che possono essere evidenti solo a coloro che contemplano l'essenza di Dio, è in grado di raccoglierne certe analogie, che però non sono sufficienti a dimostrare codeste verità o a comprenderle per intuizione intellettiva. Tuttavia è proficuo per la mente umana esercitarsi in tali ragionamenti per quanto inadeguati, purché non si abbia la presunzione di comprendere o di dimostrare: poiché poter intendere anche poco e debolmente le cose e le realtà più sublimi procura la più grande gioia, come abbiamo già notato sopra. ▼F

*L'armonia tra conoscenza naturale e fede*

(Tommaso d'Aquino, *Somma contro i Gentili*, II, 6-7, trad. it. di T.S. Centi, UTET, Torino 1997, pp. 72-73)

▶**E** Poiché la ragione non può essere in contrasto con la fede, i dogmi di fede (che Tommaso chiama *articula fidei*) non possono essere contraddetti dalla ragione. Il caso di un eventuale contrasto nasce quando le motivazioni razionali addotte non sono vere in modo necessario, ma soltanto probabili, oppure quando sono argomenti sofistici, facilmente risolvibili applicandovi correttamente i principi della ragione.

▶**F** La conoscenza umana ha come punto di partenza le cose sensibili, le quali «non possono condurre il nostro intelletto a scorgere in esse la quiddità della natura divina: poiché si tratta di effetti che non ade-

guano la virtù della causa» (*Somma contro i Gentili*, I, 3). La ragione può quindi cogliere l'essere del creatore solo attraverso la sua analogia con l'essere delle cose create, e non immediatamente, per una sorta di "intuizione" intellettiva. Nonostante questi limiti della ragione, l'esercizio di comprensione delle verità di fede è utile all'uomo, perché lo eleva verso le realtà più alte, purificando la sua natura. Si possono ricordare al proposito le parole che Dante pronuncia quando giunge davanti a Dio, verità suprema: «Così la mente mia, tutta sospesa / mirava fissa, immobile e attenta / e sempre di mirar faceasi accesa» (*Paradiso*, XXXIII, vv. 97-99).

## T 4    IL FILOSOFO E IL CREDENTE DI FRONTE AL MONDO

Il brano proposto di seguito sottolinea la specificità del modo in cui la ragione si muove nell'ambito che le è proprio, anche se tale specificità non comporta la distinzione della sua indagine rispetto ai conteuti della fede cristiana, di cui si pone "al servizio". La ragione fornisce dunque un sostegno alla stessa scienza di Dio, cioè alla teologia, senza con ciò compromettere la propria natura. Una duplice convinzione anima Tommaso: che la ragione abbia una propria autonoma capacità di cogliere la verità (che non può essere negata o interpretata in senso riduttivo, nonostante i rischi che possono derivare da un

uso improprio della facoltà razionale), e che sia possibile estendere l'utilizzo della ragione alle questioni di fede, purché se ne tengano presenti i limiti costitutivi e non si richieda a essa di dimostrare quelle verità che possono essere evidenti solo per "visione" diretta di Dio. Tommaso è infatti convinto che «la conoscenza delle cose più sublimi, per quanto imperfetta, conferisce all'anima la più grande perfezione» e che «sebbene la ragione umana non possa capire pienamente ciò che la trascende, tuttavia acquista così una grande eccellenza, ritenendo almeno per fede codeste verità» (*Somma contro i Gentili*, I, 5).

**Il diverso modo di filosofia e teologia di considerare le cose**

Risulta evidente dalle cose già dette che la dottrina della fede cristiana s'interessa delle creature in quanto in esse si riscontra una certa immagine di Dio, e in quanto l'errore su di esse può portare all'errore circa le cose di Dio. Perciò le creature interessano la dottrina suddetta e la filosofia umana sotto aspetti diversi. Poiché la filosofia umana le considera per quello che sono: cosicché secondo la diversità dei loro generi si riscontrano varie discipline filosofiche. Invece la fede cristiana non le considera per quello che sono in se stesse: considera il fuoco, ad esempio, non in quanto fuoco, ma in quanto rappresenta la trascendenza di Dio, e in quanto in qualche modo in ordine a Dio. Di qui le parole dell'*Ecclesiastico* (XLII, 16, 17): «Le opere di Dio sono piene della sua magnificenza. Non ordinò egli ai santi di annunziare le sue meraviglie?». ▼**A**

Per questo il filosofo e il credente considerano nelle cose aspetti differenti. Infatti il filosofo ne considera le proprietà che loro convengono secondo la propria natura: nel fuoco, ad esempio, la tendenza a salire verso l'alto. Invece il credente considera nelle creature il loro riferimento a Dio: ossia il fatto che sono create da Dio, che a Lui sono soggette, ed altre cose del genere. Perciò non si deve a un'imperfezione della dottrina della fede il suo disinteresse per tante proprietà delle cose, ad esempio per la configurazione del cielo, o per la qualità del suo moto. Del resto neppure il naturalista si interessa delle proprietà della linea che sono oggetto della geometria: ma solo della linea in quanto termina un corpo fisico. ▼**B**

**La diversità dei principi filosofici e teologici**

Ed anche quando il filosofo e il credente considerano le creature sotto il medesimo aspetto, si rifanno a dei principi differenti. Poiché il filosofo argomenta partendo dalle cause proprie e immediate delle cose; il credente invece parte dalla causa prima: dal fatto, ad esempio, che Dio lo ha rivelato; oppure che ciò ridonda a gloria di Dio; ovvero dall'esserci in Dio una potenza infinita. ▼**C**

1 Cioè la teologia.

Ed ecco perché questa dottrina[1] ha diritto all'appellativo di "somma sapienza", avendo per oggetto la causa più alta, secondo le parole della Scrittura: «Questa è la vostra sapienza e la vostra intelligenza al cospetto dei popoli» (*Deut*, 4, 6). Per questo la filosofia umana deve essere al suo servizio; cosicché talora la sapienza o scienza di Dio argomenta dai principi della filosofia umana. Infatti anche presso i filosofi la Filosofia Prima si serve dei dati di tutte le scienze per raggiungere le sue conclusioni.

Ed ecco perché codeste due discipline non seguono il medesimo ordine. Poiché in filosofia, la quale considera le creature in se stesse per giungere alla conoscenza di Dio, il primo oggetto

## CHIAVI DI LETTURA

►**A** Con estrema chiarezza e precisione Tommaso nota come l'interesse comune della filosofia e della teologia nei confronti della realtà sensibile presenti caratteristiche differenti, in quanto la filosofia considera gli enti creati per se stessi, mentre la fede li riconduce a Dio. L'esempio del fuoco – tratto, come spesso accade nelle opere di Tommaso, dall'esperienza comune – contribuisce a chiarire il diverso atteggiamento delle due forme di sapere, l'una intenta a conoscere le proprietà sensibili delle cose, l'altra a sottolinearne il valore simbolico, rinviante all'infinita potenza del creatore, che permea della propria «magnificenza» la realtà tutta.

►**B** Ci troviamo qui di fronte a un caso di "distinzione nell'unità", in quanto filosofia e teologia hanno ciascu-

na un proprio ambito di competenza che non annulla la rilevanza di quello dell'altra. Il fatto che la teologia non si interessi delle proprietà sensibili delle cose, ma soltanto del loro rapporto con Dio, non significa che essa sia meno perfetta della filosofia.

►**C** Anche quando guardano alla realtà sotto un medesimo aspetto, filosofia e teologia procedono seguendo principi diversi: la filosofia considera le cause immediate e sensibili delle cose, mentre la teologia la causa prima, cioè Dio stesso. Filosofia e teologia si muovono dunque in direzioni opposte: l'una, per così dire, dal basso verso l'alto, cioè dalle creature (che sono il necessario punto di partenza dell'indagine intellettuale condotta dall'uomo) a Dio; l'altra, viceversa, dall'alto verso il basso, ovvero da Dio alle creature.

da considerare sono le creature, e l'ultimo è Dio. Invece nella dottrina della fede, la quale non considera le creature che in ordine a Dio, prima va considerato Dio e poi le creature. Di qui la maggiore perfezione di quest'ultima: perché somiglia di più alla conoscenza di Dio, il quale conosce le cose solo conoscendo se stesso. ▼D

(Tommaso d'Aquino, *Somma contro i Gentili*, II, 4, trad. it. di T.S. Centi, cit., pp. 272-274)

▶**D** Poiché rivolge il suo sguardo a Dio, cioè alla più elevata tra le cause, la teologia è considerata da Tommaso «somma sapienza», al cui «servizio» deve porsi la stessa filosofia. Quest'ultima, infatti, è «ancella della teologia» (la quale è la forma di conoscenza più perfetta), ma non per questo perde il proprio valore e la propria specificità. Dice al proposito Étienne Gilson: «Perché questa ancella sia utile, bisogna che non sia distrutta: ed è vero che l'ancella non è la padrona, ma fa parte della famiglia» (*Il filosofo e la teologia*, cit., p. 106).

## PERCORSO 3

« *Ciò che è diviso e molteplice negli effetti è invece semplice e uniforme nella causa; allo stesso modo, tutte le perfezioni che nelle cose create si trovano divise e molteplici, preesistono unite in Dio.* »

(Tommaso, *Somma teologica*)

# ■ Tommaso: l'esistenza e la natura di Dio

Nei primi capitoli della *Somma contro i Gentili* Tommaso sottolinea che l'oggetto principale della filosofia è la conoscenza della verità, ma non di una verità qualsiasi, bensì di «quella che è all'origine di ogni verità, ossia quella che riguarda il primo principio dell'essere per tutte le cose» (I, 1). Facendo proprie le parole di Ilario di Poitiers, il filosofo sottolinea come il compito principale della sua vita sia quello di «esprimere Dio in ogni parola e in ogni sentimento» (*ibidem*, I, 2): l'indagine su Dio è quindi il punto focale di tutta quanta la sua ricerca e in questa prospettiva le prove dell'esistenza di Dio acquistano un'importanza particolare.

La proposizione "Dio esiste" appare evidente di per sé, in quanto in essa vi è identità tra il soggetto e il predicato, in forza del fatto che l'esistenza di Dio è inclusa nella sua stessa essenza. Tuttavia tale proposizione «non ci è nota», perché noi non possiamo "concepire" l'essenza di Dio, cioè averne il "concetto" nel nostro intelletto. L'esistenza di Dio va quindi dimostrata tramite quei concetti che sono a noi più familiari e a partire dalle creature.

Le «cinque vie» che Tommaso intraprende per dimostrare l'esistenza di Dio partono, come si legge nel primo brano proposto, tratto dalla *Somma teologica*, dalle cose, intese come effetti della causa divina, e in quanto tali sono vie *a posteriori*. Esse sono da preferire alle dimostrazioni *a priori* (tale è l'argomento ontologico di Anselmo), perché «quando un effetto ci è più chiaro della causa, partiamo da esso per conoscere la causa» (*Somma teologica*, I, q. 2, a. 2). Inoltre, poiché un effetto dipende sempre da una causa, «da qualsiasi effetto si può risalire alla sua causa [...] quindi l'esistenza di Dio, che di per sé non ci è nota, sarà dimostrabile attraverso gli effetti [di essa] a noi noti» (*ibidem*).

Le prove *a posteriori* dell'esistenza di Dio sono rese possibili dal fatto che, come leggiamo nel secondo dei passi proposti, tra l'essere di Dio e l'essere dell'uomo vi è un rapporto di analogia, dovuto all'unitarietà dell'orizzonte universale dell'essere, che pure si articola nella diversità e nella pluralità degli enti. La dottrina dell'analogia, come già quella del rapporto tra fede e ragione, costituisce uno dei tratti specifici della metafisica tomistica, che si caratterizza proprio per la sua capacità di tenere insieme, in una prospettiva unitaria, una realtà che presenta al suo interno diversi gradi di essere e di perfezione.

## T 5  LE «CINQUE VIE» PER DIMOSTRARE L'ESISTENZA DI DIO

L'uso che Tommaso fa del termine "via" ci aiuta a collocare le sue dimostrazioni dell'esistenza di Dio nel loro ambito specifico, che è quello di un invito a riflettere – utilizzando la ragione, strumento comune a tutti gli uomini, e attingendo alle argomentazioni della filosofia antica, in particolare di quella aristotelica – sulla struttura e sul significato del mondo in cui viviamo. Le vie di Tommaso sono propedeutiche alla fede, perché ci aiutano a comprendere che Dio esiste, ma non si sostituiscono in alcun modo alla fede stessa, perché ci conducono ad affermare l'esistenza di un primo essere immutabile e necessario, ma non del Dio dell'esperienza religiosa, e tanto meno ci consentono di cogliere quel mistero di amore che costituisce la natura vera e profonda del Dio cristiano, rivelato dalle Scritture. Un teologo domenicano del Novecento, Marie-Dominique Chenu, riflettendo sul significato che la parola "via" possiede, ha affermato che essa ha un valore psicologico e metodologico assai diverso dal termine "prova", in quanto «più che a dimostrare, racchiude un invito a meditare» (*La conoscenza di Dio nella "Somma Teologica"*, Messaggero, Padova 1982, p. 39).

Il punto di partenza di ciascuna via è costituito da elementi tratti esplicitamente dall'aristotelismo, anche se in alcuni casi questi sono uniti ad argomentazioni che provengono dalla filosofia araba e del platonismo. Le vie analizzano alcune caratteristiche proprie degli esseri che noi cogliamo nel mondo dell'esperienza e vanno alla ricerca di ciò che può rendere ragione del fatto che ci siano degli esseri dotati di tali caratteristiche. Così si risale dal moto e dal mutamento a un motore primo; dal concatenarsi di cause ed effetti a una causa prima incausata; dagli esseri contingenti a un essere di per sé necessario; dai vari gradi di perfezione a un essere massimamente perfetto; dalla disposizione di ogni cosa verso un fine a un principio intelligente ordinatore. In altre parole, si tratta della ricerca delle "condizioni di possibilità" per cui un dato può essere oggetto di spiegazione: un tale procedimento, che nel Medioevo veniva indicato con il termine tecnico di *reductio*, o *resolutio*, mostra come la forza dell'argomentazione stia nell'impianto metafisico ad essa sotteso, il quale va ben oltre gli elementi scientifici e cosmologici che vengono via via forniti.

**Dio come motore primo**

Attraverso *cinque vie* si può provare l'esistenza di Dio. La *prima* e più evidente si deduce dal *moto*. È infatti certo, e lo constatiamo coi sensi, che nel mondo alcune cose si muovono. Ma tutto ciò che si muove è mosso da altro. Infatti, tutto si muove in quanto potenza rispetto a ciò verso cui si muove, ma qualcosa muove in quanto atto, giacché il movimento non è altro che condurre qualcosa da potenza ad atto: il che non può avvenire, se non per un essere che è in atto: come il caldo in atto, cioè il fuoco, fa sì che il legno, caldo solo in potenza, divenga caldo in atto, e in questo modo lo muove e lo trasforma. Infatti, non è possibile che una cosa sia la stessa in atto e in potenza nel medesimo stato, ma solo in stati diversi: ciò che è caldo in atto non può contemporaneamente esserlo in potenza, ma sarà invece freddo. Quindi è impossibile che una stessa cosa nella stessa condizione sia movente e mossa, ovvero che muova se stessa. Dunque, tutto ciò che si muove dovrà essere mosso da un altro; e questo da un altro ancora. Tuttavia questo non è un procedere all'infinito, perché in tal caso non vi sarebbe qualcosa che si muove per primo, e di conseguenza non vi sarebbe nemmeno qualcosa che muove qualcos'altro, in quanto provoca per secondo il movimento, cioè lo fa solo in quanto mosso a sua volta da un primo motore, così come il bastone non si muove se non perché è mosso dalla mano. Dunque, si dovrà arrivare ad un primo motore che non è mosso da nessuno: e tutti comprendono che questo è Dio. ▼A

La *seconda* via deriva dal concetto di *causa efficiente*. Vediamo infatti che nelle cose materiali vi è un ordine delle cause efficienti, ma non si trova né è possibile qualcosa che sia causa efficiente di se stesso, poiché dovrebbe essere prima di se stesso, fatto impossibile. Né è possibile che nelle cause efficienti si proceda all'infinito, poiché in tutte le cause efficienti disposte secondo un ordine, la prima è causa di quella intermedia, e questa a sua volta, una o molteplici che siano, è causa dell'ultima; eliminata la causa, si elimina l'effetto, per cui se non vi è un primo nelle cause efficienti, non vi sarà un intermedio né un ultimo. Ma se procediamo all'infinito, eliminiamo la prima causa efficiente, per cui non vi sarà né un effetto ultimo né cause efficienti medie, e questo ovviamente è falso. Quindi si dovrà porre una prima causa efficiente, che tutti chiamano Dio. ▼B

**Dio come causa prima**

La *terza* via è desunta dal *possibile e necessario*, ed è questa. Tra le cose troviamo quelle che possono essere e quelle che non possono, poiché si trovano cose che possono nascere e corrompersi, e quindi che possono esistere o non esistere. È impossibile che tali cose siano sempre, in quanto ciò che può non essere, in qualche tempo non è. Se pertanto tutte le cose possono non essere, una volta non ci fu nulla nella realtà. Ma se questo è vero, non vi sarebbe nulla nemmeno ora, poiché ciò che non è, comincia ad essere solo in virtù di qualcosa che è; se pertanto non vi fosse stato un ente, nulla sarebbe potuto incominciare ad essere, e nulla ora sarebbe, cosa questa evidentemente falsa. Ne consegue che non tutti gli enti sono possibili, ma dovrà essere nella realtà qualcosa di necessario. Ora, ogni cosa necessaria o ha la causa della sua necessità altrove, o non l'ha; non è comunque possibile procedere all'infinito nelle cose necessarie che hanno da altro la causa della propria necessità, come nelle cause efficienti, e ne sono state date le prove. Dunque dovremo di necessità supporre un essere necessario per sé, che non abbia da altro la causa della sua necessità e che sia invece causa di necessità per le altre cose; questo essere tutti dicono che è Dio. ▼C

**Dio come ente necessario**

## CHIAVI DI LETTURA

▶A La prima via, considerata da Tommaso come la più evidente, è di origine aristotelica: essa utilizza l'argomento del moto, inteso però in senso metafisico, più che fisico, cioè come passaggio dalla potenza all'atto, ovvero come un mutamento che include i differenti tipi di movimento fisico, ma li pone su di un piano più generale. Gli esempi del fuoco e del bastone forniscono un'immagine concreta di tutto ciò, secondo il tipico procedimento di Tommaso, intento insieme a definire sul piano teorico e ad esemplificare.

▶B La seconda via, ampiamente diffusa in tutta la riflessione medievale in forza dell'uso che di essa aveva fatto Agostino, si basa sulla constatazione del fatto che tutte le cause efficienti hanno a loro volta una causa e che, esclusa l'ipotesi di un processo all'infinito (perché se non vi fosse una causa prima, non vi sarebbero neppure le cause intermedie, né gli effetti), non si può non affermare l'esistenza di una prima causa incausata. Bertrand Russell, filosofo e matematico del Novecento, ha criticato gli argomenti di Tommaso, e in particolare il fatto che escludano la possibilità di un processo all'infinito, con

queste parole: «Essi dipendono dalla supposta impossibilità che esistano serie prive di primo termine. Ogni matematico sa bene che una tale impossibilità non esiste; la serie dei numeri interi negativi terminante con -1 è un esempio in contrario» (*Storia della filosofia occidentale*, Longanesi, Milano 1966, vol. 2, p. 602).

▶C La terza via parte dall'analisi della natura contingente delle creature e giunge ad affermare l'esistenza di un essere per sé necessario: solo così si può spiegare il passaggio delle creature dalla possibilità dell'esistenza all'esistenza attuale. Se tutto fosse soltanto possibile, nulla infatti sarebbe, in quanto non si capirebbe come qualcosa avrebbe potuto iniziare a essere. Si noti come questa via supponga la distinzione, avanzata da Avicenna e ripresa e sviluppata da Tommaso, tra essenza ed esistenza: le dimostrazioni tomiste sono infatti innervate da una pluralità di suggestioni, che provengono da tutta la riflessione filosofica, come è testimoniato anche dalla prova successiva, risalente non solo ad Aristotele ma anche a Platone, e utilizzata da Dionigi, da Agostino e da Anselmo.

**Dio come perfezione somma**

La *quarta* via si fa derivare dalla *gerarchia* che si riscontra nelle cose. Infatti, nella realtà si trovano il buono, il vero, il nobile in quantità diverse, ma il più e il meno si definiscono in base alla vicinanza ad un valore massimo, così come diciamo più caldo ciò che è più vicino al massimo caldo. Vi è dunque qualcosa che è verissimo, ottimo, e nobilissimo, e di conseguenza è ente supremo; infatti le realtà più vere sono enti al massimo grado, come dice Aristotele nella *Metafisica*. Ora, in una categoria ciò che è al più alto livello è causa di tutte le realtà facenti parte della categoria stessa: così come il fuoco, che è il massimo calore, è causa di tutti i calori, come si afferma nel citato libro. Dunque vi è qualcosa che per tutti gli enti è causa dell'essere, della bontà e di qualsiasi perfezione: questi noi diciamo essere Dio. ▼**D**

**Dio come fine ultimo**

La *quinta* via si deduce dall'*ordine delle cose*. Vediamo infatti che alcune cose mancanti di conoscenza, cioè i corpi materiali, operano per un fine: ciò appare dal fatto che sempre o quasi operano allo stesso modo per raggiungere la perfezione, quindi è evidente che giungono al fine non per caso, bensì per un condizionamento. Ma le cose che non hanno conoscenza non tendono al fine se non dirette da qualcuno che possiede conoscenza e intelletto, come la freccia che è scagliata dall'arciere. Quindi vi è un essere intelligente, da cui tutte le cose create vengono indirizzate ad un fine: questo essere diciamo che è Dio. ▼**E**

(Tommaso d'Aquino, *Somma teologica*, I, q. 2, a. 3,
trad. it. di A. Bettini, in G. Galeazzi, *L'ente e l'essenza di Tommaso d'Aquino
e il rapporto fede-ragione nella scolastica*, Paravia, Torino 1991, pp. 158-161)

▶**D** La quarta via parte dalla constatazione dei diversi gradi di perfezione che si trovano nelle cose e risale a Dio come ente massimamente perfetto in ogni genere di perfezione. In quanto sorgente di tutto, tale ente necessario dà senza ricevere e rende le cose partecipi della propria perfezione senza dovere, a sua volta, partecipare di alcuna perfezione superiore. Tommaso elabora questa prova inserendo nello schema platonico della partecipazione lo schema aristotelico della causalità, in forza del quale ciò che ha maggior perfezione è causa di ciò che, nel medesimo ordine, è meno perfetto: ne consegue che l'essere perfettissimo è causa di ogni altro essere.

▶**E** La quinta via, che è di origine stoica, parte dalla constatazione che in alcuni esseri privi di intelligenza si riscontra comunque l'operare in vista di un fine: ciò non è possibile che avvenga se non grazie a un'intelligenza ordinatrice che ha posto in essi il fine verso cui tendono. A partire da considerazioni analoghe a quelle di Tommaso, alla fine del Settecento Immanuel Kant, nella *Critica del Giudizio*, parlerà di un «giudizio teleologico», che porta l'uomo dall'osservazione della natura degli organismi viventi, in cui le parti sono in funzione del tutto, all'ipotesi di una mente divina ordinatrice, cioè «a concepire una causa suprema che agisce con intenzione» (*Critica del Giudizio*, par. 86). Al termine dell'esposizione delle cinque vie di Tommaso, si può notare come esse presentino tutte la medesima struttura dimostrativa: partono da qualcosa di conosciuto empiricamente; sottolineano come nella serie delle cause non si possa procedere all'infinito; giungono infine ad affermare l'esistenza necessaria di Dio come spiegazione che dà ragione dei fenomeni di cui facciamo esperienza.

**T 6** IL RAPPORTO DI ANALOGIA TRA DIO E L'UOMO

Nel primo libro della *Somma teologica* Tommaso affronta anche il problema di come si possano esprimere in termini umani le caratteristiche della natura divina, essendo impossibile attribuire un qualsiasi predicato in modo univoco a Dio e alle creature, in quanto Dio è perfezione massima, mentre nelle creature sono presenti diverse perfezioni, «divise e molteplici». D'altra parte non è neppure possibile affermare che tra Dio e le creature non vi sia alcuna corrispondenza, perché se così fosse non si potrebbe giungere alla dimostrazione dell'esistenza di Dio, che, come si è visto nel testo precedente, parte dall'analisi delle caratteristiche proprie degli enti concretamente esistenti.

La soluzione proposta da Tommaso consiste nella dottrina dell'*analogia entis*, in forza della quale i predicati che appartengono all'essere in quanto tale, quali ad esempio l'unità, la verità e la bontà, si ritrovano in forma "analoga" in tutti i singoli aspetti che l'essere può assumere. Ciò che si predica delle creature si può quindi predicare pure di Dio, anche se non nello stesso modo, né con la stessa intensità: gli enti partecipano all'essere di Dio con un rapporto che è di somiglianza – in quanto la causa prima, in un certo senso, comunica se stessa ai propri effetti –, ma che nel contempo mantiene la differenza tra ciò che è eterno e ciò che è creato e corruttibile. In questo modo Tommaso intende fondare la possibilità, per la ragione umana, di indagare la struttura ultima della realtà e di elevarsi fino a Dio, senza con ciò pretendere di esaurire il mistero divino, in quanto solo «quando l'intelletto sarà libero da ogni legame con le cose sensibili, allora sarà elevato alla conoscenza delle cose rivelate» (*Somma contro i Gentili*, IV, 1).

È impossibile predicare qualcosa di Dio e delle creature in modo univoco. Infatti, ogni effetto non proporzionato alla potenza della causa agente riflette la somiglianza della causa agente non secondo la medesima natura, ma in modo incompleto; pertanto, ciò che è diviso e molteplice negli effetti è invece semplice e uniforme nella causa; così come il sole con una sola energia produce nelle cose terrene forme molteplici e diverse. Allo stesso modo, come già detto, tutte le perfezioni che nelle cose create si trovano divise e molteplici, preesistono unite in Dio. ▼A

Dunque, allorché ad una creatura riferiamo un nome indicante la perfezione, intendiamo quest'ultima come distinta da altre, secondo la nozione della definizione; ad esempio, quando diciamo di un uomo che è sapiente, alludiamo ad una perfezione distinta dall'essenza dell'uomo, dalla sua potenza, dalla sua esistenza e da altre cose del genere. Quando invece riferiamo questo termine a Dio, non vogliamo intendere qualcosa di distinto dalla sua essenza, o dalla sua potenza, o dalla sua esistenza. E dunque, quando il termine sapiente è riferito all'uomo, in un certo qual modo circoscrive e racchiude la qualità indicata, mentre quando è riferito a Dio lascia intendere la qualità indicata senza limiti, ed eccedente il significato stesso del termine. È dunque evidente che questo termine sapiente non si userà con lo stesso valore per Dio e per l'uomo. E lo stesso criterio si ha con gli altri termini, per cui nessun termine si può usare in senso univoco per Dio e per le creature. ▼B

**L'essere non si predica in modo univoco di Dio e delle creature**

## Chiavi di lettura

►A La riflessione di Tommaso ha come punto di riferimento il libro IV della *Metafisica* di Aristotele, in cui si afferma che l'essere non è né univoco né equivoco, ma si presenta in una molteplicità di aspetti e di significati che si trovano tutti in una relazione strutturale con il significato fondamentale della "sostanza". Poiché il rapporto tra Dio e l'uomo è un rapporto tra causa agente e realtà causata, il loro essere non può essere inteso in senso univoco, perché Dio è *l'essere* per sé, mentre le creature *hanno l'essere* per partecipazione, il che vuol dire che ciò che in Dio è unito, nelle creature appare diviso e molteplice.

►B L'esempio del termine "sapiente" illustra la diversità dell'essere di Dio rispetto a quello delle creature: quando una perfezione è riferita a Dio, essa non indica qualcosa di differente rispetto alla Sua natura, e inoltre si afferma di Lui in modo eminente, che dilata al grado massimo il significato "umano" del termine; quando invece è riferita all'essere umano, indica qualcosa che "si aggiunge" all'essenza dell'uomo, e viene affermata per circoscrivere e determinare un aspetto particolare del suo essere.

**Il criterio analogico**

Ma, come alcuni hanno affermato, non si può usare nemmeno in senso equivoco, poiché in tal modo, partendo dalle creature, nulla si potrebbe conoscere né dimostrare di Dio, ma si cadrebbe nell'errore dell'equivocità. La qual cosa va tanto contro i filosofi che dimostrano molte cose su Dio, quanto contro Paolo, che dice nella *Lettera ai Romani*, 1, 20: «le perfezioni invisibili di Dio si possono vedere perché comprese attraverso le opere di Dio». ▼C

Bisogna dunque affermare che tali termini si possono usare per Dio e per le creature analogicamente, cioè proporzionalmente [...]. E questo criterio analogico è intermedio tra la pura equivocità e la semplice univocità. Infatti, nei termini usati analogicamente non si trova una nozione sola, come si verifica invece nei termini usati univocamente, né vi è una nozione totalmente diversa, come accade nei termini equivoci; bensì il termine che per analogia si riferisce a più cose indica diverse proporzioni riguardo ad una sola cosa [...]. ▼D

(Tommaso d'Aquino, *Somma teologica*, I, q. 13, a. 5, in G. Galeazzi, *L'ente e l'essenza*, cit., pp. 166-167)

▶C Benché non si possa affermare che tra l'essere di Dio e quello dell'uomo vi sia un rapporto di univocità, non si può neppure affermare che tra essi vi sia un rapporto di equivocità, perché ogni perfezione delle creature è autentica partecipazione alla perfezione dell'essere divino: se così non fosse, non sarebbe possibile risalire dal mondo a Dio e ogni prova *a posteriori* della Sua esistenza sarebbe impossibile. Con una modalità costante nell'esposizione del suo pensiero, Tommaso mostra come l'idea dell'equivocità sia un errore non solo in considerazione della riflessione filosofica (che infatti ha dimostrato «molte cose su Dio»), ma anche della parola di Dio (che con Paolo afferma la "parentela" della perfezione divina con le perfezioni delle cose).

▶D La soluzione di Tommaso al problema della non univocità, ma al tempo stesso della non equivocità, dell'essere divino rispetto a quello umano è data dall'affermazione che tra gli attributi di Dio e quelli delle creature vi è «analogia», cioè una sorta di "proporzione" che implica nello stesso tempo, ma non sotto un medesimo rispetto, somiglianza e differenza: si rende in tal modo possibile parlare di Dio in modo significativo, senza peraltro annullare la differenza tra Lui e le creature.

## PERCORSO 4

« *L'ultima felicità dell'uomo deve consistere nella contemplazione della sapienza circa le verità divine.* »

(Tommaso, *Somma contro i Gentili*)

## ■ Tommaso: la riflessione sulla felicità e sulla legge

Anche in ambito etico si può agevolmente ritrovare il tratto metodologico proprio della riflessione tomistica, cioè l'impegno a "distinguere per unire". Tommaso, infatti, intende unire la riflessione sulla natura propria dell'uomo con la considerazione del destino soprannaturale al quale egli è stato elevato da Dio.

L'etica tomistica riprende diversi aspetti di quella aristotelica e, in particolare, sottolinea il valore della contemplazione, che considera la più nobile tra le attività dell'uomo. Questo porta il filosofo a definire la felicità non come conseguimento di beni materiali, bensì, come si legge nel primo dei brani proposti, come contemplazione di Dio: quest'ultima differisce dalla semplice conoscenza alla quale ci conduce la ragione in quanto richiede di cogliere, in una sorta di "intuizione", la natura propria dell'essenza divina. Ma durante la propria esistenza terrena l'uomo non può giungere a una tale "visione" di Dio, di cui potrà godere pienamente solo nell'altra vita, in cui «le sostanze intellettive raggiungono la vera felicità, in cui i desideri si acquietano totalmente e in cui si ha l'abbondanza di tutti i beni che secondo Aristotele sono richiesti per la felicità» (*Somma contro i Gentili*, III, 43). Nel frattempo l'essere umano può comunque prepararsi a questo approdo ultraterreno volgendo la propria attenzione verso le realtà più alte, in quanto «la contemplazione della verità inizia in questa vita, ma viene perfezionata in quella futura».

Strettamente connessa al tema della felicità individuale è la riflessione sulla società, in quanto solo in una società ordinata l'essere umano può conseguire quei beni verso i quali tende. Tommaso ritiene che la vita in società nasca dalla natura stessa dell'uomo e a partire da questo presupposto si impegna a definire, come si legge nel secondo brano proposto, quale sia il fondamento della legge. Tale fondamento è rintracciato nel pensiero eterno di Dio, il quale regge il mondo come provvidenza e partecipa alle creature, per mezzo della loro natura razionale, la "legge naturale". Questa fonda a sua volta la legge umana "positiva", la quale deve essere finalizzata alla realizzazione del bene comune. La legge naturale si presenta dunque, secondo la suggestiva definizione del filosofo del diritto Sergio Cotta, come «il principio formale che regge tutta la vita etica nel suo continuo svolgersi storico e riceve il suo contenuto, perennemente rinnovantesi, sempre uguale e sempre diverso, dall'uomo che lo realizza nel concreto. In quanto tale essa costituisce il termine critico, perenne e universale (a buon diritto, perché formale) con cui vanno confrontati tutti gli atti umani» (*Il concetto di legge nella Summa Theologiae di S. Tommaso d'Aquino*, Università di Torino, Torino 1955, p. 110).

## T 7     LA NATURA DELLA FELICITÀ DELL'UOMO

A partire dalla considerazione che tutti gli esseri creati, anche quelli privi di intelletto, sono ordinati a Dio come al loro ultimo fine, Tommaso afferma che «le creature intelligenti lo raggiungono in maniera speciale, ossia mediante la loro operazione, conoscendolo intellettualmente» (*Somma contro i Gentili*, III, 25). Gli esseri umani sono animati dal desiderio naturale di conoscere le cause delle cose e per questo motivo hanno iniziato a filosofare, ma la loro ricerca non ha tregua finché non giunge alla causa prima di tutta la realtà, cioè a Dio: «L'intelletto umano desidera, ama e gusta di più la conoscenza delle cose di Dio, per quanto poco possa saperne, che la conoscenza perfetta delle cose più basse. Dunque fine dell'uomo è conoscere intellettualmente Dio in una qualsiasi misura» (*ibidem*).

Per Tommaso, filosofo cristiano, la felicità «ultima e perfetta» consiste dunque, come per i Greci, nella contemplazione, la quale tuttavia, per essere completa, deve consentire all'uomo di cogliere l'essenza stessa di Dio, cosa che non può avvenire in questa vita, in quanto la sostanza divina trascende tutte le realtà che sono oggetto della nostra conoscenza, e quindi «la mente che vede l'essenza divina deve essere totalmente avulsa dai sensi corporei» (*ibidem*, III, 47). Ne consegue, come si legge nel passo proposto di seguito, che l'uomo, durante la sua vita terrena, non può raggiungere la felicità massima, che potrà conseguire solo nella vita eterna, in cui il dolore e la morte scompariranno e in cui finalmente la sua anima potrà contemplare l'essenza divina. Prima egli potrà certo giungere a livelli di conoscenza via via più elevati, animato da un continuo e rinnovato desiderio di approfondimento, ma, giunto al termine del proprio cammino, dovrà riconoscere, con Dante, che «a l'alta fantasia qui mancò possa» (*Paradiso*, XXXIII, v. 142).

Se dunque l'ultima felicità dell'uomo non consiste nei beni esteriori, denominati beni di fortuna; e neppure nei beni del corpo, o nei beni dell'anima rispetto alla parte sensitiva, o negli atti delle virtù morali rispetto a quella intellettiva; e neppure negli atti intellettivi relativi

*La felicità come attività contemplativa*

all'operare, ossia nell'esercizio dell'arte e della prudenza, rimane che l'ultima felicità dell'uomo consiste nella contemplazione della verità. ▼A

Infatti quest'ultima attività è l'unica propria dell'uomo e non ne partecipa affatto nessun altro animale.

Inoltre essa non è ordinata a nessun altro scopo: poiché la contemplazione della verità viene cercata per se stessa.

In più, mediante quest'attività l'uomo si unisce per somiglianza con gli esseri superiori; poiché tra tutte le attività umane, questa soltanto si trova anche in Dio e nelle sostanze separate. Anzi con essa egli raggiunge codesti esseri superiori mediante una qualche conoscenza.

E per esercitarla l'uomo è più che per altre sufficiente a se stesso: perché per essa si richiede un minimo di aiuto dalle cose esterne. ▼B

Inoltre a questa funzione sembrano ordinate tutte le attività umane. Infatti alla perfezione della contemplazione si richiede il benessere del corpo, al quale sono ordinati tutti i prodotti dell'arte necessari alla vita. Si richiede inoltre la pacificazione dei turbamenti delle passioni, alla quale si giunge con le virtù morali e con la prudenza; e l'esclusione di turbamenti esterni, cui è ordinato tutto il governo della vita civile. Cosicché, a ben considerare le cose, tutte le professioni umane sembrano a servizio di coloro che contemplano la verità. ▼C

**La felicità come contemplazione di Dio**

Ora, non è possibile che l'ultima felicità dell'uomo consista nella contemplazione relativa ai primi principi, la quale è imperfettissima in quanto troppo generica, e contiene la conoscenza delle cose solo in potenza; questa inoltre è il principio e non il termine dello studio umano, derivando in noi dalla natura e non dalla ricerca della verità. E neppure può consistere nelle scienze delle cose più basse: perché la felicità deve consistere in un'operazione dell'intelletto circa i più nobili oggetti intelligibili. Perciò l'ultima felicità dell'uomo deve consistere nella contemplazione della sapienza circa le verità divine.

## CHIAVI DI LETTURA

▶A Al fine di stabilire in che cosa consista l'autentica felicità umana, Tommaso comincia con l'escludere quei beni che, pur avendo una loro innegabile rilevanza (il filosofo è ben consapevole del fatto che l'uomo è una creatura soggetta per natura a una serie di condizionamenti da parte del mondo sensibile), non competono alla parte razionale dell'uomo e non costituiscono per lui il fine ultimo, che risiede piuttosto in ciò che è la sua caratteristica specifica: la razionalità. Così si legge nella *Somma teologica*: «In ordine di eccellenza vengono prima le potenze intellettuali» (I, q. 77, a. 4).

▶B Seguendo piuttosto fedelmente la concezione aristotelica dell'attività contemplativa, Tommaso elenca i tratti che fanno di essa la migliore delle attività dell'uomo, nonché quella che lo caratterizza in modo specifico: la contemplazione della verità è l'unica attività che l'uomo non ha in comune con gli altri esseri animati; essa viene esercitata per se stessa, come bene in sé, e non per qualche fine ulteriore; è ciò che avvicina l'essere umano alle intelligenze superiori; infine, essendo qualcosa di "interiore", tra tutte le attività è quella che meno risente dei condizionamenti esterni.

▶C Per sottolineare ulteriormente il valore dell'attività contemplativa, senza per questo svalutare l'aspetto materiale e sensibile della natura umana, Tommaso osserva come tutte le attività dell'uomo siano ordinate alla contemplazione, per il cui esercizio è necessaria non soltanto la tranquillità dell'anima – raggiungibile mediante il controllo delle passioni –, ma anche il benessere del corpo. Osserva a questo proposito Jacques Maritain, grande studioso di Tommaso e continuatore nel Novecento del suo pensiero: «La dottrina tomistica comprende quanto di grandezza e insieme di servitù la nozione di "animale ragionevole" comporti [...] riconosce quanto a noi, come spiriti, convenga di autonomia e, insieme, quanto di dipendenza, essendo noi creature materiali e ferite» (*Le Docteur Angelique,* Desclée De Brouwer, Paris 1930, p. 104).

È così dimostrato [...] che l'ultima felicità dell'uomo consiste solo nella contemplazione di Dio. ▼D
[...] Se dunque l'ultima felicità umana non consiste nella conoscenza che tutti o la maggior parte possono avere comunemente di Dio mediante un concetto confuso, e neppure nella conoscenza con la quale si conosce Dio per via di dimostrazione nelle scienze speculative, anzi neppure in quella che ne possiamo avere mediante la fede, come sopra abbiamo spiegato; e non essendo possibile in questa vita raggiungere una conoscenza più alta, così da intuire Dio per essenza [...]; d'altra parte, non potendo consistere l'ultima felicità che in una conoscenza di Dio, come sopra abbiamo visto, è impossibile che l'ultima felicità dell'uomo sia in questa vita. ▼E

L'ultimo fine dell'uomo esaurisce il suo desiderio naturale, cosicché raggiuntolo non cerca altro: se infatti tendesse ad altro, non avrebbe ancora raggiunto il fine in cui quietarsi. Ora, questo nella vita presente non può mai verificarsi: poiché più uno conosce, più cresce il desiderio di conoscere, che è naturale nell'uomo. A meno che uno non conosca tutte le cose: il che non è mai capitato a nessun uomo e non può capitare in questa vita; poiché, come abbiamo visto, non possiamo conoscere le sostanze separate che sono gli oggetti più alti dell'intelligenza. Dunque non è possibile che l'ultima felicità dell'uomo sia nella vita presente. [...] ▼F

L'uomo per natura rifugge la morte e si rattrista di essa: non solo quando incombe e la sente, bensì anche quando ci pensa. Ma l'uomo in questa vita non può raggiungere la condizione di non morire. Dunque non è possibile che in questa vita l'uomo sia felice. [...] ▼G

Fino a che una cosa è in moto verso la sua perfezione, non è ancora al suo ultimo fine. Ora, tutti gli uomini, nella conoscenza della verità, sono sempre in moto e protesi verso la perfezione: poiché coloro che vengono dopo aggiungono sempre qualche cosa a quanto avevano scoperto i predecessori, come notava anche Aristotele[1]. Dunque gli uomini nella conoscenza della verità non si trovano nella condizione di chi ha raggiunto l'ultimo fine. E poiché l'ultima felicità dell'uomo nella vita presente, come anche Aristotele dimostra[2], va riposta soprattutto nella speculazione,

**Solo dopo la morte l'uomo può raggiungere la felicità**

1 Cfr. *Metafisica*, II, 1, 1.

2 Cfr. *Etica nicomachea*, X, 7.

---

►**D** Se la felicità dell'uomo consiste nell'attività contemplativa, allora la sua «ultima felicità» non può che consistere nella contemplazione di Dio, che è verità assoluta e perfezione superiore a qualunque altro possibile oggetto di conoscenza, compresi i principi filosofici e scientifici.

►**E** Nei capitoli precedenti Tommaso ha sottolineato come la massima felicità umana richieda una conoscenza di Dio che non sia "confusa", come quella propria della maggior parte degli uomini, né conseguibile mediante dimostrazioni razionali, bensì che sia capace di cogliere Dio nella sua essenza. È interessante l'affermazione secondo cui neppure la conoscenza di Dio che si consegue mediante la fede è sufficiente per raggiungere la felicità massima: Tommaso ne ha spiegato il motivo nel capitolo LX, dove ha definito la felicità come un'operazione perfetta dell'intelletto e dove ha notato che, nella conoscenza che di Dio si ha per fede, l'operazione dell'intelletto è invece «imperfettissima rispetto all'atto dell'intelligenza», anche se si rivolge a un oggetto massimamente perfetto: Dio; la felicità, inoltre, non

consiste per Tommaso in un atto della volontà, mentre nella fede «il compito principale spetta alla volontà». A partire da tutte queste considerazioni, Tommaso conclude che l'autentica e massima felicità umana non può essere raggiunta durante la vita terrena.

►**F** È costitutivo della natura dell'uomo (il quale è animale razionale) il desiderio incessante di conoscere; ma tale desiderio naturale non può essere completamente appagato durante la vita terrena, perché, se lo fosse, l'umana sete di conoscenza si placherebbe, cosa che invece non accade: l'uomo, infatti, non è mai soddisfatto del proprio sapere, anche perché non può raggiungere, finché è in vita, la conoscenza piena di tutti gli esseri intelligibili.

►**G** La felicità nella sua pienezza è inoltre resa impossibile, in questa vita, dalla presenza dei mali, sia quelli del corpo, sia quelli dell'anima: tra questi ultimi, è soprattutto la prospettiva della morte a non consentire di essere felici, ma tale prospettiva costituisce evidentemente un tratto essenziale della vita dell'uomo, che egli non può superare finché sarà su questa terra.

mediante la quale si ricerca la conoscenza della verità, è impossibile affermare che l'uomo raggiunga il proprio ultimo fine in questa vita. ▼H

(Tommaso d'Aquino, *Somma contro i Gentili*, III, 37 e 48, trad. it. di T.S. Centi, cit., pp. 625-626 e 657-661)

►H La perfezione è qualcosa verso la quale l'uomo tende continuamente nella vita, senza mai conseguirla, come mostra il suo incessante impegno nella conoscenza della verità: la felicità, pertanto, non può mai essere pienamente in atto in questa vita. È assai suggestiva l'immagine che Tommaso propone dell'uomo, come di un essere che da un lato conosce, tramite la fede e la ragione, il fine ultimo della propria vita, ma che dall'altro lato è incessantemente attraversato da un'inquietudine che gli rende impossibile il conseguimento di una piena e appagante felicità.

## T 8 — LE TIPOLOGIE DI LEGGE

La riflessione di Tommaso sulla legge ha alla sua base una duplice constatazione: la razionalità delle leggi, che esclude la possibilità di intenderle come frutto di una volontà arbitraria o di pura convenzione, e la loro importanza in vista dell'edificazione di una convivenza civile armoniosa.

La razionalità delle leggi umane poggia direttamente, per Tommaso, sulla "legge eterna", cioè sul piano con il quale Dio governa il mondo: è questa la traduzione cristiana della nozione di "diritto naturale" che era stata sviluppata soprattutto dagli stoici e approfondita in ambito romano da Cicerone, e che si basava sulla convinzione dell'esistenza di un ordine razionale e necessario che regge l'intero universo. L'uomo, secondo Tommaso, partecipa alla legge eterna in forza della propria razionalità: vi è pertanto in lui una "legge naturale", che gli indica che cosa debba perseguire come bene (la conoscenza della verità, il vivere in società, il seguire gli insegnamenti universali della natura…) e che cosa debba evitare come male.

Oltre alla legge eterna e a quella naturale, vi sono altri due tipi di legge: la prima è quella elaborata dagli uomini, cioè il "diritto positivo", che stabilisce le concrete disposizioni che assicurano il benessere della collettività e che ha come principio di base la legge naturale; la seconda è la "legge divina", cioè quella che è stata stabilita da Dio e che troviamo formulata nella Bibbia: quest'ultima legge, la quale colma le imperfezioni e le lacune delle leggi umane, è necessaria per indirizzare l'uomo al proprio fine soprannaturale, cioè al conseguimento della beatitudine.

**La razionalità della legge**

La legge è una regola o misura dell'agire, in quanto uno viene da essa spinta all'azione o viene stornato da quella. *Legge* infatti deriva da *legare*, poiché obbliga ad agire. Ora misura degli atti è la ragione, la quale ne è il primo principio, come abbiamo dimostrato (I-II, q. 1, a. 1); infatti è proprio della ragione ordinare al fine, che a detta del Filosofo[1] è il primo principio in campo operativo. D'altra parte in ogni genere di cose il principio è misura e regola di quanto appartiene a tale genere; tale infatti è l'unità per i numeri, e il primo moto nel genere dei moti.

Dunque la legge è qualcosa che appartiene alla ragione. ▼A

1 Cioè di Aristotele.

## CHIAVI DI LETTURA

►A Se è vero che la legge, intesa come «regola dell'agire», fa riferimento alla volontà, che è all'origine di ogni atto concreto, è altresì vero che essa scaturisce dalla ragione, giacché è attività propria della ragione la scelta dei mezzi più opportuni per conseguire un determinato fine, nonché l'attribuzione di un ordine gerarchico ai differenti fini. La razionalità della legge costituisce così una garanzia contro ogni forma di governo dispotico: Tommaso asserisce, infatti, che le leggi giuridiche che non poggiano sulla retta ragione sono ingiuste e sono «violenze piuttosto che leggi».

Come abbiamo già visto, la legge non è che il dettame della ragione pratica esistente nel principe che governa una società, o comunità perfetta. Ora, una volta dimostrato, come abbiamo fatto noi nella Prima Parte (q. 22, aa. 1 e 2), che il mondo è retto dalla divina provvidenza, è chiaro che tutta la comunità dell'universo è governata dalla ragione divina. Perciò il piano stesso con il quale Dio, come principe dell'universo, governa le cose ha natura di legge. E poiché la mente divina non concepisce niente nel tempo, essendo il suo pensiero eterno, come insegna la Scrittura, codesta legge dev'essere *eterna*. [...] ▼B

**La legge eterna**

Essendo la legge, come abbiamo detto, una regola o misura, in due modi può trovarsi in un soggetto: primo, come in un principio regolante e misurante; secondo, come in una cosa regolata e misurata, poiché quest'ultima viene regolata e misurata in quanto partecipa della regola o misura. Ora, poiché tutte le cose soggette alla divina provvidenza sono regolate e misurate, come abbiamo visto, dalla legge eterna, è chiaro che tutte partecipano più o meno della legge eterna, perché dal suo influsso ricevono un'inclinazione ai propri atti e ai propri fini. Ebbene, tra tutti gli altri esseri la creatura ragionevole è soggetta in maniera eccellente alla divina provvidenza, perché ne partecipa col provvedere a se stessa e ad altri. Perciò in essa si ha una partecipazione della ragione eterna, da cui deriva un'inclinazione naturale verso l'atto e il fine dovuto. E codesta partecipazione della legge eterna nella creatura ragionevole si denomina legge *naturale*. [...] ▼C

**La legge naturale**

Come abbiamo già spiegato, la legge è un dettame della ragione pratica. Ora, nella ragione pratica e in quella speculativa si riscontrano procedimenti analoghi: infatti l'una e l'altra, come abbiamo visto, partendo da alcuni principi arrivano a delle conclusioni. Perciò, stando a codesta analogia, come in campo speculativo dai primi principi indimostrabili, naturalmente conosciuti, si producono in noi le conclusioni delle varie scienze, di cui non abbiamo una conoscenza innata; così è necessario che la ragione umana, dai precetti della legge naturale, come da principi universali e indimostrabili, arrivi a disporre delle cose in maniera più particolareggiata. E codeste particolari disposizioni, elaborate dalla ragione umana, si chiamano leggi *umane*, se si riscontrano le altre condizioni richieste per la nozione di legge [...]. ▼D

**Le leggi umane**

---

▶B Nelle pagine precedenti Tommaso ha dimostrato che il mondo è retto da un provvidenziale piano divino: la "legge eterna" è appunto tale disegno razionale con cui Dio guida il mondo, il quale può essere considerato come una comunità, o società, universale. Era stato in modo particolare il diritto romano ad affermare l'esistenza di una legge eterna intesa come "diritto naturale". Così si esprimeva ad esempio Cicerone: «Vi è certo una vera legge, la retta ragione conforme a natura, diffusa fra tutti, costante, eterna, che con il suo comando invita al dovere e con il suo divieto distoglie dalla frode» (in Lattanzio, *Div. Inst.*, VI, 8, 6-9).

▶C Essendo tutta la realtà regolata dalla legge eterna, dalla quale riceve l'inclinazione al proprio fine, anche l'uomo partecipa di essa. Grazie alla propria ragione egli è in grado di provvedere a sé e agli altri, e sempre grazie ad essa, cioè in modo attivo e responsabile, può riconoscere la legge naturale presente come "principio regolante" in se stesso. La legge naturale non è solo qualcosa che la natura ha "insegnato" a tutti gli esseri animati, dotandoli dell'istinto, ma implica un atto razionale, in forza del quale si colgono i principi primi che sono alla base dell'agire pratico, i quali hanno la stessa evidenza dei principi primi della logica.

▶D Dalla legge naturale deriva la legge umana, la quale non è che una specificazione dei principi razionali della legge naturale, o in norme generali (*jus gentium*), o in norme più particolari (*jus civile*). La legge umana ha un aspetto coercitivo, in quanto deve dissuadere i disonesti dal mettere in atto i loro piani, e un aspetto pedagogico, in quanto ricorda agli uomini le norme da seguire. Il collegamento istituito da Tommaso tra la legge naturale e la legge umana rappresenta il fondamento che legittima sia l'esercizio della giustizia, sulla quale si basa la prosperità dello Stato, sia la possibilità per il singolo di realizzare una vita "buona", nel senso di rispondere alle caratteristiche della sua natura.

**La legge divina**

Per l'orientamento della nostra vita era necessaria, oltre la legge naturale e quella umana, una legge *divina* [positiva]. E questo per quattro motivi.

*Primo*, perché l'uomo mediante la legge viene guidato nei suoi atti in ordine all'ultimo fine. Se egli infatti fosse ordinato solo ad un fine che non supera la capacità delle facoltà umane, non sarebbe necessario che avesse un orientamento d'ordine razionale superiore alla legge naturale e alla legge umana positiva che ne consegue. Ma abbiamo visto sopra le capacità naturali dell'uomo; era necessario che egli fosse diretto al suo fine, al di sopra della legge naturale ed umana, da una legge data espressamente da Dio.

*Secondo*, perché a proposito degli atti umani ci sono troppe diversità di valutazione, data l'incertezza dell'umano giudizio specialmente riguardo ai fatti contingenti e particolari. Perciò, affinché l'uomo potesse sapere senza alcun dubbio quello che deve fare, od evitare, era necessario che nei suoi atti fosse guidato da una legge rivelata da Dio, in cui non può esserci errore.

*Terzo*, perché l'uomo si limita a legiferare su quello che può giudicare. Ora, l'uomo non può giudicare degli atti interni, che sono nascosti, ma solo di quelli esterni e visibili. E tuttavia, la perfezione della virtù richiede che l'uomo sia retto negli uni e negli altri. Quindi la legge umana non poteva reprimere, o comandare efficacemente, gli atti interiori, ma per questo era necessario l'intervento della legge divina.

*Quarto*, come nota S. Agostino, la legge umana non è capace di punire e di proibire tutte le azioni malvagie: poiché se volesse colpirle tutte, verrebbero eliminati molti beni e sarebbe compromesso il bene comune, necessario all'umano consorzio. Perciò, affinché nessuna colpa rimanesse impunita, era necessario l'intervento della legge divina, che proibisce tutti i peccati. ▼E

(Tommaso d'Aquino, *La legge*, trad. it. di T.S. Centi, in *Somma teologica*, Salani, Firenze 1965, vol. 12, pp. 42-54 *passim*)

▶E La necessità di una legge divina rivelata espressamente da Dio ha alla sua base quattro motivi: solo Dio conosce il fine ultimo al quale l'uomo è chiamato, poiché tale conoscenza supera l'umana capacità razionale; solo Dio può indicare con assoluta certezza ciò che l'uomo deve fare o evitare di fare, mentre la ragione umana può incorrere in errori di valutazione (il che spiega tra l'altro perché, riguardo a molti punti, legati a fatti particolari, non ci sia tra tutti gli uomini pieno accordo su ciò che è giusto e ciò che non lo è); solo Dio può giudicare (ed eventualmente punire) quegli atti interiori nei confronti dei quali la legge umana non ha alcun potere; solo una legge divina può proibire tutti gli atti peccaminosi, ivi compresi quelli che la legge degli uomini accetta per non compromettere la possibilità di un umano consorzio. Mentre la legge umana è indirizzata al bene comune e deve tener conto della natura materiale dell'uomo e della presenza in lui del peccato – pur essendo sempre legata alla legge naturale, che fa sì che un comportamento gravemente negativo non possa mai essere permesso –, la legge divina è indirizzata al bene soprannaturale, verso il quale l'uomo si incammina già in questa vita, ma che gusterà con pienezza solo in paradiso.

## PERCORSO 5

> " *Poiché è manifesto che trattare di genere e specie è, in definitiva, trattare in termini generali di tutti gli universali, cerchiamo qui di stabilire se l'universale appartenga all'ordine ontologico o invece all'ordine linguistico.* "
>
> (Abelardo, *Glossae super Porphyrium*)

# ■ Il problema degli universali e la soluzione nominalistica di Ockham

La costante importanza che la logica, con il nome di "dialettica", viene ad assumere lungo tutto il Medioevo ha come punto di partenza e come costante riferimento la "disputa sugli universali", che si sviluppa intorno al XII e al XIII secolo. Come emerge dal primo dei brani proposti, la disputa aveva preso avvio dalla traduzione e dal commento che intorno al 500 Severino Boezio aveva compilato delle *Isagoge* di Porfirio, un testo introduttivo allo studio delle *Categorie* di Aristotele (dal greco *eisagoghé*, "introduzione"). Porfirio (vissuto intorno al III secolo d.C) aveva esposto il problema della natura dei termini universali "genere" e "specie", ma non aveva avanzato alcuna ipotesi di soluzione. I logici medievali percepirono con grande acutezza il significato di questa lacuna e si impegnarono a colmarla affrontando due strade contrapposte: i "realisti", sulla scorta della teoria platonica delle idee, sostennero la reale esistenza degli universali, definendoli *res*, mentre i "nominalisti" intesero gli universali come semplici nomi, cioè come *voces*.

Nello sviluppo del pensiero scolastico prevalse in un primo momento la posizione realista, che lasciò cadere una serie di obiezioni anche radicali (si pensi ad esempio alla posizione di Roscellino). A partire dalla fine del XIII secolo, però, nonostante il tentativo di conciliazione tra le due posizioni proposto da Tommaso, cominciò a prevalere la soluzione nominalista, finché Guglielmo di Ockham giunse alla definizione dell'universale come *suppositio*, cioè come puro segno che "sta per" (*supponit pro*) gruppi di conoscenze empiriche particolari.

La disputa sugli universali, nonostante possa apparire come un esercizio di pura abilità verbale, svolge un ruolo nodale nella comprensione del pensiero medievale, perché evidenzia i quadri logici che fanno da sfondo alla peculiare modalità scolastica di impostare i problemi filosofici. Essa, inoltre, è un segno significativo di quella passione per il ragionamento che permise ai *magistri* medievali di anticipare molte scoperte logiche contemporanee e che fece dire a Pietro Ispano, autore di un fortunatissimo manuale di logica apparso intorno al 1230, le *Summulae logicales*, e divenuto poi papa con il nome di Giovanni XXI, che «la dialettica è l'arte delle arti e la scienza delle scienze». Infine, il problema degli universali riveste un'importanza non solo logica, ma anche metafisica e gnoseologica, in quanto riguarda il modo stesso di concepire la realtà. La riflessione sviluppata da Ockham nei primi decenni del XIV secolo è in questo senso particolarmente indicativa: l'affermazione contenuta nella *Somma dell'intera logica*, dalla quale è tratto il secondo dei brani proposti, secondo cui l'universale è un nome e non una sostanza, porta infatti con sé una nuova concezione non solo della realtà – priva di forme comuni e costituita solo di individui singoli e conoscibili empiricamente –, ma anche dell'attività conoscitiva dell'uomo, al quale non è più possibile, attraverso l'astrazione, cogliere le "essenze" del reale.

La nuova prospettiva assunta da Ockham non conduce però a una forma di scetticismo, ma apre la strada alla definizione del metodo induttivo che, a partire da una serie di esperienze simili ripetute, consente di prevedere che ciò che è accaduto nel passato accadrà anche nel futuro. La centralità attribuita da Ockham all'esperienza impone, anzi, di lasciare sempre aperta la strada della ricerca scientifica, ricerca che proprio un tipo di sapere deduttivo e tradizionale, impegnato a spiegare la realtà a partire da una serie di principi metafisici, sembrava ostacolare. Il commento di Ockham alla *Fisica* aristotelica, da cui è tratto l'ultimo testo proposto, evidenzia il rapporto del filosofo con il pensiero della tradizione, dalla quale accoglie quanto di valido essa gli pare proporre, ma senza rinunciare alla propria libertà di indagine, nella convinzione che un confronto aperto sulle questioni della fisica, basato sul libero convincimento di ciascuno e senza intenti polemici, possa essere sviluppato «senza pericolo alcuno».

## T 9    L'IMPOSTAZIONE DEL PROBLEMA

Il brano che segue è tratto dal testo di Abelardo intitolato *Ingredientibus in logicam*, che si presenta come un'organica e meditata presa di posizione sul tema degli universali. Abelardo rimprovera a Porfirio di non aver riflettuto sulla natura dei termini indicanti i generi e le specie, e di essersi limitato a porre (senza tentare di risolverle) le tre domande fondamentali che costituiscono il problema degli universali: se cioè siano reali o esistano solo nella nostra mente; se, ammesso che siano reali, siano corporei o incorporei; se, infine, siano separati o uniti alla realtà che designano. Abelardo ammette che si tratta di un problema «delicatissimo, molto complesso e decisivo», ma nello stesso tempo appare fiducioso nelle possibilità della logica di trovare una soluzione.

Il filosofo passa poi a presentare le contrapposte posizioni dei realisti e dei nominalisti, e la sua esposizione ha il merito di mostrare le differenti linee di pensiero in modo oggettivo e pacato, evidenziando come chi crede nell'oggettività degli universali tenda ad annullare le diversità delle singole realtà particolari, e come chi propende per la soluzione nominalista sia portato a un'analisi puramente descrittiva della realtà empirica. Per parte sua, Abelardo propende per una soluzione volta a superare il radicale dualismo tra *res* e *voces*, e ad intendere piuttosto l'universale come *sermo* (letteralmente "discorso"), ovvero come "significato", che ha valore universale in quanto fa riferimento a un processo astrattivo dell'intelletto, il quale è in grado di cogliere lo *status* comune a tutti i singoli e differenti enti ai quali fa riferimento.

**La natura dei generi e delle specie**    L'intento prevalente del testo di Porfirio è di avviare allo studio delle *Categoriae*, in modo che diventi più agevole intenderlo. Questo intento viene raggiunto con la trattazione del suo vero e proprio oggetto, che è l'analisi di Genere, Specie, Differenza specifica, Proprio o Accidente, considerati particolarmente utili per intendere la dottrina delle *Categoriae*, giacché vi si tratta quasi esclusivamente di queste cinque nozioni. ▼A

## CHIAVI DI LETTURA

▶A Nel VI secolo Boezio si era assunto il compito di far rivivere nel mondo latino la cultura greca e, in particolare, aveva curato la traduzione delle opere di logica di Aristotele. Il testo a cui Abelardo fa riferimento (le *Isagoge*, tradotte in latino da Boezio) è un commentario alle *Categorie* aristoteliche dovuto al filosofo greco Porfirio (più conosciuto come allievo di Plotino e curatore della pubblicazione delle *Enneadi*). Sempre a Boezio si deve la divisione della filosofia in tre parti: la Speculativa, la Morale e

la Logica. Egli è infatti convinto che la filosofia non abbia solo il compito di chiarire i problemi che si presentano alla mente dell'uomo, ma, come scrive nel *De consolatione philosophiae*, anche quello di costituire una terapia efficace per i mali che lo affliggono. Questa concezione fa da sfondo costante anche alle riflessioni logiche medievali, che non sono intese come un puro gioco della mente, ma hanno quale loro orizzonte costitutivo il problema della salvezza dell'uomo e il rapporto tra l'uomo e Dio.

[...] Premesso tutto questo, passiamo direttamente al testo di Porfirio, che scrive: «[...] per quanto riguarda Generi e Specie, mi asterrò dal trattare la questione se siano entità reali, esistenti in sé e per sé, o siano soltanto pure e semplici nozioni mentali; se, ammesso che siano entità reali, siano corporee o incorporee; infine, se siano separate o invece sussistano nelle realtà corporee come loro aspetti intrinseci. Un problema di questo tipo è troppo complesso ed esige un'indagine ben più vasta ed approfondita. [...]».

Qui Porfirio enunzia un delicato problema e tuttavia non lo risolve. [...] Se avesse sottaciuto del tutto il fatto che qui c'è un problema, il lettore non verrebbe stimolato ad affrontarlo una volta acquisite le necessarie capacità o potrebbe pensare che è lecito trascurarlo come cosa di poco conto. Invece, il problema c'è e, come dice Boezio, è delicatissimo, molto complesso e decisivo; si articola in tre punti e non pochi *philosophi* l'hanno già approfondito, ma ben pochi risolto davvero. Il *primo punto* è questo: generi e specie sono effettive realtà, o mere nozioni? Come dire: rivestono vera e propria esistenza proprio come tali, o hanno realtà solo come puri fatti mentali? Il *secondo punto* è questo: dato che loro competa una vera e propria esistenza reale, generi e specie sono realtà fisiche o non-fisiche? Il *terzo punto* è questo: son delle realtà che stanno a parte dalle realtà fisiche, o sono soltanto aspetti intrinseci delle realtà? [...] ▼B

A rigore noi possiamo aggiungere un *quarto punto*: generi e specie sono tali solo in presenza delle esistenze effettive a cui si riferiscono e che nominano, oppure generi e specie, come universali, sono tali e sono reali anche quando tutto ciò a cui si riferiscono o che nominano non sussiste più? Ad esempio: se non vi siano più rose, che ne è di "rosa", che si riferisce in comune a tutte le rose? [...] ▼C

E poiché è manifesto che generi e specie sono universali e che trattare di genere e di specie è, in definitiva, trattare in termini generali di tutti gli universali, cerchiamo qui di operare precise distinzioni e di stabilire se l'universale appartenga all'ordine ontologico (*res*) o invece all'ordine linguistico (*voces*). ▼D

[...]

▶B Gli interrogativi posti da Porfirio non avevano trovato risposta nella sua opera, perché egli non li aveva ritenuti adatti al livello di preparazione dei lettori per i quali intendeva scrivere. Essi non erano però sfuggiti né a Boezio, il quale aveva provato a dare una prima risposta ispirata a un moderato realismo, né ai logici medievali, che si appassionarono al tema della natura dei segni linguistici e del loro significato logico, nella consapevolezza che «la grammatica è la culla di ogni filosofia» (Giovanni di Salisbury). L'aver evidenziato la presenza di un problema rappresenta comunque, agli occhi di Abelardo, un titolo di merito per Porfirio, il quale ha in tal modo indicato una strada assai proficua ai pensatori successivi. Alla base dei tre interrogativi di Porfirio – che riguardano il fondamento e il valore dei termini di "genere" e di "specie" (ad esempio di "uomo" e di "animale", detti "universali" in quanto si possono predicare di più individui) – vi è il problema del rapporto tra linguaggio e realtà, tra *voces* e *res*.

▶C Ai tre punti evidenziati da Porfirio Abelardo ne aggiunge un quarto, che riguarda la realtà degli universali quando non esista più ciò a cui essi fanno riferimento, quando cioè, come nell'esempio dello stesso Abelardo, non vi siano più rose particolari: egli si domanda che cosa ne sarebbe in un tal caso della specie "rosa".

▶D In queste righe si evidenzia ancora una volta come il problema logico degli universali abbia un immediato risvolto ontologico, perché riguarda anche il modo in cui Dio ha creato la realtà: si tratta, infatti, di definire se gli universali siano presenti nella mente divina come modelli di realizzazione del creato e abbiano dunque un valore ontologico (il che implica che l'uomo possa conoscere la struttura ultima della realtà quale è stata pensata da Dio stesso), o se abbiano solo un valore logico, la qual cosa reca con sé la conseguenza che la mente dell'uomo unifica "sotto" un segno convenzionale la somma di una pluralità di conoscenze sensibili particolari, ma non può conoscere la struttura ultima del reale.

**La soluzione realista**

Taluni, di fatto, assumono come esistenza reale di entità l'universale in questo modo: tali entità universali costituirebbero essenzialmente la sostanza (comune) di realtà singole, le quali differirebbero fra di loro solo per forme e per accidenti; una siffatta entità universale verrebbe perciò a costituire l'essenza di tutte le singole realtà nelle quali entra e rimarrebbe in se stessa una, unica e identica, diversificata nelle singolarità soltanto per forme e aspetti secondari. E invero, se si spogliassero le cose singolari di tutti questi aspetti secondari, risulterebbe non esservi alcuna differenza e distinzione fra di esse; la diversità o distinzione dell'una cosa singola rispetto alle altre riposerebbe infatti interamente su quegli aspetti secondari, mentre una, unica o medesima è essenzialmente la materia di cui esse son costituite. Ad esempio: una, unica, medesima è l'essenza "*homo*" in tutti e per tutti i numerosi singoli uomini; una tal essenza una ed unica in tutti si riveste di accidenti e, in grazia di questi, "qui è Platone", mentre in grazia di altri accidenti "là è Socrate". [...]

In modo perfettamente simile si assume che, nei singoli animali, che differiscono fra di loro per *species*, sussiste un'unica, essenzialmente identica in tutti, sostanza "*animal*", nel seno della quale sorgono poi *species* fra di loro diverse, per opera di quelle "differenze specifiche" di cui si riveste il comune *genus* "*animal*". [...] ▼E

**La soluzione nominalista**

Altri avanzano sull'universale tutt'altra veduta, più aderente al mondo reale: e dicono che le singole entità non differiscono fra loro soltanto per forme e aspetti secondari, quanto invece proprio nelle individue loro irriducibili essenze singolari; e che ciò che vi è in una individualità (materia o forma che sia) non è identicamente ciò che vi è anche in altra; e che, per quanto rimuoviamo dalle entità singole gli aspetti o forme secondarie, le entità singole non cessano per questo di distinguersi ciascuna da ogni altra in modo essenziale, per la loro propria essenza distinta. Questo perché non dipende minimamente da forme, da accidenti o da aspetti secondari il fatto che ogni individualità sia distinta in modo netto e radicale da ogni altra; questa distinzione dipende solo ed esclusivamente dal fatto che distinta e inconfondibile è in sé e per sé l'essenza propria di ciascuna entità reale. [...] In questa prospettiva, tutte le entità reali sono radicalmente ed essenzialmente distinte, ciascuna da ogni altra, in modo che nessuna si trova identificata con altra o con altre [...] in forza della partecipazione reale ad un'unità universale reale. ▼F

▶E La posizione realista è presentata nella formulazione datane da Guglielmo di Champeaux nel primo periodo della sua riflessione. Secondo tale prospettiva gli universali costituiscono la «sostanza (comune)» di molteplici realtà individuali: essi esistono cioè come essenze immutabili, separate dai singoli enti particolari. L'universale è dunque una *res*, un ente oggettivo che esiste sia *ante rem*, cioè nella mente divina, sia *in re*, cioè nelle cose stesse, sia *post rem*, cioè nell'intelletto umano che lo coglie: in tale concezione è agevole scorgere l'influenza della teoria platonica delle idee. Si noti come affermare la realtà degli universali implichi, al tempo stesso, sostenere che gli individui concreti differiscono tra loro solo per la varietà degli aspetti secondari («accidenti»). Questa posizione, che era stata già sostenuta da Scoto Eriugena, conduce a un'idea statica della realtà, nella quale il variare delle cose e dei singoli individui è solo accidentale, e quindi apparente, dal momento che le essenze universali che li costituiscono restano immutabili.

▶F La posizione nominalista è presentata a partire dalla considerazione secondo cui essa rende ragione della specificità ontologica dei singoli individui reali, i quali non sono soltanto "copie sbiadite" di modelli immutabili, ma hanno un'autonomia e una consistenza proprie. L'insistenza sulla specificità dei singoli enti e sulla loro irriducibilità a forme astratte va inserita nel contesto della vita culturale del XII secolo, che vede l'affermazione del valore sia sociale sia intellettuale dell'individuo. Jacques Le Goff, grande storico del Medioevo, parla a questo proposito di un «nuovo Umanesimo», che «colloca l'uomo al centro della scienza, della propria filosofia e quasi della propria teologia» (*Gli intellettuali nel Medioevo*, Mondadori, Milano 1984, p. 55).

[...] Resta solo questo: l'universale o, che è lo stesso, l'universalità come predicazione, possiamo ascriverlo perentoriamente solo all'ordine delle *voces*. Al modo stesso che i grammatici distinguono, fra i nomi, i nomi comuni (*nomina appellativa*) e i nomi propri (*nomina propria*), così i logici devono distinguere, fra i termini che entrano come predicati nella proposizione, i termini universali e i termini particolari e individuali. Cioè: universale è solo questa o quella parola (*vocabulum*) che è originariamente e costitutivamente atta a venir usata come predicato comune di più, come ad esempio la parola "*homo*" ha attitudine ad esser predicata di più, in ragione della natura propria dei soggetti a cui è attribuita come predicato. Un termine singolare, come ad esempio "Socrate", non è invece nella stessa situazione e non ha la stessa attitudine, cosicché è nome di una singola, individua entità soltanto. ▼G

(Abelardo, *Glossae super Porphyrium*, trad. it. di F. Alessio,
in *Filosofie e società*, Zanichelli, Bologna 1992, pp. 570-574 *passim*)

▶G Poiché (per i nominalisti) non vi è alcuna essenza reale comune a molteplici realtà individuali, non ha senso definire l'universale come una *res*: l'universale è piuttosto una *vox*, cioè qualcosa che si pone su un piano puramente linguistico e che ha un valore solo indicativo. In questa prospettiva, l'universale è quella parola (*vocabulum*) che costituisce il predicato di una proposizione e che è riferibile a più realtà particolari. Abelardo sembra qui richiamarsi alla posizione di Roscellino, il quale aveva definito l'universale come *flatus vocis*: non si può tuttavia dire con certezza se Roscellino intendesse ridurre gli universali a pure emissioni fisiche di voce, negando a essi qualsiasi valore, oppure se riconoscesse a tali entità una validità logica, come più tardi avrebbe fatto Ockham. È comunque opportuno ricordare che il nominalismo "estremo" roscelliniano si trovò coinvolto in una disputa teologica, perché sembrava condurre all'impossibilità di affermare l'unità delle tre Persone della Trinità divina.

## T 10    LA NATURA DELL'UNIVERSALE PER OCKHAM

Come è stato anticipato, la riflessione logica di Ockham è orientata in senso rigorosamente nominalistico: egli afferma che l'universale è un "segno", cioè un *concetto* che si predica di più cose, e non una *sostanza* esistente fuori dalla mente dell'uomo. L'universale si forma in noi come conseguenza del ripetersi di molti atti di conoscenza rivolti a cose tra loro simili: nel *Commento al "De interpretatione"* Ockham propone al riguardo un esempio assai chiaro: «C'è un universale naturale che è un segno naturale predicabile di molti, allo stesso modo che il fumo naturalmente significa il fuoco [...] e questo universale non è altro che il concetto» (I, 14). Così come

il fumo è un «segno naturale» del fuoco, il quale lo produce, allo stesso modo l'universale è un segno che sta per una serie di cose che, in un certo senso, lo "producono". Esso si differenzia dunque sia dalla *parola*, la quale ha un valore puramente convenzionale, sia dalla *cosa*, dalla quale deriva e alla quale rimanda, pur senza pretendere di esprimerne l'essenza.

Dalla posizione nominalistica di Ockham deriva anche che nessuna sostanza è universale, e quindi che la realtà è costituita solo da individui particolari, per cui la conoscenza scientifica si rivolge esclusivamente a quanto può essere concretamente colto mediante l'esperienza sensibile.

Nessun universale, in qualsiasi modo sia inteso, è una sostanza. Pertanto la considerazione dell'intelletto non fa sì che qualche cosa sia o non sia una sostanza, benché il significato del termine faccia sì che di quella stessa cosa si predichi o non si predichi il termine sostanza. Per esempio, la proposizione "il cane è un animale": se il termine cane sta al posto del cane che abbaia, la proposizione è vera; se il termine cane sta al posto della costellazione celeste[1], la proposizione è falsa. Tuttavia è impossibile che una medesima cosa sia sostanza per una con-

**Nessun universale è una sostanza**

1 Famosa è la costellazione del "cane maggiore", a cui appartiene Sirio.

siderazione e non lo sia per un'altra considerazione. Si deve perciò assolutamente affermare che nessun universale, in qualsiasi modo sia inteso, è una sostanza; ▼**A** ogni universale è un concetto della mente, che, secondo un'opinione probabile, non differisce dall'atto di intendere. Si dice perciò che l'atto di intendere con cui conosco un uomo è segno naturale degli uomini: è naturale allo stesso modo in cui il lamento è segno della malattia o della tristezza o del dolore; ed è un segno tale che può stare al posto degli uomini nelle proposizioni mentali, così come il termine orale può stare per le cose nelle proposizioni vocali [...]. ▼**B**

**L'universale è un concetto mentale predicabile di più cose**

L'universale è un concetto mentale che si predica di più cose.

Questa tesi può essere confermata attraverso queste considerazioni razionali: a parere di tutti, ogni universale è predicabile di più cose; ma solo un concetto della mente oppure un segno istituito convenzionalmente è per sua natura atto a essere predicato, e non una sostanza; dunque solo un concetto mentale o un segno convenzionale è universale. Ma per universale non intendo qui i segni convenzionali, bensì solo quel segno che per sua natura è universale. Che una sostanza non sia atta per natura a essere predicata, è evidente: nel caso infatti che la sostanza si predicasse, avremmo una proposizione composta di sostanze particolari, e di conseguenza il soggetto sarebbe a Roma e il predicato in Inghilterra, il che è assurdo. ▼**C**

Parimenti, la proposizione è solo mentale, orale o scritta, dunque le sue parti possono essere solo mentali, orali o scritte; ma le sostanze particolari non sono cosiffatte. Consta pertanto che nessuna proposizione può essere composta di sostanze; la proposizione si compone invece di universali; dunque gli universali non sono in alcun modo delle sostanze. ▼**D**

(Guglielmo di Ockham, *Somma dell'intera logica*, I, 14,
in *Scritti filosofici*, a cura di A. Ghisalberti, Bietti, Milano 1974, pp. 97-98)

## CHIAVI DI LETTURA

▶**A** L'affermazione di Ockham secondo cui «*nessun* universale, in *qualsiasi* modo sia inteso, è una sostanza» non lascia spazio a eccezioni o a soluzioni intermedie, in quanto si basa sulla tesi, che il filosofo ha dimostrato nelle precedenti parti dell'opera, per cui «ogni sostanza è numericamente una e singolare» e, come tale, non può essere universale, in quanto quest'ultimo, per definizione, esclude il singolare. L'analisi dell'atto logico attraverso cui si attribuisce un predicato a un soggetto mostra che ciò che in una proposizione è predicabile di molti soggetti (ad esempio il genere "animale" nella proposizione "il cane è un animale") non è una sostanza: tant'è vero che per sapere se la proposizione è vera o falsa non è sufficiente che l'intelletto consideri l'universale in sé, ma è necessario che faccia riferimento alla cosa particolare alle quale il soggetto si riferisce: il cane che abbaia (nel qual caso la proposizione sarà vera) o la costellazione celeste (nel qual caso sarà falsa). Si noti il procedere del discorso di Ockham, che dopo l'affermazione di una tesi passa a sottolineare le conseguenze assurde a cui porterebbero le tesi alternative: in questo caso l'impossibilità che una medesima cosa sia o meno sostanza a seconda di come viene considerata.

▶**B** Poiché non è una sostanza individuale, l'universale non esiste nella realtà: esso è un *concetto* che esiste solo nella mente e che coincide con l'atto stesso mediante il quale l'intelletto conosce le realtà particolari. E poiché tale atto si può considerare come un segno di quelle stesse cose particolari, si può affermare che l'universale non è altro che un *segno* che nelle proposizioni "sta al posto" delle cose reali.

▶**C** Anche qui Ockham dapprima enuncia la propria tesi («l'universale è un concetto mentale che si predica di più cose»), per poi sostenerla con argomentazioni razionali, mettendo in luce le conseguenze assurde delle tesi opposte. Solo i concetti mentali (e i segni convenzionali, ovvero le parole, che però Ockham ha già distinto dagli universali, che sono «segni naturali») sono predicabili di più cose, e non le sostanze, perché se queste ultime lo fossero, si potrebbero avere proposizioni il cui soggetto e il cui predicato si riferiscono a cose particolari diverse tra loro. Si ricordi che la distinzione di Ockham tra universali naturali e universali convenzionali, cioè tra concetti e parole, si fonda sulla convinzione (alla quale si è già accennato) che i primi siano dei segni "prodotti" nell'anima dai singoli enti reali, tramite un processo "naturale" empiricamente sperimentabile.

▶**D** Il fatto che l'universale sia qualcosa di mentale, e non di reale, è suffragato secondo Ockham dal fatto che esso è un elemento costitutivo della proposizione, la quale esiste esclusivamente come oggetto mentale, orale o scritto, e non nella realtà.

## T 11 L'ATTEGGIAMENTO DI OCKHAM NEI CONFRONTI DELLA TRADIZIONE

Il brano che segue è tratto dal *Prologo all'esposizione degli otto libri della fisica*, un commentario alle riflessioni fisiche di Aristotele nel quale Ockham prende in considerazione alcune teorie assolutamente innovative per il suo tempo, come quella della possibilità dell'esistenza di molteplici mondi, o della loro infinità ed eternità. Il testo mostra il peculiare modo di procedere del filosofo inglese, che mantiene un atteggiamento di rispetto nei confronti della tradizione aristotelica proprio nel momento in cui si propone di superarne gli "errori": conformemente al genere letterario del commentario, Ockham

esprime il proprio pensiero come se si trattasse di un'interpretazione del testo commentato, ma in realtà si propone di esporre sia ciò che Aristotele ha effettivamente sostenuto, sia ciò che «avrebbe dovuto pensare, a mio parere, secondo i suoi principi». Il tutto con un atteggiamento pacato e aperto al confronto, alieno dal desiderio di stupire o di accendere dispute, «mirando esclusivamente alla ricerca», nella consapevolezza che nell'ambito delle verità naturali la libertà di giudizio è ciò che permette il progredire dell'indagine e che riguardo a esse occorre riconoscere che «un errore non è una colpa».

I L'età passata ha prodotto e allevato moltissimi filosofi, insigni per sapienza, che rischiarano come fulgidi luminari con lo splendore della scienza coloro che sono accecati dalla caligine dell'ignoranza. Ma fra gli altri filosofi il più dotto appare Aristotele, famosissimo per la sua non piccola né disprezzabile dottrina, il quale, avendo esplorato quasi con occhi di lince i più profondi segreti della natura, rivelò ai posteri le recondite verità della filosofia naturale. ▼A

*L'atteggiamento di Ockham verso Aristotele*

II E poiché invero molti si sono sforzati di esporre i suoi libri, mi è parso opportuno, anche per le insistenti preghiere di molti, raccogliere in uno scritto a beneficio degli studenti la mia opinione sul suo pensiero. E nessuno, a meno che non sia maldisposto, dovrebbe avere qualcosa da obiettare se io presento, senza malanimo alcuno, quelle interpretazioni che mi paiono più probabili, poiché io procederò nell'esposizione di ciò che viene esaminato nei lavori di Aristotele senza fare temerarie asserzioni, mirando esclusivamente alla ricerca e non alle ostinate contese né a contrappormi ad alcuno. ▼B E come talora con ogni modestia e senza

## CHIAVI DI LETTURA

►A Di Aristotele vengono messe in luce le ricerche fisiche, grazie alle quali sono stati esplorati i "segreti" della natura. Quando Ockham redige il proprio *Commentario all'eposizione degli otto libri della fisica* è passato poco più di un secolo dal divieto posto nei primi statuti universitari del 1215 e confermato da papa Gregorio IX: «Non si leggano la *Metafisica* o i libri *naturales* di Aristotele o sintesi di essi». Eppure tali opere sono ormai divenute testi classici di studio: per questo Ockham può allontanarsi da esse solo a patto di riconoscerne l'importanza.

►B Ockham dichiara subito il proprio intendimento di presentare quelle interpretazioni dell'opera aristotelica che ritiene più probabili: egli chiarisce che il motivo di questa sua scelta è l'intento di favorire non certo sterili dispute, bensì la ricerca razionale e scientifica, che

non può che trarre giovamento da un confronto aperto tra gli studiosi. L'attenzione alla concretezza della realtà porta comunque Ockham a rifiutare ogni spiegazione di tipo metafisico e a volgersi verso una comprensione dei fenomeni di tipo quantitativo, lontana dalla prospettiva qualitativa della meccanica aristotelica. A fronte dell'interpretazione della maggior parte degli studiosi di Ockham, secondo la quale egli apre la strada a una nuova concezione della scienza, segnaliamo la particolare lettura di Emanuele Severino, il quale vede nel filosofo inglese «una negazione dell'*epistéme*, che ripropone le figure fondamentali dello scetticismo greco più tardo: la negazione dell'esistenza di un ordine razionale unitario della realtà e quindi la negazione della capacità della ragione umana di scoprirlo» (*Filosofia. Lo sviluppo storico e le fonti*, Sansoni, Firenze 1991, I, p. 342).

malizia disapproverò le opinioni degli altri, così sono anche disposto senza intolleranza ad essere ripreso se avrò detto qualcosa non consono alla verità. Badi tuttavia il correttore che la consuetudine con cattivi principi, la parzialità o il livore non lo inducano talora ad errare invece che a correggere e si renda conto che non posso adattarmi alle opinioni di ciascuno contraddicentisi l'un l'altra. ▼C

**La ricerca deve essere libera**

**III** Certamente, quantunque quest'uomo abbia trovato molte e grandi cose con l'aiuto di Dio, tuttavia mescolò, impedito dalla condizione umana, alcuni errori alla verità. Perciò nessuno mi ascriva le opinioni che debbo esporre, poiché non mi propongo di riferire ciò che io penso secondo la verità cattolica, ma ciò che ritengo che questo filosofo abbia pensato o avrebbe dovuto pensare, a mio parere, secondo i suoi principi. È lecito, senza pericolo alcuno dell'anima, avere opinioni diverse e contrarie attorno al pensiero di qualcuno, purché non sia un autore della Sacra Scrittura. E in questo caso un errore non è colpa. Ché anzi, in un tale esercizio, è riservata a ciascuno libertà di giudizio senza pericolo alcuno. ▼D

(Guglielmo di Ockham, *Prologo all'esposizione degli otto libri della fisica*, ne *Il problema della scienza*, a cura di A. Siclari, Liviana, Padova 1969, pp. 39-41)

▶**C** Coerentemente con quanto ha appena affermato, Ockham si dichiara disposto ad accogliere le critiche che gli saranno rivolte, sebbene metta in guardia gli studiosi dal farsi influenzare nel giudizio dalle loro impostazioni teoriche di fondo, da vedute parziali o da risentimenti personali nei suoi confronti.

▶**D** La forma tipica del commentario fa sì che Ockham sottolinei come le correzioni che egli propone alle teorie di Aristotele nascano da una lettura più accurata della realtà, condotta a partire dagli stessi principi aristotelici, e come di conseguenza non debbano essere ascritte a lui. Il filosofo rivendica con chiarezza la libertà di ricerca, per lo meno in quegli ambiti che non riguardano le verità rivelate dalla fede, le quali indicano l'atteggiamento che l'uomo deve avere nei confronti di Dio, la natura divina e il piano di salvezza per gli uomini. A questa reciproca autonomia di scienza e fede Ockham fa corrispondere, in ambito politico, l'autonomia della sfera temporale rispetto a quella spirituale.

## LE FORME DELLA COMUNICAZIONE FILOSOFICA
### ■ La *summa* e il suo ruolo nella disputa scolastica

**La disputa: tipologie e struttura** La "disputa" costituisce la forma tipica dell'insegnamento medievale; essa si presenta in forma diversa a seconda delle differenti occasioni in cui viene utilizzata: può essere *pubblica*, cioè aperta a tutti coloro che sono interessati all'argomento, o *privata*, cioè limitata ai maestri e ai soli cultori della materia; *ordinaria*, cioè legata a una specifica questione, o *quodlibetale*, cioè aperta a qualsiasi tipo di domande. In generale, nelle varie dispute, il problema è posto in modo essenziale e alla sua enunciazione segue l'elenco delle diverse posizioni, che precede la soluzione definitiva del problema secondo la dottrina del maestro: quest'ultimo momento è chiamato "determinazione", o "soluzione argomentata", e al termine di esso vengono fornite le spiegazioni necessarie per rispondere agli argomenti ai quali facevano riferimento le differenti opinioni presentate in precedenza.

**La disputa in Anselmo** Di tale struttura si trova un riflesso già nel modo di mettere per scritto la riflessione teologica da parte di Anselmo, il quale procede, come si vede ad esempio nel *Proslogion*, dividendo l'opera in brevi capitoli: questi indicano con precisione, seppure in forma problematica, il tema affrontato e in essi l'argomento viene sviluppato tramite il frequente utilizzo della figura retorica dell'antitesi, in modo da mostrare il procedimento stesso attraverso il quale il pensiero è venuto formulandosi, e cioè mediante il superamento di difficoltà e obiezioni.

**La *summa* tomistica** È tuttavia con l'opera di Tommaso che la struttura della disputa trova una propria esplicita formulazione letteraria attraverso la forma della *summa*, nella quale l'articolazione tripartita della disputa diventa lo strumento vivo di una modalità espositiva caratterizzata da un'estrema attenzione sia per gli aspetti logici dell'argomentazione – cioè per la precisione nell'elaborazione del ragionamento –, sia per gli strumenti linguistici utilizzati – cioè per il ricorso a termini esplicitamente definiti e dunque non equivoci –. Il termine *summa* rimanda a una sorta di "compendio" del pensiero, che tuttavia non va inteso come semplice "riassunto", ma come l'esplicitazione della struttura logica che è sottesa a una riflessione. Quest'ultima potrà

infatti assumere forme letterarie diverse, da quella del sermone non universitario a quella dello scritto devozionale, ma inevitabilmente si rifarà alla modalità della *summa* nell'esposizione dei capisaldi teorici degli argomenti affrontati.

**Linguaggio e citazioni nelle *summae* di Tommaso** Le *summae* di Tommaso utilizzano un latino che è stato spesso oggetto di critica da parte degli umanisti del Quattrocento, in quanto non è il latino puro della classicità, ma ha conosciuto una significativa evoluzione nel corso dei secoli. Esso si è così trasformato in una lingua forse meno armoniosa, ma assai duttile, che consente di formulare con estrema precisione problemi filosofici ardui, anche grazie a una serie di termini estremamente precisi, quasi "tecnici", elaborati dalla classe degli intellettuali del tempo.

Costante, nelle *summae* tomistiche, è inoltre il riferimento a un nutrito numero di testi: questo non è dovuto al desiderio dell'autore di mostrare la propria erudizione, quanto alla convinzione che il proprio pensiero faccia parte di un cammino intellettuale di approfondimento della verità, che ha origine nella filosofia classica, che trova nella Parola rivelata della sacra scrittura il proprio naturale ambito di riferimento e che si alimenta del costante confronto con le riflessioni di tutti coloro che condividono la medesima passione per l'analisi teorica. Afferma al riguardo Jacques Le Goff, acuto studioso del Medioevo: «Così si sviluppa la scolastica, maestra di rigore, stimolatrice di un pensiero originale, ma obbediente alle regole della ragione. Il pensiero occidentale, che aveva fatto con la scolastica progressi decisivi, doveva restarne segnato per sempre» (*Gli intellettuali nel Medioevo*, cit., p. 97).

**Il brano** Il passo che segue appartiene alla *Somma teologica* – un'opera nata forse come manuale per i principianti di teologia – ed è tratto dalla Questione Prima, nella quale Tommaso affronta il tema della natura e delle competenze della «dottrina sacra» (cioè appunto della teologia, termine che avrà una piena diffusione solo nei secoli seguenti). Esso mostra la modalità argomentativa mediante la quale Tommaso risponde a una questione filosofica, in questo caso se la teologia costituisca o meno una forma di sapienza.

**Il problema**    La dottrina sacra è sapienza?

**Le ragioni del "no"**    *Anzi tutto*, può sembrare che questa dottrina non sia sapienza. Infatti nessuna dottrina che trae da altre i suoi principi è degna d'essere definita sapienza; poiché, dice Aristotele, è tipico del sapiente stabilire l'ordine, non subirlo. Ma questa dottrina deriva i suoi principi fuori di sé, com'è evidente da ciò che abbiamo detto, quindi non è sapienza.

*Inoltre*, spetta alla sapienza dare solidità ai principi delle altre scienze, per cui la si definisce come la testa delle scienze, secondo quanto è detto nell'*Etica*. Ma questa dottrina non dà certezza ai principi delle altre scienze, quindi non è sapienza.

Ancora, questa dottrina si conosce con lo studio, mentre la sapienza si ha per infusione, tanto che viene compresa tra i sette doni dello Spirito Santo, come troviamo in *Isaia*, 11, 2. Quindi questa dottrina non è sapienza.

**La ragione del "sì"**    La ragione del sì è data dal *Deuteronomio*, 4, 6 nel principio della legge: questa è la nostra sapienza e il nostro intelletto di fronte alle genti.

**La posizione di Tommaso**    Questa dottrina è sapienza al massimo grado fra tutte le sapienze umane, e in assoluto. Se è vero che è compito del sapiente ordinare e giudicare, e che il giudizio sulle cose inferiori si fa derivare da una causa loro superiore, si dice sapiente in un certo campo colui che studia la causa più alta di essa. Come appunto accade nell'architettura: chi stabilisce la forma di una

# ANALISI DEL TESTO

## Il problema
- La questione è affrontata in modo assai chiaro dal punto di vista logico: Tommaso procede esaminando le posizioni, già elaborate in precedenza, che portano a una soluzione negativa e ad una soluzione positiva del problema enunciato; espone poi la propria tesi e mostra infine come essa sappia rispondere alle obiezioni presentate.
- Il senso del problema posto si comprende meglio alla luce della dottrina di Tommaso, che, sulla scia di Aristotele, intende la sapienza come qualcosa che, in quanto principio regolativo di tutto il sapere, include in sé e al tempo stesso supera la scienza. Con l'espressione «dottrina sacra» Tommaso indica sia i contenuti del pensiero divino trasmesso agli uomini, e quindi la verità rivelata dalle Scritture, sia ogni elaborazione di tale verità da parte dell'intelligenza umana. Come vedremo, Tommaso è convinto che una tale dottrina possa ambire al titolo di sapienza in quanto superiore a tutte le scienze umane e inferiore soltanto alla scienza divina.

## Le ragioni del "no"
- Le ragioni che portano a non riconoscere la dottrina sacra come sapienza vengono elencate in tre punti: la teologia non trae da sé i propri principi, i quali sono rivelati da Dio; non fonda a propria volta i principi delle altre scienze; la sua conoscenza non si consegue per mezzo di una sorta di intuizione, o infusione divina, ma attraverso lo studio e l'applicazione.

## La ragione del "sì"
- Per avvalorare le ragioni del sì, Tommaso si rifà all'autorità delle Scritture, e in particolare a un passo del *Deuteronomio* in cui il popolo di Israele viene definito «il solo popolo sapiente» in virtù della sua conoscenza della legge di Dio. A questo punto, avendo presentato il problema e le motivazioni avanzate sia per la soluzione negativa, sia per quella positiva, Tommaso ha esposto la "cornice" all'interno della quale si sviluppa la *questio*.

## La posizione di Tommaso
- L'argomentazione di Tommaso è significativamente svolta in relazione sia ai testi aristotelici (in particolare all'*Etica nicomachea*), sia alla sacra scrittura, sia ai padri della Chiesa: la disputa è infatti attenta tanto alle esigenze della ragione, quanto a quelle della fede.

casa è chiamato sapiente e architetto rispetto ad un operaio di grado inferiore che pialla legname oppure prepara le pietre: per questo si dice (*I Lettera ai Corinti*, 3, 10): «posi le fondamenta come un architetto sapiente». E, ancora, nell'ambito dell'intero vivere umano, si dice che è sapiente l'uomo accorto, in quanto indirizza le azioni umane verso il debito fine: di qui l'affermazione (*Proverbi*, 10, 23): «l'accortezza è il sapere dell'uomo». Pertanto chi studia la causa suprema dell'universo intero, cioè Dio, è con la massima sicurezza sapiente, tanto che si dice che la sapienza è «conoscenza delle cose divine, come è spiegato in Agostino (*Sulla Trinità*). La dottrina sacra, appunto, ha come oggetto specifico Dio in quanto causa suprema: e non lo considera solo nell'aspetto conoscibile alle sue creature (aspetto noto ai filosofi, come è detto nella *Lettera ai Romani*, 1, 19: ciò che di Dio è noto, essi lo conoscono), ma lo considera anche nell'aspetto per cui è noto solo a se stesso, e comunicato agli altri per il tramite della rivelazione. Quindi la dottrina sacra è più che mai sapienza.

*In primo luogo*, la dottrina sacra non deriva i suoi principi da una scienza umana, ma dalla scienza divina, che ordina come somma sapienza ogni nostra cognizione.

🔍 **La risposta alle ragioni del "no"**

*In secondo luogo*, i principi delle altre scienze o sono noti per sé e non dimostrabili, o vengono dimostrati in un'altra scienza per mezzo della ragione naturale. Ora, la conoscenza specifica di questa scienza è quella per mezzo della rivelazione, non per mezzo della ragione naturale. Dunque, non è suo compito dare validità ai principi delle altre scienze, ma soltanto giudicarli; infatti qualsiasi nozione si trovi nelle altre scienze in contrasto con la verità di queste scienze, viene rifiutata come falsa: così appunto si dice nella *II Lettera ai Corinti*, 10, 4: «abbattendo le teorie ed ogni altezza che si opponga alla conoscenza di Dio».

▶ ■ L'esposizione chiarisce il nocciolo della questione, facendo ricorso a uno stile che unisce essenzialità e chiarezza, e che non fa ricorso ad artifici retorici. La precisione con cui sono esposte le varie tesi mostra la ricchezza della documentazione esaminata, la disponibilità al confronto con posizioni differenti e l'amore di Tommaso per la verità. Così egli si esprime nel *Commento al libro XII della Metafisica*: «Come il giudice deve ascoltare le ragioni di ambo le parti prima di sentenziare, così il filosofo, al fine di procedere con maggior sicurezza nel formulare i suoi giudizi, deve tener presenti sia le ragioni contrarie, sia i dubbi dei diversi autori» (lez. 1, n. 342).

■ La soluzione positiva al problema, sottoscritta da Tommaso, si basa sulla considerazione che, avendo come proprio oggetto Dio (e la sua natura, conosciuta grazie alla rivelazione), ovvero la causa prima dell'intera realtà, la dottrina sacra si occupa dei principi supremi in base ai quali tutte le cose (inferiori) devono essere giudicate e ordinate. In questo senso, si può a buon diritto considerare sapienza. L'argomentazione si svolge all'insegna della sobrietà e della concisione anche lad-

dove il filosofo sta esponendo le proprie opinioni, e sa muoversi con abilità dal piano puramente teoretico all'esemplificazione desunta dall'esperienza quotidiana, come nel caso del riferimento all'architettura. Tommaso riesce inoltre a inserire nel proprio discorso anche il richiamo alle *auctoritates*, siano esse la Scrittura o le opere di altri filosofi (in questo caso Agostino).

🔍 **La risposta alle ragioni del "no"**

■ Nel terzo momento della disputa, Tommaso mette in relazione la propria tesi con le obiezioni esaminate in precedenza, per mostrare come la soluzione da lui proposta abbia non solo una propria coerenza logica, ma sia in grado di rispondere alle argomentazioni contrarie. Il filosofo afferma, pertanto, che la dottrina sacra è subordinata solo alla scienza divina; che essa si basa sulla rivelazione, e che quindi il suo compito è quello di giudicare gli altri saperi, e non di fondarli razionalmente; che essa giudica non in base alla conoscenza, che si acquista con lo studio, ma in modo immediato e certo, grazie a un dono dello Spirito Santo.

*In terzo luogo*, poiché tocca al sapiente giudicare, avremo due diverse sapienze in conseguenza di due diversi modi di giudicare. Infatti, capita che un uomo giudichi in base ad una sua inclinazione, per cui chi è virtuoso, per la sua stessa inclinazione alla virtù, giudica bene di ciò che va fatto virtuosamente: così appunto, nell'*Etica*, si dice che il virtuoso è misura e regola degli atti umani. Oppure si giudica in base alla conoscenza, così che uno studioso di scienza morale può giudicare di azioni virtuose anche se non è virtuoso. Il primo modo di giudicare delle cose divine compete alla sapienza che è dono dello Spirito Santo, secondo quanto è detto nella *I Lettera ai Corinti*, 2, 15: «l'uomo spirituale giudica tutte le cose», ecc., e Dionigi dice ne *I nomi divini*: «Ieroteo[1] è sapiente non solo in quanto apprende le cose divine, ma anche perché le vive su di sé. L'altro modo di giudicare compete a questa dottrina in quanto essa si acquisisce con lo studio, anche se deriva i suoi principi dalla rivelazione».

1 Ieroteo fu probabilmente il maestro dello Pseudo-Dionigi.

(Tommaso d'Aquino, *Somma teologica*, I, q.1, a. 6, trad. it. di A. Bettini, in G. Galeazzi, *L'ente e l'essenza*, cit., pp. 151-153)

- Anche la confutazione delle posizioni discordanti si sviluppa in modo tranquillo e ordinato: il discorso va alla ricerca di risposte capaci di essere realmente soddisfacenti e tralascia qualunque moto di aggressività o di dileggio verso le posizioni altrui.
- L'andamento tripartito dell'argomentazione ci porta l'eco di una disputa a più voci, di un dibattito che dapprima "si allarga" nell'esposizione delle differenti tesi, poi si concentra nella risposta centrale, per dilatarsi infine nuovamente nell'esame delle conseguenze che scaturiscono dalla strada intrapresa. L'essenzialità del discorso e la prosa attenta più alla precisione che alla poeticità fanno brillare il rigore della tesi sostenuta, e nel contempo evidenziano le movenze della ricerca filosofica, che si alimenta del contributo di tante voci diverse per giungere a determinare la verità. Così leggiamo nel *De anima* (lez. 2, n. 30): «La verità va presa da qualunque parte essa ci venga; il che sarà utile per due ragioni: innanzi tutto perché ci dobbiamo servir delle verità che altri possano aver dette, e secondariamente per tenerci lontani da ciò che di erroneo gli sia potuto sfuggire».

# SERCIZI SUI TESTI

## UNITÀ 7 La scolastica: dalle origini alla dissoluzione

### ▰▰▰ Bonaventura: la domanda su Dio come problema filosofico fondamentale

#### Analisi e comprensione

1 Qual è l'atteggiamento che Bonaventura ritiene indispensabile all'uomo perché egli possa elevarsi a Dio?

2 Quali sono le «cose» che formano la realtà, la quale a sua volta «costituisce una scala per ascendere a Dio»?

3 Attraverso che cosa bisogna passare per giungere «alla considerazione del primo Principio»?

4 In che modo il nostro intelletto può conoscere gli esseri creati?

5 Spiega la metafora della luce, alla quale Bonaventura ricorre per chiarire come la mente giunge alla verità.

6 In che modo Bonaventura dimostra che il nostro intelletto è congiunto alla verità?

#### Sintesi

7 Nell'ascesa verso la conoscenza di Dio, qual è per Bonaventura il ruolo proprio della ragione?

8 Indica le "tappe" attraverso le quali l'anima, secondo Bonaventura, deve passare per compiere il proprio itinerario verso Dio. Al termine di questo cammino, quale atteggiamento deve assumere?

#### Riflessione

9 In quali passi del brano Bonaventura fa riferimento, seppur indirettamente, alla speculazione di Agostino?

10 Nel testo, quali aspetti rivelano lo spirito religioso di Bonaventura e quali quello più propriamente filosofico?

11 Preghiera e conoscenza, adorazione estatica di Dio e ricerca della verità: analizza come questi termini siano collegati nella visione della filosofia cristiana espressa da Bonaventura.

### T 1 ▰▰ La prova *a priori* di Anselmo

#### Analisi e comprensione

1 Come dire Dio, come esprimere la sua esistenza attraverso i mezzi della ragione e con tutta la forza della fede? Ecco la domanda che probabilmente si è posto Anselmo e alla quale ha risposto con il suo famoso "argomento ontologico": che cosa si intende con questa espressione?

2 Perché il brano si apre con un'invocazione a Dio?

3 Riporta la definizione di Dio che secondo Anselmo costituisce la prova stessa della sua esistenza.

4 Nell'esporre il proprio argomento, Anselmo procede proponendo alcune distinzioni: analizzale nella tabella riportata di seguito.

| DISTINZIONE TRA... | SPIEGAZIONE |
|---|---|
| ... ciò che è nell'intelletto e l'atto dell'intendere | |
| ... ciò che è nell'intelletto e ciò che esiste nella realtà | |

5 Perché, secondo Anselmo, nell'affermazione secondo cui «ciò di cui non si può pensare nulla di maggiore esiste nell'intelletto e nella realtà» non può esserci contraddizione?

6 Ricostruisci l'argomentazione con cui Anselmo dimostra che «non si può neppure pensare che Dio non esista» riportando nella tabella posta più in basso le parti del testo corrispondenti alle varie sezioni argomentative indicate.

7 Nel ringraziamento finale a Dio, Anselmo spiega perché una creatura non potrebbe pensare a «qualcosa migliore di te»: chiarisci la sua argomentazione.

## Sintesi

8 Solo gli stolti e gli insipienti possono sostenere, secondo Anselmo, che "ciò di cui non si può pensare nulla di maggiore" non esista. In questa affermazione sta tutta la forza dell'argomento anselmiano: spiega in che senso.

## Riflessione

9 Nell'invocazione iniziale a Dio, Anselmo non chiede la sapienza, ma di comprendere entro i limiti di quanto Dio sa che gli possa giovare. Considera l'atteggiamento sotteso a una simile richiesta ed esprimi le tue riflessioni in proposito.

TABELLA ▶
ES. 6

| AFFERMAZIONE DI PARTENZA | «Infatti ................................ |
| SOTTOLINEATURA DI UNA POSSIBILE CONTRADDIZIONE | «Quindi ................................ |
| CONCLUSIONE | «Dunque ................................ |

## T 3    Principi naturali e verità di fede (Tommaso)

### Analisi e comprensione

1 Per Tommaso le verità di fede superano le capacità della ragione? Perché?

2 Che cosa intende Tommaso per «principi innati nella ragione»?

3 Spiega la metafora del discepolo e del maestro contenuta nel secondo punto del brano.

4 Che cosa intende dire Tommaso quando, nel terzo punto del brano, afferma che le «ragioni contrarie legano l'intelletto nostro»?

5 Tutta la prima parte del brano è una compiuta e organica argomentazione sul problema enunciato nelle prime battute: i principi naturali della ragione non possono essere in contrasto con le verità di fede. Ripercorri i punti della dimostrazione di Tommaso completando la tabella che segue.

TABELLA ▶
ES. 5

| 1. I principi innati nella ragione non possono essere falsi | perché ................................ |
| 2. Non si può pensare che Dio ci infonda conoscenze contrastanti | perché ................................ |
| 3. Il nostro intelletto non può conoscere la verità attraverso conoscenze contrastanti | perché ................................ |
| 4. Le opinioni contrastanti non sono compatibili nella medesima natura | perché ................................ |

6 Perché qualcuno è comunque portato ad affermare che le verità di fede sono in contrasto con la ragione?

7 Perché gli argomenti addotti contro gli insegnamenti della fede non hanno per Tommaso valore di dimostrazioni?

8 A che cosa si riferisce Tommaso con l'espressione «vestigio della causalità divina»?

9 Perché l'uomo non è in grado di conoscere la natura di Dio?

10 In che modo l'uomo può giungere a conoscere le verità di fede? E queste sono evidenti a tutti in ugual modo? (motiva la tua risposta)

## Sintesi

11 Perché per Tommaso le verità della fede non sono incompatibili con quelle della ragione?

12 Rispetto alle verità di fede, come e che cosa può conoscere la ragione umana?

## Riflessione

13 Al termine del brano Tommaso ci consegna una lezione di umiltà: pur essendo assolutamente convinto dell'importanza dell'uso della ragione per tentare di comprendere e conoscere ogni cosa, egli invita a mantenere un atteggiamento di prudenza, «poiché poter intendere anche poco e debolmente le cose e le realtà più sublimi procura la più grande gioia». Al di là delle tue convinzioni religiose, ritieni che questo sia un suggerimento da seguire?

# T 9. L'impostazione del problema (Abelardo)

## Analisi e comprensione

1 A quali autori e rispettive opere si fa riferimento nel testo?

2 Qual è l'intento del testo di Porfirio secondo Abelardo?

3 Nella prima parte del brano Abelardo riporta direttamente una sezione del testo di Porfirio. Quali aspetti riguardanti i generi e le specie Porfirio afferma di voler tralasciare, e per quale ragione?

4 Quale puntualizzazione fa Abelardo a proposito dell'enunciazione di Porfirio?

5 Abelardo enuclea i tre punti del problema evidenziato da Porfirio e ne aggiunge un quarto. A tale proposito, rispondi alle domande seguenti.
a) Quale rapporto esiste tra il primo e il secondo punto?
b) In quale punto si colloca la questione dell'universale *in re* o *ante rem*?
c) In quale punto si colloca l'alternativa tra realismo e nominalismo?

6 A che cosa si riferiscono le espressioni «ordine ontologico» e «ordine linguistico»?

7 A che cosa i realisti fanno corrispondere gli universali?

8 In che cosa, secondo i realisti, le cose singolari si differenziano tra loro?

9 Nella prospettiva nominalista, «tutte le entità reali sono radicalmente ed essenzialmente distinte, ciascuna da ogni altra»: che cosa significa?

10 In riferimento alla distinzione di Abelardo tra nomi comuni e nomi propri, completa la seguente tabella indicando le corrispondenze richieste.

| I grammatici distinguono tra: | I logici distinguono tra: | |
|---|---|---|
| nomi propri | termini ................ | ............................. |
| nomi comuni | ............................. | *voces* |

## Sintesi

11 Quale rapporto esiste per Abelardo tra generi, specie e universali?

12 Elenca i punti nei quali si articola il problema degli universali secondo Porfirio.

13 Esponi sinteticamente la soluzione realista e quella nominalista al problema degli universali.

## Riflessione

14 Evidenzia come quello degli universali sia un problema che riguarda il rapporto tra linguaggio e realtà, tra logica e ontologia.

## T 10    La natura dell'universale per Ockham

### Analisi e comprensione

1 Il brano, tratto dalla *Somma dell'intera logica* di Ockham, è composto da due dimostrazioni, ciascuna delle quali si svolge a partire dall'enunciazione della tesi che deve dimostrare: di quali tesi si tratta?

2 Ockham intende dimostrare che «la considerazione dell'intelletto non fa sì che una cosa sia o non sia una sostanza». Rispondi alle domande seguenti.
a) Che cosa indica l'espressione «considerazione dell'intelletto»?
b) Che cosa significa "predicare" il termine sostanza rispetto a una cosa?

3 Spiega l'esempio della proposizione "il cane è un animale" proposto da Ockham. In particolare analizza:
a) quale significato assume il termine "cane": esso è inteso come individuo o come specie?
b) in che modo, dalla dimostrazione scaturita dall'esempio, l'autore giunge a concludere che «nessun universale, in qualsiasi modo sia inteso, è una sostanza».

4 Dall'affermazione secondo cui nessun universale è una sostanza deriva che «ogni universale è un con-

cetto della mente». Ciò significa che: (scegli una delle alternative proposte)
a) non esiste nella realtà
b) è un segno delle cose cui si riferisce
c) è una raffigurazione del nostro intelletto per classificare la realtà

5 Spiega che cosa significano le seguenti espressioni:
a) *atto di intendere:* ...................................................................
b) *segno naturale:* ....................................................................

6 È compreso nella stessa accezione di "universale" il fatto che esso sia «predicabile di più cose»: perché questo può dirsi anche di un «segno convenzionale», ma non di una sostanza?

7 Quale differenza intercorre tra «universale naturale» e «universale convenzionale»?

8 Che cosa intende Ockham con l'espressione «segni mentali»?

### Sintesi

9 Completa le tabelle riportate di seguito ricostruendo le due dimostrazioni che compaiono nel brano.

TABELLA ▶
ES. 9

| PRIMA DIMOSTRAZIONE | |
|---|---|
| affermazione iniziale | |
| dimostrazione | |
| 1ª conclusione | |
| 2ª affermazione | |
| spiegazione | |

| SECONDA DIMOSTRAZIONE | | ◄ TABELLA ES. 9 |
|---|---|---|
| affermazione iniziale | | |
| 1ª considerazione | | |
| argomentazione | | |
| 2ª considerazione | | |
| argomentazione | | |
| conclusione | | |

## Riflessione

**10** Considera la chiarezza dell'analisi con cui Ockham procede nella sua argomentazione e prova a imitarne lo stile cercando o di convenire con lui, o di confutare le sue tesi.

## TU FILOSOFO

■ Considera la tabella sinottica riportata a p. 658. In riferimento alle convinzioni di Anselmo, Abelardo, Tommaso e Ockham, assumi una tua posizione personale, sostenendo la tesi dell'autore, o degli autori, che più ti convince. Come traccia per la tua riflessione, utilizza le seguenti domande:

> all'interno della nostra esperienza di viventi, è possibile trovare un qualche accesso verso il mistero della divinità? L'intelligenza teologica, continuamente sfidata dallo spettacolo dell'infinito dolore del mondo e dalla percezione dell'inesorabile finitezza di tutto ciò che esiste, non ha potuto non porsi la domanda sulle possibili prove dell'esistenza di Dio e sulla sua azione di Signore onnipotente, buono, provvidente. Ci sono nell'universo e nella storia segnali che indicano la sua esistenza? Ci sono vie d'accesso razionali alla profondità del suo mistero?
>
> (dal CD-rom *Le rotte della filosofia*, Paravia-RAI, 2000)

■ Gran parte della speculazione della scolastica sull'essenza della realtà e sul suo valore all'interno della vita e della storia porta i caratteri di un ottimismo metafisico quale forse non si è presentato in alcun altro momento della storia del pensiero. Esponi le ragioni che portarono i pensatori medievali a questa concezione e confrontala con il tuo personale punto di vista.

■ Tra i problemi affrontati dalla scolastica e presentati nella sezione antologica, ci sono la questione degli universali e il dibattito sulle prove dell'esistenza di Dio. Scegli uno di questi due temi (o un altro che abbia suscitato il tuo interesse in modo particolare) e sviluppalo argomentando le tue osservazioni in proposito.

# INDICE DEI TERMINI
# DEL GLOSSARIO E RIEPILOGO

# INDICE DEI NOMI

*Il neretto indica le pagine in cui l'autore è trattato analiticamente;
il corsivo segnala una citazione negli apparati (verifiche, note, indicazioni bibliografiche).*

# INDICE DELLE ILLUSTRAZIONI